전시일본경제사

지은이 서 정 익

연세대학교 상경대학 및 대학원 경제학과 졸업(경제학 박사)

현 호서대학교 경제학과 교수

논저 『일본근대경제사』, 『세계경제사』, 『신북한경제론』(공저) 외

연세근대한국학총서 40   H-008

전시일본경제사

서 정 익 지음

2008년 8월 31일 초판 1쇄 발행

펴낸이·오일주

펴낸곳·도서출판 혜안

등록번호·제22-471호

등록일자·1993년 7월 30일

⍟ 121-836 서울시 마포구 서교동 326-26번지 102호

전화·3141-3711~2 / 팩시밀리·3141-3710

E-Mail hyeanpub@hanmail.net

ISBN 978 - 89 - 8494 - 351 - 3   93300

값 28,000 원

14

표 목차

16

18

서장 전쟁과 일본경제

제1절 전시일본경제의 특징

1. 전시일본경제의 시기구분

일본은 1931년에 만주사변을 일으키면서 중국을 침략하기 시작했으나 만주사변기의 일본은 1929년부터 시작된 공황으로부터의 회복과정이었고, 경제 전체가 전시경제로 이행한 것은 1937년 중일전쟁이 시작되면서부터였다. 정치사 혹은 군사사의 관점에서 보면 1931년부터 1945년 패전까지를 하나의 연속으로 보아 '15년 전쟁'으로 파악할 수 있지만 경제사의 입장에서 보면 1937년 이후만을 전시경제로 파악할 수 있다. 1932년부터 1936년까지의 만주사변기는 군사가 경제에 미치는 영향은 적었고 기본적으로는 평시경제였다. 산업구조에서 군사관련 부문이 차지하는 비율이나 재정지출에서의 군사지출 비율을 보면 중일전쟁기에는 만주사변기에 비해 군사부분의 비율이 훨씬 크게 된다. 패전 후 일본경제의 부흥을 담당한 연합군에 의해 최종적인 부흥목표로 인정된 것은 1934년부터 1936년까지의 3년간 평균이었다. 이들 기간의 실적을 일본이 본격적으로 침략행동을 하기 이전의 최고수준으로 본 것이다.

1937년에 시작된 전시경제는 적어도 1941년의 대일자산동결까지는

22

대외무역이 어느 정도 가능했다는 조건하에서 부족한 외화를 효과적으로 전시목적에 사용하기 위해 각종의 경제통제조치가 강화되어 가는 형태로 전개되었다. 자산동결 후 1941년 말의 대 미영란(美英蘭)[1] 개전으로 시작되는 태평양전쟁기[2]에는 일본의 세력권 밖과는 무역이 불가능하게 되어 일본은 오로지 세력권으로부터 물자를 수탈하는 데 필요한 선박수송력을 통제하는 쪽으로 전시경제를 운용했다.

1945년의 패전으로 전시경제가 붕괴하면서부터는 전쟁목적을 위한 통제는 폐지되었으나 극심한 인플레이션과 공업생산의 중단으로 혼란에 빠진 경제를 재건해 전시경제에서 평시경제로 이행시키기 위해 강력한 경제통제가 지속되었다. 1949년에 단일환율을 설정하면서 인플레이션이 안정된 후 통제경제가 해제된 것은 거의 1950년경에 이르러서였다.

따라서 일본경제는 1937년부터 1949년까지 통제경제하에 있었고 시장에 의한 가격기제는 기본적으로 작동하지 않고 있었다. 일본의 전시경제를 처음으로 분석한 것이 전략폭격의 효과를 판정하기 위해 이루어진 미국전략폭격조사단의 보고서였기 때문에 1941년 12월부터 1945년 8월까지의 소위 태평양전쟁만을 전시경제로 보는 경향이 많다. 하지만 실제 일본은 1937년경부터 중국을 상대로 본격적으로 전쟁을 하면서 경제를 전면적으로 전시경제로 편성했고, 그 의미에서 1939년의

---

1) 미국, 영국 및 네덜란드. 이들 나라와는 중국 그리고 동남아시아에서 무역문제 등을 둘러싸고 경제적으로 이미 첨예하게 대립하고 있었다.
2) 1945년의 패전에 이르는 전쟁을 동시대에는 대동아전쟁, 패전후에는 태평양전쟁 혹은 '15년 전쟁'이라고 부르고 있다. 1990년대에 들어서는 아시아·태평양전쟁이라는 용어가 사용되고 있는데 협의로는 1941년 12월 이래의 전쟁을 가리키고 광의로는 1931년 만주사변부터 1937년 중일전쟁이 전면화되는 과정까지도 포함한다. 이 책에서는 1937년부터 1945년까지를 아시아·태평양전쟁기로 부른 다음 이를 다시 중일전쟁기와 태평양전쟁기로 구분하여 서술한다.

제2차 세계대전이 시작되면서부터 전시경제체제로 들어간 유럽보다
전시경제를 더 빨리 시작했다는 점에 유념할 필요가 있다. 일본은 태
평양전쟁이 시작되는 1941년까지 이미 4년 반에 걸쳐 전쟁으로 인한
경제의 소모가 있어 왔는데 이 점은 1942년 이래 태평양전쟁기의 일본
경제를 고찰하는 데 있어 반드시 염두에 두어야 한다.

2. 공업생산력

일본의 광공업 생산 가운데 군수관련산업은 1944년까지는 높은 생
산력 수준을 겨우 유지했으나 민수관련산업은 중일전쟁기 경제통제가
시작되면서 곧바로 하락하기 시작했다. 각 산업에서의 구체적인 생산
활동을 일일이 살펴 볼 수는 없지만, 철강생산과 석탄생산 같은 기초
적 생산이 태평양전쟁기에 들어서 계속 정체했다는 것은 일본의 전시
경제 전체를 기본적으로 제약하는 요인이었다. 철강업의 경우 군수와
관련된 특수강과 단강(鍛鋼)·주강(鑄鋼)의 생산은 태평양전쟁 말기까
지 증대했으나, 경제 전체에 주는 영향이 큰 보통강강재의 생산은
1938년에 일찍이 정점에 달한 이후 계속 감소했다. 일본의 전시경제
운영은 1938년 이래 물자동원계획을 중심으로 이루어졌는데 매년의
물자동원계획에 따라 물자를 배급할 때 가장 문제가 되었던 것이 이
보통강강재를 얻기 위한 육군과 해군의 격렬한 대립이었다. 그 결과
민간산업으로의 강재 할당은 점차 줄어들어 군수생산의 기초 자체를
붕괴시키는 결과를 초래했다. 보통강강재의 배분과 거의 비슷한 비율
로 다른 중요물자도 배분되었기 때문에 물자동원계획을 결정할 때 육
해군이 너무나 치열하게 싸웠고 이에 골머리를 앓은 계획입안관청인
내각 기획원은 결국 민간으로의 배당을 줄일 수밖에 없었던 것이다.

최대의 에너지원이었던 석탄 생산도 1940년을 절정으로 한 이후 고

작 5,000만 톤 내외를 생산하는데 그쳤고, 전시 말기에는 탄갱부 전체의 약 4분의 1에 달하는 조선인 노동력을 투입해도 생산증강을 달성하지 못했다. 1943년 이래 마구잡이 굴착과 자재의 감소로 1인당 출탄고는 감소했다. 전국의 군수공장으로 공급되는 석탄이 부족하게 된 것은 일본의 전시경제를 제약하는 요인으로 작용했다. 일본에서 석탄이 나는 지역은 서부의 규슈와 북부의 홋카이도에 편재되어 있고 군수공장은 게이힌(京浜, 도쿄지역)과 한신(阪神, 오사카와 고베 지역)의 중심지에 몰려 있기 때문에 석탄을 생산지에서 소비지로 옮기는 것이 난제였으며 여기에는 많은 선박이 필요했다. 선박의 부족이 심각하게 된 아시아·태평양전쟁 말기에는 화북탄·만주탄을 일본 본토로 해상수송하는 문제와 근해에서 기범선(機帆船)에 의한 석탄수송이 충분히 이루어지지 못했다는 사실이 물자동원계획을 편성할 때 중대한 제약이 되고 군수공장의 조업도는 저하했다. 석탄·철강이라는 기초자재의 생산이 전시 중에 정체를 거듭했다는 사실 자체에 일본 전시경제의 취약성이 드러나 있다. 석탄·조강·알루미늄 등 기초물자의 생산량을 당시 일본과 관련이 깊던 국가들과 비교하면 <표 0-1>과 같다.

일본 전시경제의 계획적 운영은 물동에 근거하여 진행되었다. 1938년부터 시작된 계획은 보통강강재와 전기동, 알루미늄, 석탄, 방적용면화 등 100종이 넘는 중요물자에 대해 매년의 공급가능량을 산정하고 군수와 민수가 그 범위 내에서 이루어지도록 조정하는 것이었다. 국내생산량에는 한계가 있었기 때문에 수요초과량을 충족시키기 위해서는 해외로부터의 수입이 필수적이었고 이에 따라 한정된 외화를 어느 물자의 수입에 할당할 것인가 또 이를 육군·해군·민간부문 가운데 누가 사용할 것인가가 초미의 과제였다.

<표 0-1> 중요 물자의 산출량 (천톤)

<석탄산출고>						
연도	미국	영국	프랑스	독일	이탈리아	일본
1934	326,013	224,269	48,658	124,857	374	35,925
1935	335,316	225,819	47,119	143,003	443	37,762
1936	395,513	232,199	46,171	158,283	806	41,803
1937	401,259	244,268	45,364	185,514	964	45,258
1938	313,475	230,636	47,562	186,186	1,014	48,684
1939	355,446	235,050	50,249	187,956	1,113	51,109
1940	415,339	227,898	40,984	184,354	986	56,312
1941	463,910	209,655	43,857	186,531	1,192	56,472
1942	525,951	208,233	43,828	187,920	1,385	53,540
1943	532,906	202,112	42,427	190,482	1,041	55,500
1944	559,953	195,842	26,577	166,035	194	52,945
1945	521,584	185,709	35,017		80	29,880
<조강생산고>						
연도	미국	영국	프랑스	독일	이탈리아	일본
1934	26,474	8,992	6,155	11,923	1,850	3,844
1935	34,640	10,107	6,255	16,447	2,209	4,704
1936	48,534	11,974	6,686	19,208	2,025	2,223
1937	51,380	13,192	7,893	19,849	2,087	5,801
1938	28,805	10,565	6,137	22,656	2,323	6,472
1939	47,898	13,433	7,950	23,733	2,283	6,696
1940	60,765	13,183	4,413	21,540	2,258	6,856
1941	75,150	12,510	4,310	20,836	2,063	6,844
1942	78,047	13,150	4,488	20,480	1,934	7,044
1943	80,592	13,240	5,127	20,758	1,727	7,820
1944	81,322	12,337	3,092	18,318	1,026	5,914
1945	72,304	12,014	1,661		395	2,082
<알루미늄생산고>						
연도	미국	영국	프랑스	독일	이탈리아	일본
1934	34	13	15	37	13	1
1935	54	15	22	71	14	3
1936	102	16	30	98	16	5
1937	133	19	35	128	23	11
1938	130	23	42	166	26	14
1939	149	25	53	199	34	22
1940	187	19	60	211	39	26
1941	280	23	64	234	48	50
1942	473	48	45	264	44	75
1943	835	57	46	250	46	108
1944	695	36	26	244	17	109
1945	449	32	37		1	16

자료 : 原 朗 編,『日本の戰時經濟』, 東京大學出版會, 1995, p.12.

3. 식량문제와 생활수준

전시에는 식량문제가 특히 중요한 의의를 갖는다. 일본의 경우 병력과 군수산업에 노동력을 차출당한 농촌에서는 겸업농가가 증가하고 농업종사인구의 60%가 여자였다. 쌀의 생산량·작부면적·반당 수확량이 감소하고 1942년에는 식량관리법이 제정되었다. 증산을 위한 생산자 우대조치로서 생산자 미가를 지주 미가보다 우대하는 이중미가제가 채용되었다. 가격정책의 형태를 가지면서도 사실상 지주의 권리를 제한하고 소작인·자작농의 권리를 확대했다는 의미에서 전후의 농지개혁으로 이어지는 측면을 가진 조치였다. 1943년 4월의 자작농창설 규모확대와 1945년 7월의 소작료 금납화 등 패전 직전에는 토지정책에도 손을 대었으나 이중미가제하에서도 소작료는 1945년의 경우 30%로 여전히 높았다.

전쟁이 진행되면서 국민의 생활수준은 급속히 저하되었다. 쌀의 배급량은 1941년 4월부터 1945년 7월까지 2홉3작을 유지했으나 그 내용은 7분도미에서 5분도·2분도미로 바뀌었다. 잡곡·대체식품의 혼합비율이 늘고 건빵·콩·감자 등 대용식이 반미할당량을 뺀 만큼 배급되었다. 야채의 배급은 필요량의 절반 정도였고 도시에서 근교 농촌으로 식량을 구입하기 위해 나가기 시작했다. 집 주위의 텃밭에서 호박과 감자를 증산할 것이 장려되었다. 주식에서 잡곡의 혼합비율은 1945년 5월의 13%에서 6월의 49%, 7월의 59%로 크게 높아지고 7월에는 주식 배급량이 2홉1작으로 줄었다. 1941년의 표준 필요량 2,400킬로칼로리·단백질 80그램이라는 기준에 대해 1945년의 섭취량은 1,800킬로칼로리·60그램이었다. 기준에 비해 75% 정도에 머무는 저수준이었다.

일본의 전시경제가 가진 특징의 하나는 국민의 생활수준이 극도로 저하되었다는 점이다. 독일의 전시경제에서는 전쟁 말기에 이르기까지

생활수준이 그다지 떨어지지 않았지만 일본의 경우에는 이와 대조적
으로 국민생활의 희생으로 1937년부터 1945년까지의 전쟁이 가능했다.
일본의 생활수준이 이런 상태이니 식민지·점령지의 생활수준은 말할
것도 없었다. 식량 이외의 생활수준을 보아도 의료품의 배급이 1942년
부터 전표제가 되고 2년 후에는 절반으로 줄었으며 패전시의 의료 공
급은 평시의 7분의 1 정도였다. 공습대책인 방화지대를 설정하기 위해
허무는 건물이 많아 주택사정도 악화되었다.

4. 재정금융정책

전시재정은 교전국 정부에게 있어 전시경제운영을 위한 첫 번째 수
단이고, 금융정책은 전시동원을 화폐면에서 지원하는 중요한 역할을
한다.

화폐면에서 일본의 전시경제를 고찰하기 위해 우선 전쟁이 국가개
정에 미친 영향을 살펴 보자. <표 0-2>는 중앙재정 세출결산액에서
일반회계 가운데의 군사비와 특별회계 가운데의 임시군사비 특별회계
를 더한 다음, 양 회계분의 중복부분을 뺀 순계에 대한 군사비 합계의
비율을 계산한 것이다. 만주사변기의 말기에 해당하는 1934~36년의
군사비 비율은 여전히 20% 이하였으나 중일전쟁기에 들어서면 급증해
1939년에는 55%에 달한 다음 1944년까지 거의 그 수준을 유지하였다.
태평양전쟁기에 들어서면 60% 수준에 달하고 기초통계가 충분치 않아
반드시 정확한 것은 아니지만 1944년 가을에는 85%에 달했다. 1942년
이래의 일반회계에서 군사비가 극히 적은 것은 회계제도를 변경한 결
과 군사비 지출의 대부분이 임시군사비 특별회계에서 지출되었기 때
문이다. 외지에서 지출된 임시군사비와 점령지의 부담으로 조달된 군
사비도 적지 않았다.

<표 0-2> 세출결산(중앙재정) (백만엔)

연도	일반회계	군사비	특별회계	임시군사비 특별회계	일반회계 단순합계	일반특 별순계	군사비 합계	군사비 비율 (%)
1934~36	2,217	1,138	6,041	0	8,258	6,653	1,138	17.5
1937	2,709	1,406	8,402	2,034	11,111	9,195	3,441	34.4
1938	3,288	1,419	11,729	4,794	15,070	13,124	6,274	47.3
1939	4,493	1,924	14,390	4,844	18,883	12,273	6,769	55.2
1940	5,860	2,525	17,408	5,723	23,268	15,704	8,247	52.5
1941	8,133	3,367	27,717	9,487	35,851	22,891	12,854	56.2
1942	12,511	537	35,554	18,753	43,830	31,965	19,290	60.3
1943	19,871	510	50,621	29,818	63,173	47,458	30,328	63.9
1944	19,871	262	64,913	73,494	84,758		73,756	85.6
1945	21,496	316	78,355	16,465	99,851		16,781	44.2

자료 :『昭和國勢總覽』第2卷, p.222, p.247.

이러한 거액의 군사지출은 주로 공채를 재원으로 해서 조달되었다. 국채신규발행액의 목적별 내역을 보면 전시의 경우 공채발행의 약 70 ~80%가 군사목적이었다. 군사예산이 급속도로 팽창하고 공채는 증발 되어 강제적으로 소화되었다. 1940년에는 대규모의 세제개혁을 단행하 였으며 대중과세가 강화되었다.

통화발행의 추이를 보여 주는 <표 0-3>에는 아사쿠라 고기치(朝倉 孝吉)·니시야마 치아키(西山千明) 두 교수가 추계한 현금통화액과 전 국은행·저축은행의 당좌성 예금을 더한 것 그리고 정기성 예금을 더 한 것의 3종의 계열이 나타나 있다. 이 수치는 특수은행을 포함하지 않 고 있다. 현금통화는 1945년 6월말에 이미 전전 기준시의 15배 이상 증 대하였고 당좌성 예금을 더한 수치로는 11배, 정기성 예금도 더한 수 치로는 약 9배 증가했다. 이 결과 전쟁 말기에 이르러서는 인플레이션 을 피할 수 없었고 패전과 함께 이것은 더욱 격렬해져 1947년 말까지 현금통화는 다시 10배가 되어 전전 기준시의 100배에 달했다.

<표 0-3> 통화발행액 (백만엔)

	현금통화	+당좌성예금	+정기성예금	1934~36=100		
	M	M1	M2	M	M1	M2
1934~36평균	2,116	6,630	13,998	100.0	100.0	100.0
1937.6	2,235	7,610	15,992	105.6	114.8	114.2
.12	3,155	9,009	17,706	149.1	135.9	126.5
1938.6	2,703	9,242	18,746	127.7	139.4	133.9
.12	3,478	10,770	21,240	164.4	162.4	151.7
1939.6	3,316	11,743	23,308	156.7	177.1	166.5
.12	4,654	15,139	27,984	219.9	228.3	199.9
1940.6	4,653	16,218	30,627	219.9	244.6	218.8
.12	6,000	19,158	35,124	283.6	289.0	250.9
1941.6	5,681	19,951	37,494	268.5	300.9	267.9
.12	7,826	23,799	42,774	369.8	359.0	305.6
1942.6	7,292	25,411	46,546	344.6	383.3	332.5
.12	9,274	29,528	52,489	438.3	445.4	375.0
1943.6	9,391	32,403	57,687	444.8	488.7	412.1
.12	13,099	36,817	65,136	619.0	555.3	465.3
1944.6	15,655	42,588	76,139	739.8	642.4	543.9
.12	22,856	54,677	93,842	1,082.2	824.7	670.4
1945.6	32,957	72,940	122,911	1,557.5	1,100.2	878.1
.12	56,658	102,838	166,440	2,677.6	1,551.1	1,189.0
1946.6	44,084	107,623	172,849	2,083.5	1,623.3	1,234.8
.12	94,850	196,332	227,849	4,482.5	2,961.3	1,628.3
1947.6	137,928	258,870	284,159	6,518.3	3,904.5	2,030.0
.12	220,871	405,081	440,048	10,438.1	6,109.8	3,143.6

자료 : 朝倉孝吉·西山千明, 『日本經濟の貨幣的分析』, 創文社, 1974.

　이상은 일본 본토에 관한 것이지만 일본은 이 시기에 식민지에서 조선은행·대만은행이 은행권을 발행하고 있었고 만주국에서는 만주중앙은행, 화북에서는 중국연합준비은행, 화중에서는 중국 저비(儲備)은행이 은행권을 발행했다. 그 외에 화남과 동남아시아 각지에서는 군표가 발행되어 일본본토로부터 거리가 떨어질수록 인플레이션의 진행 속도가 빨랐다.

화북에서는 일본군이 연합준비은행권을 사용한 데 대해 중국국민정부는 법폐를 사용하고 또 중국공산군의 해방구(변구)에서는 변구은행이 발행한 변구권이 사용되었기 때문에 이 3자 간에 격렬한 통화전이 전개되었다.

화중에서는 법폐의 힘이 강했기 때문에 일본군은 군표를 사용하면서 그 가치유지를 기본방침으로 삼고 있었으나 1941년 1월에 중앙저비은행권을 발행하여 그 이후 화중에서도 저비권과 법폐간에 치열한 통화전이 전개되었다. 저비권 인플레이션은 급속히 진행되었고 그 파급을 우려한 화북점령지에서는 화중과의 무역·송금제한을 더욱 강화했다. 화북에도 전황이 악화되면서 축소된 일본군 점령지에 대량의 연은권이 투입되어 살인적인 인플레이션이 발생했다.

직접군정하에 있었던 남방 갑(甲)지역에서는 각 지구마다 현지통화로 표시된 군표를 현지통화와 등가로 유통시켜 전비로 사용하면서 물자수탈을 자행했다. 1942년에 남방개발금고를 설립해 남발권(南發券)을 발행하였으나 사실상 이것은 군표와 같은 것이었다. 남방에서는 급격한 인플레이션을 예상하여 엔화에 링크되는 통화는 발행하지 않았으며 일본과 남방점령지 사이의 송금관계를 사전에 미리 끊었고 수출입도 모두 임시군사비 특별회계와 중요물자 관리영단 경유로 일괄처리했다.

물가의 경우에는 전시에 공정가격제가 실시되었기 때문에 공식적인 물가지수에는 많은 문제점이 있다. 또 전시 말기부터 전후 혼란기에는 암시장이 대규모로 존속했으나 암시장 물가도 마찬가지로 신뢰할 수 없는 점이 많다. 이러한 점을 고려한 실효물가지수를 추계한 것이 모리다 유조(森田優三) 교수에 의해 1936년을 기준으로 한 지수인데 이는 대장성의 전시국민소득추계에 수록되었다. 이를 일본은행의 지수와 비교한 것이 <표 0-4>이다.

<표 0-4> 물가지수

연 도	일은도매	모리다도매	일은소매	모리다소매
1936	100.0	100.0	100.0	100.0
1937	120.6	118.9	109.5	108.6
1938	127.2	125.8	125.4	120.3
1939	145.0	145.4	140.5	134.8
1940	157.6	170.7	163.1	175.0
1941	167.2	184.2	165.1	204.1
1942	179.7	235.9	169.9	265.6
1943	190.6	266.5	180.3	312.3
1944	213.8	325.0	201.9	390.0

자료 : 大藏省, 『昭和15年度より19年度に至る國民所得推計』.

공식통계에 의하면 1936년부터 1944년까지의 물가수준은 2배이지만 모리다 지수에 의하면 도매 약 3배, 소매는 약 4배 정도인 것을 알 수 있다. 물가에 관한 기타 계열을 보면 오가와 가즈시(大川一司)에 의한 광공업제품 도매가격과 투자재 가격지수의 추계의 경우 광공업제품에서는 모리다 지수와 거의 같은 약 3배이지만 투자재는 6배 이상 오른 것으로 추계되었다. 아사히신문사와 내각통계국에 의한 생계비지수 추계에서는 1944년의 생계비지수는 2배 이하이지만 모리다 지수에서는 이것도 약 4배로 되어 있다. 도매물가지수에 대해 다른 주요국에서의 동향을 개관한 것이 <표 0-5>이고, 공식통계로 비교하는 한 전시하 일본의 물가등귀는 다른 나라에 비해 그다지 심한 것은 아니었다.

금융면에서는 1937년 9월의 임시자금조정법에 의해 설비자금의 통제가 시작되고 1940년 10월부터는 은행등자금운용령에 의해 유동자금도 통제하기 시작했다. 저금리 정책의 강행으로 금리가 자금수급을 반영하지 못하고 자금할당에 의한 직접통제가 중심이 되었다. 1942년 2월의 일본은행법은 중앙은행으로서의 기능은 약화시키고 국가기구로서의 기능을 강화해 산업금융으로의 진출과 대동아공영권의 결제은행으로서의 역할을 규정했다. 같은 해 4월부터 전시금융금고가 개업해 채권발행으로 생산력 확충자금을 공급하였고 5월에 전국금융통제회가 설립되어 일본은행이 그 정점에 서서 임시자금조정법의 운용업무를 담당하면서 전국의 금융기관을 강력하게 관리했다. 일본흥업은행은 군수금융을 적극적으로 행사하면서 전시 중에 급속히 발전하였으며 많은 대기업과 긴밀한 관계를 유지했다.

<표 0-5> 도매물가지수의 국제비교 (1938=100)

연도	미국	영국	프랑스	독일	이탈리아	일본
1934	95	88	57	94	65	73
1935	102	88	54	96	71	75
1936	103	93	63	99	80	79
1937	110	108	87	100	93	95
1938	100	100	100	100	100	100
1939	98	101	105	101	104	111
1940	120	135	138	104	122	123
1941	111	151	169	106	136	132
1942	126	157	197	108	152	144
1943	132	161	229	110	229	153
1944	132	164	258	110	857	174
1945	135	167	365		2,058	264

자료 : 原 朗 編, 앞의 책, 1995, p.29.

기업은 전시에 거액의 타인 자본을 끌어들임으로써 자기자본율을 낮추었고 대주주의 비중저하로 자본가에 의한 개인경영적 색채는 약화되고 경영자의 지위가 상승했다. 거대군수기업은 자본조달과 판로에 어려움 없이 막대한 전시이윤을 획득했으며 경영노력을 자재의 조달부문에 집중했다. 통제기구가 정비되면서 상업자본은 서서히 배제되고 유통기구도 변화했다. 통제하에 이중가격제가 발생하고 암거래시장이 횡횡했다. 생산활동을 유지하기 위해 석탄 등의 보조금을 지급하기 시작했다. 또 정부는 1943년 4월에 저물가정책을 수정해 중요물자의 가격을 대폭 인상하고 가격조정보조금을 채용했다. 이는 가격정책으로 이윤동기를 자극해 생산증강을 도모하려는 방침으로의 전환이었다.

대은행 가운데 미쓰이 은행과 제일은행이 합병해 1943년 4월에 제국은행이 되고 미쓰비시 은행은 제백은행을, 야스다 은행은 일본주야은행을 합병했다. 금융적 기초가 약한 신흥재벌은 탈락하고 기성재벌이 종합적인 경제적 실력을 바탕으로 다시 각광을 받았다. 금속공업이 강한 스미토모와 조선기계에 강한 미쓰비시는 군수공업의 중추부에서 발전을 거듭했고 무역·광산 중심의 미쓰이와 금융업 중심의 야스다는 사업기반의 전환을 꾀하면서 군수산업으로의 진출을 시도했다. 1944년 1월부터는 군수회사지정금융기관제도에 의해 각 군수회사에 융자하는 은행이 각각 지정되고 이 제도에 따라 특정 은행과 특정 기업의 결합관계가 강화되면서 전후 융자계열의 원형이 되었다.

제2절 전시일본경제의 연구동향

1. 패전 직후의 연구

전쟁경제에 관한 연구는 패전 직후 무모한 전쟁에 대한 비판과 반성에서 출발하였고 그 때문에 중심과제는 일본의 전쟁경제가 왜 붕괴해야만 했는가 그리고 패전의 경제적 요인은 무엇인가를 해명하는 데 집중되었다. 이러한 연구는 후술하는 안도 요시오(安藤良雄)로 대표된다. 일본정부의 자료가 공개되지 않았던 당시 일본인에 의한 연구에 큰 영향을 준 것은 미국전략폭격조사단의 '전략폭격이 일본 경제에 준 영향'에 관한 보고와 그 조사단 자료를 주로 사용하여 집필된 코헨(J.B. Cohen)의 『전시전후의 일본경제』였다.

　이들 저서에서 분명하게 된 것은 이제는 잘 알려진 사실이지만 일본의 전쟁경제력에 대해 미국은 일관되게, 그리고 일본정부도 미일개전 당시에는 과대평가하고 있었으나 실제로는 예상보다 훨씬 취약하였고 특히 원료(중요물자)의 해외의존이 결정적인 약점이 되었다는 것이다. 그 때문에 1942년 8월~1943년 2월의 과달카날(Guadalcanal)섬 공방전에서 선박을 상실하고 그 이후 해상수송력이 격감했다. 원료의 확보가 어려워지면서 군수생산은 정체되어 일본본토에 대한 공습이 시작되기 전에 이미 패전이 결정되었다는 것이다.

　그 외에 일본의 전쟁집행 책임이 육해군·각 성청에 분산되어 기획원과 군수성의 물자동원계획조차 단순한 물자동원의 계획지령에 머물러 최종적인 병기·항공기·군함·선박에 대한 생산계획도 없었으며, 더구나 미국의 종합적 전력에 대해 안이한 인식을 가져 총력전을 수행하기 위한 종합적 계획성도 대체적으로 볼 때 부재하였다는 사실 등이 명확하게 밝혀졌다. 이 조사보고는 미일전쟁이 중심이고 그 이전부터 시작된 중일전쟁을 고려하지 않았다는 문제점이 있었으나 그 후 전쟁경제사 연구에 미친 영향은 절대적인 것이었다.

　안도의 연구는 위에서 말한 미국의 조사연구를 받아들이고 있으나 독자적으로 수집한 자료도 이용하고 특히 중일전쟁 개시 이후 경제통제의 기축이 된 물자동원계획의 연차별 변화를 실증적으로 검토하여 일본 전쟁경제력의 제약요인의 시기적 변화를 검출하였다. 나아가 그의 연구는 전전 이래의 일본자본주의분석의 방법과 성과를 계승하고 당시 진행되고 있던 전후개혁도 고려하면서 전쟁경제력의 제약요인을 넓게 일본자본주의 재생산구조의 취약성 문제로서 해명하려고 했다는 데 특징이 있었다. 안도의 연구는 그 배경으로서 아리자와 히로미(有澤廣巳) 등에 의한 전쟁경제의 재생산론적 파악(군수생산의 비생산성과 축소재생산의 필연성)에 대한 이론적 검토와 국가독점자본주의론의 제기가 있었다는 점도 기억할 필요가 있다.

전쟁경제 연구의 또 하나의 계기가 된 것은 이노우에 하루마루(井上晴丸), 우사미 세이지로(宇佐美誠次郎)의 공동노작인데 이 저서는 종전 직후에 발표되고 일본에서 처음으로 국가독점자본주의론을 체계적으로 전개한 것이다. 이 책에서는 전쟁경제의 과정에서 비정상적으로 성숙한 일본자본주의의 위기 구조를 인민민주주의혁명의 객관적·주체적 조건의 형성이라는 관점에서 해명하는 것을 과제로 삼았다. 이를 통해 일본자본주의의 구조적 특질만을 강조하는 강좌파3)적 견해를 비판하고 그 단계적 변화 즉 국가독점자본주의로의 이행을 입증하였다.

현재의 입장에서 보면 그 국가독점자본주의론에는 많은 한계가 있는 것이긴 하지만 국가독점자본주의의 본질을 독점자본에 의한 국가의 생산과정으로의 개입으로 완성된 '횡령과 수탈의 체계'로 파악하고 국가총동원법 등에 의한 전시경제통제에서 국가독점자본주의의 기본적 특징을 찾고, 이러한 관점에서 침략전쟁이 낳은 '횡령과 수탈'의 실태를 국내만이 아니라 식민지·점령지도 포함하여 체계적으로 해명하려고 했다. 그 특징은 단계적 이행을 주장하면서 내용상으로는 일본제국주의의 반봉건적 특질을 논한 데에 있는데 여기에서의 식민지 수탈의 연구는 이후 식민지사 연구의 기점이 되었다.

이처럼 전시경제 연구는 무엇보다 패전으로의 길을 걸은 무모한 침략전쟁의 요인과 실태를 비판적으로 해명하는 것으로부터 시작하였고 뒤에서 보는 것처럼 전쟁과정에서의 일본자본주의의 변화와 그 전후로의 계승 문제는 중심적 연구과제가 되지 못했다.

---

3) 1932년부터 다음 해 8월에 걸쳐 노로 에이타로, 히라노 요시타로, 야마다 모리타로 등이 편집하여 간행한 『일본자본주의발달사강좌』에 모인 집필자 집단과 그 후 그 주장을 지지한 이론가 집단.

2. 1960·1970년대

1960년대에 들어서는 1950년대 후반에 시작된 고도경제성장과 전후 일본자본주의의 축적궤도 정착이라는 사실을 배경으로 전후 일본자본주의에 대한 현상분석이 드디어 시작되었고 이와 관련하여 전후 일본경제의 전제조건이 되는 전시경제가 주목을 받게 되었다.

이 시기에는 오우치 쓰도무(大內力)와 야마다 모리타로(山田盛太郎)를 중심으로 국가독점자본주의에 관한 논의가 활발히 전개되었다.

1970년대에 들어서 달러 쇼크와 오일 쇼크를 계기로 전후 자본주의 세계체제의 모순이 나타나고 일본경제의 고도성장이 끝나는 가운데 전시경제 및 전후개혁에 대한 역사적 연구가 본격적으로 이루어졌다.

전시경제의 역사연구를 이끈 것은 나카무라 다카후사(中村隆英)와 하라 아키라(原朗)였다. 나카무라와 하라는 앞서 말한 코헨·안도의 연구를 계승하면서 새롭게 전시경제통제의 시기적 전개, 그 분야별 정책과 실태, 식민지·점령지에 대한 개발투자·자원수탈, 엔블록의 무역수지 구조 등 거의 전 과정에 걸쳐 철저한 실증작업을 하여 처음으로 전시경제에 대한 전체상을 명확하게 제시하였다. 그 연구의 중심은 이미 안도와 이노우에·우사미가 지적하였던 논점, 예를 들면 일본의 전쟁경제력의 한계와 전시경제통제의 특징, 철저한 동원으로 국민생활이 파탄에 직면한 가운데 군수회사의 이윤은 보장되는 불평등화, 격렬한 점령지 인플레이션 등을 실증적으로 더욱 명확하게 한 점에 있었다. 하지만 여기서 더 나아가 전시하의 세제개혁·금융제도개혁·노자관계개편 등이 전후 일본경제 재편의 맹아·기점이 되었다는 것도 지적하여 그 뒤 개별 실증 연구의 선구적 역할을 담당했다.

야마자키 히로아키(山崎廣明)는 나카무라·하라의 전쟁경제력의 관점을 계승하면서 전략폭격조사단의 개별 보고를 새롭게 이용하여 일본 전쟁경제의 붕괴과정이 가진 특질을 해명하는 동시에 오우치의 연속설의 시점을 계승하여 전시하 중화학공업화와 자본집중·독점적 조직화의 진전을 실증적으로 연구했다. 야마자키는 나치경제와 비교해 볼 때 전시일본의 국민생활수준이 극도로 저하한 점, 일본파시즘이 나치즘을 능가하는 대중수탈적 성격을 갖고 있다는 점을 심도있게 분석했다. 동시에 그는 일본은행·정부금융기관융자에 의한 자본축적구조와 재벌본사의 통제력 저하로 인한 자본계열에서 융자계열로의 형태변화가 전후로 이어졌다는 사실을 입증하였다. 야마자키의 연구도 1980년대에 활발히 이루어진 개별 실증 연구를 이끄는 견인차가 되었다.

오이시 가이치로(大石嘉一郞)는 오우치로 대표되는 연속설과 야마다로 대표되는 단절설을 검토한 이후 두 견해 모두 연속성과 단절성이라는 양면을 갖고 있다고 하면서 그 결정적인 차이는 단계이행을 기본규정으로 할 것인가 혹은 구조변화를 기본규정으로 할 것인가에 있다는 것을 확인하였다. 그리고 금후의 과제로 연속성과 단절성을 통일적으로 파악할 것을 제기했다.

그 후 미와 료이치(三和良一)가 기본적으로는 오우치의 연속설을 계승하면서 오우치의 국가독점자본주의를 현대자본주의로 바꾸어 전후개혁을 현대자본주의화를 위한 개혁으로 파악하였다. 일본자본주의의 재생산구조로서는 전전과 전후가 단절되어 있지만 1931년 이래의 현대자본주의화 과정으로서는 전시와 전후가 연속되었다고 주장하였는데 연속설과 단절설의 통일적 파악방법으로 과연 얼마나 진전된 것인지는 의문이다.

또 1960년대 후반부터 1970년대에 걸쳐 일본제국주의하의 식민지에 관한 연구가 진전되었다. 그 연구에 입각하여 고바야시 에이오(小林英夫)와 하라는 15년전쟁기 일본제국주의의 식민지 지배의 실태를 동남아시아 제 지역을 포함하는 전체 속에서 파악하려는 업적을 발표하였다. 또 아사다 쿄우지(淺田喬二)와 고바야시는 식민지연구사를 정리하여 식민지·점령지를 포함하는 일본의 총력전체제의 구축과 모순, 그 붕괴의 필연성에 대한 종합적 연구가 시작되는 단서를 마련했다.

3. 1980년대

1980년대 특히 그 후반에는 'ME화와 아시아화'가 진행되는 가운데 일본의 경제대국화가 진행되고, 국제적으로는 소련을 시작으로 중앙지령형 사회주의가 파탄을 맞이하면서 전후의 냉전체제가 해체되었다. 이러한 가운데 전쟁을 경험하지 않은 젊은 연구자를 중심으로 전시경제에 관한 연구가 다시 활발히 진행되어 경제체제뿐만 아니라 이에 대응한 기업과 노동의 실태가 해명되었으나 시각과 연구방법에서는 커다란 변화가 있었다.

다양화된 전시경제 연구의 특징으로는 다음의 것들을 지적할 수 있다. 첫째로 무모한 전쟁에 대한 비판적 해명이라는 시각이 후퇴하고 전시경제와 재건 후의 전후 일본경제 사이의 교감이 문제로 떠올랐다는 것, 둘째로 전쟁 과정에서 발생한 사회변혁에 착안하여 그것을 전후로의 유산으로서 재평가하고 전후 일본경제가 가진 제 특징의 원형을 전쟁경제 속에서 찾는 연구가 주류가 되었다는 것, 셋째로 전쟁에 의해 타율적으로 가속화된 비생산적 소모(최고의 비합리성), 그것에 의한 축소재생산 과정과 불균형적 자원배분을 무시하고 전시하의 기업경영과 재정금융제도를 일정한 합리성을 가진 경제시스템으로 인식하는 방법이 나타나기 시작한 것이다.

야마노우치 야스시(山之內靖)는 「전시동원체제의 비교사적 고찰 - 금일의 일본을 이해하기 위하여」(『세계』 1988년 4월호)를 발표했다. 이것은 제1차 대전, 제2차 대전 등 총력전에 의한 전시동원이 본래의 의도와는 달리 근대화·현대화라는 결과를 가져오고 노동자 계급을 중심으로 한 대중동원과 체제통합이 일거에 진전되어 전후에 전개되는 시스템사회의 기점이 되었다는 것이다. 종래 전시와 전후를 파시즘과 민주주의로 구분하는 단절성에 대해 전시와 전후의 연속성에 착안한 것이다.

야마노우치의 총력전체제론 또는 전시동원설은 세계대전에 의한 총동원체제는 사회구성원의 사회적 평준화를 가져오고 현대화를 추진하였다고 한다. 총력전은 전쟁에 대중을 동원하기 위해 그 때까지 근대사회가 안고 있던 대립, 즉 노사간 대항, 민족간 대립, 인종차별을 평준화하고 병사의 사망과 부상에 대한 보상, 사회적 약자의 보호 등의 사회정책을 실시함으로써 국민공동체의 일체성을 강화하고 시민을 국민국가에 통합하였으며 더 나아가 정치시스템의 공공성과 '감시의 내면화'를 통해 사적 생활영역에 침투하여 일종의 전체주의가 형성되었다고 한다. 이처럼 전시기는 강제적 균질화를 통해 현대화를 추진하고 전후사회로의 전환에 획기가 되었다는 것이다.

전시체제하에서 형성된 다음 전후경제로 계승된 유산 또는 전후경제의 원형이 된 것으로는 전시하의 기업에 대한 정부의 지도·감독이 전후의 소위 행정지도로 계승된 것에서부터 1938년 건강보험제도 확대와 1941년 노동자연금보험법 제정이 전후의 사회보장제도의 단서가 된 것까지 많은 것이 지적되고 있다. 이것을 자본(기업경영과 기업집단)과 임노동(노사관계 및 노동자 조직)에 따라 살펴 보면 다음과 같다.

(1) 자본 : ① 대주주의 지주 몫 저하, 사원중역이 경영의 실권을 장악, 전체적으로 소유와 경영의 분리의 진행은 전후형 기업경영으로의 전환의 개시, ② 군수회사지정 금융기관제도에 의한 계열융자는 전후의 융자계열의 원형, 특히 일본흥업은행을 중심으로 한 기업집단의 출

발점, ③ 전시하 대량의 타인 자본의 도입은 전후 기업의 초과차입(은행의 초과대출)으로 계승, ④ 기타 통제회가 전후의 업체단체로 이어진 것 등.

(2) 임노동 : ① 전시하 사업소 계열별 산업보국회의 조직형태가 전후의 기업별 노동조합=종합원조합의 조직형태로 계승, ② 전시하의 공·직(工·職) 차별 철폐, 생활급을 기초로 한 일제 승급형 임금제도가 전후의 노사관계·임금제도로 계승.

이 같은 야마노우치 등의 논의는 국민성(nationality)과 심성(mentality)이 위로부터 형성되었다는 점을 말하면서 근대성(modernity)을 비판하는 방법론을 제시하고 있다. 이것은 여전히 전후 역사학이라고 부를 수 있는 마르크스주의 역사학인 강좌파와 마루야마 마사오(丸山眞男)·오쓰카 히사오(大塚久雄)의 근대주의가 전전 일본을 후진적 또는 봉건적인 것으로 보면서 그 전근대성을 문제로 삼은 것에 대한 비판이다. 두 차례의 세계대전이야말로 현대의 기점이고 총력전에 의해 생긴 것이고 근대의 도달점으로서 그 전체주의적 성격을 비판한다는 주장인데, 이때 초점은 '전근대성'에 있는 것이 아니고 '근대성' 비판에 있다.

이러한 흐름은 1990년대를 통해 강화되었는데 정치사의 아마미야 쇼이치(雨宮昭一)의 『전시전후체제론』에서도 사회적 평준화를 강제적 균질화(gleichschaltung)로 규정하고 총력전의 전시체제와 고도성장의 전후체제에서의 노사간, 농민간, 주민 제 계층의 사회적 균질화가 진전되어 일본사회의 현대화가 진전되었다는 것이다. 이것도 전시와 고도성장을 같은 차원에서 직결시키는 논의이다.

총력전체제론―전시동원체제론은 식민지연구 쪽으로도 확산되었는데 그것이 영(L. Young)의 *Japan's Total Empire*(1998)이다. 영의 총동원제국(Total Empire)이라는 것은 만주국 건설과정이 동시에 일본 본국의 재

편과정이라는 것을 주장하는 것이기 때문에 식민지와 본국의 상호관
계·동원관계의 일체성에 주목한 개념이다. 총동원제국은 식민지제국
의 건설에 본국의 사회를 문화적·군사적·정치적·경제적으로 동원
하는 제국주의로 규정하고, 1930년대에 일본은 유럽제국주의도 아직
만들지 못했던 총동원제국의 지점에 도달한 것으로 보고 있다. 이 책
에서는 일반적인 제2차 대전에 의한 총동원체제의 성립이 아니라 1930
년대에 일본이 총동원체제를 선구적으로 실현시킨 역사적 배경을 명
확하게 밝히고 있다. 세계대공황과 조직화된 중국민족주의를 계기로
일어난 1931년의 만주사변을 전환점으로 신형의 제국주의, 신형의 개
발주의, 신형의 사회제국주의로서의 총동원제국은 만주국 건설과 함께
일본에서 선구적으로 형성되었다.

영에게 있어 총동원이라는 것은 전체주의적 네트워크를 의미하는
것이고 본국의 대중정치, 대중사회, 대중문화의 제 제도를 재편성하여
식민지 제국건설에 총동원하는 것이었다. 이 때문에 매스미디어, 관료
제 국가, 이익 제 집단, 유토피아 이데올로기, 국가에 의한 경제와 사회
로의 개입 등 총동원의 여러 모습을 검토하는 가운데 전시하 일본제국
이라는 것이 미숙한 근대성 때문에 등장한 것이라는 통설을 비판하고
신형의 제국주의를 지탱하는 근대산업, 대중문화, 정치적 다원주의, 새
로운 사회조직에 의해 창출된 것이고 근대적 제 제도의 미숙함이 아니
라 그 성숙함에서 비롯된 근대의 산물이라는 것을 강조하고 있다. 여
기서도 국민의 주체화, 자유로운 주체로서의 지지를 부득이 하지만 동
원해야 하는 국민국가의 근대성에 대한 비판이 포함되어 있다.

4. 1990년대 : 현대경제 시스템 원류론

1990년대 역사학에서 두 번째의 변모는 경제사에서 등장한 현대경

42

제 시스템 원류론이다. 이것은 오카자키 데쓰지(岡崎哲二)·오쿠노 마사히로(奧野正寬) 편, 『현대일본경제 시스템의 원류』(1993)로 대표되었고, 노구치 유키오(野口悠紀雄)가 『1940년체제』(1995)에서 그 생각을 '1940년 체제론'으로 저널리즘의 세계에 보급했다.

오카자키는 경제시스템론의 입장에서 전시통제경제를 치밀하게 연구하고 있는 대표적 연구자이다.

오카자키는 경제통제 파탄기인 1943년의 가격정책이 공정가격에서 표준가격으로 바뀌고 군수회사의 발주가격에 대한 이윤보증이 어느 정도의 생산증강의 효과가 있었다는 점에 주목하여 그 정책체계를 계획경제에 시장원리를 도입한 새로운 경제시스템으로 평가한다. 더 나아가 최근에는 "군수회사법은 모든 관계자에 대해 자유재량을 보증받은 경영자가 이윤을 목적으로 경영하고 또 이윤의 분배에 노동자가 참가한다는 기업시스템을 도입하였다", "문자 그대로 종업원 관리기업에 다름 아니다"라고까지 말하고 있다.

그렇다고는 하지만 오카자키도 군수회사가 전시통제하에 있는 것이고 따라서 그 시스템이 곧바로 전후로 연결되었다는 보는 것에 대해서는 신중한 자세를 보이고 있다. 나가시마 오사무(長島修)도 비판하고 있는 것처럼 그 실태에 근거하여 살펴 보면 군수회사 생산책임자의 권한확대라는 일면만을 강조하는 것이고 한 걸음 더 나아가 말한다면 특권을 부여받은 소수 군수회사만으로 전시통제경제하 기업의 특징을 이해하려고 한다는 점에서 본래 문제가 있는 것이다.

또 오카자키 등은 전시경제가 고도경제성장의 원류이고 원형이라는 주장을 정력적으로 전개했다. 이에 따르면 전전 1930년대까지의 기업통치(corporate governance)에서는 재벌가족에 의한 주주주권이 확보되었고 직접금융에 의거한 앵글로·색슨형 자유주의 경제시스템이었으나 전시기에 일본형 경제시스템으로 바뀌고 그것이 전후 고도성장의 원형이 되었다는 것이다. 여기서 일본형이라는 것은 기업통치에서 주주주권에서 경영자·종업원주권으로의 이행, 직접금융에서 간접금융으로의 변화를 특징으로 하고 그 외에 관민관계(행정지도·업계단체), 기업간 관계(그룹·계열, 하청), 메인뱅크,[4] 노사관계, 조세·재정시스템, 농민조직화까지 확대되고 이러한 변화가 전시기에 성립하여 전후까지 이어진다는 점을 강조하고 있다. 이 점은 전시와 전후의 연속성에 착안한 점에서 총력전체제론과 비슷하지만 방법론적으로는 완전히 다르고 각국 고유의 경제시스템을 경제와 제도와의 상관관계에서 역사적으로 형성된 것으로 본다.

이러한 견해를 대중적으로 보급한 노구치의 '1940년 체제론'은 일본형 경제시스템을 1940년을 획기로 성립한 전시경제의 경쟁부정과 생산자우위의 사상이라 하면서 이것이 고도성장을 넘어 현재에 이르기까지 연속된 것으로 본다. 이는 소비자를 위한 규제완화와 경쟁을 일본에 도입할 것을 주장하는 신자유주의의 정책과 연결되는 것이었다. 오카자키 등의 비교제도 분석은 전시기에 기원을 둔 고도성장기에 확립된 일본형 경제시스템이 현대에는 그 원형을 알아볼 수 없게 변화했다고 보는 반면, 노구치의 '1940년 체제론'은 저널리즘의 세계에서 현대를 전시경제로서 비판하기 위한 하나의 이데올로기로서 기능한다고 말할 수 있다.

오카자키의 '현대경제의 전시경제원류설' 또는 '1940년 체제론'은 1990년대를 거치면서 전시경제 연구에 큰 영향을 미쳤다.

---

4) 메인뱅크의 정의는 분명하지는 않지만 일반적으로 어느 기업에 대출을 하는 은행 가운데 장기적이고 계속적인 거래관계를 갖고 있으면서 최대의 대출비중을 갖고 있는 은행이라 할 수 있다. 현재 일본에서는 많은 기업이 이러한 특정 은행과 메인뱅크의 관계를 맺고 있고 기업에 대한 감시기능, 기업위험의 분산 등 유익한 기능을 발휘하고 있다.

이상에서 본 것처럼 전시경제에 관한 논점이 다양한데 이것들이 어떤 의미에서는 계승관계로 나타나는 것이 사실이지만 문제는 그것들의 전시하에서의 변화가 전시통제경제 전체의 구조와 전개 속에서 어떻게 생기게 되었는가를 우선 분명히 하고, 그러한 위에 이들 변화가 어떻게 전후로 계승되었는가를 전후개혁·전후재건기의 실태에 입각하여 밝혀야 할 것이다.

1990년대는 전시경제 연구가 만발한 시기였다. 그 배경으로 들 수 있는 것은 1990년대 냉전체제의 붕괴와 장기에 걸친 헤이세이(平成)불황 속에서 전후 고도성장을 통해 형성된 현대경제 시스템이 동요·해체되고 그 구조전환과정을 보면서 일본형 시스템을 전시·전후기로 소급하여 그 기원과 형성을 해명하려는 의식이 작용한 것이다.

만주사변기의 일본경제

제1장 동북아시아의 정세변동과 만주사변

제1절 중국국민혁명과 일본의 대응

1. 중국국민혁명의 전개

중국은 1911년의 신해혁명으로 청조가 무너진 이후 열강의 지원을 받는 군벌들이 할거하는 분열상태에 빠졌으나 1924년 제1차 국공합작[1]을 실현하면서 국가통일의 길로 새롭게 나가게 되었다. 그 과정에서 1927년 4월 상해에서 장개석이 일으킨 반공쿠데타라는 중대한 전환점이 있었으나 1928년 6월 북벌군 북경입성과 장학량에 의한 동삼성(=만주) 역치(易幟, 청천백일기 게양)의 실현으로 국가통일은 일단 완료되었다.

남경국민정부가 북벌[2]을 통해 국가적 통일을 완수한 이후 직면한 최초의 과제는 불평등조약을 철폐하고 주권을 회복하는 일이었다. 손문은 1924년 1월에 결정된 국민당 정강 속에 불평등조약의 철폐조항을 삽입하는데 간신히 성공하였는데 북벌을 지지한 힘은 바로 불평등조약의 철폐를 원한 민중의 반제국주의의 민족적 에너지였고 장개석도

---

1) 1924~27년 사이에 중국국민당과 중국공산당 사이에 맺은 협력동맹. 제2차 국공합작은 1937~45년 사이에 있었음.
2) 군벌세력을 몰아내고 국민당 손에 의해 전국을 통일하기 위한 국민혁명. 제1차 국내혁명전쟁이라고도 함.

이 문제에 관해서는 열강에 대해 상당히 강경한 태도를 견지하고 있었다. 그 결과 우선 관세자주권은 1928년 7월 미국이 승인한 것을 시작으로 각국이 차례로 승인하고, 1930년 5월 일본도 동조하기에 이르러 중국 측은 이를 회복하였다. 계속해서 치외법권 철폐 교섭이 시작되어 점진적 철폐론을 주장하는 열강과 즉시 철폐를 주장한 중국 측은 처음부터 정면 대립했다. 난항을 거듭한 끝에 1931년 6월 영국과 중국 사이에 타협안이 정리되었으나 만주사변의 발발로 교섭은 더 이상 진전되지 못했다.

통일과 자립을 요구하는 중국민족운동의 고양은 미국·영국·일본의 세 제국주의에 의한 동아시아 공동지배체제인 워싱턴체제를 근저로부터 무너뜨리는 최대의 요인이었다. 이러한 민족운동의 최선두에 선 것이 제1차 세계대전을 획기로 발전하기 시작한 중국자본주의 내에서 성장해 온 부르주아지와 프롤레타리아였다. 중국자본주의와 통일적 국내시장의 형성은 많은 한계를 갖고 있지만 제1차 세계대전 이후부터 역사적 필연성을 가진 채 진전되기 시작하고 1920년대에도 신생 민족자본의 움직임이 매우 부진하다는 측면은 있었으나 착실히 꾸준하게 진행되었다는 것, 그리고 그 부진의 최대 원인인 열강의 압력에 대한 저항운동이 전국에 확산되고 고양되었다는 사실에 주목할 필요가 있다.

<표 1-1>에서 보는 것처럼 1920년대 중국의 대외무역액은 미 달러로 환산하여 보면 거의 늘지 않았으나 은=해관량(海關兩)[3]으로는 상당히 팽창하였고 은가하락에 힘입으면서 수출이 특히 확대된 결과 만성적 수입초과도 무역총액과 비교해 보면 약간 줄어들었다. 수입에서는 제품수입의 비율이 감소하고 대신 원료·식료품수입이 늘어났으며

---

3) 중국의 은량은 말발굽이나 그릇, 벽돌 모양의 은괴로 정해진 중량이 없고 무게와 순도를 측정해서 사용하는 칭량화폐이다. 1 해관량은 은 37.68그램이다.

경공업을 중심으로 한 수입대체화가 진전되었음을 알 수 있다. 더욱
중요한 것은 이 시기 국내시장의 발전이 무역의 발전보다 현저하였다
는 사실이다. <표 1-2>의 추계에 의하면 기계공업제품의 국내판매가
국외판매를 능가하면서 급격히 증가하였고 수공업제품은 국외용이 많
았었는데 이것도 국내용이 크게 증가하고 있다.

<표 1-1> 중국의 대외무역 (100만원)

연 도	수입액	수출액	총 액	입초액
1927	1,578	1,413	3,009	147
1928	1,863	1,545	3,408	318
1929	1,972	1,582	3,554	390
1930	2,041	1,394	3,435	647
1931	2,233	1,417	3,650	816
1932	1.635	768	2,403	867
1933	1,346	611	1,957	735
1934	1,030	535	1,565	495
1935	919	576	1,495	343
1936	942	706	1,648	236

자료 : 島一郎, 『中國民族工業の展開』, ミネルヴァ書房, 1978, p.123.

<표 1-2> 중국의 생산물시장 (백만 해관량)

	분류	1913	1920(A)	1925	1930(B)	B/A
국외용	농산물	144.6	196.1	288.2	363.4	1.85
	수공업제품	165.0	188.6	248.9	297.9	1.58
	기계공업제품	93.8	159.9	239.3	234.5	1.47
	계	403.4	544.6	776.4	895.8	1.64
국내용	농산물	69.6	145.2	245.5	201.4	1.39
	수공업제품	69.9	78.0	114.1	134.2	1.72
	기계공업제품	54.3	136.5	247.9	350.3	2.57
	계	193.8	359.7	607.5	688.6	1.91

자료 : 石井寬治, 「國際關係」, 大石嘉一郎編, 『日本帝國主義史2 : 世界大恐
慌期』, 東京大學出版會, 1987, p.42.

이 같은 사실은 통일적 국내시장이 나타났다는 것을 말하고 있는 것이지만 일본과의 관계에서 주목해야할 점은 만주와 중국본토와의 경제관계가 더욱 강화되어 동북지역이 이제 막 형성되고 있던 국민경제의 일환으로 확고히 편입되었다는 사실이다. 19세기 말 이래 일본과의 무역확대와 러시아의 철도투자로 중국본토로부터 출가노동자가 유입하기 시작하였고 1920년대에는 농업노동자의 정착이 진전되었으나 그에 따라 상해 등지로부터 의료품・소맥분・담배 등의 이입이 증가하였다. 만주는 상해를 중심으로 하는 민족부르주아지에 있어 유력한 판로로서의 지위를 높이고 있었고 그들은 만주에 상당한 관심을 갖고 있었다.

남경국민정부는 상해총공회와 상해은행공회로 대표되는 대(大)부르주아지의 지지를 얻기 위해 노력하였다. 무엇보다도 그것은 국가적 통일을 진전시키는 데 필요한 군사비의 재원을 확보하기 위해서는 불가피한 것이었다. <표 1-3>에서 알 수 있는 것처럼 성립 당초인 1927년도 지출의 압도적인 부분을 차지하고 있는 군사비를 충당하기 위해서는 은행의 협력에 의한 공채발행과 자금차입이 무엇보다 필요하였고 정부는 상해은행공회가 요구하는 ① 은행단에 의한 강력한 담보기금 보관위원회의 조직과 ② 북경정부의 구채무상환의 보장이라는 조건을 받아들임으로써 최초의 공채 3천만 원(元)을 간신히 발행할 수 있었다. 이리하여 북벌이 재정적으로 뒷받침을 받은 결과 다음 해인 1928년부터는 관세수입 등이 격증하여 자주권에 근거한 관세율 인상으로 수입은 더욱 풍부하게 되었으나 구채무를 인계한 것은 채무비를 크게 만들어 결국 매년 1억 원 전후의 공채 차입금에 계속 의존하게 만들었다.

따라서 남경국민정부의 직접적인 계급적 기반으로서는 상해의 은행 부르주아지가 중요하였고 그들의 경제력에 의존함으로써 국가적 통일이 비로소 실현될 수 있었다. 그런데 그들 은행자본은 어떻게 형성되고 어떠한 활동을 하였던 것일까.

<표 1-3> 국민정부의 중앙재정 (100만 원)

		1928	1929	1930	1931	1932	1933	1934	1935	1936	1937
수입부분	관세			313.0	369.7	325.5	352.4	353.2	341.3	318.0	369.3
	염세			150.5	144.2	159.1	177.4	167.4	184.2	189.2	228.6
	통세			53.3	88.7	79.6	105.0	104.5	113.3	132.8	175.6
	기타세			14.7	12.4	17.7	24.6	24.2	46.7	39.8	63.2
	관업수수료 재산수입			1.2	2.1	22.6	25.7	74.7	80.8	79.3	58.1
	공채	249.8	249.8	216.7	130.0	112.6	180.0	226.2	70.0	125.0	-
	기타			28.0	15.6	10.3	31.5	80.4	120.8	106.5	104.8
	총액	434.4	538.7	777.4	762.7	726.4	896.7	1030.6	957.1	990.6	1000.6
지출부분	당무세			5.1	3.9	4.7	5.6	6.4	5.9	5.4	7.3
	행정비			40.4	33.1	40.6	66.9	106.8	174.6	248.2	194.5
	군무비	210.0	245.0	311.6	303.8	320.7	372.9	387.9	321.0	322.0	392.5
	각성에의 교부금			67.1	71.1	68.1	55.0	55.5	107.0	105.8	31.0
	채무비			289.5	269.9	210.1	244.3	237.5	274.8	239.0	324.7
	기타			63.7	80.9	82.2	152.0	234.3	73.8	70.2	50.6

자료 : 島一郞, 앞의 책, p.204, p.205.

중국에서의 근대적 은행은 1897년에 설립된 중국통상은행(본점 상해)을 시작으로 1905년과 1908년에는 북경에 각각 중국은행(의 전신)과 교통은행이 개업하였다. 신해혁명 이래 특히 제1차 대전 직후에는 다수의 은행이 상해·북경·천진 등에 설립되었다. 하지만 1924년 당시의 조사로는 소수의 외국인 은행 및 전국 각지의 무수한 전장(錢莊)에 비해 기반이 그렇게 튼튼하지는 못한 것으로 평가되고 북경정부가 발행한 공채를 대량으로 껴안고 있어 자금난에 빠진 것도 많았다고 한다. 다만 바로 그 때부터 상해은행을 중심으로 상공업과의 관련을 축으로 발전하고 있는 은행이 점차 나타나고 있는 점이 주목된다.

중국·교통의 두 은행을 포함한 상해은행공회의 24개 은행의 예금

잔고는 1921년도 말 4억 9,699만 원에서 1930년도 말에는 14억 7,172만 원으로 증가했다. 최대인 중국은행 예금잔고는 1928년 말 3억 8,769만 원에 달하고 외국은행의 대표격인 홍콩상해은행의 재중국 예금고 추정 3억 2,880만 원을 능가하고 있다. 중국은행은 1928년 11월의 개조 이래 상공업 중시의 방침을 취하고 있었고 방적·제분공장주를 포함한 상공업자 대부는 전 대부의 26.7%에서 33.8%로 높아졌다. 의거하고 있는 수치가 매우 한정된 것이지만 정부와의 연계만을 강화하였기 때문에 파탄을 반복하여 온 중국의 근대적 은행이 1920년대 후반에는 상공업과의 관련을 서서히 심화시키고 있었다는 것은 거의 틀림없는 사실이었고 그러한 이유로 인해 상해 부르주아지는 남경국민정부를 지원할 수가 있었던 것이다.

2. 일본정부와 재계의 대응

1920년대 중엽의 이상과 같은 중국국민혁명의 진전에 일본정부는 소위 시데하라(幣原) 외교(제1차 1924년 6월~1927년 4월)로 대응했다. 내정불간섭주의에 입각함과 동시에 만주지방에서 일본의 권리이익에 관한 것을 중심으로 일본의 합리적 입장은 어디까지나 이를 옹호한다는 시데하라 외교는 제1차 대전 후 반일운동이 일단락된 1920년대 중엽에는 그 나름대로의 존립기반을 가지고 있었다고 볼 수 있다. 그러나 중국혁명의 진전으로 국가적 통일이라는 내정의 파도가 미치기 시작하자마자 시데하라의 외교노선 그 자체가 안고 있는 모순이 드러나지 않을 수 없게 되었다.

그리고 그 모순이 드러나는 경우에는 만몽문제를 시데하라 외교와는 다른 방향으로 전개시킨다는 육군의 노선이 이미 시데하라 외교가 발족하기 직전에 국책수준에서 확인되고 있었다. 기요우라 게이고(淸

浦奎吾) 내각이 퇴진하기 직전에 결정된 「대중국정책요강」(1924년 5월)이 그것이었는데 여기서는 장작림을 원조하면서 만몽 오지까지도 경제적으로 침투하려고 했다. 동시에 만몽에서의 질서의 유지는 조선 통치를 위해서도 중요한 것으로 여겨져 자위상 필요하다고 인정되는 경우에는 적절한 조치를 취할 수 있도록 결정했다. 이리하여 만몽특수 권익의 유지·확대가 조선을 포함한 일본제국 그 자체의 존립을 위해 불가결하다는 육군의 주장이 공인되고, 시데하라 외교는 발족 당시부터 이 같은 또 하나의 흐름과 끊임없는 긴장관계를 유지한 채 전개된 것이었다.

1925년 11~12월 봉천군벌 곽송령이 장작림의 하야를 요구하며 일으킨 반란을 관동군이 방해하여 실패로 끝나게 한 사건은 곽이 국민혁명에 호응하고 있었던 만큼 국민혁명에 대한 일본제국주의의 공공연한 군사개입이었다. 곽송령 사건에 대한 시데하라의 대응책에 대해서는 평가가 나뉘어져 있지만, 우가키 가즈시게(宇垣一成) 육군상의 출병요구에 결국은 동의하였고 만몽특수권익을 옹호한다는 그 자신의 방침으로 인해 불간섭방침이 결정적으로 후퇴할 수밖에 없게 된 것이다. 이 사건을 계기로 만몽문제에 대한 관동군의 발언력이 강화되었으며 동시에 하라 게이(原敬) 내각 이래 대(對)중국내정 불간섭을 주장하여 온 정우회가 완전히 반대되는 간섭정책을 펴게 되었다.

1926년에 시작된 북벌이 진행되는 과정에서 거류민보호문제에 대한 시데하라 외교의 대응방식이 연약하다는 비판의 소리가 높아져 1927년 4월 추밀원에서 대만은행 구제긴급칙령안을, 대중국강경책을 주장한 이토 미요시(伊東巳代治)가 부결하였기 때문에 와카쓰키 레이지로(若槻礼次郞) 헌정회 내각은 총사직하고 정우회의 다나카 기이치(田中義一)가 내각을 조직하게 되었다. 소위 다나카 외교(1927년 4월~1929년 7월)가 시작된 것이다. 미국의존의 시데하라에 대해 다나카는 영국

과의 제휴를 노리고 있었고 1927년 5월의 제1차 산동출병[4]은 영미 양
국정부의 양해를 얻은 것이었다. 1928년 4월 제2차 산동출병과 만주치
안유지에 관한 5월 18일부 각서에 대해서는 영미 모두 반대의 태도를
보였으나 그렇다고 해서 구체적인 대응조치를 낸 것도 아니었다. 문제
는 통일권력의 내실을 준비하고 있던 국민정부와 중국민중의 반일운
동이 제1차·제2차 산동출병을 계기로 고조되기 시작하였다는 것과
1928년 6월의 장작림 폭살사건[5]으로 만주에서 반일운동이 격화된 점
이다. 앞서 본 것처럼 1928년에는 미국을 비롯한 제 열강이 차례로 국
민정부를 공인하면서 관세자주권을 인정하였고 일본외교는 고립의 정
도가 심화되어 중국 여론의 집중공격을 받게 되었다.

따라서 다나카 외교의 파탄 후에 재등장한 시데하라 외교(제2차·
1929년 7월~1931년 12월)의 대중국정책의 선택폭은 매우 좁았다. 시
데하라는 한편으로는 해군군축조약의 조인에 전력을 기울이면서 다른
한편으로는 만몽문제에 손대지 않으면서 중국과의 불평등조약 개정교
섭에 임하였으나 일본은 1925년 북경특별 관세회의에서 나타난 것처
럼 이미 주도성을 발휘할 위치에 있지 못하였다. 1930년 5월에 간신히
일중관세협정이 체결되고 중국이 관세자주권을 회복하였을 때에도 일
본은 3년 한도의 수입관세거치를 몇 개의 품목에 대하여 요구하려는
자세였다.

시데하라는 계속해서 시작된 치외법권 철폐교섭을 통해 중국 측의
대외주권회복의 요구가 조계·조차지·철도이권 등도 포함된 것이라

---

4) 1927년 장개석 국민혁명군의 북벌로 산동지방에 전란의 피해가 예상되자 거
   류민 보호의 명목으로 당시 다나카 정부가 일본군을 파견함. 1929년까지 3차
   에 걸쳐 이루어짐.
5) 만주군벌 장작림이 특별열차로 북경에서 봉천으로 귀환하던 중 만철부속지
   내에서 일본 관동군이 계획한 철도폭파로 사망한 사건. 장작림의 아들 장학
   량은 이 사건 뒤에 국민정부의 지휘하에 들어가 배일정책을 강화함.

는 사실을 알고 와카쓰키 내각으로서는 대응할 수 없다고 판단했는데
이것이 시데하라 외교의 한계였다. 이리하여 관동군의 음모로 아버지
장작림을 잃은 장학량이 국민정부와 깊이 손을 잡으면서 반일정책을
강화하여 만주에서는 관동군과 거류민의 위기감이 극도에 달했고 결
국 1931년 9월 18일 만주사변이 일어나게 되었다. 하지만 거류민의 위
기의식은 중국 본토에서도 상당히 높아져 1932년 1월 상해사변이 일어
날 가능성이 점차 높아져 가고 있었다.

그런데 제1차 시데하라 외교의 시기에는 중국 반일운동이 약해졌고
1925년의 5·30사건6) 이래는 오히려 영국이 반제투쟁의 중심 대상이
되었음에도 불구하고 다나카 외교가 산동출병을 감행하여 일본이 반
제투쟁의 최대 표적이 된 데에는 어떠한 이유가 있었는가에 대해 살펴
본다.

<표 1-4>와 <표 1-5>는 1930년 전후, 당시 영국·일본·미국이 중
국과 맺고 있는 관계를 보여 주고 있는데, 이를 통해 1920년대 말의 상
황을 추측할 수 있다. 투자·무역 양면에서 일본과 미국이 영국을 바
싹 추격하고 있고 영국과 일본이 백중상태에 있다는 것을 알 수 있다.
영국의 사업투자는 압도적으로 상해에 집중되어 있는데 비해 일본의
사업투자는 만주에 집중되면서 상해로의 투자도 급격히 증가하고 있
는 것, 미국의 중국투자는 비교적 작고 이해관계의 기축은 오히려 무
역이 있다는 것이 주목된다.

이에 더해 간과해서는 안 될 점은 이민 숫자에 있어 일본이 미영을

6) 좁은 의미에서는 1925년 5월 30일에 일어난 상해민중의 반일반영데모에 대해
공동조계 내의 영국 관헌이 발포해 사망 10명, 중상자 15명, 검거 53명을 낸
사건을 말함. 하지만 일반적으로는 그 배경과 이를 계기로 중국내 각지에서
잇달아 발생한 반제운동, 살상사건 더 나아가서는 광주지역에서의 국민정부
의 북벌을 위한 기반조성까지 포함함.

크게 앞지르고 있고, 상해 거주자 숫자만으로도 제4위의 영국인 총수
를 상회하고 있다는 사실이다. 이것은 거류민에 대한 배려가 본국의
정책을 좌우하는 정도가 일본의 경우 특히 강할 수밖에 없었다는 점을
시사하고 있는 것이다.

<표 1-4> 영미일 3국의 대중국무역비중

연도	수입(%)			수출(%)			총액(%)		
	영	일	미	영	일	미	영	일	미
1928	9.5	26.5	17.0	6.2	23.1	13.0	8.0	24.8	15.2
1929	9.3	25.2	18.1	7.3	25.2	13.6	8.5	25.2	16.1
1931	8.3	19.9	22.3	7.1	29.1	13.2	7.7	23.4	18.8

자료 : 편집부편역,『中國近現代經濟史』, 일월서각, 1986, p.411.

<표 1-5> 영미일 삼국의 대중국직접투자 (1931년)

경제부문	각국의직접투자액 (백만달러)			당해국의 재중투자액 중의 비율			외국의재중 직접투자 중에서의 비율		
	영	일	미	영	일	미	영	일	미
				%	%	%	%	%	
운수업	134.9	209.7	10.8	14.0	23.0	6.9	16.0	24.8	
공공사업	48.2	25.0	35.2	5.0	2.7	22.7	37.3	19.2	
채광업	19.3	107.5	0.1	2.0	11.8	0.1	15.0	83.7	
제조업	173.4	169.6	20.5	18.0	18.6	13.2	46.0	45.7	
금융업	115.6	73.8	25.3	12.0	12.0	16.4	53.7	34.1	
토지	202.3	73.0	8.5	21.0	21.0	5.5	60.0	21.2	
대외무역	240.8	183.0	47.7	25.0	25.0	30.7	50.0	37.7	
기타	28.9	71.2	7.0	7.8	3.0	4.5	10.2	24.5	
총계	963.4	912.8	155.1	100.0	100.0	100.0	38.0	36.0	

자료 : 위와 같음.

예를 들어 앞서 말한 산동출병은 북벌이 만주로 파급되는 것을 막으
려는 속셈이 있는 것이었으나, 주지하듯이 출병의 대의명분은 제남(濟
南)지방의 일본거류민 2천 명의 생명과 재산을 보호한다는 것이었다.

그러나 시데하라 외교도 결코 이 점을 무시한 것은 아니었다. 시데하라라는 영국과 미국과 일본의 차이가 중국에서의 거류민 수의 차이에 있다는 것을 충분히 인식하였고 따라서 그만큼 무력사용에 신중했던 것이다. 따라서 다수의 거류민의 존재로부터 특정한 외교정책이 도출된 것은 결코 아니었다. 하지만 당시 일본제국주의의 대중국관계가 영미제국주의의 그것과 다른 특징은 숫자가 많기는 하지만 이들 일본인들을 따로 모아 '이주식민지'라는 것을 결코 만들 수 없는 이웃나라로 '치외법권'을 가진 많은 거류민을 내보냈다는 점에 있다.

1920년대 중일경제관계를 보면 무역은 정체추세였으나 만철과 재화방으로 대표되는 직접투자가 급격히 증가한 점이 특징이다. 특히 상해 및 청도에서 재화방은 눈부시게 발전하여 1919년에는 서구의 방적을 처음으로 추월해 33만 3천 추(전중국의 22.7%)가 되었다. 그 후 정체추세가 지속된 서구방적을 따돌리고 1925년에는 133만 2천 추(동 33.7%), 1930년에는 182만 1천 추(동 40.5%)로 급격히 팽창했다. 만철의 총자산도 이 사이에 약 5억 엔(1919년)에서 약 8억 엔(1925년), 그리고 1930년에는 약 10억 6,000만 엔으로 늘어났지만 재화방의 성장속도는 이를 크게 앞지르는 것이었다.

다른 한편 일본과 만주(관동주경유)의 무역은 제1차 대전기에 비약적으로 확대되었다고는 하지만 1920년대 내내 대중국무역 전체의 30% 전후 수준에 머물렀고 화중을 비롯한 중국본토무역이 대중국무역의 중심을 차지하고 있었다. 그런 까닭에 재계는 국민혁명을 거치면서 달성되어 가는 중국통일과는 역행하는 관동군·만철의 만몽분리책이 일화배척·경제단절운동을 격화시켜 중국본토에서의 무역과 투자를 방해하는 경우에는 만몽특수권익 쪽을 포기하자는 의견을 제시하기도 했는데 여기에는 그럴 만한 이유가 있었던 것이다. 만약 그러한 방향으로 나아갔다면 일본은 영미와의 협조를 관철할 수 있었을지도 몰랐다. 그런데 실제로 만몽특수권익을 포기하자고 주장한 것은 저널리즘 중에서도『동양경제신보』등에 한정되어 있었다. 다나카 내각은 대중국 비간섭 전국동맹(1927년 5월 결성)과 같은 선진적 노동자·농민들의 반제국주의운동을 철저하게 탄압하였다.

당시 재계의 중국혁명에 대한 대응은 일화실업협회(日華實業協會)의 움직임으로 대표된다. 그 실권은 시부자와 에이치(澁澤榮一) 회장과 부회장 와다 도요지(和田豊治)·고다마 겐지(兒玉謙次)와 미쓰이 물산의 야스카와 유노스케(安川雄之助), 미쓰비시 상사의 오무라 마사오(奧村政雄) 등 도쿄세력이 장악하고 있었으나 일본면화의 기타 마타조(喜多又藏)도 상임이사로서 오사카 세력의 연결망 역을 담당하고 있었다. 1925년 북경특별관세회의에 관한 일화실업협회의 상신은 거의 그대로 일본외무성의 방침이 되었다. 그 상신에는 2.5% 관세인상의 조건으로서 불확실채권의 보장이 요구되었는데 여기에는 북경정부에 대한 외상값의 동결문제로 고민하던 미쓰이 물산·오쿠라조(大倉組) 등의 이해가 포함되어 있었다.

일본정부의 이러한 방침은 중국에 대해 담보부 채권을 많이 갖고 있던 영국과 대립하게 되는 하나의 원인이 되었고 관세회의는 실패로 끝나고 말았다. 중국 측의 실패원인은 당사자였던 북경정부가 남경정부의 북벌로 해체된 데에 있었다. 북벌의 진전에 관해 일화실업협회는 간사 기타 마타조를 비롯한 재화방 관계자들의 요청에 응하여 시데하라 외교를 비판하고 대신 다나카 정부를 밀었다. 산동출병의 배후에는 종래 만몽정책에만 중점을 둔 결과 중(中)중국·남중국을 등한시한 일본정부의 외교방침에 대한 양자강유역 재류민의 강력한 비판이 깔려 있었고, 다나카 내각은 그러한 비판에 호응하면서 만몽분리를 추진한다는 일석이조의 방책으로 화북=산동출병을 반복하였다. 그러나 그것이 가져온 결과는 일본이 반제국주의운동의 1차 대상이 되었다는 참담한 사실뿐이었다.

그런데 다른 한편 만몽특수권익은 당시의 일본 재계에게 어떠한 의미를 갖는 것이었을까. 권익의 중심적 담당자인 만철의 자금원천이 1920년대에는 국내민간자금으로 옮겨지고 만철사채 신디케이트은행단의 역할이 크게 되었다는 점이 자주 지적되고 있지만 그것을 재벌자본에 의한 만주경영의 지배로 직결시켜 이해하는 것은 문제가 있다. 만철은 국책회사로서 말하자면 총자본적 입장에서 경영방침을 결정해온 회사였지만 회사 스스로 주식·사채소유자의 입장(=영리성)을 무시하지 않았다는 점이 중요하다.

장춘 이북으로의 진출이 좌절된 만철이 콩과 석탄의 수송에서 얻는 이익을 기초로 다각화를 모색하였고 그 방향은 만주의 풍부한 지하자원을 이용한 중화학공업의 전개였다. 다나카 내각기의 만철사장 야마모토 조타로(山本條太郎)가 주창한 제철·유안제조·혈암유 제조의 3대 계획은 그러한 방향을 명시한 것이었다. "만철의 사업계획은……일본 본토의 산업으로 충분한 것은 제외하고 만주자원에 의한 특별한 사업을 택하는 데 있다"라고 하는 야마모토의 말은 바로 총자본적 입장에서 일본경제의 취약한 부문인 중화학공업 부분을 만철로 하여금 보완케 한다는 기대를 잘 나타내고 있다. 만몽에 이러한 경제적 위치를 부여하는 것은 당시의 군부·정우회의 견해와도 일맥상통하는 것이고, 모두 장작림 등 동북군벌과의 연계를 통해 만몽을 중국본토로부터 분리시키려고 하는 것이었다고 볼 수 있다. 그리고 상대하고 있는 동북군벌이 국민정부와 결합되어가자 관동군을 중심으로 중국본토로부터 만주를 분리하기 위해 실질적인 무력행사를 감행한 것이다.

이에 대해 헌정회(민정당) 내각의 시데하라 외교는 국민혁명을 중시한다는 점에서 만철·군부·정우회의 만철분리론과는 분명히 구분되는 것이고, 또 경제외교를 주장한 점에서는 재계의 이해를 중요시하였

다고 볼 수 있다. 다만 재계 측에서 시데하라의 대중국불간섭정책을
일관되게 지지하는 세력은 미미한 편이었다. 중국본토와의 관련을 가
진 세력 중에는 무역상인과 일본내 자유주의적 산업자본가들의 이해
가 시데하라 외교의 노선과 비교적 결합되어 있는데 반해, 중국 내에
뿌리를 내린 중소상인과 재화방 관계자는 걸핏하면 무력간섭을 요청
하고 시데하라 외교를 비판했다. 시데하라 외교를 지원하는 국내여론
과 저널리즘도 약하고 헌정회=민정당 측으로부터도 시데하라에 대한
비판이 자주 나왔다. 그것은 노농운동을 탄압하고 민중적 기반을 상실
한 정당으로 변질되어 가는 민정당의 상황과 관련된 것이었다. 정당에
속하지 않는 관료출신 정치가 시데하라 자신도 스스로의 외교방침을
민중에게 호소하여 여론을 이끌려는 의도를 갖고 있지 않았다는 한계
를 갖고 있었다.

제2절 만주사변과 일본경제

1. 1920년대의 세계무역과 일본

　제1차 대전을 거친 후의 세계무역은 전체적으로 침체상태를 보이면
서 유럽제국의 후퇴와 미국·아시아제국의 진출이라는 특징을 나타내
고 있었다. 영국을 중심으로 하는 대전 전의 다각적 결제기구는 이전
의 형태 그대로는 재건될 수 없었다. 즉, 대전 전의 다각적 결제는 영
국의 미국 및 공업유럽에 대한 무역수지적자가 그들 제국으로부터의
차액지불을 받은 아시아·아프리카·중남미의 발전도상지역이 대영무
역잔고를 지불함으로써 어느 정도 결제된다는 것을 기본조건으로 하
고 있었다.

<표 1-6> 영국의 무역수지 (백만파운드)

연도	합중국	공업유럽	기타유럽	캐나다·호주	아시아·아프리카·남미	합계
1913	-82.2	-31.2	-40.4	-11.8	31.7	-133.9
1919	-476.0	252.2	38.0	-223.5	-253.5	-662.8
1920	-432.3	167.2	-1.7	-107.5	-1.2	-375.4
1921	-210.4	17.7	-40.9	-93.3	51.7	-275.2
1922	-144.6	58.3	-52.2	-58.0	16.6	-179.9
1923	-125.1	41.4	-77.0	-31.2	-18.5	-210.4
1924	-162.6	12.3	-79.3	-53.9	-53.0	-336.5
1925	-162.1	-9.7	-76.5	-75.9	-69.1	-393.3
1926	-153.9	-95.2	-106.3	-57.9	-49.4	-462.3
1927	-133.3	-52.2	-102.0	-38.8	-60.0	-386.3
1928	-119.7	-46.1	-98.7	-43.7	-43.5	-351.7
1929	-134.0	-47.2	-110.0	-34.0	-56.6	-381.7

자료 : 石井寬治, 「國際關係」, p.50.

<표 1-7> 영국과 아시아·미국·중남미의 무역 (백만파운드)

	영국으로부터수출		영국으로수입		영국 측 수지	
	1920~24	1925~29	1920~24	1925~29	1920~24	1925~29
영령인도	113.6	84.2	66.7	66.2	46.8	18.1
실론	4.5	5.9	12.8	16.1	- 8.3	-10.2
중국	26.6	14.3	14.8	12.2	11.8	2.0
홍콩	8.4	5.1	1.2	0.6	7.2	4.5
일본	25.7	14.9	12.2	8.1	13.4	6.8
네덜란드령동인도	13.2	9.6	16.6	13.4	- 3.4	- 3.8
영령말레이	11.4	15.0	14.1	20.3	- 2.7	- 5.3
이집트	22.1	13.0	39.7	26.6	-17.6	-13.6
남아연방	33.9	33.0	17.4	22.7	16.4	-10.3
아르헨티나	30.4	28.5	79.4	74.4	-49.0	-45.9
기타	121.1	109.5	136.7	128.0	-15.6	-18.5
계	410.7	322.9	411.6	388.7	-0.9	-55.7

자료 : 위와 같음.

그러나 <표 1-6>에서 알 수 있는 것처럼 영국의 공업유럽과의 수지
가 전전과 같이 적자가 되는 1920년대 후반에는 일시적으로 흑자화한

발전도상지역과의 수지가 전체적으로 적자로 바뀌고 대전전과 같은
형태의 지불순환은 결국 다시 등장하지 않았다. <표 1-7>에서 판명되
는 것처럼 그것은 발전도상지역에서 영국으로부터의 수입증가에 의한
것이 아니라 영국으로부터의 수출이 감소되었기 때문이었다. 영국 면
제품은 아시아 시장에서 일본제품과 중국·인도의 민족공업제품과의
경합에서 패배하여 물러났다.

<표 1-8> 미국의 지역별·국별무역 (백만달러)

	미국으로부터의 수출		미국으로 수입		미국측 수지	
	1921~25	1926~30	1921~25	1926~30	1921~25	1926~30
유럽	2,317.9	2,236.6	1,049.5	1,210.5	1,268.4	1,026.1
영국	939.4	837.2	355.8	325.9	583.6	511.3
독일	383.2	400.4	132.5	210.6	250.7	189.8
프랑스	265.2	147.9	244.6	152.8	73.8	-4.9
북미	1,072.0	1,233.0	910.9	940.2	161.1	292.8
캐나다	619.0	819.5	393.8	469.2	225.2	350.3
쿠바	181.3	133.2	299.6	207.9	-118.3	-74.7
남미	297.1	447.9	421.3	545.8	-124.2	-97.9
브라질	59.9	89.4	152.2	199.5	-92.3	-110.1
아시아	498.9	574.0	942.9	1192.6	-444.0	-618.6
일본	241.9	246.0	335.4	379.6	-93.5	-133.6
중국	104.2	109.0	142.0	140.5	-37.8	-31.5
영령말레이	8.0	12.6	153.2	249.8	-145.2	-237.2
필리핀	51.9	73.7	80.1	114.1	-28.2	-40.4
네덜란드령동인도	17.2	33.9	55.0	87.5	-37.8	-53.6
영령인도	38.2	53.5	109.0	136.9	-70.8	-83.4
호주	141.4	177.2	54.0	53.1	87.4	124.1
아프리카	69.7	109.6	71.5	91.2	-1.8	18.4
합계	4,397.0	4,777.3	3,450.1	4,033.5	946.9	743.8

자료 : 石井寬治, 「國際關係」, p.51.

다른 한편 미국의 진출은 <표 1-8>에서 보는 것처럼 대영흑자와 대
아시아 적자의 형태를 갖는 한 대전 전부터의 다각적 결제순환의 일부

를 확대하는 데 기여했다. 하지만 미국의 중화학공업품과 농산품이 대량으로 수출되자 이는 유럽경제를 압박하고 농산물과잉문제를 격화시켰다. 또 영국으로부터의 자본수출이 정체경향이었던 반면 미국으로부터 독일과 발전도상국으로의 거액의 자본수출이 다각결제를 최종적으로 뒷받침하였으나 달러가 파운드를 대신하는 기축통화는 아니었다는 점도 유의할 필요가 있다.

<표 1-9> 일본의 주요 상대국별 무역(1920년대) (백만엔)

	수이출		수이입		수지	
	1920~24	1925~29	1920~24	1925~29	1920~24	1925~29
중국	330.3	388.9	207.7	224.9	122.6	164.0
관동주	80.7	105.4	152.8	156.6	-72.1	-51.2
홍콩	66.6	62.1	1.3	1.0	65.3	61.1
영령인도	121.8	168.2	310.6	361.8	-188.8	-193.6
해협식민지	24.5	34.3	23.3	38.2	1.2	-3.9
네덜란드령동인도	61.8	80.7	75.2	100.1	-13.4	-19.4
프랑스령인도지나	1.9	4.6	17.1	27.3	-15.2	-22.7
필리핀	22.2	29.9	16.2	17.5	6.0	12.4
소련령아시아	11.1	8.5	12.1	21.6	-1.0	-13.1
(아시아)	724.0	899.7	831.7	973.1	-107.7	-73.4
영국	57.3	61.2	240.4	173.7	-183.1	-112.5
독일	3.8	11.3	87.0	138.2	-83.2	-126.9
프랑스	59.4	52.6	19.9	27.1	39.5	25.5
(유럽)	134.8	147.5	404.0	415.1	-269.2	-267.6
합중국	628.8	888.2	645.3	659.7	-16.5	228.5
캐나다	15.7	25.4	19.0	58.4	-3.3	-33.0
이집트	17.4	26.5	14.7	27.1	2.7	-0.6
호주	38.2	47.4	79.5	112.9	-41.3	-65.5
(합계1)	1,618.7	2,092.6	2,055.3	2,308.4	-436.6	-215.8
조선	167.8	272.7	222.5	326.0	-54.7	-53.3
대만	89.1	129.0	163.5	214.5	-74.4	-85.5
(합계2)	1875.6	2494.3	2441.3	2848.9	-565.7	-354.6

자료 : 東洋經濟新聞社編, 『日本貿易精覽』.
주 : 수지=수출(재수출을 포함)-수입.

일본은 본래 영국→미국→아시아→영국이라는 무역결제의 지불연쇄에서 아시아에 속하는 나라이고, 인도에 거액의 면화대금을 지불하는 아시아 역내무역을 통해 영국을 중심으로 하는 다각적 결제기구를 뒷받침하는 위치에 있었다. 그런데 <표 1-9>에서 1920년대 전 기간 중의 변화를 보면 영국으로의 직접 지불액이 격감하였을 뿐만 아니라, 정체상태의 대중국무역과는 대조적으로 대인도무역의 경우 면제품을 중심으로 하는 수출이 급증하면서 영국면제품을 인도시장에서 축출하였다. 이러한 일본의 동향은 전전 형태의 다각결제기구가 재건되는 것을 오히려 저해하는 역할을 했다. 일본의 움직임은 아시아 유일의 제국주의국으로서 돌출적이고 예외적인 행동으로 볼 수 없고 대전을 획기로 하는 인도 · 중국의 공업화 진전과 병행적으로 발생한 일이었다.

이 점을 일본무역의 상품별구성에 따라 검토하기 위하여 우선 <표 1-10>에 의해 거액의 수입초과의 원인을 보면 견 · 석탄을 제외한 전 분야에서 수입초과였고, 1900년대와 비교해 보면 모 · 철강 · 비료 · 기계의 수입초과폭이 크게 늘어났다. 무엇보다 강재와 기계류의 자급률은 관세인상(1926년 제외)에도 뒷받침되어 서서히 상승하였으며 수입 콩깻묵을 대체하면서 증가한 수입 유안(硫安)에 대항하는 유안공업도 육성하기 시작해 수출산업화라고는 볼 수 없으나 중화학공업의 수입대체화는 어느 정도 진전되고 있었다.

이에 대해 면관계품은 수입의 절대액에서는 발군의 신장을 보이면서도 수출산업화가 급속도로 진전되었기 때문에 수입초과폭은 그다지 크게 확대되지 않았다. 면공업은 국제수준을 능가하는 생산력수준을 달성하였기 때문에 이미 수입초과의 기본원인에서는 제외된 상태였다.

영국은 대전 전에는 철강 · 기계 · 유안 · 면직물 · 모직물 모든 것의 최대 수입국으로서 인도와 함께 최대의 수입 초과국이었다. 하지만 대전후 대일중화학공업품 수출에서는 미국 · 독일에 추월당했고 수축경향을 보이고 있는 섬유품수출에서만 수위를 유지하고 있었다.

<표 1-10> 1920년대 일본의 상품군별 수출입·수지의 추이 (천엔)

상품군	수출	수입	수지
미곡	22,738	516,282	-493,544
소맥·소백분	104,255	622,748	-518,493
사탕	281,448	614,134	-332,686
면	4,815,920	6,229,630	-1,413,710
모	36,789	1,684,373	-1,647,584
견	8,128,791	74,853	8,053,938
철강	62,708	1,762,081	-1,699,373
구리	43,511	296,291	-252,780
목재	177,297	854,805	-677,508
기계	282,257	1,615,647	-1,333,390
비료	17,094	2,567,301	-1,550,207
석탄	287,949	276,070	11,879
석유	8,242	584,526	-576,284
기타	4,287,681	5,119,379	-831,698
합계	18,556,680	21,818,120	-3,261,440

자료 : 三和良一, 『戰間期日本の經濟政策史研究』, 東京大學出版會, 2003, pp.140～141.

이에 더해 일본의 인도면화수입이 면제품고급화에 따라 미국면에 대한 의존이 강화되면서 더 이상 증가하지 않게 된 즈음에 일본면사포의 인도수출이 늘어났기 때문에 1926년 이래 대인도 수입초과는 급격히 감소하였으며 이는 인도면직물공업의 발전과 맞물려 미국→일본→인도→영국이라는 지불순환의 통로는 그 중요성이 상당히 약화되었다.

이처럼 일본의 아시아역내무역에서의 활동영역의 다양화는 인도·동남아시아와의 무역확대로 나타나고 이는 발전도상국지역으로부터의 무역차액입수를 기본조건으로 한 영국중심의 다각결제기구의 재건을 저해하는 측면을 가지고 있었으나, 아시아시장에서 차지하는 일본지위의 변화는 그 자체가 구래의 최대 무역상대국인 중국의 정치적·경제적 변화에 크게 규정을 받고 있었다. 즉 인도·동남아시아로 면사포수출을 증가시켰다는 것은 중국으로의 수출이 민족방의 발전과 일화(日貨)보이콧에 의해 한계에 부딪친 결과라 볼 수 있다.

또 이시하라 산업이 개발한 영령말레이의 철광석 수입이 1929년에 중국철광석 수입을 능가하게 된 것도 차관의 공여로 확보하려고 한 중국 대야(大冶)광산·도충(桃冲)철산이 한야평(漢冶萍)·유번(裕繁) 두 공사의 경영파탄으로 인해 확보하지 못하게 되었기 때문이었다. 그리고 면사수출의 정체를 돌파하기 위해 시도된 재화방의 진출도 민족운동과 새로운 모순을 심화시켜 철광자원의 확보라는 관점에서는 1920년대 중엽 이래 조선과 함께 남만주의 중요성이 특히 강조되었다.

2. 영미자본의 수입

1920년대의 일본무역이 대전 전의 영국 중심 다각적 결제기구가 재건되는 것을 막는 커다란 교란요인으로서의 성격을 가지고 있었으나 일본외교는 앞서 본 것처럼 큰 틀에 있어서는 대(對)미영 협조노선을 지키고 있었으며 그 배경으로는 이 시기 일본이 영미양국으로부터 거액의 자본을 수입하였다는 사실이 지적되어 왔다. <표 1-11>에서 알 수 있는 것처럼 1924년부터 자본수입이 수출을 상회하기 시작하고 1930년까지 거의 매년 계속 수입초과였으나 이 사실로부터 영미에 대한 금융적 종속[7]을 말할 수 있는가에 대해서는 좀 더 신중한 검토가

---

7) 야마자키 류조(山崎隆三) 등은 외자도입=금융적 종속이 확립기 일본자본주의의 재생산구조에서 가장 중요한 본질적 규정이었다고 주장했다. 이들은 이론적 근거를 레닌의 '제국주의노트'에 나타난 'β형제국주의'에서 찾았다. 야마자키는 외자도입의 효과에 대해 매우 낙관적인 견해를 피력하고 있다. 즉 거액의 외채는 생산수단의 대량수입이 가져온 수입초과구조를 뒷받침하는 동시에 국가재정의 비대화에도 도움을 줌으로써 국가의 주도적 역할을 가능

필요하다.

<표 1-11> 자본수출입의 동향 (백만엔)

연도	일본인 해외투자	외국인의 일본투자				
		계	국채모집	지방채모집	사채모집	국채매도
1923	195.9	122.9	-		90.6	26.9
1924	96.4	565.9	229.0	31.6	79.7	189.3
1925	90.7	186.1	-	-	137.0	21.3
1926	73.7	176.8	-	83.8	20.1	43.9
1927	105.9	153.6	-	37.1	14.3	35.9
1928	69.6	273.0	-		180.8	55.4
1929	225.1	158.3			23.0	23.1
1930	269.3	281.1	102.5		-	77.8
1931	303.2	152.6	-		49.7	46.6

자료 : 山本義彦, 『戰間期 日本資本主義と經濟政策』, 栢書房, 1989, p.170, p.193.

　우선 외국인의 직접투자에 대해서는 자동자공업과 전기기계공업 등의 첨단기술분야에서 미국과 독일의 자본이 진출하였으나 공업부문 전체에서 차지하는 비율은 작았다. 또 민간의 간접투자인 전력외채에 대해서도 '미영투자은행'은 수수료 취득만을 목적으로 발행을 인수하고 그 평가는 유럽제국의 공채와 같은 수준이었다는 것, 중전기기(重電機器)의 조건부 수입은 부분적 사례에 지나지 않았다는 것이 명확히 밝혀졌다. 따라서 이러한 자본수입을 통해 일본의 공업부문 전체의 발전상태가 결정적으로 좌우되는 일은 없었다고 할 수 있다.

　다음으로 일본으로의 자본수출이 미국국무성에 의해 저지된 사례로

　하게 했으며 이로써 군사기구의 유지를 보장하고 또 식민지 지배를 위한 자본수출도 가능하게 만들었다는 것이다. 그리고 만약 외자도입이 불가능하고 따라서 거액의 수입초과를 전제로 한 재생산구조를 확립할 수 없었다면 일본 자본주의가 그렇게 비정상적인 빠른 속도로 발전할 수 없었다고 한다. 이들의 견해를 둘러싸고 격렬한 논쟁이 전개되었으며 많은 비판도 제기되었다.

서 종래에도 주목을 받아 온 만철과 동척의 사채발행의 경우를 보자.
1922년에는 동척사채, 1923년에는 만철사채의 발행을 인수하려고 한
모건(Morgan) 상회계열의 내셔널 시티회사에 대해 국무성은 비승인의
통고를 했으나, 1923년에 동척이 사채의 용도에서 만몽을 제외한다고
조건을 변경하자 국무성은 그 발행을 승인했다.

그리고 일본에 의한 만몽식민지화로의 움직임을 문호개방정책에 입
각한 미국무성이 금융면에서 저지하려는 시도로 볼 수 있는 것들이
1927년 10월에 일본에 온 모건상회 래몬트(T.W. Lamont)와 이노우에
준노스케(井上準之助) 일본은행총재의 만철사채 발행교섭을 국무성이
용인한 사실, 미국여론·국민정부·재중미국자본의 반대(→계획좌절)
와 1928년의 내셔널 시티회사에 의한 동척사채발행계획과 국무성에
의한 승인(→계획실현) 등이었다. 하지만 미국무성의 목표는 실현되지
못했다고 볼 수 있다. 그 이유는 미국 측으로서도 만몽사채를 거부한
반면 동척사채에 대해서는 실제는 만몽방면으로 운용시키려고 한다는
것을 알면서도 인정할 수밖에 없는 외교상의 제약이 있었고, 또 만철
측은 대전 전과 달리 외자의존도가 현저히 떨어졌을 뿐만 아니라 영국
에서 사채를 발행하는 길도 있었기 때문이었다.

영미로의 금융적 종속이 정치외교상 자율성에 대한 제약을 함의하
는 것이라면 이 점에서 검토가 필요한 것은 1924년과 1930년의 2회에
걸친 국채의 모집이다. 1924년 2월 소위 진재(震災)[8]부흥공채는 1925
년에 만기가 되는 러일전쟁시의 4분리 영화(英貨)공채의 차환자금과
진재부흥자금의 조달을 목적으로 하는 병용공채이고, 영화 2,500만 파
운드, 미화 1억 5,000만 달러가 발행되었다. 이 외채는 기채조건이 까
다로웠기 때문에 '국욕공채(國辱公債)'라는 비난을 뒤집어썼다.

---

8) 1923년 9월에 발생한 관동대지진.

하지만 양국 금융계가 총력을 기울여 발행에 협력하고 담보도 영국 측의 요구를 막으면서 사실상 무담보가 되었다는 점을 고려하면 국력에 비추어 불합리한 악조건을 받아들였다는 비난은 근거가 없는 것이라고 할 수 있다. 이에 대해 1930년 5월의 외채발행은 바로 그때 진행되고 있던 런던해군군축회의의 귀추에도 약간의 영향을 준 것으로서 특히 주목할 가치가 있다. 1931년 1월에 만기가 되는 러일전쟁 직후의 4분리(分利) 영화공채를 차환하기 위해 외채를 발행하는 것은 1930년 1월에 막 복귀한 금본위제를 유지하는 데 불가결한 조건이었고, 또 영미에서 외채를 발행하기 위해서는 두 나라와 군축에 합의하는 것이 반드시 필요했다.

런던 주재 재무관으로서 외채교섭을 담당하였던 쓰시마 주이치(津島壽一)는 외채발행과 군축교섭의 깊은 관계를 지적하면서 "그러나 외채와 군축은 대단히 미묘한 문제이기 때문에 외부로부터 말을 들을 수 없었다"고 술회하고 있지만 군축회의의 일미대표는 모두 두 문제의 관련을 강하게 의식하고 있었다. 즉, 미국의 스팀슨(H.L. Stimson) 국무장관은 군축교섭이 난항에 부딪친 1930년 3월 29일부 국무성 앞으로의 편지에서 일본은 미국으로부터 자본을 수입해야 할 처지이기 때문에 군축회의에 합의할 것이라고 말하고 있다.

한편 일본의 와카스키 특명전권대사도 3월 23일에 해군대신 다카라베 다카시(財部彪)를 설득하기 위해 군축의 실시는 외채발행과 깊은 관련이 있다는 점을 역설했다. 즉 회의가 결렬되면 그 결과는 다음 해부터 주력함의 교체를 시작하지 않으면 안 되고 보조함에 대해서도 영미 특히 미국은 고의로 일본이 따라가기 곤란한 제함경쟁을 하게 된다. 이때 그 재원을 마련하기 위한 부담으로 피폐한 일본경제계의 회복은 방해받고, 또 다음 해 1월에 상환기에 도달하는 영화공채의 차환도 이를 어떻게 해야 할지 어려운 상황이다. 또 국제관계에 미치는 영향을 보면 영미의 감정을 상하게 하면 일본의 입장이 매우 난처하게 되다는 것은 분명한 사실이라고 강조했다.

군축교섭에서 미국 측이 외채차환문제를 이용해 일본에 압력을 가할 리는 없었으나 당사자가 충분히 알고 있는 상황에서 구태여 그 문제를 제기할 필요는 없었을 것이다. 4월 10일 군축교섭이 결렬되자 쓰시마 재무관은 차환외채의 구체적 절충에 들어가 5월 9일에는 영화공채 1,250만 파운드(약 1억 2,500엔)와 미화공채 7,100만 달러의 발행계약에 조인했다.

이러한 경위를 보면 영미에서의 외채발행의 필요성이 얼마나 일본의 외교를 크게 제약하고 있으며 금융적 종속이라는 사태가 엄존하고 있는가를 알 수 있다. 그러나 하마구치(浜口) 내각의 이노우에(井上) 재정과 시데하라 외교가 본래 군축에 의한 긴축재정과 협조외교를 기본방침으로 하고 있다는 것을 고려하면 제약의 평가도 자연히 달라지게 된다. 외채발행의 필요성은 군축안에 불만을 가진 해군 군령부에게 있어서는 커다란 제약이었을지도 모르지만 정부 수뇌부는 프랑스의 금융시장은 언제라도 일본을 위해 개방되어 있다는 보고를 무시하면서까지 대영미타협의 길을 선택한 것이기 때문에 그 제약이라는 것이 마음에도 없는 선택을 강요하는 정도의 것은 아니었다. 이러한 점에서 보면 제1차 대전 후 일본의 지위를 금융적 종속국이라 규정하는 것은 조금 지나친 판단이라는 측면도 있다고 할 수 있다.

3. 세계대공황의 충격

일본은 1929년 7월 금해금(금본위제 복귀)의 단행을 주요 정책으로 내걸은 민정당 내각이 출발할 때부터 미국에 앞서 불황의 그림자가 다가오고 있었으며, 같은 해 10월 뉴욕 주식시장의 폭락으로 시작된 대공황에 휩쓸려 들어가게 되었다. 세계무역은 1929년부터 1934년에 걸쳐 약 3분의 1 수준으로 축소되고, 일본무역도 달러환산으로 보면 1932년 내지 1933년에 최저치를 기록하였으나 1931년 12월의 금수출재금지(금본위제 포기) 이후 엔 시세가 급락하였기 때문에 엔 표시의 무역액은 1931년이 최저치가 되었다.

<표 1-12> 대공황하의 무역동향 (백만달러)

		대 일 본			대 세 계		
		1929	1931	%	1929	1931	%
중국	입	218.5	109.3	50	810.0	485.0	60
	출	174.5	116.5	67	650.0	296.2	46
영령인도	입	91.8	54.5	59	906.0	464.4	51
	출	133.6	65.8	49	1,167.6	555.5	48
네덜란드령동인도	입	40.4	31.3	78	445.5	238.2	53
	출	35.9	22.8	63	581.5	301.3	52
호주	입	20.4	9.1	44	706.4	180.9	26
	출	61.5	56.0	91	589.9	307.0	52
미국	입	423.9	210.0	50	4,338.6	2088.5	48
	출	303.3	169.0	56	5,157.1	2378.0	46
영국	입	29.3	26.3	90	5,407.0	3585.4	66
	출	71.0	31.3	44	3,549.4	1772.1	50
독일	입	6.2	4.2	67	3,203.1	1602.4	50
	출	72.9	36.2	50	3,211.6	2286.4	71
조선	입	146.2	107.5	74	193.6	132.1	68
	출	143.7	123.0	86	159.6	127.9	80
대만	입	65.1	56.7	87	94.4	71.1	75
	출	110.7	99.7	90	128.7	108.2	84
세계계	입	1207.8	730.5	60	33,014	18,909	57
	출	1282.2	832.5	65	35,584	20,795	58

자료 : 『日本貿易精覽』, League of Nations, *Statistical Year-Book, 1935/36*, 1936.

<표 1-12>에서 1929~1931년의 무역액 추이를 보면 일본무역의 수축도는 세계무역 전체의 그것보다는 약간 완만하였는데 이는 식민지

(조선·대만)무역의 안정성에 의한 바가 크고, 그것을 제하면 세계무역과 거의 동일한 속도로 격심하게 수축하였다는 것을 알 수 있다.

대공황의 초점이 된 미국을 수출입 모두 최대 상대국으로 하고 있는 이상 이는 당연한 것이었다. 영국·독일과의 무역이 일본으로의 수입면(이 표에서는 두 나라로부터의 대일 본[출])에서 미국 이상으로 축소된 것도 주목된다. 이에 비해 중국으로의 수출(이 표에서는 대일본[입])은 반대로 일본의 비중이 줄어 들었다. 이것은 앞서 말한 관세자주권의 회복(1930년 5월)에 근거하여 1931년 1월부터 실시된 신관세가 일본제 경공업품에 중과되는 경향이 있었다는 것과 1931년 9월의 만주사변 발발과 함께 고양된 일화배척운동 때문이었다. 1929~31년의 은가폭락은 중국으로 공황이 파급되는 것을 지연시키고 은 계산으로는 수입은 오히려 증가하였고 경기는 양호하였음에도 불구하고 면사포로 대표되는 일본상품의 중국으로의 유입이 특히 감소했다.

반면에 면사포 수출 감퇴의 다른 측면으로 <표 1-13>에서 보는 것처럼 재화방이 이 사이에 좋은 성적으로 거두고 1930·31년의 두 해에는 일본국내의 방적을 상회하는 이익을 올리고 있다. 재화방은 만주사변을 계기로 하는 보이콧 운동에 대해서도 민족방과의 제품면에서의 경합을 피하면서 중국본토 이외에서 판로를 구하는 방식으로 어느 정도 대응하였다. 대공황의 영향을 일찍부터 받고 업적 악화로 고민한 것은 이 표에 나타난 만철이었다.

공황은 세계상품인 콩의 수출감소를 초래하였고 중소분쟁의 해결에 의한 동지(東支)철도의 기능회복이 만철 콩수송의 감소에 박차를 가하였다. 또 은가하락은 금화 기준의 무순탄에 대한 중국탄의 공세를 강화하였으며 만철 광산부문의 감수를 초래하였다. 만철포위망이라고 말하여지는 중국 측의 철도정책이 공황하의 만철수익을 실제로 압박한 정도는 낮았으나 유통·금융정책과 결합하여 체계화되는 경우에는 만

철을 콩 수송으로부터 배제한다는, 일본으로서는 두려워할 만한 가능
성을 내포하고 있었다. 여기서 만철의 경영난이 만철특수권익의 위기
로 연결되어 강조되었던 이유가 있었다.

<표 1-13> 중국투자의 이익동향 (%, 천엔)

		재화방	일본전방적	만 철	
		이익률	이익률	이익률	이익금
1927	상	9.6	18.0	10.2	36,274
	하	7.2	22.2		
1928	상	10.7	21.2	11.0	42,553
	하	14.2	22.8		
1929	상	18.4	23.1	11.8	45,506
	하	19.1	19.2		
1930	상	17.7	6.2	5.6	21,673
	하	17.4	-0.2		
1931	상	18.0	16.4	3.3	12,599
	하	22.4	17.5		

자료 : 高村直助, 『近代日本綿業と中國』, p.125, 金子文夫, 「1920年代にお
     ける日本帝國主義と『滿州』」, 『社會科學硏究』32卷 4号.

이와 같이 대공황의 충격은 대외면에서는 극단적인 무역감소로 나
타나고 특히 대중국수출의 감소가 주목되지만 일본 면업은 수출처의
다양화와 재화방의 전개로 문제를 처리할 수 있었으나 만철경영의 부
진과 그 장래를 둘러싸고 문제가 생겼다. 외자도입은 점차 곤란하게
되었지만 현안의 차환공채는 앞서 말한 그대로 1930년 5월에 발행할
수 있었다. 무역적자폭은 1929년에 반감하여 1억 엔대가 되었고 1931
년에는 더욱 축소되었다. 그런 까닭에 비록 1929년 말의 보유정화 13
여억 엔이 1931년에는 5억 엔대로 격감하여 금수출재금지가 불가피하
게 된 상황이었으나 외자도입난이라는 이유 때문에 정부나 군부가 엔
블록을 성립시키려고 한 것은 아니었다고 생각된다.

그렇다고 한다면 만철특수권익의 위기가 공황하 일본 국내의 여론에 반영되었는가의 문제가 만주사변의 발발과 확대의 전제조건으로서 우선 검토할 필요가 있을 것이다. 1931년 1월의 중의원 본회의에서 마쓰오카 요스케(松岡洋右)가 "만몽문제는, 나는 이것이 우리나라(일본 : 필자)의 존망과 관련되는 문제이고 우리 국민의 생명선이라고 생각하고 있다.……국방상으로도 역시 경제적으로도 이같이 생각하고 있다"고 하면서 시데하라 외상의 '절대무위방관주의(絶對無爲傍觀主義)'를 격렬하게 비판한 연설도 그 당시에는 아직 여론에 거의 영향을 끼치지 못했다. 같은 본회의에서 "이제 우리나라의 농촌은 실은 피폐곤비(疲弊困憊)하든가 혹은 정체에 빠져있다고 하지만 그와 같은 형용사를 사용할 수 없을 정도이다.……마치 천길 낭떠러지에서 바닥으로 떨어지는 것과 같은 궁상에 오늘날 빠져 있다"는 발언이 나오는 등 농촌 구매력의 증대(=국내시장 확대)보다도 생산비의 절감(→수출증대)을 추구한 이노우에 재정에 대한 신랄한 비판이 있었으나 여기에서도 물론 만몽침략에서 농촌위기로부터의 활로를 찾자는 제안은 없었다.

이 양자 즉 만몽침략과 농촌위기가 군부주도로 만주사변이 일어난 후 농업위기가 더욱 심각하게 된 상황하에서 적극적으로 결합하게 된다. 만주사변이 일어나기 전인 1931년 6월경에는 만주문제의 무력해결을 노린 군중앙도 여론조작에는 1년이 걸릴 것이라고 생각하고 있었다. 장학량 정권의 반일정책에 의해 직접 드러나게 된 만주거류민, 특히 만철 내 젊은 사원을 중심으로 한 만주청년동맹 회원과 중소상인들이 관동군의 무력발동을 포함한 강경책을 절실히 바라고 있었다는 것을 예외로 하면 만몽문제에 대한 세간의 관심은 그렇게 높지 않았기 때문이었다. 관동군에 의한 유조호(柳條湖) 사건의 모략은 무력침략을 기대하는 여론의 전면적인 고양을 기다리는 것이 아니라 오히려 여론 그 자체를 고양시키는 계기를 만들기 위한 것이었다.

제3절 만주사변과 동북아정세

1. 무역의 확대와 구성의 변화

일본자본주의는 세계적인 장기불황 속에서 농업위기의 국면을 남기면서도 대체적으로 볼 때 공황에서 상당히 일찍 탈출했다. 만주사변의 발발(1931년 9월)로 인한 군사지출의 증대와 금수출재금지(1931년 12월)에 의한 환시세 하락→수출증대가 경기회복의 계기가 되었다는 것은 잘 알려져 있는 사실이다. 1936년 당시 세계무역의 회복도를 1929년의 수출액과 대비(미달러 환산)해서 볼 때 세계평균 38.3%를 상회하고 있는 것은 아프리카(64.1%), 오세아니아(51.4%), 아시아(41.1%), 중남미(40.0%) 등 발전도상지역이고, 유럽(소련 포함 36.4%)과 북미(32.0%)와 같은 선진지역의 수출회복은 늦은 편이었다. 아시아에서는 중국(만주 제외, 28.2%)과 일본(46.6%)이 양극을 이루고 있고 발전도상지역을 주요 시장으로 하는 일본의 수출회복도는 세계적으로 보아도 호주와 캐나다를 제외하고는 예외적으로 높은 것이었다.

여기서 1936년 당시 일본무역의 내용을 <표 1-14>에서 보자. 엔화 표시로 보면 수이출·수이입 모두에서 1920년대의 수준(<표 1-9>)을 크게 능가하고 있고 특히 수이출이 크게 늘었기 때문에 적자폭(합계 B)이 상당히 축소된 것을 알 수 있다. 그러나 이 사이 수이출이 특히 급증한 조선·대만·만주라는 엔화결제권을 제외한 외화=정화결제수준에서 보면 적자폭(B-A)은 여전히 크다. 외화수입이 곤란한 상황하에서 이러한 적자의 누적은 조만간 국제결제의 위기를 초래하지 않을 수 없었다. 1937년 1월에 정부가 수입환허가제를 채용한 것을 시작으로 본격화된 무역통제는 이러한 위기의 대응이었다.

<표 1-14>에 나타난 상품별 구성도 1920년대의 그것과 비교하면 크

게 변화하였다.

<표 1-14> 주요 상대국별 무역(1936년) (백만엔)

주 국명	수이출	수이입	공제	주요수이출금	주요수이입품
아시아	2,263	1,937	326		
조선	648	518	130	기계79 의류46	쌀249 콩류25
대만	244	359	-115	기계27 면·견포19	사탕163 쌀125
만주	498	239	259	기계90 면포76	콩류 73 석탄27
(소계·A)	1,390	1116	273		
중국	160	155	5	기계32 철류14	조면23 석탄13
영령말레이	2	39	-37	기계0.4 면포0.3	고무19 철광석18
해협식민지	59	41	18	면포9 의류 6	고무24 주석9
영령인도	259	372	-113	면포73 인견26	조면315 철류22
네덜란드령동인도	129	114	16	면포55 인견포12	석유44 고무23
유럽	308	330	-22		
영국	147	73	74	통조림32 생사24	기계21 모직물9
독일	35	115	-80	유지 8 면포 4	약품38 기계33
북미	609	921	-312		
합중국	594	847	-253	생사334 식물유32	조면372 석유9
중남미	110	134	-24		약품38 철류78
아프리카	198	108	90		
이집트	41	46	-5	면포21 모직물4	조면36 인광석7
오세아니아	98	210	-113		
호주	69	182	-113	인견포18 면포14	양모147 밀17
합계·B	3,585	3,641	-56	면포525 생사393 기계280 의류236 인견포185 철류93	조면861 쌀379 철류204 양모201 사탕184 석유183
B-A	2,195	2,524	-329		

자료 : 『日本外國貿易年表』, 『朝鮮貿易年表』, 『臺灣貿易年表』.

1933년(식민지수이출을 제외하면 1934년)이 되면 면포가 생사를 대
신해 수이출의 선두를 차지하게 되었고, 의류·인견사 수출의 증가와
함께 수출섬유품의 가공도가 전체적으로 높아졌다. 그러나 영제국블록
의 수량제한·관세인상에 막혀, 1935년부터는 면포 수이출량이 더 이

상 성장하지 못하고 이후 감소가 불가피했다. 영령 인도에 필적하는 양의 일본면포를 수입하고 있던 네덜란드령 동인도(현재의 인도네시아)도 수입제한을 실시하였고 거기서는 시멘트·맥주·자전거 등도 대상이 되어, 일본 측 업자는 수출통제를 실시하였다. 기계류 등 중화학공업 수출도 엔화결제권 이외에서는 자주 수입제한의 대상이 되었다.

다른 한편 수이입품 가운데 미곡(제2위)·사탕(제5위)은 식민지로부터의 이입에 의해 거의 충족되었으나, 조면·양모·철류·석유는 미국과 대영제국, 여기에 네덜란드령 동인도로부터의 수입이 대부분을 차지하였다. 철광석의 과반과 주석·생고무 등도 마찬가지였다. 세계무역의 블록화가 진전된 것 자체는 제 원료품의 수입을 직접 저해하지는 않았으나 영미 더 나아가 네덜란드와의 제국주의적 대립이 심각하게 되는 경우에는 일본제국주의의 경제적 토대가 원료조달 면에서 붕괴할 위험이 충분히 있었다.

주요 철강생산국 중 철강불균형이란 점에서 이탈리아와 함께 예외적 존재였던 일본은 1930년대 중엽 세계최대의 선철·설철 수입국이었고, 영령 인도의 선철과 미국의 설철이 없었으면 1932년 이래 달성한 강재자급은 불가능하였다. 다른 한편 영령 말레이산 철광석의 수입은 수요 증가에 완전히 응하지 못했고, 호주와 남미로부터의 수입 증가는 수송력 때문에 한계가 예상되었다. 대야·도충 철광석의 수입에 대해서는 국민정부가 강력한 제약을 가했다. 이리하여 철강의 증산에 필요한 철광석을 만주, 더 나아가 화북에서 구하려는 움직임이 일본정부 내에서 강해졌다.

1937년 5월 육군성에서 정부에 제출한 「중요산업5개년계획」에서는 만주를 포함한 강재 1천만 톤의 증산에 필요한 철광석의 공급에 대하여 만주 1,200만 톤, 일본(조선 포함) 1,050만 톤이라면서, "일본이 부족한 약 450만 톤은 중남미·남양 및 호주 방면에서 수입하고, 또 북중국의 자원 이용에 노력하여 위의 수입량을 감소시킨다"고 쓴 것은 "유사시에 일본·만주·중국본토에서 중요자원의 자급을 얻을 수 있게 한다"는 동 계획의 핵심부분이었다고 볼 수 있다.

　이에 대해 석유자원의 경우는 만주만이 아니라 중국본토를 범위에 넣어도 자급은 불가능했다. 기껏해야 30만 킬로리터의 국내산유로는 민간수요의 10%를 겨우 충당하는 데 불과하였고, 만주사변 후 급증하는 군수를 포함한 석유수요의 대부분은 스탠다드·바큠과 라이싱 선(쉘계)이라는 영미 2대 석유회사가 공급하고 있었다. 마쓰가타 고지로(宋方幸次郞)가 1933년부터 수입한 값싼 소련석유도 영미석유를 대체할 만한 정도는 못되었고, 대소전을 준비하고 있는 군부로서는 기대할 수 없는 것이었다. 해군성의 의도로 1934년에 제정된 석유업법은 판매량 할당에서 영미 2사를 냉대하고 연간수입량의 반을 저유해야 한다는 의무를 부과했기 때문에 미국정부가 이에 항의하였고, 영미 2사는 저유의무를 거부하여 동법으로는 석유공급에서의 영미의존을 조금도 바꿀 수가 없었다.

　만주 무순탄광에서는 탄층상부의 혈암(頁岩)에서 조유(粗油)를 채취하는 공장이 1930년부터 가동되기 시작하였으나 1935년의 연산능력은 12만 톤에 지나지 않고 중국본토에서의 석유산출은 전무했다. 1937년에 세워진 인조석유 7개년계획은 석탄으로 인조석유를 제조하고 고구마·감자에서 만들어진 알코올을 휘발유에 혼용하는 것이었으나 그래도 대량의 석유수입은 불가피하였다. 때문에 일본지배하의 제국경제권 내부에서의 석유자급을 도모하려 한다면, 석유 산출지역인 네덜란드령 동인도를 제국경제권 내부로 포섭해야 한다는 '남진론(南進論)'이 등장하지 않을 수 없었다. 1936년 8월 오상(五相)회의에서 확정된 「국책의 기준」에서 "일본·만주·중국 3국의 긴밀한 제휴를 구현하여 우리의 경제적 발전을 도모하는 대륙정책과 함께 남방해양 특히 남양 방면

에 대한 우리의 민족적, 경제적 발전을 계획한다"는 남진정책이 처음
으로 명기된 배후에는 석유자원을 갈구하는 군부 특히 해군의 강력한
요청이 있었다.

2. 대일본유화책과 항일 전쟁능력의 배양

관동군이 주도하고 군중앙이 이에 동조함으로써 시작된 만주사변에
대해 와카스키 수상, 시데하라 외상 등 정부수뇌와 궁정그룹[9]은 처음
에는 불확대방침을 취하였으나, 조선군의 독단적인 월경(越境)을 추인
한 데서 나타난 것처럼 군부의 독주를 누를 역량도 의지도 없었다. 일
본공업구락부와 일본경제연맹에 결집한 독점자본가들은 만몽문제의
근본해결을 외치면서 정부에 압력을 가하고 신문과 라디오는 군부의
허위발표를 그대로 수용하여 연일 사변을 지지한다는 캠페인을 전개
하면서 여론을 배외주의적 열광으로 유도하였다. 이시바시 탄잔(石橋
湛山)의 만몽방기론(滿蒙放棄論)과 일본공산당의 반전투쟁은 그러한
흐름을 바꾸기에는 영향력이 너무나 미약했다.

협의의 만주사변은 1932년 3월의 만주국 건국선언, 1933년 3월의 국
제연맹 탈퇴, 같은 해 2~5월의 열하·하북성 침공을 거쳐 1933년 5월
의 당고협정(塘沽協定)으로 일단 종결된다. 협정의 조인 당사자가 된
관동군은 병력을 만주로 되돌려 반만 항일운동을 진압하면서 만주경
제건설에 힘을 기울여 1934년부터 1935년 초에 걸쳐 중국 측 정무정리
위원회와의 사이에서 만주국과의 전신·철도·우편협정을 성립시키고
실질적으로는 만주국 승인을 강요했다. 관동군은 그 때 정무위원회를

---

9) 기도 고이치(木戶幸一) 등 천황의 측근 집단으로 국책의 최고단계에 관여함.
내대신은 수상 결정과정에서 막강한 힘을 발휘하였고 천황의 언행에 큰 영향
력을 주었음.

북지정권(北支政權)으로 부르려다 거절당하였는데, 이로부터 현지 군부 내에서는 일찍부터 화북분리공작을 추진하자는 생각이 있었음을 알 수 있다. 관동군은 1934년이래 화북의 자원에 주목, 만철에 의뢰하여 자원조사를 하였는데 그것은 만주의 자원매장량이 예상보다 적었기 때문이었다. 자원문제란 면에서 보면 일만블록의 한계에 대한 인식이 그들로 하여금 화북분리공작을 추진케 하였다고 볼 수 있다.

남경국민정부의 장개석은 '안내양외(安內攘外)'론에 입각하여 중국공산당＝홍군 진압에 진력한 결과 1934년 10월 홍군은 서금(瑞金)철퇴(→대장정)에 나서게 되었다. 장개석은 군사력을 강화하는 한편 뒤늦게나마 경제건설에 나서기 위해 일단은 대일타협정책을 전개했다. 이러한 움직임에 대하여 일본외상 히로타 고키(廣田弘毅)의 대응은 표면적·수동적이었고, 1934년 말의 육해외 3성 과장간의 합의안인 「대 중국정책에 관한 건」은 실질적으로는 화북분리공작을 용인하는 측면을 가지고 있었다. 그리고 1935년 5～6월에 관동군과 화북주둔군이 하북성·차하르성으로부터 국민정부세력을 몰아낸 사건에 대해서도 히로타 외상은 현지군에 교섭을 맡겼다.

일본군부에 의한 화북분리공작은 1935년 1월 국민정부에 의한 폐제개혁의 성공으로 좌절되었으나 관동군은 같은 달 강제로 기동방공자치위원회(뒤의 기동방공자치정부, 기＝하북성)라는 괴뢰정권을 발족시키고, 이후 동 정권의 공인하에 밀무역이 격증하여 국민정부의 관세수입에 대타격을 가했던 바, 이 때문에 중국민중의 항일기운이 높아졌다. 1935년 8월 중국공산당의 항일민족통일전선 제창과 1936년 12월의 서안사변으로 인해 제2차 국공합작이 시작되었다. 이러한 움직임에 대응해 1937년 3월 하야시 센쥬로(林銑十郎) 내각 외상에 취임한 사토 나오사케(佐藤尙武)는 국민정부를 상대로 종래의 화북분리공작을 부정하는 방침을 취하였다. 이 신방침은 참모본부와 군령부의 정책전환 주장과도 일치하였으나, 관동군만은 이에 크게 반발했다. 이어 5월에는 내각이 총사직하였기 때문에 사토의 신방침은 열매를 거두지 못한 채 7월 노구교(蘆溝橋) 사건[10]이 일어났다.

만주사변에서 중일전쟁에 이르는 이상과 같은 경과는 제열강의 대일유화정책에 의해 지탱되었다. 일본에 대해 가장 유화적인 정책을 편 것은 영국이었다. 만주사변에 대한 스팀슨 미 국무장관의 비승인선언에 대해 사이먼(J.A. Simon) 영국 외상은 협조하지 않았으며 1932년 1~5월의 상해사변으로 영국의 재중국권익이 위협받게 되자 비로소 영국 정부는 강력한 항의의 자세를 갖추었다. 이러한 유화적 태도의 근저에는 영국과 일본은 중국내에 제국주의적 권익을 함께 갖고 있어 민족운동의 표적이 되었다는 동지적 공감대가 놓여 있었다는 점, 나아가 그러한 민족운동의 배후에 있는 사회주의국 소련에 대한 적대의식이 있었다는 점도 간과해서는 안 된다. 일본의 만주 신권익에 대해 유화적이었던 리턴보고서[11]는 혁명러시아와 중국민족운동에 대해 적의를 가지고 있었고, 1934년 영일불가침협정을 제기한 체임벌린(A. Chamberlain) 재무장관은 반소(反蘇)제국주의 연합이라는 환상에 사로잡혀 있던 이데올로기적 유화론자였다.

중국문제를 둘러싼 미국의 대일정책은 영국의 그것이 경제적 이해와 관련된 것인데 반해 원칙적·도덕적 관점이 강했다. 앞의 스팀슨

---

10) 1937년 7월 북경 교외 노구교 부근에서 야간 연습중이었던 일본군 부대와 이 곳을 경비하고 있던 중국 제29군의 한 부대가 충돌한 사건으로 중일전쟁의 시발점이 되었다.

11) 만주사변 처리에 관한 국제연맹조사단의 조사보고서. 리턴(V.A.G.R. Lytton)을 단장으로 미국·프랑스·독일·이탈리아의 각국 위원이 1932년 4월 20일~6월 4일까지 만주를 조사함. 보고서는 9월 18일의 일본군의 행동을 정당한 방위행위로 인정하지 않고 만주국도 중국의 주권하의 지방적 자치정부로 둘 것을 제안함. 이에 일본은 불복하고 이후 국제연맹에서 탈퇴함.

국무장관의 선언에 나타난 엄격한 대일자세에도 불구하고 대일 경제 제재 등의 실제적 행동을 하지 않은 데에는 그러한 이유가 상당히 있었을 것으로 추측된다. 그러나 이것은 미국이 미 경제계가 중일 양국과 유지하고 있는 현실적 관계와 그 변화를 무시한다는 것은 아니었다. 모건 상회의 래먼트가 상해사변을 신랄하게 비판하면서도 대일 경제제재에 반대하고 대중국 경제원조에 일관되게 소극적이었던 것은 그때까지 대일투자의 실적에 뒷받침되었던 것이다. 또 1933년 5월 국민정부 재무부장 송자문이 미 재무성으로부터 대중국 면맥(綿麥)차관 계약을 체결한 이래 대일 억지노선을 따르는 재무성이 대일 유화방침을 견지하는 국무성을 서서히 압박해 가면서 대중국 원조를 강화해 간 배경에는 1932년 이래 대중국 무역액에서 일본을 능가해 선두에 나서게 된 미국 경제계가 중국시장에 대해 갖고 있는 강력한 관심이 깔려 있었다.

소련도 만주사변에 대해 그것이 대소전쟁으로 바뀌는 것을 경계하여 소극적인 태도를 유지했다. 소련이 극동방면의 군사력을 증가하면서 1931년 말에 일소(日蘇) 불가침조약을 제의한 것은 제1차5개년계획에 무엇보다 힘을 기울여야 하였기 때문이었다. 1932년 2월부터는 동지철도를 만주국에 매각하기 위한 교섭이 시작되어 1934년 9월에 타결을 보았다.

서구열강은 이처럼 대일 유화정책을 펼치면서 남경국민정부에 대해서도 서서히 관계를 강화해가면서 그 경제건설을 지원해 갔다. 그 커다란 획기가 된 것이 1935년 11월의 중국폐제개혁이었다. 폐제개혁 그 자체는 국민정부 내에서 1935년 1월부터 검토하기 시작하였는데 이는 1934년 8월부터 루스벨트(F.D. Roosevelt) 미국 대통령이 의회대책의 일환으로 성립시킨 은 구매법[12]을 발동시켰기 때문에 세계적인 은가 폭등이 발생하고 이로 인해 대량의 은이 유출된 중국경제가 혼란에 빠진

것에 대한 대책의 일환이었다. 같은 해 4월 정부는 중앙·중국·교통
세 은행을 증자해 정부 몫을 늘리고 은행권의 절반을 통제하였다. 영
국으로부터 파견된 리스-로스(F.W. Leith-Ross) 사절단은 그러한 개혁의
움직임을 외부로부터 지원한 것이지만 리스-로스가 목표로 한 영일협
력은 물론 법폐를 파운드와 링크하는 것, 그리고 영국으로부터의 차관
공여 등 모든 것이 실행되지 않았다.

이에 국민정부는 앞의 세 은행만이 발행한 법폐로 은 통화를 회수하
고 외국환의 무제한 매매로 법폐의 대외시세를 안정시킨다는 개혁을
단행했다. 국유화한 은을 매각하여 환안정기금으로 전환하는 교섭은
미국과 진전되어 달러와 링크되지 않은 형태로 은매상협정이 수차례
에 걸쳐 체결되었다. 더욱이 일본을 제외한 재중 외국은행도 소유 은
을 법폐로 교환하는 데에 협력하였기 때문에 폐제개혁은 멋지게 성공
했다.

이는 일본의 화북분리공작을 경제면에서 좌절시켰을 뿐만 아니라
환율인하와 금융사정 완화를 초래해 경제회복의 계기가 되었다. 계속
해서 국민정부는 1936년 7월부터 중공업3개년계획에 착수하고 독일·
영국·미국에 기술과 자본을 의지하면서 대일전을 예상한 국방경제의
건설에 착수했다. 외자도입의 담보로는 안티몬·텅스텐 등 정부가 독
점한 중요 군수물자가 채택되었다. 이처럼 관료 주도하에 군수공업 중
심의 중공업건설이 시작되었으나 성과를 거의 거두지 못한 상황에서
중일 전면전쟁이 일어났다. 그 때문에 항일세력이라는 임무를 지닌 국

---

12) 1933~35년에 미국이 은가격을 인위적으로 끌어 올리기 위해 채택한 일련의
은매입정책. 정책의 최대 목표는 중국 같은 은본위 국가의 미국 상품에 대한
구매력을 증가시키는 데 있었다. 이 정책으로 인해 중국에서 대량의 은이 유
출되고 1935년에 중국폐제개혁으로 중국이 은본위제에서 이탈하는 최대의
계기가 되었다.

민정부에게는 미소 양국으로부터의 물자원조가 무엇보다 중요한 의미를 가졌고, 이에 더해 항일 민족통일전선에 결집한 전 민족적 에너지라는 정치력이 결정적인 역할을 담당하게 되었다.

제2장 금본위제 복귀정책과 금융자본

제1절 금해금의 경제적 배경

1. 은행의 집중

1900년대 이후 소은행의 정리는 일본정부의 일관된 방침이었다. 소규모 은행은 대체로 경제정세의 급격한 변화를 이겨낼 수 있는 힘이 약하였고 제1차 대전 이후 소은행의 난립은 금융계를 동요시키는 요인 중 하나였다. 하지만 소은행의 정리는 지지부진한 상태에 머물고 있었으며 결국 1927년 금융공황의 원인이 되었다. 금융공황이 진행되면서 불건전한 은행 및 중소은행은 철저한 타격을 받아 그 수가 급격히 줄어들었다. 금융공황은 일본에서 은행집중이 이루어지는 결정적인 계기가 되었으며, 공황 중에 성립된 '은행법'은 이에 더욱 탄력을 가하여 그 대세를 되돌릴 수 없는 것으로 만들었다.

금융공황으로 2, 3류 은행에서는 대량의 예금인출이 일어났으나 인출된 예금은 잠시 개인의 수중에 머물다가 일류은행으로의 예금, 우편저금, 금융신탁 등으로 흡수되었다. 즉 공황 후에는 재예금처가 바뀐 것이다. 더구나 공황 시 시중은행의 지불준비자금 공급을 목적으로 실시된 일본은행의 비상대출은 같은 해 5월의 일본은행 특별융통 및 손실보상법의 시행에 의해 당초의 응급적 성격에서 벗어나 금융기관의

정비를 도모하기 위한 장기적 성질을 가진 특별융통으로 바뀌고, 융통
마감일인 1928년 5월에는 융통금액이 88행, 6억 8,700만 엔이라는 거액
에 달하였다. 이 특별융통은 1920년대 중반부터 금융시장에 대한 거대
한 압박재료가 되어있던 거액의 고정대출에 대해 유동성을 주게 되고
그 자금이 대부분 예금인출에 의해 일류은행으로 집중된 것이다.

   예금의 일류은행으로의 집중이라는 것은 <표 2-1>에서 알 수 있는
것처럼 특히 5대 은행(미쓰이, 미쓰비시, 다이이치, 야스다, 스미토모)
로의 집중을 의미하였다. 즉 1926년 말부터 1929년에 이르는 3년간에
보통은행의 예금총액은 보합세를 나타냈음에도 불구하고 5대 은행의
예금은 이 사이에 44% 격증하였고, 5대 은행이 보통은행 전체에서 차
지하는 비율은 1926년의 23%에서 1929년에는 33%로 상승하였다. 도쿄
및 오사카의 은행집회소 사원은행의 예금이 증가한 것을 고려하면 이
러한 사실은 지방소은행의 예금이 크게 감소하였음을 말해 준다.

<표 2-1> 5대 은행으로의 집중

연 도	5대은행 합계(백만엔)			전국보통은행합계에서 차지하는 비율(%)		
	불입자본금	예금	대출금	불입자본금	예금	대출금
1900	14	78	77	5.8	17.8	11.6
1910	37	255	215	11.7	21.5	17.2
1920	178	1,570	1,236	18.5	26.9	20.9
1925	283	2,106	1,628	18.9	24.1	18.4
1926	283	2,233	1,788	18.9	24.3	20.7
1927	291	2,818	1,940	19.6	31.2	24.3
1928	291	3,130	1,935	21.1	33.5	25.6
1929	323	3,210	2,013	23.4	34.5	27.8
1930	323	3,187	2,009	24.9	36.5	29.5
1931	323	3,169	2,062	25.9	38.3	31.3
1932	323	3,430	2,072	26.5	41.2	37.1

   자료 : 後藤新一, 『日本の金融統計』, 東洋經濟新報社, 1970, pp.117~120.

　　대출금에 있어서도 <표 2-2>에서 보는 것처럼 보통은행 전체로서
는 20%의 감소를 나타내고 있으나 5대 은행의 그것은 오히려 10% 증
가하고 있는데 이를 통해서도 지방소은행의 대출이 크게 감소하였다
는 사실을 추측할 수 있다. 더구나 5대 은행은 대출의 증가에도 불구하
고 유가증권의 소유는 이 사이에 약 2.5배 증가하고 그 증가액은 보통
은행 전체의 증가액의 약 70%를 차지하고 있는 것이 주목된다. 이와
같은 추이를 통해 5대 은행의 지위가 비약적으로 향상되었다는 것을
알 수 있다. 또한 제1차 대전 중의 번영을 통해 소위 대은행시대를 맞
이한 이래 5대 은행이 금융공황을 계기로 약 3년만에 금융계를 제패할
수 있는 기초를 확립하였다는 사실도 명확해졌다. 특히 1926년에는 5
대 은행의 예금액이 잦은 변동을 겪기는 하였으나 그 이후 미쓰비시
은행과 다이이치 은행의 예금액이 꾸준히 증가하여 1929년 말에는 5행
이 거의 어깨를 나란히 하게 된 사실도 주목할 필요가 있다.

<표 2-2> 보통은행 대출금 및 소유유가증권의 추이 (단위 : 백만엔)

	대 출 금			유 가 증 권		
	5대은행	동경은행집회소 사원은행	보통은행계	5대은행	동경은행집회소 사원은행	보통은행계
1926(A)	1,839	2,185	9,083	554	922	2,158
1927	1,993	2,145	8,122	1,002	1,251	2,591
1928	1,977	2,251	7,555	1,262	1,660	3,283
1929(B)	2,040	2,233	7,313	1,329	1,690	3,323
B/A	110.9%	102.2%	80.5%	239.9%	183.3%	154.0%

자료 : 日本銀行, 「金解禁下の財政金融事情について」, 앞의 『資料』昭和
　　　編, 第20卷, 1968, p.231.

　　이러한 대은행으로의 예금 집중은 필연적으로 자금의 편재를 가져
왔다. 즉 대은행으로의 예금 집중이라는 것은 단지 2, 3류 은행에서 일
류은행으로의 집중일 뿐만 아니라 지방은행에서 도시은행으로의 예금

이동도 의미하는 것이었다. 그 결과 도시대은행 방면에서는 금융은 비정상적으로 완화된 반면, 지방은행의 자금사정은 점차 어려워지고 지방 및 중소상공업자의 금융난은 더욱 심화되어 갔다.

자금의 집중은 동시에 은행의 집중도 가져왔다. 1901년의 공황 이후의 계속된 공황 속에서 은행집중이 강행되어 보통은행수는 같은 해 말 1,867행을 절정으로 이후 감소추세에 들어갔지만 특히 1927년 이후의 은행집중은 다른 어떤 시기보다 격심하였다(<표 2-3>). 즉 1927년의 금융공황은 1920년 이후의 연속적인 경제공황의 총결산이라고 말할 수 있고, 또 당시 일본경제가 점차 독점적 경향을 강화하고 있다는 경제사정이 은행집중의 경향을 강화시키는 주요인이 되었다. 이에 더해 1928년 1월 1일 은행법이 시행되고 이를 계기로 정부의 중소은행 대책이 급격히 강화됨으로써 은행의 집중은 더욱 촉진되었다. 즉 신법은 은행의 최저자본금을 결정하였는데 이는 단지 소은행의 발생을 저지한다는 종래의 정책을 변경한 것으로서 소정의 유예기간 경과 후에는 기존의 617개의 은행이 일시에 무자격이 된다고 하는 철저한 정리방침을 제시함으로써 소은행대책이 획기적으로 전환하였다는 사실을 대내외에 분명하게 밝혔다.[1]

이렇게 해서 1928년 중에만 보통은행수는 252개나 감소하였고 <표 2-3>에서 보는 것처럼 1행당 평균규모가 크게 증대하여 소수 유력은행이 압도적인 힘을 갖게 되었다.

---

1) 은행법에서 정한 조건을 충족시키지 못하는 은행(무자격은행이라 불림)은 다음과 같다. ① 도쿄·오사카에 본점을 둔 은행으로 자본금 200만 엔 미만의 것 48행, ② 합명·합자회사 또는 개인은행이기 때문에 조직변경이 필요한 것 1행, ③ 은행법 시행 후 5년내에 자본금을 100만 엔 이상으로 하는 것이 필요한 것 166행, ④ 인구 1만 명 미만의 땅에 본점을 가진 은행으로 자본금 50만 엔 미만의 것 336행, ⑤ 이상의 외에 자본금 증액, 조직변경의 두 가지 모두 필요한 것 66행 등이었다.

<표 2-3> 보통은행의 집중

연도	은행수	1행당지점 출장소수	1행당 불입자본금	1행당예금	1행당대출금
			만엔	만엔	만엔
1914	1,593	1.4	25.2	95.4	108.4
1916	1,424	1.5	26.2	158.5	156.8
1918	1,372	1.7	37.3	338.1	302.3
1920	1,322	2.1	71.7	440.7	446.5
1922	1,794	2.9	79.8	434.9	437.5
1924	1,626	3.3	91.5	497.9	509.8
1926	1,417	3.7	104.8	647.8	650.7
1927	1,280	4.1	114.8	705.3	639.1
1928	1,028	4.9	133.4	907.7	734.0
1929	878	5.6	156.5	1,058.3	825.3
1930	779	6.1	165.5	1,121.7	875.2
1931	680	6.7	182.6	1,216.0	969.7
1932	538	8.0	226.3	1,546.3	1,179.0

자료 :『金融事項參考書』, 昭和12年調, p.116, pp.118～120.

<표 2-4> 각종 금융기관의 예금 (백만엔)

	1926년(A)	1927년	1928년	1929년(B)	B/A
보통은행	9,031	8,906	9,215	9,213	102.0%
저축은행	1,067	1,101	1,249	1,421	133.2
금전신탁	423	681	1,003	1,168	276.1
우편저금	1,194	1,565	1,792	2,105	176.3
무진회사부금계약수입금	357	424	519	546	152.9
시가지신용조합저금	105	120	144	158	150.5
산업조합저금	781	885	1,011	1,108	141.8
생명보험계약고	5,596	5,969	6,540	7,199	128.6

자료 : 日本銀行, 「金解禁下の財政金融事情について」, 앞의 『資料』 昭和編, 第20卷, 1968, p.234.

또 1926년 말부터 1929년 말에 이르기까지 각종 금융기관의 예금 추이를 보여 주는 <표 2-4>에서 알 수 있는 것처럼 보통은행은 거의 보합상태이지만 저축성 예금을 취급하는 저축은행 및 우편저금은 각각

33%, 76%로 대폭 증가하였다. 이 점은 보통은행 예금의 내역에서도 살펴볼 수 있는 것이고 정기예금과 특별당좌예금은 약간이지만 증가하고 있는데 반해, 당좌예금은 14% 감소하고 있다. 무진회사의 부금 및 시가지 신용조합저금, 산업조합저금 등도 40~50% 증가로 대략 비슷하지만 금전신탁이 176%라는 엄청난 증가세를 보이고 있는 것이 특히 주목된다.

2. 콜 시장의 붕괴

1927년의 금융공황으로 일본은행의 통화통제력(금융조절력)은 더욱 저하되었다. 금융공황 전에는 3억 엔 전후에 지나지 않았던 일본은행 대출(월중평균잔액)은 공황 후에는 일거에 8억 엔대에 달했다. 이는 앞서 본 대로 대은행과 중소은행, 도시은행과 지방은행 간에 '자금분포 상태의 변이 및 편재현상'을 불러일으켜 도시은행·대신탁회사로의 자금편재(유휴자금의 넘침)와 지방중소 금융기관의 자금경색이라는 상황이 나타났는데, 이러한 상황을 더욱 격화시킨 것이 콜(call) 시장의 괴멸이었다.

1920년 전후공황 후, 1920년대 초의 금융계는 실로 '콜 전성시대'라 불릴 정도로 그 거래가 매우 활발하였는데, 그 최대의 요인은 대만은행·조선은행의 거액의 콜 도입이었다. 두 은행의 경우 대외금융기관으로서의 역할에 필요한 자금을 조달하는 데 있어 콜 자금이 중요한 역할을 하고 있었으나 콜 시장측에서 보아도 두 은행의 지위는 압도적이었다. <표 2-5>에서 보는 것처럼 두 은행의 콜 도입고는 잔고·총액 모두 1920년대에 들어서 급격하게 상승하였다. 즉, 대만은행의 콜 총도입고는 1919년의 12억 엔에서 1926년에는 38억 엔으로 3배 이상으로, 조선은행도 1919년의 11억 엔에서 1923년 30억 엔, 1926년 18억 엔으로 팽창하였다. 이 결과 1920년대에는 두 은행의 콜 도입은 콜 자금 전체의 60~70%를 차지할 정도가 되고, 단자시장은 대만은행과 조선은행이 정리융통자금을 조달하는 장소로 변화했다.

<표 2-5> 특수은행의 단자흡수고 (천엔)

연도	요코하마 정금은행	콜	대만은행	콜	조선은행	콜	일본흥업 은행	콜	계
1919	73,542	17,700	67,468	60,460	57,780	61,270	98,850	99,000	297,640
1921	818	0	198,365	16,550	53,150	51,740	10,900	10,900	263,233
1923	15.664	15,000	178,998	40,970	102,505	81,470	6,400	6,550	303,567
1925	43,945	22,600	177,341	60,300	53,250	33,500	11,600	12,000	286,136
1927	195	11,700	17,500	2,500	2,000	2,000	11,300	11,300	30,995
1929	-3,829	0	15,870	1,820	39,200	6,200	14,250	14,250	65,491

자료 : 伊藤正直, 『日本の對外金融と金融政策 : 1914~1936』, 名古屋大學出版會, 1989, p.209.
주 : 1) 단자의 내용은 정금=콜+스탬프어음+수입인수어음-콜・론, 대은=콜+차입금+인수어음+매출어음+스탬프어음+재할인어음-콜・론, 조은=콜+차입금+재할인어음-콜・론, 홍은=콜-콜・론.

그런데 1920년대의 콜 시장에서 도입자가 대만・조선의 두 은행에 집중된 데 비해 대여자는 도시은행 그것도 재벌계 도시은행이었다. <표 2-6>에서 보는 것처럼 재벌계 도시은행의 콜 방출고는 금융공황 이후 돌연 크게 감소하였다. 이는 종래 대만은행이 3억 엔 이상의 콜을 취급하는 최대 수요자이고 전 콜 거래의 3분의 1을 차지하고 있었으나 1억 2,500만 엔의 콜을 회수하기로 한 대만은행 조사정리안의 취지에 따라 더 이상 새로운 일을 시작하지 않은 것, 이에 따라 콜 수요자의 큰 손인 다른 특수은행의 거래고도 눈에 띄게 감소하였고 또 금융공황 후 일찍이 콜을 회수한 각 방출은행도 이후 자금관리를 순조롭게 한 것, 또 수요자은행의 신용을 염려하고 업무개선의 취지에 따라 가능한 한 무담보 콜 및 지나친 장기의 콜을 거절할 의향을 보이기에 이르렀기 때문이었다.

<표 2-6> 콜론의 거액 공급자 (백만엔)

연월	야스다	제일	미쓰비시	미쓰이	천기제백	일본주야
1926년11월	49	47	44	48	34	10
1927년 3월	74	41	38	30	31	10
8월	4	9	18	5	2	0.4
10월	5	10	22	2	1	0.8
11월	7	10	30	8	2	1

자료 : 日本銀行, 「關東震災ヨリ大正二年金融恐慌ニ至ルル我財界」, 앞의 『資料』第24卷, 1969, p.143.

하지만 스미토모 은행은 대만·조선의 두 은행에 콜을 방출하지 않았고, 미쓰비시 은행도 대만은행에게는 콜을 공급하지 않았다. 또 당시의 시론, 조사 등을 보더라도 미쓰비시·스미토모가 대만은행에 콜을 방출하지 않은 것을 확인할 수 있다. 그러나 이 사실은 미쓰비시·스미토모가 방출한 단기자금이 대만은행·조선은행으로 흘러가지 않았다는 것을 의미하지 않는다. 실제로 이들 도시은행과 대만은행·조선은행은 중간 매개 고리를 통해 결합되어 있었다. 그 매개 고리가 된 것은 1920년대에 급속히 발전한 어음중개업자(bill broker)였다. 후지모토, 마스다, 야나기타, 하야카와, 우에다, 고이케 등의 어음중개업자는 1920년대에 그 영업규모를 일거에 5~10배 확대시킨 이후 본격적으로 자신들의 계산으로 콜의 방출·흡수·보유 등의 행동을 하는 동시에 기채시장에서 중요한 구성요소가 되었다. 미쓰비시·스미토모 등은 이러한 어음중개업자로 콜을 방출한 것이고 미쓰이 은행의 경우도 한편으로는 직접 대만은행·조선은행에 대해 콜을 방출하는 동시에 어음중개업자를 매개로 단명어음을 인수하거나 콜을 방출하고 있었다. 대만은행·조선은행의 경영위기가 말기적 양상을 드러낸 1926년 경이 되면,

콜의 태반은 중매인의 손을 거쳐 대만은행에 장기 콜이 되어 도쿄 콜 시장은 완전히 이 한 은행을 위해 존재하는 것과 같은 모습을 보였으나 이러한 어음중개업자의 방출자금의 원천은 재벌계 도시은행이었다.

1927년의 금융공황은 이와 같은 구성을 가지고 있던 콜 시장을 일거에 붕괴시켰다. 콜의 최대 도입자를 상실함으로써 도시 일류은행의 단자 방출액은 격감하고 1927년의 금융공황 직전 4억 8~9천만 엔의 콜 잔고를 갖고 있던 동서 양 시장은 1928년에 이르러서는 1억 4,000만 엔의 잔고를 갖는데 머무르고 전국 보통은행의 콜 잔고 역시 이 기간에 6억 900만 엔에서 1억 7,000만 엔으로 격감했다.

이러한 사정을 반영하여 공황 전에는 5,000만 엔 전후였던 일본은행 일반예금은 1927년 하반기에는 2억 엔대로 급증하고 1928년 5월에는 일시 4억 엔에 달할 정도가 되었다. 이 때문에 이전에는 태환권 발행고의 증감은 주로 일본은행의 대출액 증감에 의해 좌우되었던 데 반해, 이제는 일본은행 금리정책의 운용 가능의 범위 밖에 있는 민간예금의 인출 혹은 예입에 의해 좌우되는 사태가 발생하게 되었다. 결국 이 시기 일본은행은 아직 중앙은행으로서의 지불준비제도를 갖고 있지 않았다고 볼 수 있다. 이 때문에 공정이자율 조작을 통해 일본은행 대출을 조정하고 금융시장 조절을 한다는 정책의 유효성은 시중은행의 일본은행 일반예금의 증대 때문에 그 예입·인출에 의해 상쇄된다는 금융정책면에서의 제약상황이 일어났다. 이러한 사태에 대한 대응으로서 이루어진 것이 앞서 본 대장성 예금부와의 연계에 의한 일본은행소유 국채의 대 시중매각으로 시장과잉자금을 흡수한다는 시도였다. 1927년 5월 이래 1928년 6월까지의 1년 정도 사이에 3억 엔 이상의 대 시중매각이 이루어져 정부도 1928년 3월 및 5월에 계 1억 3,000만 엔의 국채를 시중공모방식으로 발행했다. 그러나 이러한 시험도 금융완화의 진행을 막지 못하였고, 1928년 가을 경이 되면 시중은행의 국채 보유가 상당히 높은 수준에 달한 것, 국채의 시중가격이 약간 연화 기미가 된 것 등으로 인해 기채시장도 부진상태에 빠지게 되어 국채시중매각은 원활하게 진행되었다고 볼 수는 없었고, 도시은행·신탁은행 등의 유휴자금은 다시 축적되기 시작했다.

이상에서 본 것처럼 대은행으로의 예금집중은 당시의 만성불황과 함께 금리를 하락시켜 소위 '유자문제'를 일으켰다. 유자의 과잉은 단기금리의 하락을 초래하였으며 콜의 경우 거액 수요자가 사라졌기 때문에 무조건물이 공황 전에 최저 1전 5리에서 1927년 9월에는 8리로 떨어지고 다시 1928년에는 5리까지 떨어졌으며 5월에는 익일물 4리라는 상황까지 나타났다. 상업어음할인율도 공황 전 최저 1전 8리에서 1928년 2월에는 1전 1리로까지 떨어졌다. 이러한 상황에서 금융자본이 선택할 수 있는 길은 해외에서 투자처를 찾는 것이었고, 이를 위해 금해금 즉행을 요구하기에 이르렀다.

제2절 금해금의 실시와 금융자본

1. 금융자본의 금해금 요구

금융공황으로 수그러들었던 금해금 문제는 1928년에 들어 다시 논의되기 시작하였으며, 경제계는 본격적으로 금해금을 요구하는 행동에 나섰다. 한편 프랑스가 1928년 6월에 금본위제로 복귀하면서 국제 금본위제는 거의 재건되어 엔화에 대한 국제적 압력은 다양한 형태로 강화되고 있었다.

재계[2]의 금해금 요구를 보면 우선 1928년 5월 하순 잠사업자 유지

---

2) 당시 흔히 사용되었던 이 재계라는 용어는 경제계와 같은 뜻으로도 사용되는 상당히 애매모호한 단어이다.

대회에서의 결의가 있었고, 그 결의는 대장성 당국에 건의되었는데 요지는 금수출금지 때문에 환율의 변동이 심하고 사업은 불가피한 위험에 노출되어 있다는 것이다. 실제로 1925~26년의 환율변동 때문에 받은 손해는 관동대지진으로 소실된 생사의 전액보다 훨씬 컸다. 그 때문에 외환의 불안을 제거하는 것은 잠사 국책상 급무이기 때문에 하루라도 빨리 금해금을 바란다는 것이었다. 환율의 변동은 금수출금지에 따르는 불가피한 사실이었으나, 이 때문에 사업가가 받는 손해가 얼마나 심하였는가는 잠사업자의 해금 건의에 의해서도 살펴볼 수 있다. 게다가 제사업자가 이와 같은 건의를 하게 되기에 이른 사정으로는 당시의 환율변동이 매우 심했다는 사실을 들 수 있다. 구체적으로 1927년 중 요코하마 정금은행 대미환율의 매매기준가격 변경수는 68회나 되었으며 1928년의 변경수는 78회에 달하였고, 심한 경우 하루에 두 번 변경하기도 했다. 따라서 해외거래를 하는 사람은 물론 사업가가 같은 사람도 확실하게 채산을 맞출 수 없는 상태가 되어 금해금을 요구하게 된 것이다.

　6월 하순 오사카매일조일의 경제부 주최하에 관서방면 유력자의 금해금준비 간담회가 개최되어, 세계 주요국이 모두 금해금제로 복귀하고 프랑스도 가까운 장래에 이를 실시하려고 하는 현재, 금해금은 가장 시급한 선결문제이고 거국일치하여 지체없이 그 준비에 노력해야 한다는 의견이 발표되어 금해금론은 더욱 고조되기에 이르렀다. 당시 정부의 태도는 여전히 소극적이었고 환율이 점차 하락하는 추세를 계속 보여 8월 중순 44달러 3/4을 기록하였으나 정부는 9월에 들어서 중국문제가 해결되고 환율이 회복되면 금해금을 할 수 있다는 의견을 발표하였다. 당시의 일반 정서도 정부의 이러한 발표에 많은 기대를 걸고 있는 상태였다. 일본상공회의소도 마찬가지의 결의를 하고 있는데 재계 각 단체의 이 같은 의견 발표는 일본의 각 분야에 신선한 충격으로 작용하였다. 이에 따라 금해금에 대한 기대가 더욱 강력해지는 가운데 환율은 47달러 1/2로 등귀하고 증권시장도 하락세를 나타냈다. 하지만 환율은 1928년 말에는 44달러 3/4로 다시 하락하였다(<표 2-7>).

<표 2-7> 환율의 추이 (100엔당 달러)

연 도	최 고	최 저	연 도	최 고	최 저
1915	49 3/4	48 -	1925	43 1/2	38 1/2
1916	50 3/8	49 3/4	1926	48 3/4	43 1/2
1917	50 7/8	50 3/8	1927	49 -	45 5/8
1918	52 1/8	50 7/8	1928	48 -	44 3/4
1919	51 7/8	49 7/8	1929	49 -	43 3/4
1920	50 5/8	47 3/4	1930	49 3/8	49 -
1921	48 1/4	47 7/8	1931	49 3/8	34 1/2
1922	48 1/2	47 1/2	1932	37 1/4	19 1/2
1923	49 -	48 1/2	1933	31 1/4	20 1/4
1924	48 1/4	38 1/2	1934	30 3/8	28 1/2

자료 : 日本銀行統計局, 『明治以降本邦主要經濟統計』, 1966, p.320.

한편 금융자본도 금해금 즉행을 요구하였다. 1928년 10월 8일 도쿄 어음교환소의 경제조사회가 금해금 즉시 단행의 의견을 정리하고 15일에 결의문을 작성, 동 연구소 이사회는 이것을 총회의 토의에 붙이기로 결정하였다. 동시에 오사카어음교환소로 통보하여 공동행동을 호소한 다음 10월 22일 도쿄·오사카 양 어음교환소는 금해금 즉시 단행을 결의하고 공동성명을 발표했다. 그 내용은 다음과 같다.

금수출해금 문제는 수년에 걸쳐 해결되지 않고 그 때문에 환율의 변동이 극히 심해 해당 업자는 일정한 계획을 수립할 수 없고 그 때문에 입는 손실이 막대하여 나아가 경제계의 진정한 회복을 적지 않게 저해하고 있다. 현재 경제계의 정리는 점차 진척되고 국제수지의 상황까지 불리하지 않고 또 세계열강은 모두 금해금을 실행하고 있어 우리나라만 혼자 변태를 지속해서는 안 된다. 단 금해금은 환율이 평가에 가까워지는 시기에 결행하는 것이 득책이기는 하나, 혹시 넋을 놓고 그 같은 이상적 상태를 기대하고 혹은 기타의 사정을 고려하여 비해금을 속행하면 그 영향이라는 것은 이제 해금을 단행함으로써 야기되는 영향보다 오히려 더 클 수 있다. 때문에 금일 다소의 희생을 감수하더라도 해금을 단행하는 것이 가장 긴급한 일이라고 믿는다. 그 때문에 정부는 즉시 해금을 단행하여 오랜 기간에 걸친 현안을 해결해야 할 뿐만 아니라 만약 해금을 즉행하기 어려운 사정이 있으면 차선책으로 적어도 내년의 수출입 전환기를 넘지 않는 기간에 단행하기에 적당한 시기를 즉시 확정 공시해야 한다. 어쩌면 해금 즉행과 같은 것은 경제계에 급격한 변동을 줄지도 모르기 때문에 될 수 있는대로 빨리 해금을 하기로 마음을 먹고 그 준비를 완전히 한 후 실행을 도모하자는 의론도 있지만 시기를 확정하지 않고 준비행위에 착수하는 것은 곧바로 내외의 투기자들에게 악용된다는 것은 이미 경험한 바이다. 그리고 해금을 단행하는 데 있어서는 그 대책으로 정부는 재정긴축의 방침을 정하여 공채를 증발하지 않음은 물론 상공업자, 금융업자 및 일반 국민도 모두 근검절약주의를 유지하여 추호도 통화팽창의 우려가 없도록 하는 것을 최우선으로 삼아 조야가 일치하여 확고한 결심을 갖고 이에 임해야 할 것이다.

위 결의에 나타난 것처럼 주 내용은 정부는 즉시 금수출금지를 해제해야 한다는 것이었고, 그 이유로서 금해금 문제가 미해결되었기 때문에 환율의 변동이 심하고 사업계획에 지장을 초래한다는 것, 이제는 재계의 정리도 상당히 진척되었다는 것, 국제수지의 상황도 그렇게 불리하지 않다는 것, 세계열강은 모두 금본위제로 복귀하였다는 것 등을 들고 있다. 그리고 다소의 희생을 감수하더라도 해금을 결행하는 것이 가장 긴급한 일이라는 것을 강조하고 해금을 단행하는데 있어서는 재정긴축정책을 채택하고 통화의 팽창을 막는 것이 제일 중요하다고 말하고 있다. 이 결의만을 보면 금해금은 환율 안정을 통해 경제계를 회복시켜 세계열강과 어깨를 나란히 하기 위해 필요하다는 일반론을 서술하고 있는데 머무르고 있다. 하지만 실제로 당시 은행업계가 금해금을 주장한 근저에는 재계정리와 유휴자금처리라는 문제가 자리잡고 있었다.

도쿄어음교환소 이사장으로 미쓰이 은행 상무취체역이었던 이케다 시게아키(池田成彬)는 1928년 10월의 결의에 대해 그 진의는 정우회의 방만정책을 비판하는 데 있다고 말하고 있다. 『재계회고』에서도 그는 당시 재외자금이 줄어도 국내에는 9억 엔에서 10억 엔 정도를 갖고 있었기 때문에 이 기회에 단호히 재계정리를 하지 않으면 일본의 산업은 어려운 상태에 빠진다고 말하고 있다. 또 은행업계에서 금해금에 찬성한 것은 정부나 일본은행이 금융공황 당시 구제자금을 충분히 내어 일이 어렵게 되었기 때문이었고, 이제는 이를 해결하기 위한 금융정책을 펼쳐야 한다고 주장하고 있다. 그러한 정책을 펴야 제품의 생산원가가 하락하고 일본경제가 새롭게 소생할 수 있다는 점을 지적하고 있다. 또 도쿄어음교환소 경제조사회는 1929년 3월 평가절하에 의한 금해금(신평가해금론)에 반대하는 이유를 밝힐 때 금해금은 단지 환율을 안정시키는 것만이 목적이 아니고 재계정리를 촉진하는 자극도 주지 않으면 안 된다고 말하고 있다. 결국 어음교환소의 금해금결의는 정우회적인 적극정책·방만정책을 긴축재정으로 전환하고, 재계정리를 촉진하는 것을 목표로 하고 있다는 것을 알 수 있다.

재계정리라는 단어는 제1차 대전 후 일본경제의 과제로서 자주 사용되어 왔다. 당시 구평가해금파 민간경제학자 중 한 사람이었던 가쓰타 데이지(勝田貞次, 노무라증권 경제조사부장을 거쳐 시사신보 경제연구소장)에 의하면 재계정리라는 것은 재계의 고도화와 통제화와 세계화, 세 개로 이루어진다. 재계를 세계적 고도화 평준에까지 통제화하

는 것, 이것이야말로 금해금의 기능이다. 재계 고도화라는 것은 기업집
중, 고도공업의 발달, 수공업과 중소공업의 도태, 공업중심의 산업조직
으로의 변혁을 의미한다. 다시 말해 제1차 대전으로 급속히 팽창한 일
본경제에서 금융적 기초가 약한 기업이 다수 나타나고, 1920년 공황,
그리고 관동대지진의 혼란 속에서도 정부의 구제융자 등의 정책으로
파탄을 면하고, 불량기업이 남아있는 상태에 대해 그 정리의 필요성을
말하는 것이었다.

특히 '재계의 암'이라고 말해지고 있는 것이 진재(震災)어음[3]이었고,
금해금을 목표로 한 가타오카 나오하루(片岡直溫) 장상이 그 처리에
대해 의회에서 말하는 도중 실언을 하였고, 이를 계기로 금융공황으로
발전된 것도 불량채권의 누적이 얼마나 심각한 것이었던가를 말해주
는 것이다. 그런데 재계정리는 그것이 마무리되지 않은 상태였기 때문
에 금해금은 아직 이르다는 금해금반대론의 논거가 되고, 다른 한편으
로는 금해금론의 근거도 되었는데 이 경우 금해금의 목표는 재계정리
를 통해 일본경제를 세련화시키기 위한 것이었다. 1927년의 금융공황
은 정책이라는 방법을 취하지 않고 현안이었던 재계정리가 이루어진
결과가 되었다.

당시 이론파 은행가인 야마무로 무네후미(山室宗文, 미쓰비시 은행
대표이사)는 "공황 이전에 금해금 준비로서 금융기관의 정리가 주창되
어 여전히 재계정리를 기도하고 있지만 그 당시 착수된 금융기관의 정
리, 목표가 된 재계의 정리개선은 만약 금융공황이 없었다면 도저히

---

3) 1923년의 관동대지진을 위해 지불된 어음. 정부는 관동대지진의 피해대책의
   일환으로 진재어음할인손실보상령을 발표했다. 이것은 지진지역을 지불장소
   로 하는 어음, 지진장소에 당시 영업소를 가진 사람이 발행한 어음 혹은 이
   영업소를 지불인으로 하는 어음으로서, 9월 1일 이전에 은행이 할인한 어음
   을 일본은행이 재할인해주고 그 징수를 2년 유예해 주는 것이었다. 그리고
   일은의 손실은 1억 엔까지 정부가 보상해 주기로 했다.

오늘날 공황 후에 실제로 보는 금융기관의 정리개선 및 재계의 정리개선 정도의 수준으로 진행되지는 않았을 것이라고 생각한다"는 견해를 피력했다. 여기서 금융공황 이후에는 불량기업을 정리한다는 의미에서의 재계정리는 일단 사라졌다고 말해도 좋을 것이다. 그 재계정리란 것은 산업합리화에 의한 생산비의 인하라는 정책목표, 결국 그 객관적 의도가 임금률의 실질적 인하와 독점체제의 강화에 의한 대기업이윤의 증대에 있는 정책과 매우 유사한 내용이었다고 볼 수 있다. 그것은 은행업의 입장에서 보면 불량기업의 도태와 우량한 투융자대상기업의 발전이고, 대은행의 입장에서는 금융력의 집중이 더욱 강화되고 그 자금을 우량대기업으로 운용할 수 있게 된 것이다.

하지만 금해금을 요구한 금융자본의 목표는 이처럼 재계정리를 요구하는 데에만 있는 것이 아니었다. 앞 장에서 본 것처럼 1927년의 금융공황 후의 금융시장은 대은행으로의 예금집중과 그에 따른 금융완화를 특징으로 하고 있었다. 이 같은 집중과정에 있는 은행업계에서도 산업계와 마찬가지로 동일한 정리가 진행된 것은 확실한 투융자대상을 찾는다는 의미에서 중요한 의미가 있는 것이었다. 그렇지만 이때까지 기관은행적 성격을 강하게 갖고 있던 보통은행 가운데 특히 중소은행의 경우 은행의 집중은 동시에 그동안 관계하고 있던 기업이 정리대상이 될 수 있다는 것을 말해주고 있었다. 적극적 경제정책이 만들어 놓은 인플레이션적 상황 속에서 존속할 수 있었던 기업에 금해금에 의한 디플레이션적 상황을 강제하는 것은 스스로의 존재기초를 부정하는 것일지도 모른다. 따라서 중소은행에 있어서 금해금은 위험한 도박이고 재계정리의 장점을 확실하게 누릴 수 있는 것은 대은행이라고 말할 수 있다. 결국 금해금을 재계정리와의 관계에서 기대한 것은 대은행의 경우에만 해당된다고 말할 수 있는 것이다.

1929년 봄까지 야스다 재벌의 대번두였던 유키 도요타로(結成豊太

郎)는 금해금 실시 10개월 후인 1930년 10월의 강연에서 다음과 같이 말하고 있다. "1920년의 반동 이래 무정리상태였던 사업이라는 것은 해금을 위해 점차 정리되고, 자립할 수 없는 약소기업은 합병이나 해산을 통해 그 수가 줄어들어 견실한 것만이 후에 남게 되었다고 말할 수 있습니다.……아마 이 상태는 금후에도 여전히 계속될 것이라고 생각합니다. 즉 그만큼 금해금의 자동작용이 움직이고 있는 것입니다. ……금융공황 이래의 현상인 은행예금의 대은행으로의 편재경향이 금해금 이래 점차 현저해졌다고 말할 수 있습니다. 그런데 이 경향이 무엇을 말하고 있는가 얘기하면 장래 우리나라의 산업이 대은행의 지배 하에 들어가게 되었다고 말할 수 있습니다. 이 경향이 좋은 것인가 나쁜 것인가는 여기서 문제시할 수는 없습니다만 단지 금해금에 의해 이러한 경향이 현저하게 되었다는 것을 기억해 주기를 바란다는 생각입니다." 이 같은 유키의 지적은 정곡을 찌르는 것이었고 약소기업의 도태, 대은행으로의 자금집중, 그리고 대은행에 의한 산업지배는 금해금의 객관적인 작용이고, 이 의미에서 대은행측의 주관적 이해의식은 바로 객관적 이해관계와 정확하게 대응한 것이었다.

금융자본의 금해금결의에는 이상과 같은 목표 외에 은행업과 깊은 연관이 있는 약간 특수한 문제가 있었다. 1928년 2월『동양경제신보』는 「은행가의 금해금론」이라는 기사에서 금해금의 실제 목표는 '유자처분법(遊資處分法)'이라고 지적하고 있다. 금융자본 측에서는 일류은행의 유휴자금이 금해금으로 해외투자로 향해지면 부자연스러운 통화 팽창이 방지되어 금융긴축이 달성되고, 이에 따라 금리의 하락이 멈추면서 일본은행도 통제력을 회복하기 때문에 금해금은 일거삼득의 묘책이라고 말하고 있지만, 그것은 자기 멋대로의 주장이라고 비판하고 있다.『동양경제신보』의 비판은 잠시 제쳐놓더라도 당시 논점의 하나인 유자처분의 문제는 확실히 금융자본으로서는 심각한 사태였다.

1927년 금융공황에서 대은행으로 예금집중이 이루어진 것에 더해 일본은행특별융통및손실보상법과 대만은행기관자금융통법이라는 두 구제법에 의해 각각 6억 8,000만 엔, 1억 8,500만 엔 합계 8억 6,500만 엔의 특별융통이 이루어져 결국 그것이 대은행으로 집중되었기 때문에 대은행은 거액의 예금을 갖게 되었다. 은행은 유가증권 보유를 확대시켰으나 불황하에서는 적당한 투융자처를 찾는데 한계가 있고, 앞 장에서 본 것처럼 콜 시장도 일시 괴멸상태가 되었기 때문에 대은행은 할 수 없이 무이자의 일본은행예금을 증대시켰다. 저금리를 바라고 활발히 발행되었던 사채도 은행차입금의 반제와 고리채의 차환을 목적으로 한 것이 많고, 투자도 곧바로 환류되어 자금의 유휴상태는 해결되지 않았다. 일본은행의 보유공채매각에도 한계가 나타나자 유휴자본의 탈출구를 해외투자에서 구하게 되고, 즉시 외화표시 공사채의 구입이 이루어졌다. 그러나 해외투자·외채투자도 환율이 변동하는 경우에는 당연히 리스크를 동반하기 때문에 전면적으로 이루어질 수 없었고, 이에 금융자본은 금해금 즉행을 요구하게 된 것이다.

금융자본의 이러한 입장은 야마무로의 저술 속에서도 간파된다. 하지만 금해금이 논의될 때 해금에 의한 정화유출이 어느 정도의 크기일까가 문제가 되었으며, 유출량이 거액이 되면 금융이 긴축되고 나아가서는 금본위제 유지가 곤란하게 될 것으로 예상되기 때문에, 유휴자본의 해외투자심리가 강력하였음에도 불구하고 그것을 노골적으로 강조하지는 않았다. 야마무로도 외화공채에 대한 투자가 상당히 이루어져 정화가 유출되는 것은 피할 수 없지만 이윽고 금융이 긴축되어 외화공채매입이 중지되고 점차 긴축되면 외채에 투하된 자금은 회수되어 돌아온다고 낙관적으로 서술하고 있다. 또 스미토모 은행 상무인 야시로 노리히코(八代則彦)는 1928년 6월에 "뉴욕 및 런던 등의 금리의 차이 혹은 유가증권의 이율 관계 등에 의해 해외투자가 이루어지고 무역수

지 결제, 국제대차 이외에 2억 엔이나 2억 5,000만 엔의 금이 유출하는
것을 각오하지 않으면 안 된다"고 예상하고 있다. 금해금 실시 후 어느
정도의 해외투자가 이루어졌는가를 대장성 자료에서 보면 1929년 말
과 1931년 8월을 비교할 경우, 일반회사은행의 외화표시 일본증권보유
는 6,359만 엔, 외국증권보유는 1억 5,761만 엔, 합계 2억 2,120만 엔이
증가하였다. 야시로의 추정 그대로 해외투자가 이루어졌던 것이고, 이
결과로부터 보아도 금융자본의 금해금 요청에 내재하고 있던 유자처
분이라는 대은행의 목표는 실제상으로도 거의 달성되고 있었다.

이상에서 살펴본 이유에 근거하여 도쿄 및 오사카 어음교환소 조합
은행 연명으로 해금 즉행의 결의가 이루어지고 이것이 금해금론을 전
면에 부각시켰다. 재계정리의 요구와 함께 대은행과 신탁회사가 소유
하고 있는 유자를 처분할 수 있는 방법을 찾아달라는 요청, 즉 고금리
인 해외로 투자할 수 있는 길을 열어 달라는 것과 금해금에 동반하는
신용수축→ 국내금리의 상승→ 국내투자의 실현이라는 요청이 금해금
즉행의 요구로 나타나게 된 것이다.

2. 금해금의 실시

금해금정책을 추진한 이노우에 준노스케의 생각은 나중에 "이노우
에 장상의 금해금 대책은……금융자본가들의 입장"이었다고 비난을
받을 정도로 은행의 역할을 중시하고 금본위제하의 자동조절기능을
신뢰하는, 매우 정통파적인 금본위제 옹호였다. 이노우에는 "은행이 경
제기관 중에서 가장 중요한 것이라고 생각하고 있습니다.……은행만
확실한 기초가 있으면 다른 경제기관이 다소 박약하더라도 전체의 경
제계가 파괴되는 것과 같은 일은 없다고 본인은 생각하고 있습니다"라
고 말하고 있다.

또 금본위하에서 태환제도의 역할에 대해서는 다음과 같은 견해를 갖고 있었다.

일본의 태환권은 금화로 교환한다. 일본은행은 그가 발행한 태환권과 같은 액수의 금화를 갖고 있어야 하고 만약 그 이상 발행하는 경우에는 전날 말한 공채 혹은 어음을 보증준비로 1억 2천만 엔의 발행이 가능하다. 또 그 이상 필요하다고 생각되면 5% 이상의 세금을 내면 발행할 수 있다. 이 같은 것이 태환제도이다. 그렇기 때문에 즉 태환권은 언제라도 금화로 교환되어야 한다. 또 교환한 금을 외국으로 반출하는 것은 자유이다. 이 중에서도 외국으로 금을 내갈 수 있다는 것이 태환제도의 근본문제이다.……그 나라에 통화가 지나치게 많으면 그것이 금화가 늘어나 통화가 많든 혹은 대출이 증가하여 통화가 많던 어쨌든 그 나라의 시장에 통화가 많은 경우에는 물가등귀를 초래하여 수입초과를 가져온다. 수입초과가 되면 금을 반출해야 한다. 금을 반출하면 통화가 줄어들고, 줄어든 이제는 조절할 수 있어 물가가 하락하고 수출이 점차 증가한다. 이렇게 되면 이제는 금화가 유입하게 된다. 이것이 태환제도의 기초이다.

이 같은 인식하에서 이노우에는 일본의 경우 금수출금지로 인하여 태환제도에 문제가 발생하여 통화와 물가에 대한 조절이 불가능하게 되었다고 말하고 있으며, 동시에 금본위제하에서 금본위제가 교역의 제 변화에 대해 갖고 있는 자기조절력을 굳게 믿고 있었다.

이노우에는 또 1917년 이래의 금수출해금하에서 인플레이션이 지속된 것은 재계의 미봉책이 초래한 결과이고 그 때문에 재계정리가 제대로 이루어지지 않았다고 생각하고 있었으며, 1920년대 중엽에는 금해금정책을 실행하기 전에 우선 재계정리가 필요하다고 주장하였다. 그런데 1929년이 되면 그는 경제운용상의 변태인 금수출금지를 해제하지 않고서는 재계정리가 불가능하다고 말하고 있다. 더구나 구평가해금을 실시하면 나타나게 될 디플레이션·불경기도 밝은 미래를 위한 불경기이기 때문에 이는 당연히 인내해야 하는 것이었다. 그리고 현재 일본의 불경기를 해소하기 위해서는 외국의 힘이 아니라 일본 스스로의 힘으로 극복해야 한다고 말하면서 다음과 같은 예를 들어 설명하고 있다.

우리들이 가고 있는 길 앞에 언덕이 있다. 이 언덕을 올라가려면 땀이 난다. 이 경우 땀나는 것을 싫어하여 산허리의 좁은 길을 왼쪽이나 오른쪽으로 돌아가면 길을 잃는다는 사실을 모르고 쓸데없이 산중을 방황하고 있는 것이 오늘날 일본의 현황이다. 이 불경기를 어떻게 해서 경기로 고칠까, 어떻게 타개할까, 재계는 어떻게 안정시킬까 거의 국민 모두가 혼돈에 빠져있다. 이제 우리들이 가는 길에는 언덕이 있고 땀이 나지만 이 길은 틀림없이 확실하게 길이 있고 이 길은 가장 가까운 길이라 생각한다. 즉 오늘날의 불경기를 극복하는데 힘이 들어도 가장 확실하고 가장 가까운 길을 취하지 않으면 안 된다.

이 같은 경제적 측면에서의 이유 이외에도 이노우에는 일본이 금본위제로 복귀하지 않은 것은 세계적으로 볼 때 부끄러운 일이라고 하고 있다. 즉 제1차 대전기 일본과 마찬가지로 금본위제를 포기했던 나라들은 1929년 8월 현재 이미 금본위제로 전부 복귀해 있고, 남은 나라는 두세 개의 소국 이외에는 일본이 유일하다고 하면서 이는 세계의 열강을 자부하는 일본에게는 세계적 불명예라는 것이었다. 이처럼 일본 국민의 애국심에 호소해서 금해금문제를 해결하려고 하는 자세도 보여주었다. 이노우에의 금해금에 대한 굳은 의지를 재차 확인할 수 있는 대목이다.

이 같은 생각을 가진 이노우에가 1929년 7월 2일 소위 장작림 폭살

사건으로 다나카 내각이 사직하면서 성립된 민정당 하마구치 내각의 대장상으로 취임하였고, 그의 손에 의해 1920년대 내내 일본을 괴롭혔던 금해금문제가 해결되기에 이른 것이다. 이노우에는 이미 제2차 야마모토 곤료헤(山本權兵衛) 내각의 대장대신, 일본은행 총재를 역임한 바 있다. 민정당은 이전부터 금해금의 단행을 주장해 왔고, 이전 내각의 금해금에 대한 태도에 불만을 토로하면서 격렬하게 비난하였기 때문에 이 정권하에서 금해금이 실시될 것이라는 것은 대부분 당연한 것으로 여기고 있었고 엔 시세는 갑자기 상승하였다.

하마구치의 입에서 구평가해금을 단행함으로써 재계를 일거에 정리·도태시킨다는 말이 나오자, 많은 국민들은 긴축을 표어로 내걸고 부지런히 근검절약하면 반드시 밝은 미래가 다가올 것이라고 믿고 있었다. 당시의 대신문과 유력 잡지도 그 같은 여론을 선도나 할 것처럼 「내일의 융성을 위해 오늘은 긴축」과 같은 슬로건을 극구 칭찬하였고, 심지어는 '금해금절'을 만들자는 말까지 나올 정도였다.

이노우에는 취임 후 곧바로 10대 정강을 발표하였는데 그 제8항목에서 금해금 조기단행의 결의를 다음과 같이 표명하였다.

　금수출 해금은 국가재정 및 민간경제의 재건을 위해서 절대로 필요한 기본적 요건이다. 게다가 이제 실현을 미루는 것은 절대로 허락되지 않는다. 상술 재정경제에 관한 제항은 여기서 우리 재정경제를 광구하는 데 있어 필요할 뿐만 아니라 금해금을 단행하는데 있어 필요불가결한 요건이다. 정부는 이 같이 제반의 준비를 거쳐 가까운 장래에 금해금을 단행하려고 한다. 이것이 우리 재계를 안정시키고 그 발전을 도모하는 유일무이의 방도라고 믿는다.

위의 인용문에서 금해금을 단행하는데 있어 필요한 요건이라고 한

「상술재정경제에 관한 제항」이라는 것은 구체적으로 제6항의 '중앙지방의 재정에 대한 일대 정리긴축을 단행함으로써 전체 재계의 정리와 국민의 소비절약을 촉진한다'는 것과 제7항의 '쇼와5년도 이래 일반회계에서는 신규모채를 중단해야 하고 특별회계에 있어서도 그 연액을 기정 모채계획의 반액 이내에서 멈출 것'을 가리키는 것으로 생각된다. 이렇게 해서 하마구치 내각은 금해금의 실현을 목표로 한 디플레이션 정책의 추진을 언명하였다. 사실 정부는 이보다 앞서 같은 해 5월 이미 성립한 1929년도 예산을 줄이기 위해 실행예산을 편성하고 나아가 1930년도 예산에서도 신규 사항은 일체 이를 요구받지 않을 것, 일반회계에 있어서는 공채를 발행하지 않을 것 등의 엄격한 방침을 결정하였다. 이 1929년도 일반회계 실행예산은 7월 29일 각의에서 결정되었는데 이것을 이전 내각에서 성립된 1929년도 공포예산과 비교하면, 실행예산은 공포예산에 비해 규모가 약 1억 엔(5.2%) 축소되었고 이에 따라 국채발행은 약 4,000만 엔, 전년도 잉여금 이월은 약 3,000만 엔 삭감되었다.

이상과 같은 긴축정책으로 환율은 급등하였던 반면, 주식시장은 불안감에 휩싸여 주식의 하락속도가 훨씬 빨라졌다. 하지만 재계 일반에서는 이 같은 정부의 방침을 지지하는 정서가 강하였는데 예를 들어 정부가 앞서 말한 10대 정강을 발표한 7월 9일 일본상공회의소 상의원회는 「재정긴축에 관한 건의안」을 가결했다. 여기서는 "이제 신내각이 성립하여 현 경제계의 난국타개를 그 중요정책으로 삼고, 금해금의 결행 및 재정긴축을 제일 중요한 것으로 밝힌 것은 바로 우리들의 주장과 합치하는 바이고 쌍수를 들어 찬의를 표시한다"고 말하면서 정부의 방침을 강력하게 지지하고 있다. 물론 주가하락에서 보는 것처럼 금해금에 따른 디플레이션의 영향을 우려하는 소리가 없었던 것은 아니지만 산업계에서는 현실적으로 환율의 불안정으로 무역거래가 제약을 받는다고 생각하고 있었다. 또 금해금이 디플레이션의 요인이라고 해도 그것은 한번은 거쳐야 되는 과정인 이상 쓸데없이 그 시기를 자꾸 늦추는 것은 앞날에 대한 불안의 요소를 계속 남기는 것이라는 생각도 갖고 있었다.

정부는 국민에게도 소비절약을 호소하였다. 앞서 본 것처럼 1929년도 실행예산 및 1930년도 예산의 편성방침을 발표할 때 이노우에 장상은 현재의 경제난을 타개하기 위해서는 국민 일반의 정신이 긴장하여 소비절약을 행하는 것이 가장 효과가 있는 방침인데 이를 위해서는 정부 스스로 재정을 긴축하고 국민에게 모범을 보이는 것 외에는 없다고 생각하고 있었다. 결국 재정긴축도 국민에게 소비절약을 호소하기 위한 수단이었다고 볼 수 있다.

당시 정부는 금해금을 위한 준비로서 재정긴축과 소비절약을 실시하면 물가는 하락하고 수입이 억제되어 환율이 상승하게 되고, 이처럼 무리가 없는 상태에서 해금을 하면 악영향을 전혀 걱정할 필요가 없다고 생각하였다. 하마구치 수상과 이노우에 장상은 기회가 있을 때마다 이러한 생각을 설파하였다. 나아가 이러한 생각을 더욱 철저히 하기 위해 하마구치 수상의 이름으로 「전국민에게 호소한다」라는 팜플렛을 작성하여 이를 전국에 배포하고, 또 내무성을 중심으로 공사경제긴축위원회를 조직하여 소비절약, 저축장려의 전국적 운동을 전개하였다.

그 외에 정부는 7월 중순에 금해금에 따른 제 대책에 대한 조사연구를 하기 위해 칙령으로서 사회정책심의회, 관세심의회, 국제대차심의회를 설치하였다. 또 당시의 재외정화(금 또는 외화)는 <표 2-8>에서 보는 것처럼 현저히 감소하여 정부는 그 보충 필요성을 통감하고 있었고, 특히 금해금 준비로서 이를 충실히 할 필요가 있었기 때문에 요코하마 정금은행을 통해 외화자금을 매입토록 하였다.

<표 2-8> 정화의 추이 (백만엔)

연도	정화현재고	
	합계	재외정화
1920	2,178	1,062
1921	2,080	855
1922	1,830	615
1923	1,653	445
1924	1,501	326
1925	1,413	258
1926	1,357	230
1927	1,273	186
1928	1,199	114
1929	1,178	91

자료 : 日本銀行統計局, 앞의 책, p.169.

이처럼 내각 성립 이래 해금준비로서 고려한 각종의 시설은 순조롭게 진척되어 일반 재계도 역시 이에 순응하기에 이르렀기 때문에 정부는 영미 양 시장에서 크레디트 설정을 위한 교섭을 시작하였다.

하마구치 내각은 성립 후 정화를 충실히 하여 엔의 대한 신용을 더욱 확고히 해 두고 싶다는 방침을 결정하였다. 또 당시의 국제금융계는 국제금융협력이라는 의식이 높았고 금해금을 실시할 경우 각국이 협력하여 그 나라에 크레디트를 공여하는 것은 흔히 있는 일이었다. 금해금을 할 때 크레디트 설정교섭을 하는 것은 금해금을 위한 준비로서 일반적인 것이었다. 마침 영미 양 시장에서 모두 금리가 하락추세였고, 또 일본의 금해금에 대해 호의적이었기 때문에 교섭은 순조롭게 진행되어 11월 19일 요코하마 정금은행은 정부 및 일본은행의 원조하에서 미국금융단과 2,500만 달러, 영국 금융단과는 500만 파운드의 크레디트를 설정하게 되었다.

당시 환율은 이미 48달러 5/8에 이르러 여전히 오를 여지가 있었으나 선물시세는 이미 49달러 1/8에 달하고 있어 금현송점까지 등귀하여

금해금시세가 등장하게 되었다. 정부도 이에 뜻을 굳히고 11월 20일에
1917년 대장성령 제28호를 폐지하고, 1930년 1월 11일로부터 금해금을
실시한다는 뜻을 공포하였다. 이로써 다년간 현안이었던 금해금문제가
드디어 해결되기에 이르러 일본경제 사상 하나의 획기를 이루게 되었
다.

제3장 중화학공업화의 진전

제1절 산업구조의 중화학공업화

　제조업의 생산구성을 보면 <표 3-1>, <표 3-2>와 같다. 생산구성의 변화를 보면 생산의 중화학공업화가 급속히 진행된 점에 특징이 있다. 생산의 중화학공업화율은 1929년의 32.2%에서 1936년에는 49.3%로 상승하고 민간의 병기생산을 포함하면 1936년에는 50.4%에 달한다. 이와 같은 변화는 일본자본주의의 생산력적 편성에서 중화학공업이 중심적 위치를 차지하게 된 것을 말해주고 있다. 그리고 중화학공업 가운데에서는 금속공업의 생산이 현격하게 확대되었다. 1930년대 중화학공업화에서의 특징은 금속공업의 비중이 커진 것이다. 그 구성비는 1931~36년에 9.4%나 상승하였다. 말할 것도 없이 금속공업의 중심은 철강업이지만 시노하라 미요헤(篠原三代平)의 추계에 따르면 제조업생산에서 차지하는 철강업의 구성비는 1931년에 5.3%에 지나지 않았는데 1936년에는 10.8%가 되었다. 이러한 변화는 철강업이 기축산업이 되었다는 것을 의미한다.

　종업자수의 경우에는 이러한 경향과는 반대로 전체로서는 정체적인 추이를 보이는 가운데 중화학공업부문은 오히려 약간 감소하고 있다(직공 5인 이상 공장).

<표 3-1> 공업생산의 중화학공업화율 (백만엔, %)

연 도	화학(A)	금속(B)	기계(C)	A+B+C	병기
1928	960	658	594	2,212	
	(13.3)	(9.1)	(8.2)	(30.7)	
1929	1,044	739	711	2,495	
	(13.5)	(9.5)	(9.2)	(32.2)	
1930	909	568	629	2,105	
	(15.3)	(9.6)	(10.6)	(35.5)	
1931	822	479	456	1,757	58
	(15.9)	(9.3)	(8.8)	(34.1)	
1932	946	639	534	2,183	162
	(15.8)	(10.7)	(8.9)	(35.8)	
1933	1,293	950	821	3,063	90
	(16.5)	(12.1)	(10.4)	(39.0)	
1934	1,483	1,580	1,081	4,145	151
	(15.8)	(16.9)	(11.5)	(44.2)	
1935	1,815	1,991	1,359	5,165	213
	(16.8)	(18.4)	(12.6)	(47.8)	
1936	2,112	2,331	1,600	6,043	262
	(17.3)	(19.1)	(13.0)	(49.3)	
1937	2,091	3,727	3,336	9,964	426
	(17.8)	(22.8)	(20.4)	(61.0)	

자료 : 通商産業省, 『工業統計50年史 1』, 兵器生産은 原朗, 「戰時統制經濟の展開」, 『岩波講座日本歴史』 20卷, p.247.
주 : 병기는 민간생산분.

　직공 4인 이하 공장·관공장을 더한 아카사카 케이코(赤坂敬子) 추계에서는 동 시기 중화학공업 종사자는 증가하고 있으나 그래도 이 증가율은 생산액 증가율에는 미치지 못하고, 또 이 사이 제품가격은 하락경향을 보이고 있었기 때문에 1920년대 후반에 중화학공업부문에서는 어찌되었든 합리화 등에 의해 노동생산성이 상승하였다는 사실을 확인할 수 있다.
　하지만 공황이 시작되면서 이러한 상황은 급변하였다. 1929~1931년에 걸쳐 제조업 전체의 생산액 축소율이 27%였으나 금속공업에서는

34%, 기계기구공업에서는 32%나 축소했다. 생산액으로만 보는 한 공황은 금속·기계기구의 중공업부문을 강습하였다고 볼 수 있다.

<표 3-2> 제조업 종사자 구성의 변화 (천명, %)

| 연도 | 중 화 학 공 업 | | | | 경 공 업 | | | 제조업 |
	화학	금속	기계	소계	식료품	방직	소계	합계
1926	125(6)	119(6)	267(13)	511(25)	193	1,105	1,298(63)	2,062(100)
	211	176	376	763	426	1,639	2,065	3,516
1929	148(7)	113(5)	228(11)	489(24)	170	1,122	1,292(63)	2,056(100)
	257	218	424	899	553	1,710	2,263	3,922
1931	151(8)	104(6)	186(10)	441(24)	158	1,000	1,158(63)	1,842(100)
	258	202	369	829	506	1,569	2,057	3,656
1934	226(9)	217(9)	357(15)	800 (33)	174	1,089	1,263(63)	2,392(100)
	384	344	712	1440	563	1,666	2,229	4,317
1937	373(11)	362(12)	679(21)	1,414(44)	214	1,185	1,399(43)	3,253(100)
	592	515	1,230	2,337	638	1.853	2,491	6,027

자료 : 伊藤正直, 「重工業」, 大石嘉一郎 編, 『日本帝國主義史 2』, p.120.

다만 주의해야 할 점은 생산액이 이처럼 크게 줄어든 것은 주로 가격의 급격한 하락에 의한 것이고 생산량은 그 정도로 줄지 않았다는 사실, 수입의 급격한 감소로 자급률은 오히려 크게 상승하였다는 사실 (화학 89→92, 금속 86→97, 기계기구 90→97, 모두 1929~1931년), 그리고 종사자수의 감소는 기계기구를 제외하고는 경공업부문보다 적었다는 사실 등이다. 이것은 한편으로 중화학공업부문에서 경기변동에 대응한 생산조정이 뒤늦었던 점에서 기인하는 것이라고 생각되지만, 다른 한편으로는 공황하에서도 중화학공업부문은 공황 전의 생산력수준을 유지하였다는 것을 말해주고 있다.

1931년 12월의 금수출재금지 이래의 환시세 하락과 1932년 7월의 관세개정 이래 중화학공업부문의 생산 회복은 다른 부문과는 상당히 다른 속도로 진행되었으며, 이 시기에 산업구조의 중화학공업화가 크게

진전되었다. 1931~1936년에 중화학공업 각 부문의 생산액은 금속 3.67
배, 기계기구 3.74배, 화학 2.40배가 늘어났다. 그리고 이 증대과정은
우선 금속이 선행하고 다음으로 기계기구가 급격히 늘어난 후, 다시
금속이 증가한다는 상호파급적 확대과정을 거쳤다. 이 사이에 제조업
전체의 신장률은 2.07배, 경공업부문은 1.56배에 머물러 중화학공업부
문이 상당히 빠른 속도로 확대되었다는 것을 알 수 있다.

   이리하여 이 6년 사이에 제조업 중의 중화학공업 구성비는 1931년
의 29.2%에서 1936년의 45.0%로 실로 15.8%나 상승하였다. 종사자 구
성에서도 중화학공업부문의 고용흡수는 현저하였다. 방직공업, 식료품
공업의 종사자수는 1931~1936년에 걸쳐 거의 변동이 없거나 약간 늘
어난 데 대해, 기계기구는 2.77배, 금속에서는 2.76배, 화학에서는 2.09
배나 증가하여 이 점에서도 1937년에는 경공업부문을 능가하였다(아카
사카 추계는 1938년).

   이상의 대략적 서술을 통해 당해 기의 중화학공업화과정을 1926~
1929년의 완만한 전진기, 1930~1931년의 급속한 수축기, 1932~1936
년의 급격한 신장기로 구분할 수 있다. 이제 중화학공업부문 내부의
업종분야를 조금 더 상세히 살펴보면서 각 기의 중화학공업과정의 특
징을 살펴보자.

   ① 1926~1929년 : 1920년대를 전체적으로 볼 때 일본 중화학공업의
특징적 변화는 조선업의 후퇴를 대신한 신흥 중화학공업의 발전, 전력
화 · 도시화에 뒷받침된 제강 · 전력관련분야 · 유기합성화학 · 자동차
등 신산업의 발흥에 있다고 할 수 있다. 이러한 경향은 제1차 대전 시
의 수준에는 미치지 못하지만 조선 · 철도차량의 생산이 회복되었다는
것, 전선 · 케이블, 전기기기 등 전력관련부문의 신장이 둔화되었다는
것을 덧붙이면 1920년대 후반에 한정하여도 기본적으로는 적합하다.
이는 철 정련 및 동 재료품, 자동차, 원동기, 공업약품, 인조비료 등이

잇따라 높은 신장률을 보이고 있기 때문이다. 다만 이때 주의해야 할 것은 기계기구·화학의 경우 이러한 상위 5업종의 생산증가액 구성비가 생산액 구성비보다도 상당히 높다는 점이다. 즉, 기계기구에서는 상위 5업종의 생산액 구성비 60%에 대해 증가액 구성비는 92%(그 반은 자동차), 화학에서도 동 60%에 대해 85%여서 당해 기의 두 공업 생산 증가의 대부분을 이 부문에서 차지하고 있다. 이는 거꾸로 말하면 다른 중화학공업 제분야의 발전은 상대적으로 정체되어 있다는 것이다.

당해 기의 중화학공업화는 업종간의 연관에 의한 상호확장적인 발전이라기보다는 오히려 철강-조선·기계관련의 정체와 전력-전기화학관련 및 그에 부수되는 분야의 신장이라는 불균등한 확대과정을 보이고 있었다. 또 이 기간 관영공장의 생산액은 금속(관영 야하타제철소), 기계기구(육해군공장 등)에서 모두 조금 증가하는데 머물렀고, 생산액이라는 관점에서 보면 공업생산의 중화학공업화에 관영공장은 중립적인 위치에 있었다.

② 1930~1931년 : 공황 속에서 중화학공업이 급격한 축소한 것은 주로 금속과 기계공업 때문이었다. 1929년부터 1931년에 걸쳐 전자의 생산액은 35%, 후자는 36%나 하락하고 있다. 이에 대해 화학의 그것은 21%에 머물러 중화학공업부문 전체의 생산액 축소를 저지하고 있다.

금속공업의 생산액은 주요 전 업종에 걸쳐 축소되었으나 이는 수요의 급격한 감소에 따른 가격하락에서 비롯된 것이었다. 예를 들어 철강업 경우 1929년부터 1931년에 걸쳐 선철수요고는 75만 톤에서 54만 톤으로 29%, 강재수요고는 243만 톤에서 167만 톤으로 31% 하락했다. 또 인도선철, 유럽강재의 덤핑과 그에 대한 대응 속에서 선철시장가격은 1929년 1월의 톤당 58엔에서 1931년 9월의 36엔, 강재시장가격은 마찬가지로 111엔에서 58엔(환강)으로 각각 40~50%나 하락했다. 이 기간의 생산수량은 선철에서 16%, 강재에서 18% 축소되었기 때문에 철강업에서는 수요의 격감을 수입저지로 보상했다. 사실, 인도선철과 안산선철에 의해 대체된 선철을 별도로 한다면 강재 각 분야의 유럽강재 구축은 당해 기에는 거의 달성되어 공황하에서 금속공업 자급률은 무려 11%나 상승했다.

　기계기구공업에서도 생산액의 감소는 주요 업종 전체에서 보이지만 그 축소의 정도는 업종간에 상당히 차이가 있었다. 자동차, 철도차량 등은 일시에 60% 가까이, 전기기기도 40% 가까이 생산액이 축소된 데 반해 항공기, 방직기기, 전구, 조선 등의 감소율은 적어 공황의 타격은 반드시 일률적이지 않았음을 알 수 있다. 무엇보다 조선업의 경우는 1920년대 후반부터 디젤선 붐이 잠시 있었지만 공황 전부터의 조선불황으로 설비가동률은 40%에 미치지 못하고 공황하 세계적 계선(繫船)의 출현, 군축회의 성립에 신조선 및 수선함의 점감경향 때문에 매기 결손을 보고 있었고 감소율이 적다고 해서 곧바로 강한 대응력을 갖고 있었다고 평가할 수는 없다. 또 이 사이 기계기구공업의 자급률도 7%나 상승하였다. 기계기구공업의 경우 업종간·품종간의 차이가 컸기 때문에 일률적이지는 않지만 공황하의 수요감소로 고급기(高級機)·고가격기(高價格機)의 비중이 높은 수입이 주로 저지되었다고 여겨진다.

　화학공업의 경우 업종간 격차는 더욱 컸다. 공업약품, 식물유지, 제지 등의 축소율이 높았던 데 비해, 화학비료, 화학섬유 등은 역으로 공황하에서 생산이 증가했다. 특히 화학비료는 1920년대 국제경쟁 압력이 가장 높았던 분야였음에도 불구하고, 고율조업에 의한 생산비 저하로 생산수량이 상당히 증가했다.

　③ 1932~1936년 : 1932~1936년의 중화학공업 약진을 주도한 것도 금속공업과 기계기구공업이었다. 공황기의 하락이 격렬하였던 만큼 그 후의 약진이 과대하게 나타난 점이 있다고는 하나 1929년의 기준으로 보아도 금속, 기계기구의 생산액 증가율은 화학을 크게 앞지르고 있다.

금속공업의 생산확대를 이끈 것은 물론 철강업이었다. <표 3-3>에서 보는 것처럼 1931~1936년에 걸쳐 동 산업의 생산액은 4.75배나 늘어났다. 동 기간의 선철생산량은 92만 톤에서 200만 톤(2.2배), 강재는 166만 톤에서 454만 톤(2.73배)으로 늘어났으며, 당해 기 철강업의 생산 확대는 가격상승을 동반하면서 진행하였다. 다만 그 확대방식은 선철과 강재의 경우, 서로 크게 달랐다.

<표 3-3> 업종별 중화학공업 생산액 (천엔, 명, %)

	1936 생산액	1931~36 증가액	동증가율	1936 종업원수	동증가율
금속공업	2,331,187	1,852,287	4.87	277,450	2.80
1 철정련·동재료품	1,290,606	1,148,827	9.10	84,706	4.23
2 구리정련·동재료품	171,890	101,093	2.43	12,664	1.99
3 절연전선·케이블	116,234	74,507	2.79	9,099	1.61
4 선철주물	115,127	81,856	3.46	41,829	2.47
5 도금	99,443	56,695	2.33	14,867	3.18
(관영공장금속)	19,473	-114,357	0.15	1,608	0.06
기계기구공업	1,600,118	1,143,831	3.51	502,651	2.84
1 전기기계기구	212,198	162,992	4.31	55,426	3.15
2 철제선박	207,586	125,616	2.53	69,246	1.99
3 자동차	149,680	106,957	3.50	24,708	4.51
4 방직기기	113,560	87,876	4.42	41,978	3.36
5 철도차량	94,796	75,101	4.82	21,142	3.10
(관영공장기계)	762,304	599,465	4.68	234,562	3.01
화학공업	2,111,992	1,290,200	2.57	300,552	2.12
1 제지업	294,183	148,057	2.01	38,290	1.42
2 화학비료	273,201	149,678	2.21	11,687	1.35
3 공업약품제조	262,036	185,128	3.41	29,862	2.72
4 화학섬유	216,543	165,521	4.24	88,130	4.66
5 고무	145,840	80,750	2.34	40,284	1.42
(관영공장화학)	60,509	29,786	1.97	7,316	1.40

자료: 『工業統計50年史』 1, 2.

공황을 거치면서 인도선철을 몰아 낸 선철부문은 그 부분을 만주선

철로 대체함으로써 생산증대와 거의 동시에 수입을 증대시켰으나, 만
주국 건국과 그 후의 식민지 중화학공업화정책을 구체화하는 과정에
서 선철공급문제가 매우 어려운 과제로 제기되기에 이르렀다. 이에 대
하여 강재부문은 엔화 가치하락과 관세보호로 유럽강재를 완전히 배
제하였을 뿐만 아니라 일부 품종은 완전히 수출상품화되었다. 이와 같
은 차이를 간직하면서도 당해 기 철강생산은 비약적으로 확대되었고
그 증가액은 동 기간의 민간 기계기구공업 전체의 증가액에 필적할 정
도였다.

  기계기구공업의 생산확대는 매우 광범위한 업종, 여기에는 이제까지
거의 무시해도 좋을 만큼의 비중밖에 갖지 않은 분야도 포함하면서 진
행되었다. 위 표에서 보는 것처럼 상위 5업종으로의 생산집중도는
1920년대 후반에 비해 10% 이상 떨어졌다. 업종 혹은 품종의 다양화가
나타나고 있으나 그 중에서도 생산증가율이 높았던 분야는 첫째로 기
중기 · 승강기, 화학공업용기계, 광산용기계, 공작기계, 방직기계, 전기
기계 등 광공업의 설비투자와 직결되는 자본재기종의 생산부문, 둘째
로 만주시장에 대한 의존도가 높은 철도차량부문, 셋째로 철포 · 탄환
· 항공기 등의 군수부문이었다.

  군수에서는 육해군공창을 중심으로 하는 관영공장 기계기구생산액
이 1920년대에 비해 이 시기에 크게 신장하였고, 민간기계공업 생산액
에 대한 비율이 50% 가깝게 높아진 것에 주목할 필요가 있다(1929년
29.3%, 1931년 35.7%). 이 점을 볼 때 군공창을 축으로 하는 군수의 역
할은 1937년 이래의 독립적 · 급진적 증대에는 미치지 못하지만 과소
평가할 수 없다. 기계기구공업의 자급률은 이 사이에 계속 상승하여
전체로서는 1936년에 자급률 105%에 이르러 수출산업으로 변모했다.
그러나 뒤에서 다시 보겠지만 이 사이에 업종 · 기종 · 품종 간의 차이
는 다양화의 진전에 따라 오히려 확대되고 전 분야에 걸쳐 자급화가

완전히 달성된 것은 물론 아니었다.

화학공업의 업종간 성장률의 격차는 화학비료의 성장이 상대적으로 둔화한 것 이외에는 대체로 이전 시기와 비슷한 경향을 보이고 있다. 공업약품, 염료, 화학섬유 등의 생산증가가 뚜렷했는데 이는 엔화 가치 하락과 관세보호에 의한 국내시장 확보, 나아가서는 섬유제품의 급격한 수출확대에서 비롯된 것이었다.

당해 기 중화학공업의 생산을 비약적으로 증대시킨 주요인은 군사비와 시국광구비를 축으로 하는 확장적 재정정책 및 엔화 가치하락과 관세보호에 의해 나타난 수입방지효과를 기초로 한 내수의 확대, 즉 경기회복과정에서의 민간수요 급증이었다. 그리고 부차적 요인으로는 중화학공업품 수출의 증대, 육해군공창 생산액의 급격한 증대에서 보이는 것처럼 만주사변 이래의 대외진출·군비확장을 들 수 있다. 중화학공업품 생산액에 대한 수출액 비율은 1930년대 전반 상승경향을 보였고 1936년에는 화학 17%, 금속 13%, 기계기구 11%에 달하였다. 그리고 이 중화학공업품 수출의 전략적 시장에서 위치를 차지한 것이 바로 만주·조선·대만이라는 식민지 시장이었다. 이들 지역으로의 수이출 가운데 중화학공업품 비율은 당해 기간에 10% 이상 증대하였고, 1936년에는 만주 41%, 조선 42%, 대만 49%가 되고, 같은 해의 중화학공업품 수이출의 측면에서 보면 그 60% 이상(중국본토·홍콩을 더하면 70% 이상)을 이들 지역이 차지하게 되었다.

1920년대 후반부터 1930년대 전반에 걸친 공업생산의 중화학공업화는 이상과 같은 추이를 거쳤다. 이제 개별 주요산업마다 우선 소재연관의 존재형태에서 당해 기에 있어서 중화학공업 생산과 시장의 동향을 보고, 다음으로 자본축적조건과 축적동향을 봄으로써 이러한 단계적 추이가 어떠한 조건하에서 초래되었는가를 검토하려고 한다.

제2절 생산과 시장의 동향

1. 철강

당해 기 철강업의 생산동향, 시장동향을 검토하는 전제로서 우선 다음의 세 가지를 확인할 필요가 있다. 그것은 첫째, 생산력수준의 국제적 열위하에서 선강분리 생산구조의 정착, 국제경쟁압력의 존재, 원료자원 확보의 제약 등에 의한 것이지만, 동시에 일본 철강업의 생산기술체계의 변칙성과 그 일관체계로서의 미확립을 반영하고 있었다.

둘째, 인도선철, 유럽강재라고 하는 시장외부자의 존재이다. 이 외압은 1920년대 후반부터의 '외선(外銑)시세추수주의' '외주(外注)가격추수주의'[1]라는 가격정책을 직접·간접으로 만들어냈을 뿐만 아니라 동시기부터 전개되는 카르텔활동의 범위를 설정하고 철강시장의 존재형태를 규정했다. 쇼와공황 이래 이 외압을 몰아내는데 기본적으로 성공하였다고 해도 선철부문은 여전히 미국설철과의 경합관계에 노출되어 있었다. 또 강재부문은 인도선철을 대체한 식민지 선철과의 가격조정과 수이입제약이라는 새로운 과제에 직면하고 있어 엔화 저가치와 함께 고율관세라는 보호정책이 필요했다. 셋째로, 당해 기에 철강생산기구의 재편이 극적으로 진행되었다는 것이다. 그 획기가 된 것은 물론 1934년의 일본제철의 성립이었지만 1920년대 중반 독점체제가 본격적으로 형성된 이래 일본제철 성립에 이르는 생산기구 재편과정의 진행은 관민협조와 선강대항이라는 형태를 가지면서 철강생산기구의 틀을 결정하였다.

---

1) 선철의 가격은 선철공동조합이 직접 결정했으나 강재는 대표적인 국제무역상품의 하나로서 벨기에의 거래소에서 국제가격이 형성되었다. 선철에는 기준이 되는 단일의 국제가격이 없었으나 강재의 경우에는 그것이 있었던 것이다. 여기서 외주가격은 국제가격+운임+관세+하역 제 경비로 구성된다.

선철생산고는 1926년의 71만 톤에서 1930년 116만 톤으로, 1936년에는 200만 톤 수준에 도달하였다. 1920년대 후반에는 주로 가동률의 상승에 의해 1930년대에는 야하타 동강(洞岡)고로군의 준공, 일철장기확충계획(1934년 7월 책정)을 축으로 하는 설비확장으로 생산고를 증가시켰음에도 불구하고 선강불균형은 이 사이 계속 높아지고 1936년에는 선강비율은 1대 2.8에 달하여 '선(銑)기근' 사태에 직면했다. 이와 같은 선강불균형의 존재와 그 확대는 몇 개의 요인이 복합적으로 얽혀 발생한 것이고, 또 시기별로도 같지 않았다(<표 3-4>).

<표 3-4> 선철생산고와 수입고 (천톤, %)

연도	일만선철생산고				일본민간시장선철공급고(A)	일본선철수입고		
	내지생산고	야하타	식민지생산고	계		계	인도(B)	인도비율(A/B)
1926	810	533	313(198)	1,123	562	400	228	40.6
1927	896	540	373(244)	1,269	555	473	261	47.0
1928	1,093	651	431(285)	1,523	701	569	310	44.2
1929	1,087	646	450(295)	1,536	783	654	411	52.5
1930	1,162	674	500(349)	1,662	565	406	214	37.9
1931	917	518	490(342)	1,407	550	399	150	27.2
1932	1,011	611	530(368)	1,541	664	444	118	17.8
1933	1,437	893	595(434)	2,031	973	641	172	17.7
1934	1,728	1,645	687(476)	2,415	1,152	614	202	17.5
1935	1,907	1,789	819(600)	2,762	1,441	962	338	23.5
1936	2,008	1,825	849(633)	2,857	1,375	972	375	27.2

자료 : 商工省鑛山局, 『製鐵業參考資料』.
주 : 식민지 생산고에서 ( )안은 만주 만의 수치.

첫째는 선철생산의 기술적 저위성이다. 제1차 세계대전을 계기로 강제품의 수요가 증대하여 일본철강업은 대량생산에 적합한 염기성 평로 생산기술을 확립하여 1926년에는 국내염기성 평로의 생산능력은 약 180톤, 철강생산능력의 80% 가까이에 달했다. 그러나 이 염기성 평로강 수요에 대응할 수 있는 저규소 선철의 생산기술은 1920년대 후반 야하타를 제외하고는 거의 확립되지 않아 부석(釜石), 윤서(輪西) 등의 민간선철 제작사에서는 제강용선철 생산보다 주물선철 생산의 비중이 높다는 정도에 머물렀다.

둘째로, 원료자급 확보의 제약이다. 1920년대 중반 원료 철광석의 국내 산출고는 약 10%에 지나지 않았고 나머지 약 90%는 수입에 의존하고 있었지만 그 가운데 60%가 중국 철광석 특히 대야 철광석이었다. 그러나 이 철광석의 안정적 확보는 중국국민혁명의 진전에 따라 양자강 일대의 전란과 국민당 정부에 의한 접관(接管) 문제의 발생, 한야평 공사의 경영위기가 심화됨에 따라 1920년대 후반에는 점차 어렵게 되었다. 또 조선, 만주로부터의 수이입의 증대는 기대할 수 없는 것이었다. 미쓰비시 겸이포의 자기소유 철산 산출고는 이곳의 선철생산능력을 크게 밑돌아 야하타 소유 철산을 시작으로 각종 철광석의 매입이 불가피했다. 만철의 안산(鞍山)은 빈광이 많고 그 처리법의 개발과 공업화가 요청되는 단계였다. 이 원료자원 제약은 남양광업공사에 의해 개발된 영국령 말레이시아 철광석에 대한 의존도를 급속하게 높임으로써 일단은 해결되었다. 말레이시아 철광석 수입고는 1929년에는 중국 철광석을 능가하고 1930년대에는 수입액의 50%를 넘게 되었다. 다만 이 공급처는 기본적으로는 관영 야하타 제철소에 한정되었고 제선 자본 전체로 볼 때 원료 철광석의 확보는 여전히 안정적이지 못했다.

셋째로, 설철수입압력이 있다는 점이다. 1920년대의 선강분리 생산구조의 고정화하에서 염기성 평로를 축으로 한 생산체계를 가진 민간 제강기업은 거의 전부가 설철제강법을 채용하고 있었다. 1920년대 후반 설철수입단가는 선철시가보다 평균 7~8엔(톤당) 낮았다. 이 격차는 공황하인 1932년에 줄어들어 일단은 역전되었으나 1932년 이후 다시 격차가 벌어져 5~8엔의 가격 차이를 나타내기에 이르렀다. 이 때문에 주요 제강기업은 설철혼입률을 상승시키는 경향이 있었으며 선철·설철비율은 1926년의 61대 39에서 1930년 50대 50, 1933년 45대 55, 1936년에는 42대 58에 이르게 되었다.

넷째로, 인도선철 수입압력이 있었다. 1926년 이래 인도선철은 대미국 수출조건의 악화라는 상황하에서 대일수출압력의 강화속도를 가속화시키면서 수출액을 급증시켰다. 1926~28년의 일본본토선철 생산고에 대한 인도선철의 비율은 약 30%였지만, 1933년 6월에 외판을 시작하기까지 야하타는 선철 외판을 하지 않아 동 기간의 일본본토 민간시장 선철공급에서 차지하는 인도선철의 비율은 실로 40~50%에 달하였다. 이 인도선철의 생산비는 톤당 30~37루피(1927년, 엔환산 22~27엔)로 극히 저렴하고 1926년 6월 선철가격 유지를 목적으로 결성된 선철공동조합 구성기업 5사(윤서, 부석, 겸이포, 본계호, 안산) 가운데 비용 면에서 대항력을 가진 것은 안산뿐이었다. 다만 1920년대 후반 수요증대하에서 조합매매기준가격에 대해 인도선철이 경쟁적으로 판매가격인하를 시도한 것은 아니고 1929년 초까지 선철가격은 안정적인 추이를 보였다. 그러나 1929년에 들어서 인도선철가격은 하락하기 시작하고, 다른 한편 설비확장으로 조합기업의 제선능력이 증가하여 그 결과 1929년 8월 조합은 명확한 '외선시세추수주의'를 내세웠다. 인도선철측도 이에 대항하여 경쟁적으로 가격을 낮추어 여기서 나선형적인 가격인하가 시작되었다.

공황하의 수요감소와 재고증가, 가동률저하로 가격하락은 격렬하게 진행하였으나 조합은 이 과정에서 돈야(問屋)[2]의 계열화를 포함한 판

---

2) 봉건시대 이래 도매업 등을 한 사람. 돈야는 본래 상업자본이었으나 소생산자가 공급하는 소량의 상품을 매집하거나 혹은 생산자가 필요한 원료를 선대해 주면서 소규모 생산자와 자본적인 종속적인 관계를 맺고 있었다. 결국은 소생산자를 제품의 판매시장 그리고 원료구입시장에서 배제시킨 채 위탁가공

매지배를 강화하고 인도선철 배제를 일단 달성하였다. 그렇다고 하여
도 공황하의 가격하락은 생산비의 인하율을 훨씬 뛰어 넘었고 그 때문
에 제선기업의 경영위기를 일으켜 수량조절을 둘러싸고 조합 내부에
서 대립이 격화되었다. 이 대립에 대한 직접적인 대응으로 이루어진
것이 1932년 7월 공동조합을 공동판매주식회사로 개조하는 것이었다.

1931년 12월의 금수출재금지 이래의 엔화 가치하락과 다음 해 6월의
관세개정으로 인도선철은 결정적으로 배제되었다. 하지만 이는 곧바로
선철자급의 달성을 의미하는 것은 아니었다. 경기회복과정에서 선철수
요가 급속히 증가하였는데 일본본토 생산의 확대로는 이를 감당할 수
없어 수이입의 증대가 필요하게 되었다. 이 역할을 인도선철 대신에
담당한 것이 안산·본계호·겸이포의 식민지 선철이었다. 안산은 환원
배소법(還元焙燒法), 액체발파법(液體發破法)이라는 빈광채광(貧鑛採
鑛)·처리법의 개발을 기초로 대규모 고로건설에 착수하여 1931년에는
연산 18만 톤 계획을 거의 달성하였다.

또 본계호는 병기용 고급 강재원료선철로서의 저린(低燐)선철 생산
이라는 특징을 살려 저린선철 공급고를 1931년 1만 1천 톤에서 1935년
에는 5만 3천 톤으로 증대시키고 구레(吳) 공창·오사카 포병공창·일
본제강소의 군수수요 증가에 적극적으로 대응하였다. 이렇게 해서 식
민지 선철의 내지시장 공급고는 1931년의 32만 톤에서 1933년 62만 톤
으로 거의 2배 증가하였으나, 1934년 겸이포가 제강압연작업을 재개하
고 쇼와 제강소(안산)도 1935년에 선강일관체제를 확립하기에 이르렀
다. 이에 따라 식민지 선철 생산고의 급증에도 불구하고 일본본토로의
수이입은 크게 줄어들었다. 이 사이에 1933년 이래 민간 제강업자에
의한 고로건설계획도 신청을 받았으나 일철시장통제력의 유지확대를

만을 하게 만들었음.

최우선적 과제로 한다는 철강정책(=일철중심주의) 때문에 일본제강1
호 이외에는 인가받지 못하고 선철부문의 민간설비투자는 정책적으로
억제되었다.

이상과 같이 1930년대 선철시장의 변화는 선철카르텔로서의 공동판
매의 성격을 변질시키게 되었다. 카르텔 내에서 일본본토계 기업과 식
민지계 기업의 대립은 이미 공황하에서의 재고조정과 그 후의 관세개
정을 둘러싸고 초기적 형태로 이미 나타나고 있었으나, 윤서・부석・
겸이포가 일철에 참가하고 일철이 공동판매에 참가하지 않음으로써
공동판매는 식민지계 기업의 이익을 대표한다는 성격을 갖게 되었다.
그리하여 저렴하고 풍부한 철강생산을 위한 상대적 저가격을 주장하
는 일철과, 가격을 인상하려는 공동판매(=만주계기업)의 대립이 표면
화되었다. 당초 이 대립은 일철선철의 공동판매에 의한 위탁판매라는
형으로 타협이 모색되었으나 1935년 7월 일철 위탁판매의 중지로 결국
판매기구・판매매매가격 기준은 이원화하고 1938년 7월 일만(日滿)공
판기구가 성립될 때까지 이 대립은 해소되지 않았다. 중일전쟁기에 들
어서도 선철공급의 제약은 해결되지 않았다.

강재생산고는 1926년의 126만 톤에서 1929년의 203만 톤 그리고
1936년에는 454만 톤으로 3.61배 증가하고 선철과는 달리 1932년에는
강재자급을 이룩했다. 강재부문은 그 품종이 다종다양하고 각각 다른
시장구조・수요구조를 가지고 있으며, 그 때문에 생산확대・자급률 상
승의 시기와 속도에 커다란 차이가 있다(<표 3-5>).

1920년대 후반의 강재수요는 토목건축・기계기구공업 등의 도시화
관련부문에 주도되어 증대하였으나 생산증대는 여전히 수입을 구축할
수 없어 자급률은 1926년 61%, 1929년에 77%에 머물렀다. 또 생산구성
에서 차지하는 야하타의 비중은 서서히 떨어졌지만 야하타의 민수부
문으로의 진출로 야하타와 민간제강기업의 경쟁은 오히려 격화하였다.

<표 3-5> 강재생산고 · 수요고 · 자급률 (천톤, %)

		생산고계	야하타	민간	수요고	자급률
강재계	1926	1,256	670	587	2,061	61
	1929	2,034	937	1,097	2,628	77
	1931	1,663	629	1,034	1,725	96
	1933	2,792	1,064	1,728	2,767	101
	1936	4,539	1,865	2,674	3,996	114
봉철 및 형강	1926	597	266	331	838	71
	1929	940	360	579	1,067	88
	1931	670	223	447	642	104
	1933	1,105	365	740	1,077	103
	1936	1,582	762	820	1,369	116
강판	1926	280	167	113	525	53
	1929	526	208	318	666	79
	1931	533	159	374	528	101
	1933	747	227	520	800	93
	1936	1,398	358	1,040	1,322	106
선재	1926	50	44	6	168	30
	1929	68	62	6	226	30
	1931	177	96	81	241	73
	1933	285	109	175	324	88
	1936	487	123	364	525	93
강관	1926	43	0	43	86	50
	1929	78	0	78	132	59
	1931	63	0	63	60	105
	1933	117	0	117	105	111
	1936	189	0	189	129	147
레일 및 계목판	1926	174	167	7	243	72
	1929	271	270	1	264	103
	1931	110	108	2	87	126
	1933	272	272	0	224	121
	1936	289	289	0	213	136

자료 :『製鐵業參考資料』및 東洋經濟新報社,『昭和産業史』第3卷.

시장구조는 봉강분야는 상대적으로 분산적이었으나 그 외의 다른 분야는 상위집중도가 매우 높고 과점적 구조를 갖고 있어 각 제품분야에 특화한 민간기업과 야하타와는 대등한 지위에서 경쟁하게 되었다. 이 시기의 강재시장은 수입강재와 국내생산강재의 경쟁, 야하타와 민간제강기업의 경쟁이라는 두 개의 경쟁관계가 얽혀 있었다.

이와 같은 상황하에서 수입강재를 몰아내고 관민조정이라는 과제를 실현해야 했다. 1926년 8월부터 야하타에 의해 외주가격추수주의라 불려진 가격정책이 채용되고, 1927년 2월에는 관민 11사로 강재 카르텔인 조강분야협정회가, 또 1927년 11월에는 동일본 봉강업자 3사로 관동강재판매조합이 각각 조직되었다. 전자는 야하타의 제품불하 선물가격을 수입가격변동에 따라 항상 그보다 약 1~2엔 싸게 결정한다는 것이었기 때문에 야하타는 이미 1925년 5월부터 지정상제(指定商制)를 채용하여 유통기구의 장악을 강화했다. 나아가 야하타는 1927년 5월에 선물정기계약, 1928년 8월에 외주상황보고의무를 실시함으로써 이 제철소의 매매기준가격이 시장에서 관철되도록 시도했다. 또 후자는 야하타와 민간기업 사이에 봉철생산분야를 분리하여 양자의 경쟁을 조정하고 이를 통해 가격을 조정하려는 의도를 갖고 있었다. 그리하여 제철소 매매기준가격은 수입가격을 따르고, 조합가격은 제철소 매매기준가격에 따른다는 형태가 되어 봉강분야에서 서구강재의 수입은 점차 감소하게 되었다.

수입강재는 공황이 진행되면서 일본 시장에서 거의 추방되었다. 봉강분야에서는 수요가 감소하고 대량의 재고가 발생하여 수입가격보다 시중가격이 더 크게 떨어졌고, 또 다른 분야에서는 일시에 카르텔이 형성되었고 이를 통해 수입강재를 구축했다. 카르텔은 1930년에는 흑판 박물(薄物)(8월), 중판(10월), 선재(線材)(10월)에서 1931년에는 후판(2월), 소형산형(山形)(3월), 중형산형(山形)(3월), 흑판후물(黑板厚物)(3월)에 결성되어, 야하타가 생산을 독점한 대형산형, 레일 및 이음매판, 브레이크, 일본강관과 스미토모 신동(伸銅)이 독점한 강관을 제외한 품종은 모두 어떠한 형태이든 카르텔의 통제하에 들어갔다. 이러한 카르텔은 아웃사이더가 있는 분야도 많아 완전한 가격 통제력을 갖지 못하였다고 해도 수입비율이 높은 분야에서는 외주추수를 유지하면서 시장을 확보하였다.

이러한 일련의 카르텔 결성과의 관련에서 주목해야 할 것은 야하타의 감산율이 봉강만이 아니라 경합이 있는 거의 모든 전 분야에서 민간측의 그것을 상회하고 있다는 점이다. 공황하에서 개정된 조강(條鋼) 분야협정은 분명히 민간에게 유리한 것이었고, 또 선재에서도 민간기업은 값싼 선재용 강편을 야하타에서 제공받는다는 특전을 얻었다. 민간기업에서의 교섭력 상승이라는 측면이 전혀 없었던 것은 아니지만 기본적 성격은 역시 제철소가 민간에게 생산의 일정부분을 양도한 것과 민간기업 보호에 의해 국내생산·국내시장을 확보하는 데 있었다.

1932년 이래 엔화 가치하락과 관세보호로 수입강재는 일본 시장에서 완전히 사라졌다. 수입가격은 국내생산자 가격을 크게 상회하고 경기회복과정에서 수요가 대폭 늘어나는 상황에서 강재시장가격을 자율적으로 인상할 수 있는 조건이 형성된 것이었다. 수요의 증가를 이끈 것은 기계철공업·조선업·토목건축 등에서의 자본재기계용 철강수요와 수이출이었다. 보통 압연강재의 용도별 소비고를 보면 1932~36년 평균으로 기계철공업 31%, 토목건축 29%, 조선 11%로 이 세 개가 71%를 차지하고 있다. 또 강재의 수이출은 1932년의 29만 6천 톤에서 1936년의 95만 9천 톤으로 급증하였는데 그 대부분은 조선·대만·만주·중국에 집중되었다(1932년 92%, 1936년 84%).

이와 같은 수요증대에 대하여 제강기업은 1933년까지는 주로 과잉설비의 가동률을 높임으로써, 1934년 이래는 설비확장으로 대응했다. 그리고 이러한 대응을 가능하게 한 것이 1934년 2월 일철의 설립이었다. 일철은 설립 이후 관영제철소 시대의 동강 500톤 고로(1930년), 동

700톤 고로(1933년)의 건설을 전제로 제강설비 능력 확충을 주력으로 하는 설비확충10개년계획(제1차확충계획)을 1934년에 입안하고 1935년부터 1936년에 걸쳐 이를 완성시켰다. 일본강관은 1933년 이래 기존설비의 대확장에 착수하고 1934년 3월에는 월산 3만톤 목표를 달성하는 동시에 1935년에는 지멘스식 50톤 평로 2기를 증설하였다. 가와사키는 1931년부터 1933년에 걸쳐 압연설비를 확충하였고 고베 제강도 1933년 3월에 제2선재공장을 완성하였다. 이 설비확충과 함께 주목해야 할 것은 군수용 강재생산설비의 확충·신설이 당해 기에 급속히 진행된 점이다. 대동제강은 1931~1933년에 걸쳐 단강(鍛鋼)공장을 잇따라 확충하고 1935~1936년에는 압연공장·제2제강공장을 증설하였다. 스미토모 신동소(伸銅所)에서는 1932~1933년에 걸쳐 항공기용 강관설비, 탄환·폭약소재가공설비를 새로이 증설하고 제강소에서는 1933~1935년에 걸쳐 차륜공장 확충, 제강설비·병기관계설비를 확충하였다. 가와사키도 1934년 1월에 15톤 전기로를 신설하고 조선용 주조부품용 강재생산능력을 비약적으로 증대시켰다.

이상과 같이 수요·생산구조의 변화는 강재카르텔의 기능을 전환시켰다. 수요가 급속히 확대되는 가운데 종래의 민업보호·수입저지적 성격은 모습을 감추고 저렴하고 풍부한 제강공급을 요구하는 상공성·일철과 시장확장·가격인하를 요구하는 민간제강자본의 조정기관으로서의 성격이 전면에 드러나게 된 것이다. 1933년 흑판공판의 해산, 1935년의 조강분야협정의 해산은 이 대항이 나타난 결과 발생한 것이었다. 다만 그러한 대항을 포함하면서 1930년대 전반 가격조정은 기본적으로 성공하고 강재가격은 안정적인 추이를 보이는 가운데 민간제강자본으로의 할당이 확대되었다.

2. 기계기구

기계기구공업은 중화학공업부문 중 가장 일찍부터 높은 자급률을 자랑해 왔지만 내부적으로는 생산구조나 시장구조에서 업종간 현격한 차이를 갖고 있었고, 이 차이는 1930년대의 급격한 회복·확장과정을 거친 뒤에도 해소되지 않았다. 민간수요를 중심으로 한 중공업의 '내부순환적 확대'의 한 기축으로 자율적인 발전을 얻은 분야와 취약한 분야가 병존하고 있었던 것이다.

① 공작기계 : 생산수단의 생산을 담당한다는 의미에서 기계기구공업의 중핵을 이루고 있는 공작기계공업은 이 취약성을 대표하는 업종이었다. 1938년 3월 항공기제조사업법과 함께 공포된 공작기계제조사업법에서는 공작기계 제조사업이 각종 공업의 기초가 되는 것이고 국방의 정비 및 산업의 발달을 기하기 위해 빠르게 그 확립을 도모하는 것은 내외의 정세를 고려할 때 매우 시급하고 중대한 일이라는 점을 강조했다. 하지만 중일전쟁 발발 후에도 여전히 공작기계 제조능력의 확대, 제조기술의 개선향상, 특수공작기계 국산화를 과제로 내걸지 않을 수 없었다는 점으로부터 이 부분이 안고 있는 취약성을 단적으로 알 수 있다. 공작기계공업의 특징은 생산의 영세성과 기술적 열위, 그 결과로서 수입의존구조가 지속된 데에 있었다.

1920년대 후반 공작기계공업은 군수의 격감(군공창, 조선업으로부터 발주의 격감)과 기술격차의 확대(1926년 독일 크루프사 탄화텅스텐제 공구의 개발)로 인해 생산이 크게 줄어들었고 이와 동시에 자급률도 큰 폭으로 하락했다. 더욱이 이러한 상황은 직공 500명 이상 공장이 전혀 없고 직공 300명 미만 공장이 전체의 95%(1930년의 수치, 1925년 91%)를 차지한다는 생산·기업규모의 영세성으로 인해 더욱 증폭되고, 공황이 시작되면서 공작기계공업은 존립 자체가 어려운 처지에 놓이게 되었다.

군수는 공작기계공업으로 하여금 이러한 존립의 위기에서 벗어나게 만드는 계기가 되었으며 생산과 수요회복의 기동력이 되었다. 약산철공소의 경우는 1931년 9월 육군조병창으로부터의 수주가, 지패철공소의 경우도 1932년 5월 해군공창으로부터의 수주가 소생의 계기가 되었고, 신사철공소에서도 1933년의 경우 수주대수의 75%가 육해군공창용이었다. 그리고 이 시장의 확대는 항공기, 자동차 등의 군수관련부문, 방직기, 전기기계, 원동기 등의 민간부문에서 공작기계에 대한 수요를 급속히 증대시킴으로써 가능했다. 그리하여 1932년부터 이 부문들의 생산과 수요는 회복하기 시작했고 1931~1936년의 생산증가율은 9.26배, 수요증가율은 7.24배로 기계기구공업 가운데 그 신장이 가장 높은 수준에 달하고 있었다. 또 자급률도 1930년대 전반에는 일정한 정도 상승하였으나 이는 민수의 증대에 힘입은 바가 컸다. 그러나 민수에서 우선 요청되는 것은 저가격성과 범용성이었기 때문에 공작기계 생산의 증대는 정형(定型) 범용 기계생산의 증대에 주로 의존하게 되었다.

이러한 수요구조와 기술격차 때문에 앞의 군수에서도 고밀도 고속선반, 고성능 톱니바퀴, 연마반, 프레이즈반 등은 수입에 의존하지 않을 수 없었고 생산기술체계의 중심부분에서는 여전히 자급화를 달성할 수 없었다. 이 때문에 1930년대의 공작기계공업은 기업규모의 확대보다는 오히려 제 기계기구생산으로부터 잇따라 유입되는 소규모 자본이 증대하는 모습을 보였고, 중화학공업 제부문의 기술적 파행성을 반영한 생산·시장구조의 중층성을 정착시키고 있었다. 이러한 사실은 경제군사화가 더욱 진전되면서 자급률이 다시 떨어지게 되었다는 점에 잘 나타나고 있다.

② 전기기계 : 공작기계공업과 대조적인 위치에 있었던 것이 전기기계기구공업, 그 중에서도 중전기기부문이었다. 중전기부문은 1920년대

에 전력화가 빠르게 진전되면서 급증한 중전기 수요와 대용량화에 처음에는 대응할 수 없어 자급률이 낮았으나 1920년대 후반에 들어서자 기술수준이 선진국 수준에 도달하였고, 여기에 1926년의 관세개정, 경쟁격화에 의한 제품가격하락 요인 등이 더해지면서 국내시장을 점차 장악해 갔다. 즉, 1925년에는 일립(日立)이 1만 킬로볼트암페어 이상 용량의 견축(堅軸)발전기를 제작하고, 1926년에는 지포(芝浦)도 같은 급의 발전기를 제작했다. 또 1926년 15만 4천 볼트급 송전망용 변압기 제작을 일립·지포가 각각 수주하는 등 수력발전의 분야에서는 대용량 발전기·변압기 제작기술이 선진국 수준에 도달했다. 또 1926년의 관세개정에서 발전기·전동기류는 평균 약 75%라는 고율의 인상을 단행했고, 더구나 종량세과세였기 때문에 1920년대 후반의 제품가격이 하락하는 경향 속에서 실질 고관세가 더욱 강화되어 수입저지효과가 더욱 높아졌다. 이렇게 해서 중전기 자급률은 1924년 60%에서 1929년에는 83%까지 상승하고 전기기계공업의 생산확대를 주도하게 되었다.

그러나 다른 한편 1920년대 말에는 전력전(電力戰) 중에 있는 전력자본에서 설비투자경쟁이 한바탕 일어나 소위 전력과잉시대가 찾아왔다. 이 때문에 많은 발전소건설계획이 중지 또는 연기되었고 중전기 수요는 저조하였다. 공황으로 돌입하면서 수요는 더욱 급격히 떨어져 오쿠무라(奧村)·가와키타(川北) 등의 대기업을 시작으로 오사카 전등, 반도변압기, 오사카 전기(電機), 동서전기 등이 잇따라 도산하고 지포, 일립, 미쓰비시, 후지의 소위 중전 4사에서도 매기 결손이 발생해 대량의 인원정리가 이루어졌다.

이 같은 위기적 상황에 대한 대책으로서 1930년대 말에는 상공성 임시산업합리국 주도의 기업합동안이 제시되었으나 이 협의가 이루어지는 중인 1931년 5월에 앞의 중전 4사에 의해 발송전기기·대형전동기를 대상으로 하는 카르텔이 성립하였다. 카르텔은 그 후 안천전기와

명전사(明電舍)가 가입하여 각사간의 판매비율·제품가격·판매 등을 강력하게 규제하였다. 중전기 수요는 1932년부터 회복되기 시작하였으나, 이 카르텔체제의 강화가 엔화 가치하락·관세개정과 잘 상응한 결과, 수요가 크게 늘어났음에도 불구하고 국내시장은 안정적으로 확보할 수 있었다. 다만 전력자본의 외채이자지불비가 엔화 가치하락으로 많이 증가하고, 전력업의 설비투자 재개가 늦어져 수요의 회복을 선도한 것은 전동기 특히 소형전동기 등의 신제품시장, 그리고 기력(汽力)발전기 등의 신시장이었다. 그 때문에 카르텔이 있음에도 불구하고 이러한 분야에서는 경쟁적인 요소가 잔존했다. 그렇다고 해도 1934년경부터 재개된 전력설비투자에 의해 일단 하락한 중전 4사의 비중은 1932년의 58.8%에서 1936년의 70.2%로 다시 상승했다. 이러한 중층적 시장구조하에서 이 4사의 주도체제는 유지·강화되었다.

③ 조선 : 1920년대 중반 이래 거의 국내시장을 장악하고 디젤선 건조와 명령항해 대체선 건조에 의해 최저수준을 유지하고 있었음에도 불구하고, 1920년대 후반에도 군축과 선복과잉 때문에 민간조선업은 여전히 극심한 불황상태를 유지하고 있었다. 조선업이 불황으로부터 탈출의 계기가 된 것은 1932년 이래의 정책적 조성 즉 제1차에서 제3차까지의 선박개선조성시설의 실시, 그리고 그것을 가능하게 한 해운시황의 호전 및 다카하시 재정에 의한 군수의 창출이었다.

1932년 9월 제63제국의회에서 시국광구책의 하나로 결정된 선박개선조성시설은 대략 다음과 같은 내용을 가진 것이었다. 첫째로, 40만 총톤의 고선박을 해체하고 20만 총톤의 대선(代船)을 건조(제1차분)한다는 점에 잘 나타나 있는 것처럼 해운에서 과잉선박의 처리가 시도되었다. 둘째로, 조성금 교부가 고속선일수록 더 빨리 이루어졌고, 해운자본의 합리화를 도모하는 동시에 조성은 고도의 건조기술을 가진 거대조선기업(구체적으로는 미쓰비시 중공, 미쓰이옥(玉) 조선, 가와사키

조선)에 우위를 주는 것이었다. 셋째로, 1932년 5월에 재료·기관·의
장품(艤裝品)에 국산품 사용을 의무화한 이래 선박수입허가제를 실시
하여 선박수입을 제한하는 등 국내시장을 확대하려고 했다. 이렇게 하
여 1933년에는 7척 4만 8천 톤, 1934년 13척 9만 5천 톤, 1935년 11척
5만 5천 톤, 합계 31척 19만 9천 톤의 선박이 새로 건조되는 등 거대조
선기업을 축으로 한 건조가 회복되었다.

또 군수는 공황하에서 거대조선기업의 조선능력 유지를 뒷받침하는
역할을 수행했을 뿐만 아니라 다카하시 재정기 특히 1932~1935년의
금액은 그 뒤에 비하면 작았다고 해도 조선업의 회복에 있어서 결정적
인 역할을 하였다. 미와 료이치 추계에 따르면 당해 연도의 민간기업
함선생산액에서 차지하는 해군군사비 지불비율은 30% 전후, 생산증가
액 기여율에서는 30~70%에 달했고, 1931년부터의 해군 제1차 보충계
획, 1934년부터의 제2차 보충계획은 민간조선업 특히 거대조선기업에
거액의 시장을 제공했다. 이렇게 조선업은 1930년대 중화학공업화의
중요한 일각을 구성하였으나 그 시장규모는 1936년에 이르러서도 제1
차 대전기에 미치지 못했다. 1935, 1936년부터 신규설비투자가 시작되
었다고는 하지만 조선업에서 설비투자가 본격적으로 전개하기 위해서
는 중일전쟁으로 인한 군수의 대팽창을 기다려야 했다.

3. 육해군공창

제1차 대전기까지 육해군공창은 군사공창에서의 생산장치의 우위와
일반적인 생산성 저위와의 전도적(顚倒的) 모순이라는 구조를 가진 채
관영제철소와 마찬가지로 민간부문과의 연관이 끊어졌음에도 불구하
고 중공업 생산력의 기축적 담당자인 동시에 중공업 생산력 형성의 기
반이라는 역할을 담당하고 있었다. 이러한 군공창의 역할은 만주사변

기에 진전된 중화학공업화 속에서 점차 민간부문과의 기술적·소재적·시장적 연관을 강화해 가면서 민간부문에 대한 보완·보강의 위치로 서서히 바뀌어 갔다. 하지만 군기생산의 중핵으로서의 위치를 여전히 유지했고 1930년대 전반에는 <표 3-6>에서 보는 것처럼 군사비의 급속한 팽창에 뒷받침되어 기계기구공업 내에서 그 비중을 높여 갔다.

<표 3-6> 육해군성비의 추이 (만엔, %)

연 도	일반회계세출(A)		B+C/A	특별회계세출	
	육해군성비(B)	해군성비(C)		육군성비	해군성비
1926	19,694	23,731	27.5	2,721	4,320
1927	21,810	27,354	27.9	2,718	5,070
1928	24,911	26,813	28.5	2,711	5,593
1929	22,726	26,767	28.5	2,771	5,551
1930	20,082	24,203	28.4	2,561	4,322
1931	22,749	22,713	30.8	2,378	3,531
1932	37,358	31,281	35.2	3,918	5,701
1933	46,264	40,998	38.7	6,821	9,787
1934	45,853	48,335	38.0	7,607	8,159
1935	49,656	53,638	40.3	7,499	8,592
1936	51,072	56,745	40.4	7,265	8,434
1937	225,032	102,082	62.8	20,178	15,024
1938	448,100	148,115	69.6	64,643	22,783

자료 : 『金融事項參考書』, 『大藏省年報』.

① 육군조병창 : 1923년 3월 육군은 종래의 도쿄·오사카의 2대 공창을 통합해 육군조병창으로 만들었다. 다만 전후불황에 다른 예산제약과 국제적인 군축 때문에 군기생산은 1920년대 후반에 정체되었다. 쇼와초 육군조병창 인원은 약 1만 1천 명, 설비기계대수는 공작기계가 1만 3천 대, 기타 기계가 1만 5천 대, 합계 2만 8천 대로 이 설비의 일부를 이용하여 연 2,000만 엔의 병기를 생산하는 수준에 머물렀다.

하지만 군기생산의 중핵인 육군조병창은 공황하에서도 그 생산이 축소된 것은 아니고 반대로 1931년의 만주사변을 직접적인 계기로 생산을 급속히 증가시켜 갔다(<표 3-7>).

<표 3-7> 육군조병창 생산추이

연도	생산총액	갑호품 생산액	갑호품 작업 보유액	주요갑호품생산액			직공수	참고 육군병기 총생산액
				소총	기관총	포		
	만엔	만엔	만엔	정	정	문	명	만엔
1926			5,450	3,038	1,174	111	10,818	
1927	3,694	1,900	3,920	1,525	1,195	106	10,948	
1928	3,570	1,730	3,710	6,820	1,054	137	11,090	
1929	3,650	1,770	3,748	3,836	788	97	10,898	
1930	3,985	2,035	4,029	3,942	971	116	11,352	
1931	3,737	1,950	4,467	3,613	541	66	12,702	3,136
1932	6,198	3,861	6,794	1,060	1,069	34	17,537	5,717
1933	8,620	5,610	9,746	2,250	6,100		21,006	8,850
1934	9,590	6,050	10,919	2,780	4,300		22,145	11,471
1935	9,420	6,180	11,460	6,800	3,000		21,680	14,669
1936	9,540	5,930	10815	25,300	2,400		24,768	15,475
1937	26,680	17,050	47140	42,754	2,280	44	88,124	29,599

자료 : 伊藤正直, 「資本蓄積(1) 重化學工業」, 大石嘉一郎編, 앞의 책, p.141.

만주사건비는 육군성을 주축으로 1931~1936년 사이에 11억 1,300만 엔(그 가운데 육군성 소관분 9억 200만 엔, 80.3%)이 지출되고 육군은 이것을 지렛대로 해서 군비충실을 추진해 갔다. 즉, 육군은 기정국방충비계획을 1933년부터 앞당겨 실시하기로 하고 3년간 4억 엔 이상을 지출하고, 그 계획의 대부분을 완료하는 동시에 1936년도에는 그 계획액에 4억 엔을 다시 추가했다. 또 1933년도부터 동시에 신규병비개선계획을 실시하고 1935년도에는 항공부대개편계획을 발족시켰으며, 다음 연도 장비근대화계획에 추가하는 등 병비를 충실히 하는데 잇따라 성공했다.

육군조병창의 생산액은 이처럼 군사비의 팽창에 뒷받침되어 1920년대부터 쇼와공황기에 걸쳐 3,000만 엔대에서 1932년에는 일거에 6,000만 엔대, 1934년에는 9,000만 엔대로 증가했다. 육군병기는 소총·기관총, 각종 화포, 탄약, 화약, 전차, 자동차, 광학병기, 통신병기, 함정, 비행기, 항공병기로 다종다양하지만 육군조병창은 이 가운데 총기, 화포, 화약제조를 축으로 하여 소총생산고를 1931년의 3,600정에서 1936년에는 25,300정으로, 기관총을 540정에서 2,400정으로, 화약생산고도 1,300만 엔에서 6,200만 엔으로 증가시켰다. 또 탄약, 전차, 자동차, 항공기, 통신 및 광학병기 등의 분야에서는 군공창 생산기술이 민간으로 이식되는 동시에 민간발주가 확장되고, 더 나아가 화약제조에서도 원재료 및 중간제품 생산에서 널리 민간화학공장이 이용되게 되었다. 이리하여 "군공창과 그 주변공업지대의 민간 제 공장과의 정확한 협동을 설정하고 주요한 공업중심지에는 일체의 민간공장에 각각의 생산임무를 과하고 군수공창에 부속"시킨다고 하는, 중일전쟁기 이래 확립되는 '군수생산블록' 구상의 기초가 이 시기에 형성되었다. 육군조병창에서 선행적인 군기생산의 확대가 이를 가능하게 한 것이었다.

② 해군공창 : 육군조병창과는 달리 1920년대 후반 해군공창은 군축의 영향을 직접 받았다. 당해 기 회복의 조짐을 보인 재벌계의 경영과는 대조적으로 해군공창의 설비투자는 점차 감소하였고, 요코쓰카(橫須賀), 구레(吳), 사세보(佐世保), 마이즈루(舞鶴) 모두 인원정비가 진행되어 해군공창 종업원수는 1919의 6만 6천여 명에서 1930년에는 4만 5천 명으로 감소했다. 또 기구면에서도 1923년 4월 마이즈루 공장이 요항부(要港部) 공작부로 격하되는 등 축소조치가 이루어졌다. 조선불황하에서 민간조선자본보호정책 즉, 1926년 64만 9,000엔의 '군축보상'의 실시, 보조금함정 건조의 민간우선발주 등이 취하여진 것도 해군공

창의 상황을 더욱 악화시켰다.

해군공창은 1932년부터 육군조병창과 마찬가지로 이러한 저조상태에서 회복되었다. 해군은 런던군축회의를 역으로 이용해 신형함, 고성능함을 새로 건조해야 한다는 점을 강조하면서 1931년도에는 '보조함정제조, 항공병력증비, 내용충실'을 주 내용으로 하는 방대한 해군병력정비계획을 제출해 함정제조비 2억 6,800만 엔, 동 개장비 3,100만 엔, 항공기 정비비 4,700만 엔 등 합계 3억 2,500만 엔을 얻었다. 더 나아가 1933년도에는 제2차 보충계획을 입안하고, 다음 해에도 항공모함 2, 을순(乙巡) 2, 구축 14, 잠수 4, 제한 외 특무 6, 수뢰정 4 등 계 48척의 건조를 축으로 하는 함정건조비 4억 3,200만 엔, 동 개장비 5,100만 엔, 항공대 정비비 4,500만 엔을 확보했다. 이러한 해군군사비의 팽창으로 해군공창의 생산은 급속히 회복했다(<표 3-8>).

<표 3-8> 해군조선조병비와 연도별 진수량

연도	해군군사비중조함조병비(만엔)					진수량(배수톤)			척수	해군함정생산비(백만엔)	
	조선비	조병비	계	공창지 불분	민간지 불분	계	공창	민간		계	민간
1928	6,725	7,955	14,680	5,794	8,886	37,950	7,900	30,050	13		
1929	6,654	7,722	14,376	5,444	8,932	16540	8,350	8,190	13		
1930	4,520	7,673	12,193	4,518	7,676	40200	23,400	16,800	8		
1931	4,209	7,336	11,545	4,395	7,151	31050	7,400	23,650	9	19.9	13.3
1932	6,148	12,157	18,305	6,713	11,592	4870	3,400	1,470	4	228.2	99.3
1933	8,228	13,502	21,730	8,741	12,989	17190	13,120	4,070	14	51.4	51.4
1934	11,549	18,352	29,901	10,692	19,209	38370	22,300	16,070	14	46.5	46.5
1935	14,569	19,925	34,494	11,955	22,539	49100	32,800	16,300	18	115.6	115.6
1936	11,619	22,620	34,239	12,950	21,289	39650	23,900	15,750	11	34.5	34.5
1937		65,840	65,840	22,119	43,722	59,990	33,350	26,640	21	256.8	132.2

자료 : 三和良一, 「高橋財政期の經濟政策」, 『昭和産業史』 1卷, 原朗, 「戰時統制經濟の開始」, 『岩波講座日本歷史 20』 近代7, 1976에서 작성.

이 시기 해군의 건함은 전함이 요코쓰카・구레 양 공창과 미쓰비시 장기, 중순(重巡)・항공모함이 앞의 세 조선소에 가와사키 조선을 합친 네 조선소, 보조함이 마이즈루 및 사세보의 양 공창에 민간업체인 포하 선거(船渠)・미쓰비시 고베・등영전・미쓰이옥이라는 체제를 갖고 1번함은 공창이, 2번함 이하는 민간・공창이 분담해서 건조하는 방식이었다. 이 방식에 기초해 1931년 을순 1번함 최상, 2번함 삼외가 각각 구레 공창과 미쓰비시 장기에서 기공되고 1933년에는 3번함 영곡이 요코쓰카에서, 1934년에는 4번함 웅야가 가와사키에서 기공되었다. 또 항공모함 개장용인 잠수모함 대경이 1933년, 고속 급유함 검기가 1934년에 모두 요코쓰카에서 기공되고 중형 항공모함 창룡이 1934년 구레 공창에서 기공되었다.

4. 화학

화학공업은 이 시기의 중화학공업화에서 주도산업은 아니었으나 화학비료・화학섬유 등은 일관되게 높은 성장을 달성했다. 뿐만 아니라 1930년대에는 화약・고무 등의 군수도 가담해 수량적으로는 이 시기 중화학공업화를 지탱하는 역할을 담당했다. 이 화학공업에서 중심적인 위치를 차지하고 있었던 것이 화학비료공업이었다.

이 공업은 1920년대 후반기에도 국제적 압력이 가장 강력했던 분야였다. IG(독일), ICI(영국)의 합성 유안이 노도와 같이 밀려 들어오고 1928년 이후에는 영국과 독일의 덤핑협정으로 유안가격이 대폭 하락해 자급률은 40% 이하로 떨어졌다. 뿐만 아니라 국내 유안 생산고는 1925년의 13만 톤에서 1930년에는 26만 톤으로 증가했다. 생산이 이처럼 증대할 수 있었던 것은 무엇보다 수요가 증가했기 때문이다. 콩깻묵에 비해 유안이 상대적으로 값이 저렴하고 '미가와의 역협상가격'(미가에 비해 유안이 저렴)이 유안의 소비를 급속히 늘렸다.

공황이 발발하자 덤핑압력은 더욱 거세지고 유안시장가격은 1929년부터 1931년까지 일직선으로 하락했다. 하지만 이 공황 속에서도 유안생산은 줄어들지 않고 오히려 증가하고 있었다. 그 가장 큰 이유는 1920년대 말 합성법 베리언트(variant)의 전개, 불황에 의한 전력가격 인하, 자재가격의 하락 등이 나타나는 가운데 신규참가·신규투자가 이루어지면서 생산능력이 급속도로 증가했기 때문이었다. 즉, 1928년 대일본비료가 일본전력으로부터 전력을 값싸게 구입하면서부터 후지공장 합성유안생산을 시작하였고 같은 해 동신전기·동경전등이 쇼와비료 가와사키공장을 건설했다. 또 미쓰이 광산과 스미토모 비료도 합성유안생산에 뛰어들었다. 또 일본질소는 조선흥남 콤비나트를 건설하면서 유안생산에서 확고한 위치를 차지하게 되었다. 유안공업은 이러한 설비투자의 전개와 그 고율 조업으로 영국과 독일의 덤핑에 대항했다.

1932년부터 엔화 가치가 하락하고 관세가 개정되어 외국 유안과의 가격경쟁이 유리하게 되면서 유안공업은 국내시장을 거의 완전하게 장악했다(<표 3-9>). 1932년 10월 질소협의회를 모체로 하여 주요 7사로 구성된 조합이 설립되었는데, 이것이 국내 생산고에서 차지하는 비중은 95%로 막강한 것이었다. 조합의 주요 업무는 시중의 저가제품 매입, 수입유안의 수량규제, 판매기준가격의 설정 등이었다. 즉 조합은 결성된 직후부터 유안가격을 인상하려고 시도해 시장가격은 10월 2.40엔(10관들이 물)에서 다음 해인 1933년에는 4엔으로 오르고 그 이후 1935년까지 이 가격수준을 유지했다. 또 수입유안에 대해서도 1934년 3월, 1935년 2월, 1935년 11월 3차에 걸쳐 내외유안협정을 체결해 이를 규제하려고 했다. 이렇게 해서 조합이 유안공급을 주체적으로 조정할 수 있는 조건이 확립되었다. 다만 유안시장가격이 계속되는 수요확대에도 불구하고 안정적이었던 것은 이 시기 우부질소, 만주화학, 신사유산, 일본타르공업 등이 신규 참여했고, 시장이 여전히 유동적이었으며 농림성·상공성이 대립하기는 했으나 농촌의 요구를 받아들여 정부가 정책적으로 개입해 저비료가격 유지정책을 고수했다는 것 등의 이유 때문이었다. 1935년 초 저가격유지정책은 붕괴되고 1936년의 중요비료업통제법 제정으로 나가게 되지만, 1930년대 전반기의 유안공업은 이러한 조건 속에서 순조롭게 발전할 수 있었다.

<표 3-9> 주요 중화학공업제품의 자급율 (%)

연도	선철	강재	기계	소다회	가성소다	합성염료	유안
1929	58	77	77	35	58	84	38
1930	70	90	80	47	48	104	48
1931	65	96	82	67	54	99	65
1932	61	103	81	65	75	102	82
1933	64	101	87	70	94	133	86
1934	69	105	87	86	101	141	76
1935	64	113	89	96	99	165	73
1936	65	117	90	95	104	135	75
1937	67	99	90	88	94	121	81

자료 : 林健久 外, 『講座 帝國主義の硏究 6 : 日本資本主義』, 靑木書店, 1973, <표 161>.

지금까지 본 것처럼 만주사변기 중화학공업생산과 시장의 동향은 각 부문간, 업종간에 상당한 차이를 갖고 있는 것이었다. 그런데 이 동향은 다음과 같은 추이를 보여 주고 있다.

우선 1920년대 후반의 도시화·전력화를 기축으로 하고 부문간·업종간의 연관이 느슨한 상태를 유지한 채 그 불균형을 확대해 가는 완만한 성장 경향을 보이고 있다. 둘째, 공황하에서는 격렬한 가격하락에 규정되어 큰 폭의 축소가 나타났다. 셋째, 1930년대 전반의 만주사변과 다카하시 재정에 의한 유효수요 창출을 원동력으로 하고 엔화 가치하락과 관세보호에 뒷받침을 받으면서 국내민수를 중심축으로 식민지

수출·군수를 부축으로 한 급속한 회복세이다.

이렇게 해서 1930년대 전반, 일본은 중화학공업을 중심으로 한 산업구조를 완성하였다. 하지만 형성된 중화학공업의 생산력 수준이라는 것은 이제까지 본 것처럼 어디까지나 '재래형 중화학공업화(제1차 대전 전의 유럽형)'에서의 생산력 수준이었고 당시 첨단의 '내구소비재 양산형 중화학공업'에 대해서는 생산력적으로 크게 열등한 것이었다. 그런 까닭에 생산력 수준을 향상시키고 또 이를 유지하기 위해서는 블록경제권화=폐쇄적 '제국경제권'을 확장할 필요가 있었으며 군사력의 정비와 확충이 불가피했던 것이다.

제4장 방적업과 제사업

제1절 면사방적

1. 면포가의 하락과 합리화

1929년의 면사생산은 중간에 감소한 시기가 있기는 하였으나 5년 전에 비해 35% 증가하였다(<표 4-1>). 면화소비에서는 영국에 육박하고 있었는데(뒤의 <표 4-5>), 이 면화소비를 담당한 것은 면사나 국내용 면포가 아니라 증가하고 있던 수출용 면포였다(<표 4-2>). 면포수출은 가공면포가 절반 정도(1927년)를 차지하게 되고, 수출처(1924년→1929년)는 대항력이 강화된 중국(및 관동주 47%→ 40%)에서 인도(14%→ 26%)를 비롯한 동남아시아로 중심이 이동하였으나 진출 무기가 단가인하에 있었던 결과 수출액은 정체되었고 1929년에도 5년 전에 비해 26% 증가하는데 머물렀다.

면포 단가인하는 면가하락과 합리화에 의해 가능하게 되었다. 고번수화(高番手化)에 따라 미국산 면화소비는 1927년에는 인도면을 상회하였으나 미국면은 1920년대 후반 계속 과잉상태였고 가격은 낮았다. 방적·겸영 직포업에서는 심야업 금지(1929년 7월)가 중간에 있었고, 일일 임금은 경직적이었으나 감원을 하고 노무관리를 엄격히 시행했다.

<표 4-1> 방적업의 동향

연도	방적					
	회사수	방추	생산	직공	생산성	여공임금
	사	천추	천곤	천명	관	전
1925	54	5,186	2437	173.6	2.46	122.4
1926	53	5411	2607	182.5	2.50	122.2
1927	54	5767	2531	170.1	2.63	122.9
1928	59	6287	2452	154.0	3.00	122.9
1929	59	6649	2793	159.6	3.13	118.9
1930	62	7045	2525	139.1	3.30	105.5
1931	61	7376	2567	121.6	3.84	92.8
1932	63	7848	2810	126.8	4.28	82.7
1933	61	8525	3100	129.4	4.53	78.1
1934	62	9326	3472	141.4	4.59	75.4
1935	60	10330	3561	152.5	4.44	72.9
1936	71	11976	3607	150.8	4.89	72.2

연도	겸영직포				
	직기	생산	직공	생산성	여공임
	천대	백만야드	천명	야드	전
1925	68.1	1180	55.7	64.3	122.3
1926	71.7	1278	57.3	67.1	122.7
1927	71.7	1295	50.5	77.8	125.5
1928	76.7	1382	43.7	95.3	129.8
1929	73.7	1538	42.6	105.5	128.4
1930	75.6	1388	35.3	115.7	113.4
1931	74.1	1405	28.8	142.3	100.6
1932	76.5	1533	30.3	144.7	89.3
1933	83.6	1674	34.3	140.7	89.3
1934	87.0	1794	35.9	140.0	80.3
1935	89.6	1843	37.1	140.4	77.9
1936	95.0	1802	38.4	133.8	75.8

자료 : 『紡絲紡績事情參考書』 各次, 進藤竹次郎, 『日本綿業勞動論』, 東京
大學出版會, 1958.
주 : 생산성은 여공환산직공(남공을 임금비로 여공으로 환산하여 가산) 1인
당 1일생산량(면사는 20수 환산)

<표 4-2> 면포수출의 동향

연차	수출량	수출액	수출단가
	백만평방야드	천엔	전 (펜스)
1925	1,298	432,850	33.4 (6.78)
1926	1,425	416,255	29.2 (6.75)
1927	1,483	383,837	25.9 (6.06)
1928	1,419	352,218	24.8 (5.68)
1929	1,791	412,708	23.0 (5.24)
1930	1,572	272,117	17.3 (4.20)
1931	1,414	198,732	14.1 (3.72)
1932	2,032	288,713	14.2 (2.73)
1933	2,090	383,215	18.3 (2.64)
1934	2,577	492,351	19.1 (2.69)
1935	2,725	496,097	18.2 (2.55)
1936	2,710	483,591	17.8 (2.49)

자료 : 關桂三, 『日本綿業論』, 東京大學出版會, 1954, p.441의 <부표 9>.
영화시세는 환시세로부터 산출.

　한편 자동직기를 도입함으로써 1인당 하루 산출량은 취업시간단축에도 불구하고, 1924년부터 1929년에 걸쳐 방적에서 31%, 겸영직포에서 69%로 증가했다. 또 이 사이에 산지면포가 급속히 발달하여 비록 경영성적은 부진하지만(뒤의 <표 4-3>), 겸영직포와 수출시장을 양분하기에 이르렀다. 그 선두에 선 것은 센난지방으로서 광폭역직기의 보급, 장시간노동, 주자(朱子)·세능(細綾) 등 겸영이 적은 품목을 생산하였다(뒤의 <표 4-6>).
　1927년 5월, 6년만에 10차 조업단축이 시작되었는데 이를 주도한 것은 오랫동안 조단을 거부하여 온 대방적이었다. 2년 연속 대풍작으로 미국산 면화의 가격은 폭락하고 1926년 말에는 공황기의 최저치보다 더 떨어졌다. 한편 은가격은 하락하고 엔화의 가치가 올라 대중국면포 수출이 부진상태에 빠졌다. 생사가격이 크게 떨어진 상황에서 대방적은 시가채산은 잠시 제쳐놓고 선물매입에 중점을 두었기 때문에 고가

면을 수중에 가지고 있게 되어 타격을 받았다. 이미 11월에는 "대방적의 어려움이 감배없는 감산은 여론이 용납하지 않을 것이라는 점에 있다"는 말이 나왔지만 1927년에 들어서 금융공황이 발생하자, 예전부터의 희망인 조단을 부활하는 것이 득책이라고 본 대일본방, 동양방, 안화전방(岸和田紡), 합동방 등의 유력 방적의 주창으로 4월 말 조단이 결정되었다. 이는 소비자인 기업가, 사옥(絲屋)관계 방면에 있는 사람에게는 완전히 날벼락 같은 일이었다.

생산이 감소하자 백목면에 대한 면사의 상대가격은 3월부터 9월에 걸쳐 19% 상승하고 방적회사재고는 4월에 5만 곤(梱)[1]에서 9월에는 2만 곤으로 감소했으나 대일본방적연합회(이하 방련으로 줄임)는 시중재고가 많다는 것을 이유로 11월부터 조단을 확대했다. 그 때 여론의 반대를 고려한 유력 회원사가 희생적인 자세에서 조단을 확장했는데 이것이 문제가 되어 각 회사에서 3만 추가 조단 증률분에서 면제되었다. 조단 증률의 결과 시중 재고는 1928년에 들어서 감소하고 하반기에는 심야업 금지대책에 대비한 증추로 생산은 증가하였으나 시가채산은 상당히 호전되었다. 그러나 심야업 금지로의 이행을 원활하게 할 것이라는 이유로 1929년 상반기에도 조단은 계속되었다. 그리고 심야업을 폐지한 공장에 대해서는 조단을 완화해 주는 조치가 취해졌기 때문에 4월에는 심야업 폐지공장이 총 추수의 과반을 차지하게 되었다.

7월의 심야업 금지와 동시에 조단은 중단되었으나 증추와 생산성 향상은 관계자의 예상을 뛰어넘었다. 생산이 증가하여 9월에는 조단 이전을 상회하고 더구나 높은 엔화와 낮은 은가격으로 면포수출이 부진하였기 때문에 면사가격은 9월 이래 하락하였다. 대공황이 파급되기도 전인 12월에 방련의 위원회는 조단재개의 방침을 결정하였다.

---

1) 포장한 화물의 개수·양을 나타내는 단위. 짝.

1) 심야업 폐지와 합리화

1926년 7월에는 개정 공장법의 시행으로 심야업이 금지되고, 종래 통상 11시간(식사·휴식시간 1시간 포함)이었던 작업시간은 9시간(식사·휴식시간 30분 포함)으로 단축되었다. 1927년부터 대폭적인 감원이 실시되었으나(<표 4-1>), 조방(粗紡)·혼타면(混打綿) 등 합리화를 추진한 부문을 중심으로 남공에서 젊은 여공으로 대체가 진행되어 여공비율은 1929년 78%에서 32년에는 84%로, 여자 중 20세 미만의 비율은 1927년의 64%에서 1933년에는 72%로 높아졌다. 또 여공모집에서 전대금의 의의가 하락하는 한편 본격적으로 적성검사가 도입되었다.

이 시기 겸영직포에서는 자동직기가 도입되었으나 방적에서는 기계의 개량은 부분적으로만 이루어졌고 생산성의 향상은 엄격한 노무관리하의 일인당 대수 증가와 방적기의 회전수 증가에 의존했다. 심야업 금지에 따라 이병률(罹病率)이 하락하고 출근률이 상승했으나 여성의 부상률 또한 약간 상승했다.

여공의 임금형태는 견습공－견회공(見廻工) 등 일부에서 정액일급제였던 것 외에는 작업량제가 일반적이고 특히 사람 수가 많은 정방공 등은 단체 청부제였다. 다만 배분의 기준이 되는 각 사람의 단가는 근속기간에 따라 높아졌기 때문에 근속기간을 가미한 작업량제였고, 그 의미에서 근속일급·작업량 임금·할증가급의 합계라는 또 하나의 형태와 실질적으로 거의 비슷하였다. 이와 같은 임금형태는 심야업 폐지 후에도 거의 변하지 않았다.

2) 합리화와 3대방

1920년대 후반 3대방의 대(對)불입자본 순익률은 평균 31%로서 '기타' 10%와 커다란 격차를 보이고 있다. 그런데 이는 자본구성상의 우

위만이 아니라 생산·시장조건의 우열을 반영하는 대사용자본 수익률
에서의 격차(13% : 6%)에 의해서도 초래된 것이었다(<표 4-3>).

<표 4-3> 3대방의 경영성적 (%)

	방련각사의대불입자본순익률				
연기	종연	동양	대일본	3대방계	기타계
1925 상	47.4	36.5	29.0	32.0	15.1
하	45.8	34.6	28.5	34.6	5.4
1926 상	46.2	34.4	26.2	33.6	7.0
하	41.6	33.9	22.6	30.7	10.3
1927 상	42.0	33.5	19.3	29.3	8.7
하	42.6	33.6	19.2	29.4	13.0
1928 상	42.0	33.4	19.6	29.4	11.2
하	42.0	33.7	20.7	30.0	12.8
1929 상	42.5	33.9	20.5	30.1	11.7
하	41.7	33.5	18.2	28.7	8.7
1930 상	31.8	25.6	11.2	20.8	-2.9
하	29.1	22.0	-14.8	7.4	-6.0
1931 상	29.8	22.2	12.8	20.1	6.8
하	31.3	20.2	13.2	19.8	7.9
1932 상	32.5	20.9	14.1	20.7	7.8
하	35.7	21.4	15.8	22.4	10.0
1933 상	41.3	22.1	16.3	24.0	11.2
하	39.2	21.1	17.7	23.7	13.1
1934 상	16.3	30.3	18.1	22.4	15.9
하	32.8	22.2	20.2	24.3	13.8
1935 상	35.9	22.2	19.8	25.0	11.8
하	35.6	22.4	19.8	25.0	11.3
1936 상	35.2	22.3	20.1	25.0	9.5
하	36.4	22.6	17.0	23.6	11.6

자료 : 高村直助, 「資本蓄積(2) 輕工業」, 『日本帝國主義史 2』, <제3표>에
    서 작성.

원면에서는 미국면의 폭락에 따른 타격은 있었으나 종연방(鐘淵紡)
의 경우 1929년 하반기까지의 8기 평균에서 기말(期末) 소유 미국면 단

가는 오사카 현물시세보다 5% 낮았다. 이것은 사실상 이익금을 내부
유보함으로써 평가액을 낮추고 있기 때문이지만 선물매입을 평균적으
로는 유리하게 만들어 주고 있었다고 말할 수 있다.

　방적기계의 개량은 동양방의 경우에도 혼타면기 직결, 소면기개량,
조방의 롱·리프트(long-lift)화 등 부분적인 것에 머물렀다. 대일본방이
늦게나마 1927년에 표준동작(標準動作)을 채용한 것처럼 감원을 하는
한편 노무관리를 엄격히 해 이를 통해 생산성을 높이는 데 주력하였는
데, 그 효과는 눈부신 것이어서 3대방은 '기타'와의 격차를 유지하였다
(<표 4-4>). 또 20수(手) 시세에서도 3대방은 1929년까지의 5년 평균에
서 '4사', '기타'와 4%의 격차를 유지했다.

<표 4-4> 3대방의 노동생산성

부문	연월	종연		동양		대일본		기타	
		노동시간	노동생산성	노동시간	노동생산성	노동시간	노동생산성	사수	노동생산성
		시	돈	시	돈	시	돈		돈
방적	1924.12	20	303.1	20	270.9	20	280.1	45	245.3
	1929.12	17	432.9	17	415.1	17	381.5	54	356.3
	1931.12	17	592.2	17	456.7	17	579.0	58	462.7
	1936.12	17	622.1	17	627.7	17	680.4	68	610.6
		평방야드		평방야드		평방야드			평방야드
직포	1924.12	13.9	5.20	10.5	5.94	10	5.48	33	5.53
	1929.12	1	13.61	17	10.51	14.9	12.02	40	11.88
	1931.12	17	17.29	17	16.23	17	18.61	38	15.34
	1936.12	17	12.61	17	17.76	17	19.14	40	14.42

　　자료 : 앞의 논문, <제4표>에서 작성. 원자료는 『大日本紡績連合會月報』
　　　　각호, 『紡績統計別表』.

　겸용직포에서는 이 시기 자동직기의 도입이 급속히 진행되어 1930
년 전반에는 본래의 자동직기가 15% 정도, 개조자동직기를 합쳐 40%
정도 보급되고 있었는데, 그 중에서도 3대방은 심야업 금지의 대책으

로서 대폭적인 감원, 2교대의 본격적인 채용과 함께 자동 직기화를 적극적으로 추진했다. 대일본방은 1929년 가을에는 약 반 정도가 이미 자동장치의 시설을 완료했고 나머지 3천대 가량도 계속 장치할 예정이었고, 동년 말에는 1인당 대수를 2.4대로 하였으나 종연방은 3.0대로 이를 능가하고 양사는 모두 '기타'에 대한 생산성 열위를 극복하였다. 이 시점에서 동양방은 2.3대로 뒤떨어졌으나 전년부터 자동화를 시작하여 오사카합동방 합병까지 공장 하나를 제외하고는 완료하였다.

2. 세계대공황과 유통기구

1930년 금해금을 실시한 다음 달인 2월에 방련은 예정 그대로 11차 조단을 시작했다. 하지만 인도관세 인상(3월), 중국의 낮은 은가격 외에 대공황의 파급이라는 사실이 더해져 면포수출은 3월의 3천만 엔대에서 6월에는 1,600만 엔대로 감소하고 면사가격은 110엔대의 전전 시세로 떨어졌다. 이에 방련은 6월 조단의 비율을 늘리는 동시에 일본면사상조합 연합회와 맹외자(盟外者)거래금지협정을 맺으면서 외부자의 가맹을 재촉하였고, 나아가 10월에는 조단의 비율을 높였다. 낮은 면포가격으로 인해 수출량을 회복하기 시작한 것도 있어 면포재고는 감소하고 면사가격은 하반기에는 낮은 상태에 있기는 했으나 반등했다. 한편 면포가는 대공황의 영향으로 1931년 가을까지 계속 하락하였고, 또 공비(工費)는 감원·임금인하·생산성 상승으로 줄일 수 있었기 때문에 면사시가채산은 1930년 가을 일찍이 흑자가 되었다. 다만 면포가 폭락의 타격은 큰 것이어서 결손회사는 상반기 25사, 하반기 38사에 이르렀지만 과거의 이익축적도 있어 전체로서의 결손률은 경미했다.

1931년 1/4분기에는 면사방적업은 생산통제의 효과를 가장 잘 발휘했다는 평가를 받았으나 이제 방련의 '독자의 자유'는 시련을 맞이하기 시작했다. 이미 전년도에 종래와는 달리 각 방면에서 방적조단 반대의 소리가 높아졌으나 1931년에는 상대적으로 저렴한 중국면사 수입이 3월에 2만 짝을 넘고 호삼릉(縞三綾)업자는 면사보세공장인가를 정부에 촉구하였다. 이에 방련은 정부와의 사이에 이 문제를 자연소멸시킬 것에 대해 상의해야 한다는 양해가 이루어졌으며 4월과 7월에 조단을 완화하지 않을 수 없었다. 이에 더해 만주사변에 대한 배일고양과 영국의 금본위제 정지로 면사수출이 줄어들었기 때문에 면사가격은 10월에는 100엔대 이하가 되었다. 하지만 11월에는 조단을 늘린 덕분에 시가채산의 적자는 단기간에 머물러 1931년의 결손회사는 상반기의 2사에 머물렀다.

대공황하에서의 대폭적인 감원과 함께 임금인하가 단행되었는데 여기에는 그동안 온정주의를 표방해 온 종연방도 포함되었다. 이에 앞서 합리화에 대해 대일본방·동양방 등 대방적에서 잇따라 쟁의가 일어났다. 1930년에는 정천공장을 비롯해 종연방 4공장에서 임금인하 반대의 대쟁의가 발발해 같은 해 방적쟁의는 24건 12,321명으로 참가인원이 1만 명을 넘어섰다. 심야업 폐지에 따른 여가시간 증대책으로 각 회사는 복리시설을 확충하였으나 동시에 수양단 등 교화조직을 보급시켜 노동운동을 억제하려고 시도했다. 1932년 현재 238개 방적공장 가운데 전국적 수양조직이 112개 공장에, 공장 내의 수양조직이 64개 공장에 설치되었다. 이 사이 여공 일일임금은 매년 계속 하락하여 남공과의 격차가 벌어져 남공임금을 100으로 할 때 1927년 97, 1930년 69, 1935년에는 54로 거의 절반 수준까지 떨어졌다.

3. 세계시장으로의 면포진출과 그 한계

세계와 구미의 원면소비는 대공황으로 인한 하락 이후 서서히 회복하였음에도 불구하고, 1936년에도 여전히 공황 전의 수준에 미치지 못하였다. 하지만 일본·중국·인도 등 아시아 3국의 비중은 1929년 26%에서 1931년 33%, 1936년 35%로 늘어났으며 그 중에서도 일본은 14%로서 1936년까지의 5년간에 최대의 증가율을 보여 미국 다음가는 지위를 차지했다(<표 4-5>). 1932년에 일본의 면포수출량은 벌써 대공황이전의 수준을 상회하고 1933년에는 영국을 제치고 세계 1위가 되었으며 1935년에는 1929년의 1.5배를 넘었다(<표 4-2>). 다만 수출단가는 크게 저하하였기 때문에(파운드로 환산하여 절반 가격) 수출액이 1929년을 넘은 것은 1934년의 일이었다.

<표 4-5> 각국 방적추수·원면소비량 (천추, 천곤)

	1924		1929	1931	1936	
영국	[56,750]	2,718	2,800	1,964	[41,391]	2,733
미국	[37,768]	5,612	7,029	5,246	[28,157]	6,329
독일	[9,464]	776	1,378	1,086	[10,109]	
프랑스	[9,359]	1,063	1,227	1,122	[9,932]	1,180
인도	[7,928]	2,065	1,997	2,513	[9,705]	3,012
러시아	[7,246]	597	2,152	1,821	[9,800]	2,063
일본	[4,825]	2,336	2,766	2,565	[10,867]	3,651
이탈리아	[4,570]	942	1,042	788	[5,483]	
체코	[3,460]	417	495	397	[3,562]	381
중국	[3,300]	1,572	1,957	2,329	[5,010]	2,340
기타	158,047	20,234	25,882	22,488	151,698	25,375

자료 : 『綿絲紡績事情參考書』 各次.
주 : [ ]은 추수. 추수는 7월 현재. 원면소비량은 7월까지의 1년간.

1929년의 시점에서 일본의 직포공은 영국에 비해 생산성에서 20~25% 정도 뒤졌고 임금은 약 3분의 1로서 임금비용은 대략 절반 정도였으나 영국에서는 1936년까지 생산성은 43% 증가, 임금은 3% 감소, 비용은 32% 감소했다. 반면 일본의 겸영직포에서는 "7~8할까지 이미 새로운 자동직기로 바꾸었든가 혹은 자동직기로 개조되어 짧은 기간에 세계 제2의 자동직기 보유국이 되었다"고 보고된 1933년경까지 자동화 움직임이 격렬하게 일어났다. 결국 1936년까지의 7년간에 생산성은 27% 증가에 머물렀으나 임금이 41%나 떨어졌고 주로 이 때문에 비용이 53%나 하락했다(<표 4-1>).

이 사이 방적부문에도 영국의 경우 생산성 34% 증가, 임금 9% 감소로 비용이 32% 줄었으나 일본에서는 감량화 등으로 생산성 56% 증가, 임금 39% 감소로 비용은 실제로 61% 감소했다. 이상은 통화가치를 고려하지 않았지만 엔은 이 사이 파운드에 대해 39%나 절하되어 있었고, 일본 면포의 대외경쟁력은 생산성 상승, 임금인하, 엔 가치하락의 세 요인이 복합적으로 작용하여 더욱 강화되었다.

면포수출의 대(對)생산비는 1931년에 반 이하로 약간 떨어진 이후 다시 상승하여 1934~1935년에는 3분의 2 가까이 달했다. 수출증가는 겸영직포보다도 산지면포에서 현저했는데 특히 센난(泉南)·센보쿠(泉北)·치다(知多)·엔슈(遠州)의 4대 산지 생산액은 산지면포의 3분의 2 정도를 차지했다. 그 조건은 다음과 같았다. ① 임금은 겸영직포보다도 상당히 낮았다. 다만 센난은 높았으나 장시간 노동이 행해졌다. ② 자생지 면포산지에서는 겸영직포 하위 그룹에 필적하는 광폭 역직기 1천 대 이상의 '산지대경영'이 출현하여 겸영과의 경합이 적은 세능을 생산하거나 혹은 저임금을 무기로 겸영직포처럼 천축포·세포·조포를 생산했다. ③ 가공면포산지인 엔슈에서는 공장규모는 작지만 상공성의 장려정책하에 공장시험장에서 독자적인 제품을 개발하고 공장조합에 의한 생산자와 가공업자의 조직화·통제를 통해 수출을 크게 확대시켰다.

하지만 일본면포의 세계시장 진출은 면포수출을 생명선으로 하는 영국, 수입초과극복·국내산업육성을 도모하는 후발제국의 강력한 반

발을 불러 일으켰다. 국민경제건설을 목표로 삼고 있는 중국국민정부
는 1931년에 신(新)국정세율을 실시한 데 이어, 1933년에는 면제품 특
히, 가공면포관세를 대폭 인상하였기 때문에 면포수출에서 중국(관동
주·만주국은 제외)의 비중은 1931년의 22%에서 1936년의 2%로 감소
했다. 1932년의 오타와 회의2) 이후 대영제국 제 국가의 규제는 강화되
었다. 인도는 1932년, 1933년에 차별적 관세정책을 강화하여 1933년 4
월에는 대일통상조약 파기를 통고하였다. 이어 6월 방련의 인도면 불
매결의를 거쳐 1934년부터 일인(日印)간에 면포·면화의 바터협정이
실시됨으로써 대인도 수출은 여전히 수위였지만 비중은 25%에서 15%
로 저하하였다. 또 네덜란드령 동인도(1934년 수입제한)가 14%에서
11%로, 이집트가 8%에서 4%로, 1931년의 주요수출선의 비중은 모두
크게 하락하였다. 반면에 비중이 증가한 것은 샴, 호주, 아르헨티나, 미
국 등이었으나 모두 고작 3%대의 시장이 확산되는 것에 불과하였다.

   1935~1936년에 수출단가가 하락하여 1935년에 가공면포가, 1936년
에는 쇄면포(晒綿布)가 감소한 것은 무역규제의 영향을 잘 보여 주고
있다. 1936년에는 무차별 대우국(49개국)으로의 수출이 전년보다 증가
하였음에도 불구하고 차별 대우국(78개국)으로의 수출이 그 이상 감소
하였기 때문에 결국 면포수출은 감소하고, 세계시장으로의 진출이 엄
격한 무역규제에 의해 억제되기에 이르렀다.

4. 조선·중국에서의 일본방적업

1) 조선으로의 2대방 진출

육지면재배 제2기계획 종료(1928년) 후 1933년부터 25만 정보·실면

---

2) 1932년 7월부터 8월까지 영국, 자치령, 인도가 오타와에서 개최한 영제국경제
회의. 영제국내 특혜관세제도를 수립하기 위한 12개의 협정이 맺어짐.

3억 근을 목표로 한 10개년계획이 시작되었다. 하지만 1936년에 이르러서야 작부가 1926년 수준을 넘어섰고 신기록을 수립한 1935년의 실면 2억 1,375만 근도 그 절반 가까이는 자가용 혹은 지방적 가정공업의 방직원료로 소비되었다. 군농회 알선에 의한 지정공동판매는 59%였고 대일이출은 그것의 3분의 2였기 때문에 일본 방적소비의 1%를 충당하는데 불과했다.

조선으로의 면포공급액의 내역(1933년)은 공장 17%, 비공장 10%, 이입 73%였으나 이입의 중심이었던 동양방은 인천공장을 개설하고 종연방도 광주(1935년)·경성(1936년)에 진출하였다. 그 결과 1936년에는 면포공급 가운데 41%를 공장이 차지하게 된 반면 면화이입이 이출의 2배를 넘게 되었다.

2) 재화방의 화북진출과 중일대립

재화방은 일화배척을 야기했고 그 때문에 경영이 방해를 받았으나 고번수사·겸영직포·직포가공을 강화하면서 계속 확대해 저은가 호황인 1930년경부터는 본사에게 유리한 과실을 가져다주는 존재가 되었다. 만주사변으로 시장을 상실한 천진 민족방이 곤경에 빠지자 재화방은 화북분리공작에 호응하여 이를 흡수하였고, 일본 국내에서의 증추 규제에 따라 천진·청도로 진출하려는 계획이 속출하였다.

1932년경부터 국민경제건설정책(관세개정, 폐제개혁, 면업금융)이 전개되는 가운데 민족방도 입지를 각지로 분산하면서 발전하였다. 하지만 재화방은 1936년에는 중국방 생산에서 면사 39%, 겸영직포의 57%를 차지하고 중국의 면포소비에서 고관세로 인해 거의 미미한 수준에 머문 일본수입품을 대신하여 원료면사로서 18%, 면포로서 32%, 합계 50%를 장악하였다. 재화방은 1936년 현재 중국본토 직접사업투자 8억

4,000만 엔 가운데 3억 엔을 차지하고 그 이익의 일본으로의 환류는 일본의 무역외 국제수지에서 적지 않은 부분을 차지했다. 재화방에서는 상사계의 내외면·상해방직이 선행하고 있었으나 1936년에는 3대방(종연방=상해제조견사, 동양방=유풍방, 대일본방)이 방적 추수의 29%, 직기 대수의 42%를 차지하였고 특히 1924년부터 12년간의 직기 증가는 일본 국내의 그것을 상회하였다.

재화방은 중일간의 정치대립을 격화시키는 중요한 계기로 작용하였다. 1925년의 5·30사건이 일단락된 후 재화방을 둘러싼 항일의 움직임은 파업보다는 2차에 걸친 산동출병과 만주사변에 즈음하여 일화배척이 주류를 이루고 있었다. 1932년에는 일본육전대가 일화배척으로 초조해진 거류민의 항일절멸의 부르짖음에 호응해 상해에 상륙함으로써 상해사변이 일어났다. 1936년 가을에는 항일기운이 높아지는 가운데 상해·청도의 재화방에서 1925년 이래 최대 규모의 파업·태업이 발생했다. 이에 대해 일본은 항일구국회 간부의 체포를 강요하였으며(상해), 육전대를 상륙시켜 수사·검속을 강행(청도)한 것은 반일 여론에 기름을 붓는 결과를 초래했다. 그 직후 서안사변이 발생하고 이를 계기로 국민당이 국공합작·대일항전의 방향을 굳히게 되었다.

제2절 제사업

1. 생사가격 하락과 고급사 생산

1) 미국시장 침체와 생사가격유지책

1920년대에도 생사는 여전히 최대의 수출품이었다. 하지만 제1차 대전기와 전후붐을 거치면서 명목임금이 상승하고 게다가 전시 말기에 실질임금도 상승하였으며 환율도 국제적으로 보아 높은 편이었다. 이윤율도 그다지 좋은 상태가 아니었다(<표 4-6>).

<표 4-6> 면공업과 제사업의 기본지표

연도	면공업				제사업			
	면사생산 (백만엔)	P(%)	겸영직포생 산(백만엔)	P(%)	생사생산 (백만달러)	대미수출 (백만달러)	이윤 (백만달러)	이윤 율(%)
1910	165	15.0	33	19.8	133	47	20	15.0
1915	228	9.5	71	38.9	189	88	26	13.8
1919	849	25.8	355	43.6	823	328	47	5.7
1920	822	20.8	296	28.2	596	130	21	3.5
1922	652	27.0	212	20.3	764	299	65	8.5
1924	841	34.1	248	9.7	827	285	76	9.2
1926	780	13.6	238	21.7	889	345	-41	-4.6
1928	736	31.0	245	14.3	859	327	99	11.5
1930	487	19.0	163	16.4	526	195	-7	-1.3
1932	469	22.7	160	15.7	469	106	71	15.1
1934	880	21.0	243	3.9	393	70	-24	6.1
1936	916	15.2	250	7.8	532	95	31	5.8

자료 : 藤野正三郎・藤野志朗・小野旭,『纖維工業(長期經濟統計11)』, 東洋
　　　經濟新報社, 1979.
주 : P는 부가가치율＝부가가치액÷생산액×100%, 이윤율은 이윤÷생산액×
　　　100%.

1920년대 후반의 미국에서는 실질임금의 신장이 둔화되고 면・모・
견의 섬유소비도 금액에서는 줄어들었다. 특히 인견사가격이 생사의 3
분의 1 이하로 떨어짐에 따라 생사가격은 매년 하락하였다(<표 4-7>).
생사소비는 1920년에 인견사에 추월당하였으나 풀패션(full-fashion)화가
진행된 양말에서는 1929년까지 4년간 소비는 1.9배 증가했다. 일본생
사는 미국에서 80% 이상의 시장점유율을 유지하고 저운임의 파나마
운하 경유(1927년)로 수송을 바꾸면서 매년 수출량이 증가하였으나, 금
액에서는 1928년까지 감소했다. 구주사(歐州糸)는 이미 무시해도 좋을
정도였고 중국사의 시장점유율은 저은가의 시기에도 15%대에 머물렀

다.

<표 4-7> 미국의 생사수입량 (천 파운드)

연도	수입량		백14중단가				
	일본	중국	1파운드당 달러	대인견사	대물가상대 가격지수	1파운드당 엔건	1파운드당 양건
1924	44,307	4,680	6.25	3.0	122	14.9	8.3
1925	49,685	10,340	6.57	3.2	122	16.1	8.5
1926	53,792	10,246	6.19	3.4	119	13.2	9.0
1927	61,796	10,787	5.44	3.6	109	11.5	8.6
1928	64,111	10,527	5.07	3.4	100	10.9	7.8
1929	60,044	12,403	4.93	3.9	98	10.7	8.3
1930	67,308	10,434	3.42	3.2	75	6.9	8.1
1931	69,423	5,261	2.40	3.2	62	4.9	7.6
1932	69,136	2,530	1.56	2.4	46	5.6	4.8
1933	60,213	3,768	1.61	2.7	46	6.4	6.1*
1934	54,989	1,102	1.29	2.2	33	4.4	3.8
1935	63,769	3,484	1.63	2.8	39	5.7	4.4
1936	55,684	2,466	1.76	3.1	41	6.1	5.8

자료 : 高村直助, 「資本蓄積(2) 輕工業」, 『日本帝國主義史 2』, <표 10>,
　　　小野征一郎, 「昭和恐慌と農村救濟政策」, 安藤良雄編, 『日本經濟政
　　　策史論(下)』, 東京大學出版會, 1976, <표 7-18>.
주 : *이하는 元.

　　요코하마 생사가격은 1925년을 절정으로 1926년에는 엔고화와 인견
사의 25% 가격 하락, 1927년에는 미국불황으로 계속 하락하여 패목(掛
目)3)으로 전가된 고치가격은 1926년 여름·가을누에부터 생산비 이하
로 떨어졌다. 1928년에는 엔화 가치가 하락하고, 1929년 가을까지 미국
견공업은 호조였기 때문에 생사가격의 현상유지는 가능했다. 생사가격
하락에 즈음하여 1926년 말부터는 1만 1천 표(俵=60kg), 1927년 11월
부터는 9천여 표가 일은저리융자를 받아 공동보관할 수 있게 되어 생

──────────
3) 생사 한 관을 뽑는데 필요한 고치의 값.

사가격 회복에 성공하였다. 다만 폭락은 피할 수 있었다고는 하나, 1929년까지의 5년간 생산성은 약간 증가하고 임금은 경직된 까닭에 임금비용은 6% 감소한 것에 머물러(<표 4-8>), 일반 제사가는 이익을 얻지 못하였다. 군시(郡是)제사・편창(片倉)제사를 제외한 '기타' 주식회사의 1926, 1927년 결산은 20% 이상 결손이었고 1928, 1929년도 소폭의 결손으로 마감하였다(뒤의 <표 4-12>).

<표 4-8> 기계제사업의 동향

연도	공장수	가마수	생산(표)	노동자(명)	1인당 생산(근)	공여1인1일 임금(전)
1924	3,674	271,141	411,836	306,634	134	96
1925	3,643	275,528	451,960	319,705	141	97
1926	3,768	285,525	505,003	345,125	146	98
1927	3,787	297,679	550,075	365,576	150	93
1928	3,509	318,540	590,743	395,519	162	92
1929	3,719	326,976	628,246	412,635	152	98
1930	3,759	323,707	686,196	395,382	174	86
1931	3,687	319,448	657,778	392,648	168	75
1932	3,356	277,800	629,371	338,556	186	67
1933	3,218	267,836	643,496	317,347	203	67
1934	3,013	249,724	698,771	288,457	242	62
1935	2,738	235,488	682,590	282,260	242	64
1936	2,468	222,247	657,681	259,311	254	65

자료 : 楫西光速編, 『纖維』上(現代日本産業發達史11), 권말통계.

2) 여자노동에 대한 규제

여공등록제・장시간노동・등급임금제로 대표되면서 압도적으로 자본측이 우위에 선 노사관계는 산일임조(山一林組) 쟁의(1927년) 등 노동쟁의의 고양에 대한 대응이라는 면을 포함하면서도 주로 사회국・현 당국의 주도로 1920년대 중반부터 약간 개선되었다.

(1) 여공모집에 대해서는 현의 지도로 기후(岐阜)・야마나시(山梨)

등의 각 현에 보급된 여공보호(공급)조합의 활동과 노동자의 모집단속령(1925년 시행)에 의해 고용조건의 명시 등으로 개선되었고 자본간 상호경쟁으로 공동화되면서도 존속하고 있던 제사동맹(스와)의 여공등록제도 현의 강경한 지시로 1926년 폐지되었다.

(2) 기계제사 여공취업시간에 대한 공장법 시행규칙(1916년 9월 시행)은 12시간 이내를 원칙으로 하면서도 5년간은 14시간, 다음 10년간은 13시간까지 연장하는 것을 인정하였으나 개정공장법(1926년 7월 시행)은 5년간 12시간 이후 11시간으로 제한하였다. 제사업동업조합중앙회는 공황대책의 일환으로서 동법의 규정보다 1년 빠른 1930년 8월부터 11시간 취업을 실시하기에 이르렀다.

(3) 1인 평균임금을 기준으로 성적에 따라 상하 큰 폭의 격차를 둔 등급임금제도 개정공장법 시행규칙에 의해 취업규칙·임금산출법의 제출 의무화를 계기로 변모하기 시작했다. 나가노현 제사업조합은 1926년 말 현과 표준보장임금과 최저보장임금을 협정하고 1930년에는 현의 제안에 따라 벌금제도를 폐지했다. 등급임금제는 기존의 총공임에서 최저임금액을 공제한 잔액을 상점(賞点)에 의한 생산량 성적으로 배분하는 방식으로 바뀌고 상하 격차의 폭에 일정한 한도를 두게 되었다. 또 상점에는 품질면의 배분비가 높아지는 경향이 있었다.

3) 고품질생사 생산의 모색

양말용 특히 풀패션 양말용 고급사는 고품질을 요구하기 때문에 표준생사품질은 격상되어 1927년에는 생사검사소에서 사조반(絲條斑)[4]·마디의 임의검사가 시작되었다. 같은 해 고급사 생산에서는 용수사(龍

---

4) 섬유에서는 사반이라고 하는 것이 정확함. 사반(evenness variation)은 견사 중에서도 생사에 나타나는 굵기의 변화를 말함.

水社) 등의 조합제사와 '제1유형'의 계보를 이어 '기타' 제사가 대부분을 차지하였다. 1925∼1927년에는 용수사의 생사가격은 분명히 군시·편창을 상회하고 있었으나 조합제사의 제약(고치가격 전가의 어려움, 소규모가 원인인 고비용, 큰 이자부담) 때문에 잉여금은 매우 소규모에 불과하였다. 이에 대해 군시·편창은 산십(山十)·스와중류보다 생사가격은 상당히 높고 이자가 적은 것이 주요인으로, 비용이 낮아 평균 백근 당 40엔 전후의 이익을 얻어 산십·스와중류의 결손과는 대조적이었다. 다음 1928∼1929년에는 두 회사 모두 용수사의 생사가격을 상회하여 생사품질이 역전되었음을 추정할 수 있다.

군시는 1925년 전체적으로 각 양잠조합과의 정량거래를 실시하고 1927년 '군시육(郡是育)'을 완성하였으며, 다음으로는 사조반을 향상시킨 14중 사립조용(四粒繰用) 3.5데니어(denier)[5] 잠종을 개발하였다. 품위 향상을 위해 1925년에 진행식 자견기(煮繭機)를 개발하고, 1927년 각통식(各筒式) 건견기(乾繭機)를 설비하여 고급사를 발매하였다. 1928년에는 뉴욕출장소를 개설하여 직수출을 도모하는 한편, 거래수출 상사를 늘려 조건을 유리하게 만드는 동시에 성행(成行)약정[6]을 다양화해 성적을 안정시키려고 했다. 편창은 이미 1923년 사조반·마디에서 뛰어난 잠종 만월을 개발했으나 이후 특약거래 확대에 노력하여 1926년에는 온도조절에 뛰어난 기숙식(汽熱式) 건견기를 도입하였고, 1928년에는 저온처리용 지바(千葉)식 자견기와 함께 미노리카와(御法川)식 다조조사기를 도입하기 시작했다. 요코하마 출장소 입하분은 거의 뉴욕출장소에 직수출하게 되면서, 생산의 절반 가량을 직수출하였다.

---

5) 생사·인조견사·나일론 따위의 굵기의 단위. 450m 실의 무게가 0.05g일 때 1데니어.

6) 성행주문의 약정. 성행주문은 증권거래에서 의뢰자가 종목과 수량만 지정하고 값은 시세에 따라 매매하도록 주문하는 일.

두 회사는 대공황 직전에 고급사 생산을 궤도에 올리고 직수출 자세를 정비하였다(<표 4-9>). 1930년도 고급사 생산에서 두 회사는 절반 가까이를 차지하였고 조합제사·제사결사는 격감하였으며 '기타'도 거의 없어졌다.

<표 4-9> 고급사 생산에서 편창·군시의 지위 (표)

		편창	군시	소계(A)	제사비 전체(B)	A/B(%)
1935	특별 3A	6,613	9,941	16,554	25,223	65.6
	2A(이상)(C)	26,968	30,754	57,772	103,425	55.2
	판매총량(D)	60,317	46,322	106,639	535,580	19.9
	C/D (%)	44.7	66.3	54.2	19.3	
1936	특별 3A	3,809	8,132	11,941	14,865	80.3
	A격이상(C)	36,617	33,825	70,442	125,290	56.2
	판매총량(D')	64,240	47,885	112,125	490,890	22.8
	C/D' (%)	56.9	70.6	62.8	24.6	

자료 : 小野征一郎,「製絲獨占資本の成立過程」, 安藤良雄編,『兩大戰間期の日本資本主義』, 東京大學出版會, 1979, <표 31>.

2. 생사가격유지정책의 파탄과 제사업

1929년 10월부터 생사가격은 하락하기 시작했는데 이는 견공업 호조와 일본의 금해금 실시에 대한 예상으로 미국의 수입이 증가하여 미국의 재고가 증가했기 때문이었다. 일찍이 11월에 강제적 공동보관(임의에서 2개월 강제로)이 시작되었으며 1930년 3월에는 전년도에 제정된 사가안정융자보상법에 기초한 보상보관(1표 190엔까지 손실보상)이 시작되어 생사가격은 하락하면서도 5월까지는 100엔대를 겨우 유지했다.

담보가격 1표 1,250엔이라는 생사가격유지책으로 저은가 속에서 중국사의 대미수출이 증가했고, 1929년 말의 2주간 휴업, 1930년 2∼5월의 가마수 2할 봉인의 약속에도 불구하고 생사, 더 나아가 고치의 생산이 촉진되었다. 공황의 진전으로 미국의 견공업 소비량은 4월부터는 전년도 같은 달의 수준을 밑돌고, 5월에는 일본사 수입은 전년도 같은 달의 절반 이하로 감소했다. 보상보관이 마감되는 6월, 12만 표를 넘는 재고의 중압을 견디지 못하고 생사가격은 일시에 800엔 이하로 폭락하였는데, 은행의 담보가격인하로 가속화되어 10월에는 600엔 미만이 되었다. 저렴한 생사가격으로 인해 미국의 견공업은 회복의 조짐을 보였고 이로 인해 1931년 3월 생사가격은 700엔대를 회복하였다. 하지만 같은 시기에 인조견사의 가격이 하락했고 이에 영향을 받아 생사가격은 다시 떨어지기 시작하였다. 대공황기 생사가격유지정책은 임의보관, 강제보관, 사가안정융자보상법의 발동 등 모든 방법을 동원하였으나 실패했다.

생사가격 대폭락은 일반제사업에도 타격을 주어 '기타'주식회사의 1930, 1931년 결산은 모두 10% 이상의 결손을 보았으나, 1926, 1927년의 결산과 비교하면 타격은 의의로 경미했다(<표 4-10>). 1929년도에는 재고동결로 손실이 순연되고 1930년도에는 고치가격·노임에 대대적으로 전가되었다. 생사가격유지책과 좋은 날씨로 증산된 봄누에 출회기인 6월에 생사가격이 폭락하였고, 봄·가을누에에 이르러서는 생산비의 반액 이하로까지 하락했다. 또 임금의 미지불이 횡행함과 동시에 인하가 강행되어, 노동강화와 맞물리면서 임금비용은 하락하였다(<표 4-8>).

나가노현에서의 협정임금은 1930년까지는 최저 30전, 표준 60전이었으나 1931년에는 최저 25전, 표준 40전, 더 나아가 표준임금은 1932년 35전, 1933년 30전으로 인하되고 임금은 상하 격차가 줄어들면서 저수준에서 평준화되는 경향을 보였다.

<표 4-10> 제사업 주식회사의 경영성적

연도	순익(-순손) (천엔)			대불입자본순익률(%)			
	군시	편창	기타	군시	편창	기타	계
1925	5,412	5,930	-6,617<364>	61.5	26.3	3.0	11.9
1926	-144	3,182	-17,659<344>	-1.6	12.1	-20.0	-11.3
1927	-2,867	-3,105	-23,389<318>	-24.5	-11.8	-28.9	-24.6
1928	3,355	5,441	-9,852<317>	28.6	20.6	-6.2	3.3
1929	3,540	5,032	-5,237<315>	30.2	19.1	-1.7	5.9
1930	1,280	2,328	-12,719<295>	10.9	8.8	-15.2	-7.2
1931	1,224	354	-11,470<304>	10.4	1.3	-13.3	-7.7
1932	1,181	589	-4,816<290>	10.0	2.2	-5.3	-2.1
1933	1,508	2,246	-5,135<265>	12.8	8.5	-3.8	1.0
1934	-6,926	-2,955	-12,932<245>	-45.2	-11.0	-19.6	-21.1
1935	2,328	2,062	-4,396<231>	15.2	7.7	-3.8	1.8
1936	2,519	2,935	-2,387<217>	16.4	11.0	-0.6	4.8
1937	2,344	2,730	-2,329<181>	15.3	10.2	-0.4	4.6

자료 : 商工省, 『會社統計表』 각년판. 대상은 제사를 주영업으로 하는 회사
의 것이기 때문에 손익은 당년중 최후의 결산기까지의 1년간에 대
한 것. 군시·편창(모두 3월결산)은 『グンゼ株式會社八十年史』, 『片
倉製絲紡績株式會社二十年誌』 참조. < >안은 회사수.

대공황이 진행되는 도중, 이미 관동대지진 이후 거액의 채무를 지고
있던 산십 제사(경영규모 2위)가 파산하였으며 그 외에 오구치(小口)조
·오카야(岡谷) 제사·야마마루(山丸)조 등의 대제사가 모습을 감추었
다. 다만 산십의 주요 공장을 야스다 은행이 출자한 쇼와 제사가 계승
한 것처럼 은행·돈야는 대출금 회수를 위해 제사경영의 존속을 도모
하였기 때문에, 전체로서 공장수·가마수의 감소는 적었고 생산량은
1929년을 상회하였다.

군시·편창은 이 사이 계속 흑자결산을 냈다. 군시의 차입금은 1929
년 말에도 100만 엔 수준에 머물렀으며 일찍이 1929년 말에 비상사태
선언을 발표, 정신주의적 노동강화를 추진하여 1931년 말에는 임금비
용을 45%나 인하했다. 생산량이 급격히 늘기는 했으나 제품의 대부분

을 차지하는 고급품의 경우 수급의 변화로 인해 판매량이 부진했고, 그 결과 수익이 높지 않아 호성적임에도 불구하고 다조기 제품의 고급화는 한계에 봉착하엿다. 편창은 기말차입금이 없는 상태로 1930년부터는 양질의 고치를 얻는데 성공하였고, 대수의 과반을 다조기로 바꾼 1931년에는 해외 유명 상사와 특약거래를 성사시켰다. 그러나 2년에 걸쳐 임금비용을 44%나 낮추었음에도 불구하고 특약거래에서 뒤늦은 결과 순익률에서는 군시에 미치지 못했다.

3. 수출정체와 고급사 독점

미국의 섬유소비 감소는 장기화되고 대공황 전의 수준을 회복한 것은 모(毛) 1935년, 면 1936년이었으나 생사는 인견사의 압박으로 1935년을 제외하면 매년 감소하였다. 1931년 인견사에 추월당한 직물용 소비는 1933년을 획기로 격감하고 생사소비의 거의 절반을 양말용이 차지하여 소비는 약간 증가하는 경향을 보였다. 생사가격은 1932년에 1달러대로 떨어져 인견사의 3배 정도가 되었고, 1934년을 최저로 이후 상승하였으나 2달러대를 회복하지 못하였다. 수입에서는 고(高)은가로 바뀐 1931년 가을 이래 중국사는 감소했고 폐제개혁을 한 1935년에 약간 회복하였으나 비중은 5% 이하였으며 일본사가 1932년부터 90% 이상을 차지하였다.

금수출재금지에 따른 엔화 가치하락에도 불구하고 요코하마 생사가격은 하락하였으며, 1932년 상반기의 가격하락은 인견사의 가격하락으로부터도 영향을 받았다. 하반기에는 엔의 대폭적인 가치하락, 보관생사의 정부매입에 의한 재고정리, 1920년대 말 미국의 투기적 호경기에 의해, 또 1933년 초여름에는 엔화 저가치가 수정되고 인견사의 가격하락 속에서 뉴딜정책의 영향으로 900엔대로 급등하였으나 모두 단기간에 붕괴하여, 결국 1934년 8월 467엔이라는 최저가격에 도달했다. 이후 미국의 경기가 회복됨에 따라 가격이 상승하기 시작하였으나 생사업이 안고 있는 근본적인 문제점은 해결되지 못한 상태였고 이에 따라 가격이 높을 때에도 900엔대에 머물렀다. 이 사이 수출은 신시장 개척의 노력도 있어, 1936년의 양적 감소는 1929년의 13%에 머물렀다.그러나 금액면에서는 반감된 상태였고, 이에 따라 외화획득기능은 크게 저하되었다.

생사가격이 저수준에서 맴도는 동안 고치가격은 1933년 봄누에를 제외하고는 계속 생산비 이하에 머물렀으며, 1934년 봄·가을누에가격은 생산비의 반 이하로 폭락하였고, 임금은 1934년에는 5년 전의 3분의 2 이하까지 인하되었다. 반면 생산성은 향상되었기 때문에 임금비용은 1934년까지 3년간 다시 43%나 인하되었다(<표 4-8>). 그러나 '기타'주식회사는 1932년 이래 5% 전후의 결손을 계속 보았으며 특히 고생사가격·고(高)고치가격으로 인해 출하기에 생사가격이 폭락한 1933년도에는 20% 가까운 손실을 보았다. 생사가격이 상승하기 시작한 1935, 1936년에 이르러서야 비로소 고치가격도 오랜만에 생산비를 상회하여 '기타'회사의 결손은 1% 이하로 감소하였다(<표 4-10>).

저리자금과 재무보조금에 의한 사가유지정책의 파탄 후, 자주통제에 의한 합리화 촉진, 영세업자 정리를 통해 양질품을 저렴하게 공급할 수 있는 준비자세를 마련하는 것이 정책의 중심이 되었다. 잠사업조합법(1931년)에 의해 일본중앙잠사회를 정점으로 하는, 자주통제를 위한 조직정비가, 제사업 공동시설장려규칙(1932년)에 의해 제사설비개선이, 산견처리통제법(1936년)에 의해서 단체적 건견화가 도모되었다. 제사업법(1932년)과 수출생사거래법(1934년)은 면허제에 의해 영세 제사가·돈야의 정리를 목표로 하였고 원잠종관리법(1934년)은 원잠종 국가관리로 잠종의 통일·향상을 도모하는 동시에 영세업자 정리라는 의

도를 포함하고 있었다. 그러나 장려금 감소와 함께 공동시설의 쇠퇴와
면허제가 유명무실하게 끝난 것처럼 일련의 정책은 이렇다 할 실효를
거두지 못했다. 생사수출이 크게 증가할 전망이 없다는 것은 이미 분
명해져, 1937년에는 조성금 교부에 의한 가마수 삭감과 생사가격에 대
한 국가의 직접적인 개입 정책이 나타나게 되었다.

　1932년 생사검사소는 수출생사 강제검사에 의해 제3자 품질평가를
시작하였으나 대상의 거의 절반은 양말용 14중(十四中)이었고 그 가운
데 2A 이상의 고급사가 당초의 15%에서 1935년 35%를 차지하게 되었
다. 1935년의 2A 이상 가운데 군시는 30%, 편창은 26%를 차지하여 고
급사 시장을 독점했다. 두 회사는 또 다조기 설비의 17%와 33%를 차
지하고 있었다.

　풀패션의 인기가 시들해지면서 고급사에 대한 요구도 더욱 엄격해
지고 종래의 사조반 편중에서 링반·마디 등이 문제가 되기에 이르러
다조기의 우수성이 결정적이 되었기 때문에 군시는 1932년 군시식 다
조기 도입을 시작, 1934년에는 대수의 과반을 다조기로 하고 마디제거
장치에 착수하였다. 14중 오립조용(五粒繰用) 2.8데니어의 잠종을 개발
하여 마디개선에 효과를 거두고 검사사(檢査糸) 가운데 51%가 2A 이
상으로 품질평가된 1933년에는 뉴욕에 현지법인 회사를 설립, ‘여신’
등의 고급품종을 전속 상표로 하여 본격적으로 직수출을 시작했다. 이
미 다조기로 바꾼 편창은 회전접저기(回轉接緖器)를 채용하고(1934년)
한 대마다 원동기를 장치하는 등(1935년) 미노리카와식을 개량하였고
1934년에는 2.8데니어 잠종 ‘분리백1호만월’을 개발, 1933년 리용에 대
리점을 두고, 1934년 뉴욕출장소를 ‘편창 앤드컴패니’로 개조하여 이들
출장기관에 생산의 94%를 수출하였다.

　2대 제사는 다조기에 의한 생산을 기축으로 잠종배포에서 외국판매
기관에 이르기까지 독자적인 유통기구를 구축하여 고급사의 생산과

시장을 독점하고 거의 안정적인 고이윤을 계속 획득하였다. 하지만 이 독점에는 다음과 같은 한계가 있었다. ① 그 주된 시장은 대중적인 직물용 시장이 아니라 대폭적인 확대는 기대할 수 없고 또 두 회사간에 독점적 협조의 조직도 없었다. ② 고급사생산에 불가결한 양질의 고치를 계속적으로 확보하기 위한 특약거래를 전개한 결과 양잠업의 이해도 어느 정도는 포용하지 않으면 안 되었다. 군시의 경우 필요 이상의 고치를 매수하지 않으면 안 되는 해도 있었고, 또 패목을 기준으로 하면서도 거래 후 생사가격이 높을 때에는 추가지불을 했다. 반면 거래 후 생사가격이 폭락한 때에는 고치가를 고칠 수 없었다. 그 때문에 두 회사 모두 1933년도에는 1926년 이래 큰 결손을 입지 않을 수 없었다. 군시의 차입잔고는 같은 해 말 일거에 1,400만 엔을 초과하였고 백근 생산비에서 이자지불이 10엔대가 되고, 편창도 지불어음잔고가 증가하여 이자부담이 약간이지만 증가했다.

4. 조선·중국에서의 제사업

1) 일본제사업과 조선양잠업

조선총독부는 1925년부터 산견 100만 석(양잠 100만 호, 소립300만 매, 뽕밭 10만 정보)를 목표로 15년계획을 실시하고 식상(植桑)·건견장(乾繭場) 등에 대한 보조금도 1930년까지는 매년 증가하였다(<표 4-11>). 1934년까지는 계획이 거의 순조롭게 실현되어 호수증과 봄·가을누에 보급 등으로 산견은 705만 석을 넘었다. 고치의 대일이출은 1925년에는 판매량의 과반을 차지하였으나 이후 감소하여 생사이출이 증가하였다. 1926년 이래 고치공동판매는 군 농회에서 이를 알선토록 하고 각 공장마다 고치구입지구를 정하여 양잠, 제사 양 업자 모두 중요한 관계를 맺도록 하여 수의계약으로 통일하고, 이후 매년 총독부에서는 각 도에 표준 고치가격기준을 통지하여 현금으로 거래하도록 했다. 기계제사공장은 여자공장 노동자의 3분의 1 이상을 흡수하였으나 그 중심은 낮은 고치가격과 저임금을 노리고 진출한 일본자본이었다. 1935년 현재 기계제사 75개 공장 가운데 조선인 22개 공장은 생산에서 7%를 차지하는데 지나지 않았고, 편창의 4개 공장(1919년 대구, 1927년 경성, 1928년 전주·함흥, 합계 2,108가마)과 군시의 2개 공장(1926년 대전, 1929년 청주, 합계 796가마)이 각각 20%와 11%를 차지했다.

<표 4-11> 조선의 잠사업

연도	봄누에 양잠호수	뽕밭반별	고치생산	고치이출	생사생산	생사이출	보조금
	천호	천정	석	석	관	관	천엔
1924	467	34.2	210,121	95,925	47,416	68,347	243
1925	498	39.5	227,500	123,112	67,264	108,014	787
1926	543	49.0	234,655	95,933	94,207	142,161	912
1927	573	58.8	269,586	79,459	128,762	193,593	1,051
1928	594	67.3	286,013	68,475	164,169	236,769	1,066
1929	648	73.8	346,798	78,649	195,577	280,090	1,131
1930	721	76.1	404,197	58,413	231,542	352,948	1,158
1931	747	79.1	407,864	56,382	251,253	382,107	993
1932	786	78.9	416,555	59,162	260,319	406,267	710
1933	812	79.2	427,140	54,757	296,676	425,568	742
1934	840	77.8	498,268	36,246	334,387	566,977	720
1935	822	77.1	459,278	45,472	320,137	509,129	589
1936	826	76.9	465,107	47,852	325,763	502,590	459

자료 : 朝鮮總督府農林局,『朝鮮の蠶絲業』.
주 : 고치는 1석=32kg(단 이출은 23근)으로서 석으로 환산.

그러나 일본의 약 3분의 2라는 낮은 고치가격을 강제적으로 유지한 결과 1934년경을 전기로 산견량·판매량의 정체, 좌조 등 비기계생산이 증가하게 되었다. 같은 해에는 공판제가 봄누에기에 완전히 기능이 정지되어 공판은 부진에 빠졌고, 1935년 9월에는 완전히 원료부족 때문에 조선의 전 제사공장 중 10%가 조업중단이라는 전례없는 일이 발생하였다. 나아가 다음 해 초에는 민간 3단체가 고치증가를 총독부에 진정하는 사태에 이르게 되었다.

2) 일화잠사의 참상과 지방 사창(糸廠)의 성장

이 시기 중국에서는 새로이 종방이 청도에 진출하였으나 최대의 것은 청도·장점(張店) 두 공장에 소주공장(1926년 240가마)을 더한 일화잠사였다. 이 회사의 황14중 '태산표'는 상해시장에서 최상급품, 요코하마에서도 최우(最優) 200엔 고(高)로 평가되었다. 제남사건 때에도 일본군의 보호에 의해 다행히 연선지방의 출장소 10개소를 개설하는 데 어떤 어려움도 없었고, 반일운동도 단기간의 휴업으로 타개되어 1929년까지는 좋은 성적을 올렸다(<표 4-12>).

1930, 1931년에는 엔화 기준 결제로 저은가 이익을 누리지 못하고 중국 제사업의 대항과 반일기운에 영향을 받아 결손을 보았다. 소주에서는 1930년 무석 중국인 공장의 증설에 따라 수련공이 많이 이동하고, 1931년에는 중국 관민이 한 마음이 되어 추진한 방해운동으로 고치구입난이 발생했다. 만주사변 후에는 배일회피 때문에 휴업하였으며, 청도도 같은 해 시종 배일적 경향을 벗어나지 못하고 통제가 곤란하여 능률을 충분히 발휘할 수 없었다. 1932년부터의 흑자는 제사업에 의한 것이 아니라 '소금, 면화, 기타'의 상업활동에서 염출된 것이었다. 소주는 원료가 전혀 없고 특히 지방인의 감정이 여전히 호전되지 않아 (1932년) 계속 휴업하였으며, 공장에서 간신히 자체 구입한 고치를 전매하여 청도로 보냈다.

청도는 노동자들의 분위기가 특별히 나쁜 것은 아니었으나 방적업과 같이 기계력에 의한 공업과는 달리 오로지 지두(指頭)의 숙련과 주의력에 의지하는 제사업에서는 과거의 분위기를 상실한 노동자들이 양호한 성적을 올린다는 것은 도저히 기대할 수 없었다. 여기에 고치 부족이라는 사실이 겹쳐 휴업과 조업을 반복한 끝에 1935년에는 면포 가공업으로 전환되었다. 유일하게 조업을 계속한 장점도 고치의 생산이 격감하고 이에 더해 품질도 향상되지 않았으며 여전히 능률이 오르지 않아 품질검사의 사조반 불량 등 경영상 매우 곤란한 사정이었다. 양질품의 생산을 위해서는 원료생산자와 밀접한 관계를 유지하고 노동자의 자주적 노력에 의존하지 않으면 안 되는 제사업의 경우 반일기운의 고양이 미친 영향은 방적업보다 훨씬 심각했다. 재중국 제사업은 말하자면 진퇴양난의 참상에 빠졌다.

<표 4-12> 일화잠사의 경영동향

연도	가마수	생사생산(근)	당기순익(엔)	대불입자본 순익률(%)	배당률 (%)
1922	733	69842	251,995	10.1	(6)
1923	971	69,706	414,405	16.6	(8)
1924	971	88,269	357,437	14.3	(8)
1925	985	99,051	400,897	16.0	(8)
1926	-	-	-26,040	-1.0	(-)
1927	-	-	192,237	7.7	(5)
1928	-	-	469,870	18.8	(8)
1929	-	-	264,991	10.6	(5)
1930	1,375	152,900	-188,472	-7.5	(-)
1931	1,196	165,700	-67,708	-2.7	(-)
1932	896	55,000	294,591	11.8	(-)
1933	634	81,044	186,135	7.4	(-)
1934	634	141,201	222,902	8.9	(4)
1935	300	59,716	254,240	10.2	(5)
1936	418	66,700	311,386	12.5	(5)

자료 : 高村直助, 「資本蓄積(2) 輕工業」, 『日本帝國主義史 2』, <표 16>.

한편 중국 생사의 수출은 저은가 해소 후 부진을 거듭하여 상해·광동의 제사업은 쇠퇴하고 있었으나 1933~1934년을 전기로 강소성 무석과 절강성의 지방 사창이 눈부시게 성장하기 시작했다. 무석에는 설가(薛家)를 중심으로 하는 민족자본가가 우량 잠종 배포, 합작사와의 특약거래, 다조기 도입, 뉴욕으로의 직수출을 실현하였고, 절강성에서도 성의 주도하에 동일한 개량이 진전되었다. 그 상황을 일화잠사는 다음과 같이 평가하였다. "중국에서 근년의 잠사업은 각성의 정도가 현저하고 강소, 절강에서는 거의 개량 잠종으로 제한되기에 이르러 건설청은 오로지 그 요소에 해당하는 각지에 합작사를 설립하고, 개량잠종의 보급을 시도하고, 지도장려를 하고 있어 금후의 중국 제사업에는 괄목할만한 것이 있다"(1936년).

제5장 독점자본의 발전

제1절 독점조직의 새로운 전개

1. 카르텔 활동의 정착

1920년대의 냉엄한 국제환경 속에서 일본의 주요 산업은 국제경쟁 압력에 대응하기 위한 방법으로 카르텔을 결성해 산업의 조직화를 추진하였으며 이를 통해 그 영향력을 점차 확대해 갔다.

인도선철의 수입압력으로 고통받고 있었던 선철업에서는 1926년에 설립한 선철공동조합이 가맹 5사 제품의 공동판매를 실시하면서 시범적으로 가격통제를 추진했다. 이 공동조합의 통제는 1920년대 후반 강재시장의 활황 속에서 선철수요가 증가한 점도 있어 국내선철가격을 안정시키는 데 기여했다. 인도선철의 수입량은 착실하게 증가했으나 그 수입가격은 비교적 안정되어 국내 선철가격의 통제를 방해할 정도에 이르지는 못했다. 그 결과 조합가맹기업의 조업률이 회복되어 제철설비의 확장이 시도되었다.

강재부문에서는 1926년의 관세인상과 관영제철소에 의한 지정상(指定商)제도의 채용, 조강분야협정의 성립을 전제로 관동강재판매조합, 강재연합의 카르텔 활동이 전개되었다. 조강분야협정은 민간제강기업이 시장을 확보하면서 카르텔에 의한 조직화를 촉진하는 계기가 되었는데 관민간의 생산분야를 조정하기 위해서는 관영제철소의 양보가 반드시 필요하다는 점도 확인했다. 그 제1보가 된 것이 관동강재판매조합으로서, 여기서는 주로 민간제강기업의 생산분야가 된 환강(丸鋼)의 가격통제를 담당하고 관영제철소의 제품에 대한 기준가격제도와 함께, 외주시세를 따라가면서 가격을 유지하려고 했다. 나아가 1929년에는 강재연합회가 결성되어 생산의 조정을 통한 시장통제를 강화했다.

면방적업에서는 1920년 공황기의 제9차 조업단축과 기업간 이해관계의 대조정을 계기로 면사포 유통기구를 재편성하기로 합의를 보았으며, 면사포상의 영향력이 후퇴하는 가운데 약 5년에 걸친 '신사협약'을 전제로 자유조업이 계속 이루어졌다. 이러한 가운데 원료면에서 대방적의 우위가 확립되고 품목에 의한 차별화도 진전되어 기업규모간의 경쟁력 차이가 뚜렷해졌다. 대방적은 중국으로의 직접투자(재화방)를 추진했고 인견사공업으로 진출해 다각화를 달성함으로써 자본축적 조건에서 중소방적들을 능가할 수 있었다. 그 때문에 독점조직으로서의 방적연합회의 기능은 약화되었다.

제조업에서는 그외에 제지·제분·제당·시멘트 등에서도 카르텔이 조직되었고, 후술하는 것처럼 재벌을 중심으로 하는 업계의 재편성 속에서 그 규제력을 점차 강화해 갔다.

광산업에서는 석탄광업의 경우 1921년에 최초의 전국조직으로 결성된 석탄광업연합회가 송탄량을 조절하면서 시장통제를 시작했다. 그러나 1920년대 전반에는 실제 송탄량이 송탄조절량과 차이가 있어 송탄조절이 생산조정의 가이드라인으로서의 역할을 하지 못하고, 탄가는 저수준에 머물렀다. 때문에 1925년에는 1년간 송탄조절이 중지되었다. 그 사이에 국내 석탄업에 위협이 되어 왔던 무순탄(撫順炭)의 수입에 관한 협정이 성립하였고, 1926년부터 석탄광업연합회의 송탄조절에 대

한 통제협정이 재건 강화되었다. 또 각 시장별 판매카르텔의 활동도
궤도에 오르기 시작하여 비로소 카르텔 통제의 효과가 나타나기 시작
했다. 도쿄·오사카 두 시장의 저탄량은 송탄량을 엄격히 규제하는 바
람에 증가하지 못했고, 산탄지의 가격은 안정되었다. 이리하여 석탄광
업연합회는 1920년대 후반에 석탄시장 통제에 성공하였다. 그 중 생산
량 상위 4사(미쓰이·미쓰비시·북탄·카이지마)가 비교적 안정된 지
위를 유지하고 생산은 매년 80만 톤 이상 출탄의 대탄광으로 집중되었
다(1921년 18%에서 1931년 26%).

산동업(産銅業)에서는 1921년에 일본산동조합의 뒤를 이어 성립한
수요회가 관세를 인상하는 데 성공하여 기준가격에 의한 가격규제와
판매수량할당을 실시하면서 시장을 통제했다. 그러나 저렴한 미국 구
리의 수입 위협은 불식되지 않았으며 그 대책으로서 1927년에 4대 전
선회사가 결성한 전기동 공동구매회와의 사이에 「이사목회(二四木會)
각서」라는 협정이 맺어졌는데, 이는 국산원료동의 독점적 공급에 관한
내용이었다. 이 이사목회의 성립으로 수요회는 최대의 수요자였던 전
선 4사의 원료시장에서 외국 동을 배제하고 안정적으로 국산원료동을
확보할 수 있게 되었다.

카르텔 활동은 1920년대 들어 본격화되었다. 카르텔 활동은 강력한
국제경쟁압력에 제약을 받기는 하였으나 시장의 규모가 양적으로 완
만한 속도를 유지하면서 확대되어 가는 상황 덕분에 그 나름대로의 유
효성을 갖고 있었다. 그러나 바로 그 이유로 인해 카르텔 통제력이 약
화되고 설비확장으로 인해 생산제한의 실효성이 제한받는 경우도 있
었다. 이러한 한계 속에서 국가가 카르텔의 활동을 보호하고 독점적인
산업조직의 형성을 도와주었다는 것은 중대한 의미를 갖고 있었다. 카
르텔을 주축으로 하는 독점조직의 활동은 1926년의 관세개정, 철강업
에서 관영제철소와 석탄업에서 만철무순탄광의 대응, 조선·통신망 등

국가시장에서 특정기업에의 발주 집중 등에 의해 큰 힘을 받았다.

이상의 특징을 지닌 독점조직의 활동은 1920년대 중요한 산업 가운데 제사·청주·직물 등의 재래산업적 색채가 강한 부문을 제외하고 상당히 많은 분야에 걸쳐 보급되어 1920년대 중반 경에는 각 산업에 정착하였다. 국제적인 경쟁압력에 대항하면서 국내시장을 확보하고 가격의 투기적인 변동을 봉쇄함으로써 시장가격의 안정을 달성한 것이다.

2. 독점조직의 재편강화와 중요산업통제법

그러나 이와 같은 독점조직의 활동은 대공황에 의해 내외의 조건이 격변하는 가운데 커다란 타격을 받았으며 이에 대응해 조직을 재편 강화할 필요성이 대두되었다. 즉, 각 카르텔의 시장지배력이 수요의 감소와 국제가격의 하락으로 동요한 것이다.

독점조직의 재편은 공판회사의 설립, 기업합동에 의한 트러스트적 대기업의 성립과 국가의 정책적 개입에 따른 중소기업분야에서의 조직화, 각종 사업법에 의한 국가적 보호·통제 등을 통해 독점체제를 강화하는 것으로 결실을 맺었다.

기존의 카르텔화 산업에서 철강업의 경우는 1932년 선철공판이 결성되고, 석탄산업에서는 공판회사 쇼와 석탄이 설립되었다. 또 1930년 3월에 조강분야협정이 개정되어 각종 강재시장에서 1930~1931년에 공판조합이 결성되었다. 시멘트에서는 종래의 생산제한협정 외에 지역별 시멘트판매협회가 설립되어 더욱 섬세하고 빈틈없는 통제가 이루어졌다. 방적에서도 면사상 6단체간 협조가 성립했다. 산동업에서는 수요회에 스미토모 벳시동산이 가맹하여 체동(滯銅) 처분을 위한 덤핑수출이 이루어졌다. 전기기계공업에서는 이때까지 카르텔 활동이 반드시 정착하였다고는 하기 어려웠으나 여기서도 중전기기의 수주할당을 골자로 하는 협정이 성립하였다. 이와 같은 조직규제의 범위를 확장하여 가격규제력을 더욱 강화하는 방책이 취해지고 카르텔의 시장지배력이 재편 강화되었다.

이와 같은 독점조직의 강화와 관련하여 커다란 의미를 가졌던 것이 중요산업통제법과 공업조합법에 의한 조직화 촉진정책이었다. 1931년 3월에 제정된 중요산업통제법은 산업합리화 추진을 목표로 한 것이었고, 이는 재계가 상공관료의 주도하에 공황대책으로서의 효과를 기대한 결과 성립한 것이었다. 아웃사이더에 대한 통제협정으로서 강제가맹을 가능하게 한 동법에 근거하여, 이때까지 카르텔협정이 있어도 그 유효성이 없었거나 혹은 공황의 영향으로 무협정 상태가 된 산업분야에서도 카르텔을 결성하게 되었다. 중요산업통제법에서 지정된 업종은 처음에는 19개, 1932년에 추가 3개, 1934년에 2개, 1936년에 2개로서 총 26종에 달하였다. <표 5-1>에서 보는 것처럼 당시의 산업구조 속에서 상공성이 소관하는 중요한 산업은 거의 모두 통제법의 영향하에 놓이게 되었다.

그러나 카르텔 조성에서 중요산업통제법 제정의 역할을 지나치게 강조하는 것은 적절치 않다. 이 법은 석탄·동·유화광(硫化鉱) 등에서는 지정한 것이 없었고, 또 관청 간 권한싸움으로 인해 상공성 소관 산업에만 지정이 한정되었다. 또 지정받은 부문 중에서 선철·강재 등 주요 부문에서는 이 법으로 카르텔의 통제력이 강화되었다고는 볼 수 없다. 그 효과가 가장 컸던 곳은 중소기업이 많은 화학공업이었는데 이것이 공황대책으로서 제정된 중요산업통제법의 실상이었다. 이러한 상황은 1920년대 중반 정착된 독점조직이 불충분하기는 하나 자력으로 공황에 대처하고 조직적 동요를 극복하려 한 점, 공황의 타격은 조직화 진전이 제일 늦은 부문에서 가장 심각했다는 점을 말해 준다.

<표 5-1> 주요산업의 카르텔(제조업) (백만엔)

산 업	생산액	중요한 카르텔
화주	366	
맥주	114	○맥주공판
제당	143	사탕공급조합
정곡·제분	159	
과자	150	(○제분판매조합)
제사	504	잠사중앙회, 제국잠사, 제국잠사조합
면사방적	994	대일본방적연합회
모방적	326	일본양모공업회
견직물	198	공업조합다수
인견직물	220	〃
면직물	603	〃
모직물	223	〃
염색·정리·표백	242	○일본수출직물염색협정연합회
제재	165	
인쇄	229	
화학비료	273	인조비료연합회, ○유안배급조합 외
공업약품	262	○쇄분공판, 유산판매조합 외
화학섬유	217	일본인견연합회
식물유지	140	
비누화장품	100	
의약품	111	
제지	294	일본제지연합회, 판지판매통제회 외
광물유	117	○광유정제업연합회 외
고무	146	
시멘트	113	시멘트연합회
철정련 외	1,291	강재연합회 외 다수
동정련 외	172	수요회
선철주물	115	
절연전선 외	116	전기동공동구매회
전기기계	212	○4사협정→사쓰키회
방직기	114	
자동차	150	
철제선박	208	○조선연합회

자료 : 通商産業省, 『工業統計50年史1』, 高橋龜吉, 『日本統制經濟論』, 小島昌太郎, 『我國重要産業に於けるカルテル的統制』, 1932, 鈴木茂三郎, 『日本獨占資本の解剖』, 1935, 공업조합중앙회, 『工業組合中央槪況』, 1936 등.
주 : 생산액은 1936년, 동년 생산액 1억엔 이상이 대상. ○표는 1930년대 설립.

또 각 기업은 경영적 안정을 위해서는 합리화를 촉진하는 정책적 개입이 반드시 필요했다는 사실도 아울러 말해주고 있었다. 그것은 고용의 확보와 산업의 보호의 양면에서 요청된 것이었다. 이 점은 이미 하마구치 내각기에 정책적 과제로서 인식되었다. 미야지마 히데아키(宮島英昭)는 하마구치 내각기의 산업합리화정책은 중소기업부문에 대한 법적·행정적 조직화와 철강·조선 등 전략부문의 합동책을 주축으로 금융에 의한 조직화의 조성을 부축으로 전개되었다고 했다. 이러한 정책구상의 연장선상에 있는 중요산업통제법이 당시에 실질적으로 할 수 있었던 것이 사회정책적인 성격이 강한 중소공업부문의 조직화였다는 것은 당연하였다.

이 같은 정책구상은 공황대책이라기보다는 오히려 그 후 산업정책의 기조로서 큰 영향을 남겼다는 사실에 더 주목할 필요가 있다. 제철합동으로 귀결된 기업합동론은 산업합리화의 마지막 방법이었고, 그 경우 정부의 과도한 개입으로부터 기업의 자주성을 확보하는 것이 필요하다고 여겨졌다. 기업합동에 대해서는 후술하겠지만, 중요산업통제법은 다른 한편으로 공황 후의 경기회복과정에서 독점조직을 강화하고 독점의 폐해를 제거한다는 양면에서 정부의 행정개입을 정당화했다. 또 중소공업에 대한 조직화는 중요산업통제법에 선행하는 과린산공업에 대한 공업조합법의 적용을 시작으로 공업조합법·수출조합법 등을 통해 각종의 산업분야로 확산되었다. 면·견·인견·메리야스 등의 직물류, 자전거·도자기·금속제품 등의 공업조합과 수출조합이 결성되었다.

1930년대에는 중소공업부문에 대한 이와 같은 조직화정책이 진전되었는데, 그 원인은 이전 금융공황 후 도시 2류 은행이 파탄되면서 중소공업금융이 경색상태에 빠지고, 금해금정책에 의해 중소공업의 경영적 동요가 더욱 심하게 된 사실에서 찾을 수 있다. 그 때문에 중요산업통제법 등에 의한 조직화정책과 함께 금융면에서의 조성조치도 강화되었다. 일본흥업은행에 의하면 "쇼와 2년의 금융공황은 중소상공업자의 융자은행이든 2, 3류 은행의 휴업이든 각 은행의 대출은 경계상태에 이르게 되어 본행 취급의 중소상공업자자금에 대한 융통신청자는 격증하게 되었으며", 그 때문에 동행은 1929년 말의 부동산 대부고는 그 한도인 불입자본금액의 2분의 1에 달함으로써 1930년 4월1일 동 은행법 중 해당조항을 개정하고, 그 한도를 불입자본의 3분의2로 하여 중소공업에 대한 자금공급에 노력하였다. 대출잔고는 1925～27년의 1,200만 엔 전후에서 1928년 1,605만 엔, 1929년 2,127만 엔이 되고, 1932년 이후 3,000만 엔에 달하였다.

하지만 흥은을 중심으로 하는 정책금융이 수행한 역할은 공황하의 구제융자에서 더 큰 의미를 찾아야 할 것이다. 흥은은 1931년 유키 총재가 취임한 이래 사업회사에 대한 자금공급 활동과 동시에 그 경영의 정리개선에 노력했으며, 각 기업의 자금난을 구하고 재고의 투매에 의해 가격폭락을 미연에 방지하기 위해 일정한 역할을 하였다. 1930년 9월부터 12월말까지 동행이 대출한 응급대출고는 약 50사에 대해 합계 약 7,414만 엔에 달하고, 때문에 사업계의 위기라고 여겨진 동년 말을 무사히 경과할 수 있었지만 이 구제융자는 다음 해인 1931, 1932년에도 계속되었다.

전략산업으로서 기업합동이 논의되고 있던 해운·조선업에 대한 자금공급은 더욱 중요한 의미를 지니고 있다. 선박개선조성시설과 흥은에 의한 선박저당금융이 그것이다. 1932년 7월부터 실시된 조성시설의 내용에 대해서는 이미 제3장에서 다루었지만, 이 조성금에 의한 선박 건조가 국산품의 사용을 조건으로 한 점도 있었고 1920년대에 미쓰비시·가와사키 두 회사의 쌍두적 지배가 유지되고 있었던 조선업에서는 선박개선조성시설에 대한 국가적인 조성을 기반으로 민수시장의

확대가 실현되고, 나아가 1934년부터의 군수확대에 의해 독점적 조선
자본의 위치가 더욱 강화된 것이다.

　이렇게 해서 산업합리화를 슬로건으로 하여 실시된 정부의 다양한
조성조치는 독점조직의 기능을 강화하거나 중소공업의 조직화를 재촉
하게 되었다.

　3. 기업합동의 진전

　1) 왕자제지의 합동

　카르텔 조직의 재편 강화와 함께 1930년대의 특징으로 들 수 있는
것은 독점적 대기업의 합병으로 트러스트적 대기업이 성립한 것이다.
기업합동은 국제경쟁력이 취약한 일본의 산업을 합리화하는 중요한
방책의 하나로 생각되었다.

　제지업에서는 일본제지연합회에 의한 3차에 걸친 생산제한 외에
1930년 1월부터 재고품의 공동보관으로 시장통제에 성공하였다. 더구
나 엔화의 가치하락은 스칸디나비아 제국으로부터의 수입을 격감시키
는 등 좋은 영향을 가져왔다. 그러나 이때까지 미국시장에 의존하고
있던 캐나다 제지업이 대공황의 영향하에 그 지리적 우위를 이용하여
과잉생산을 완화한다는 목적을 갖고 일본으로 덤핑을 해오고 있기 때
문에 신문용지를 중심으로 수입압력이 도리어 강화되었다. 이러한 가
운데 시장통제를 더욱 강화하고 경영을 합리화할 목적으로 1933년 5월
에 유력 3사(왕자제지, 후지 제지, 사할린공업)의 대합동이 이루어졌다.

　이 합동의 전제조건은 후지 제지의 최대주주이자 경영실권을 장악
하고 있던 아나미즈 요시치(穴水要七)가 급사한 후인 1929년 1월, 미쓰
이 재벌의 자금원조를 얻은 왕자제지가 일찍이 아나미즈의 지주를 취
득하고 후지제지를 지배하에 둔 것이었다. 사할린공업의 오가와 헤이

시치로(大川平七郎)가 대주주였기 때문에 오가와계라고 여겼던 후지가 미쓰이 산하로 들어간 것은 제지업계의 균형을 뒤흔든 것이었다.

왕자제지는 이 주식취득을 계기로 후지와의 제휴를 강화하였다. 합동의 기반은 여기서 정비되었다고 해도 과언이 아니다. 구체적인 합동안은 미쓰이 은행의 이케다 시게아키와 오가와계의 주력은행이었던 일본흥업은행의 유키 도요타로에 의해 결정되었다. 합병에서 주식교환 비율은 왕자 100에 대해 후지 140, 사할린공업 245였다. 이것은 사할린 공업에 대해서는 약 3,200만 엔, 후지 제지에 대해서는 약 1,700만 엔의 감자에 상당하는 자산정리를 요구한 것을 의미한다. 합병시의 자산평가를 알 수는 없지만 <표 5-2>처럼 합병 직전의 3사의 대차대조표와 신회사의 제1기를 비교하면 자본금·적립금 등에서 약 6,100만 엔이 감액되고 이에 따라 고정자산 약 2,500만 엔, 산림부 계정 약 1,100만 엔이 감소하였다. 그 외에 종이 상황이 호전된 것도 더해져 재고품과 유동자산의 압축도 진전되어 사채·지불어음 등의 차입도 감소하였다. 고정자산의 절하는 후지 제지의 지취공장, 사할린의 혜수취공장에서 눈에 띄게 진행되었지만 신회사의 연산 천 파운드당 고정자산은 138만 엔으로 대략 시가와 비슷하다는 평가를 받았다. 상각부담이 크게 경감된 것이다. 이것이 합동의 제1성과였다.

두 번째로 조업합리화의 진전이었다. 합병 후 각사 기술의 장점을 취해 조업합리화를 진전시킨 결과 보류(步留, 원료당 제품의 비율)의 개선, 원연료 원단위(原單位)가 향상되었다. 특히 석탄의 사용량은 1933년 상반기부터 다음 해 상반기에 걸쳐 13.7% 감소하고 초지기(抄紙機)의 능률도 1933년 하반기부터 1935년 하반기에 걸쳐 7.7% 상승하였다. 이러한 성과는 목재 등의 원료와 석탄의 가격이 상승했기 때문에 제조원가를 저하시키지는 못했으나 그 상승을 억제하고 기업 수익력을 개선하는데 도움이 되었다.

<표 5-2> 왕자제지의 합동 (천엔)

	사할린공업 1932.9	후지제지 1932.11	왕자제지 1932.11	합계	왕자제지 1933.5	증감
불입자본금	53,628	58,925	48,683	161,236	112,661	-48,575
적립금	2,000	10,656	23,587	36,243	23,621	-12,622
이익금	1,173	3,320	3,671	8,164	8,006	-158
(소계)	56,800	72,902	75,942	205,644	144,549	-61,095
사채	43,262	56,000	45,000	144,262	133,769	-10,493
차입금	3,360	17,172	10,000	30,532	36,500	5,968
지불어음	5,320	1,614	4,596	11,530	1,570	-9,960
기타	3,985	2,903	13,064	19,952	23,751	-3,799
(소계)	55,927	77,689	72,660	206,276	195,590	-10,686
부채합계	112,727	150,591	148,602	411,920	340,140	-71,780
고정자산	63,348	80,456	58,765	202,569	177,606	24,963
제품반제품	11,697	11,924	7,418	31,039	20,481	10,558
유가증권·출자금	7,942	17,475	41,692	67,109	73,082	5,973
산림부계정	10,745	13,343	11,459	35,547	24,360	11,187
기타유동자산	18,995	27,393	29,268	75,656	44,610	31,046
자산합계	112,727	150,591	148,602	411,920	340,139	71,781

자료 : 各社 『營業報告書』.

세 번째로 더욱 중요한 의미를 갖는 것은 장기채무가 정리된 것이다. 1932년에 사할린공업이 안고 있던 장기채무는 8구좌 약 4,800만 엔으로 이를 포함하여 3사의 사채발행잔고는 1억 4,400만 엔이었다. 이를 계승한 신회사는 특히 고금리의 구 사할린 공업 사채(연리 7~7.5%가 2,300만 엔)를 중심으로 상환이 이루어져 그 80%를 1933년 8월까지 상환하거나 혹은 저금리로 차환하였다. 이러한 방법을 통해 왕자제지는 1935년 상반기까지 사채 약 8,300만 엔, 지불어음 1억 100만 엔을 반제하고 차입금의 증가를 합쳐도 장기채무로 볼 수 있는 부채액은 7,300만 엔 정도 감소했다.

이러한 합동의 성과가 나타난 것은 3사 합동으로 시장지배력이 강화되어 시황이 호전되었기 때문이고 이에 더해 재고부담이 줄어든 것

에서 비롯되었다. 1934년의 생산고는 제지연합회 가맹회사 가운데 인
쇄용지에서 65%, 신문용지에서 95%, 양지생산에서 85%를 차지하고 또
펄프 생산고의 97%, 초지기 제조능력의 78%에 이르렀다. 이처럼 높은
생산비중은 왕자제지가 각 제품시장에서 높은 가격규제력을 갖고 있
었을 뿐만 아니라, 특히 원료 펄프에서 높은 생산집중을 보이고 있었
기 때문에 엔화 가치하락으로 원료 펄프의 수입이 어렵게 된 중소제지
회사는 이를 신왕자제지에서 구해야만 했으며, 원료관계를 통해 신왕
자제지는 중소제지회사를 완전히 장악할 수 있었다. 이는 왕자제지가
미쓰이의 금융적 후원을 배경으로 거대한 독점기업으로 등장한 것을
의미하고 있다.

2) 일본제철의 성립

제철합동안은 철강업의 합리화정책의 하나로서 제1차 대전 이후 반
복되어 논의되었다. 하지만 1931년 2월에 합동계획이 좌절된 이후 잠
시 제철합동문제는 진전을 보지 못하였으나 1932년 6월의 선철 관세인
상을 계기로 재연되었다. 관세개정안이 성립한 제62의회 직후에 의회
에서의 현안 사항을 검토한 상공성의(商工省議)는 합동안을 다시 검토
할 것을 결정하고 이 결정은 수일 후 임시산업합리국 고문회에서 승인
되었다. 대공황기에는 민간의 고문이 제안한 합동계획이 이제는 상공
성의에서 우선 취급된 것이 주목된다. 1934년에 1소 5사(야하타 제철
소, 부석광산, 윤서제철, 미쓰비시 제철, 동양제철, 규슈 제강)가 참가하
여 일본제철주식회사가 성립된 것은 오랜 논의의 귀결이었다.

합동론의 경과와 합동조건의 관건이 되는 자산평가에서 중시해야
할 것은 대공황 후의 엔화 가치하락과 관세인상으로 시황이 호전되고
있는 가운데 선강일관생산을 추진하는 기업의 규모를 확대하고 이에

대응해 자금조달력을 충실하게 한다는 것을 목표로 합동이 이루어진
점이다. 합동안이 구체화된 1933년경에는 각 기업의 경영도 현저히 개
선되고, 특히 설립 이후 극도로 경영상태가 좋지 않던 미쓰비시 제철
등 제선기업에서는 드디어 경영안정의 징조가 보여 현안의 제강부문
이 실제로 가동하고 있었다. 그 때문에 정부는 경영개선과 수익기대가
증대함에 따라 합동참가기업의 출자설비에 대한 평가를 개정할 필요
에 쫓겼고, 이와 동시에 산업합리화의 목적에 따라 신회사의 자산 내
용을 건전하게 만들어야 한다는, 어떻게 보면 상반되는 것 같은 과제
를 해결해야 했다. 그 결과 이미 알려진 것처럼 재편된 평가방법에 따
라 신회사의 자산액이 결정되고, 참가기업은 각각 현물출자분에 따라
주식을 교부받으면서 일철이 설립되었다.

   이 경우 중요한 것은 출자된 각 제철소의 톤당 고정자산이 대외경쟁
에 견딜 수 있는 수준으로 절하됨으로써 선강일관생산에 의한 제철업
이 본격적으로 확장될 수 있는 조건이 정비되었다는 점이다. 고정자산
의 절하는 신회사 전체로서가 아니라 각 제철소 단위로 실행되었다.
이는 참가기업에 대한 평가방법의 평등성을 유지하는 동시에 각 제철
소마다의 채산성을 중시하였다는 것을 의미한다. 만약 일철 전체로서
고정비부담을 줄이는 것만으로 충분하다면, 예를 들어 참가한 민간기
업의 평가를 높이고 그만큼 혹은 그 이상으로 관영제철소의 평가액을
내린다면 이 조건을 충족시킬 수가 있다. 실제 합동에 있어서 2억
8,419만 엔으로 평가되었던 야하타의 고정설비는 1933년의 평가안에서
는 2억 618만 엔으로 평가받고 있었다. 그러나 정부출자분에 대해서는
신회사의 확장자금조달과 관련된 별도의 제약조건이 있었다. 일본제철
주식회사법에 의하면 정부는 동사 주식의 과반수를 소유해야 했고, 관
영제철소의 평가액을 지나치다 할 정도로 낮춘 것은 증자로 자금조달
을 할 때 정부의 추가출자가 반드시 필요했기 때문이었다. 제철소는

관영사업이었고 재정적인 제약 때문에 확장자금조달에 어려움이 많았기 때문에 합동에서 기대한 것은 주식회사로서의 기업성을 발휘하여 자금면에서의 제약에서 벗어나는 것이었다. 고정자산을 낮게 평가한 것은 신회사의 수익력을 증가시키고 주식모집을 용이하게 함과 동시에 그 때 정부의 출자부담을 줄이기 위한 일석이조의 방법이었다. 본격적인 확장의 조건이 정비되었다는 것은 고정비 부담이 경감되어 생산비가 하락하고, 동시에 자금조달 상의 제약도 해소되었다는 것을 의미하는 것이다.

제철합동 후의 생산비는 나가시마 오사무의 연구에 의하면 <표 5-3>과 같은데 특히 선철 생산비의 상승이 억제된 사실이 눈에 띈다.

<표 5-3> 일본제철의 생산원가(엔)

	강재	선철
1934 상	74.28	35.39
하	79.63	36.41
1935 상	81.50	36.46
하	81.99	36.84
1936 상	82.79	34.80
하	87.84	36.14

자료 : 長島修, 『戰前日本鐵鋼業の構造分析』.

다른 한편 선철가격은 조금씩 높아지고 있었기 때문에 선철생산의 채산이 상당히 개선되었다. 또 제강·압연부문의 경우 저조업률이 불가피했던 부석에서 조업률이 상승하여 설비확장이 진척되고 겸이포에서도 제강·압연 조업이 본격화되는 등 각 제철소의 일관생산이 착실하게 이루어졌다. 선강일관화를 도모하고 대형설비가 가져오는 '규모의 경제(economies of scale)'의 추구를 통해 저렴하고 또 풍부하게 철강을 공급한다고 하는 합동의 목적은 충분히 달성되었다.

다른 한편 자금조달에 대해 보면 업적호조를 반영하여 설립 이후 4년간은 감가상각과 적립금의 증대로 고정자산의 증가가 나타나는 등 자기금융적 축적양식을 보여 주고 있었다. 이 사이 상위주주는 <표 5-4>에서 보는 것처럼 변동되었다.

<표 5-4> 일본제철의 대주주 (천엔)

1934. 9		1935. 9		1937. 9	
대장대신	5,683,900	대장대신	5,683,900	대장대신	5,683,900
부석광산	452,375	부석광산	452,375	부석광산	300,000
미쓰비시제철	341,140	윤서광산	232,240	윤서광산	170,000
윤서광산	232,240	규슈제강	144,080	규슈제강	144,080
규슈제강	144,080	미쓰비시합자	123,610	미쓰비시중공업	100,000
후지흥업	55,460	미쓰비시중공업	100,000	미쓰비시사	93,610
일본산업	39,786	미쓰비시광업	59,900	미쓰비시광업	60,000
홋카이도은행	5,000	후지흥업	55,460	제일징병	35,930
야스다보전사	4,645	미쓰비시 상사	50,000	메이지생명	27,460
미쓰이합명	4,180	일본산업	30,400	후지흥업	22,104
후지야마뇌태	3,182	도쿄강재	10,000	오사카저축	20,000
미쓰비시합자	2,470	미쓰이생명	4,900	미쓰이생명	20,000
총주수	7,196,420		7,196,420		7,196,420
총주주수	6,421		6,099		5,374
주가 최고	53.1		49.9		78.2
최저	49.4		43.0		67.1

자료 : 『株式年鑑』 각년 및 『日本製鐵株式會社史』, p.860.
주 : 주가는 해당년의 최고와 최저.
　　1934년의 일본산업 이하의 대주주는 주로 동양제철의 구주주. 1937년에는 기타로 牧田環, 미쓰비시 상사가 2만주 소유.

주가가 상승한 1936년부터 합동에 참가하여 주식의 교부를 받은 주식이 지주의 일부를 매각하고 합동시의 평가절하를 보상하여 예상되는 증자 때의 불입부담을 완화하려고 한 것을 확인할 수 있다. 이 매각에 의해 주식의 분산은 다른 면에서 생명보험 등 기관투자가의 진출을 통해 일철의 증자에 즉각 대응할 수 있는 태세를 정비하였다는 것을 말해주고 있다.

그 결과 일철의 지위는 더욱 강화되었다. 제선부문의 집중에 의한 시장점유율의 상승 속에서 제3장에서 본 것처럼 공판회사가 식민지계 기업의 이익을 대표하는 것처럼 되고 강재시장의 카르텔 협정이 부분적으로 해소되는 등 독점조직의 기능전환이 진전된 것은 그 표현이었다.

3) 삼화은행의 설립

은행업에서는 금융공황 후에 제정된 은행법에 기초하여 중소은행의 경영기반을 강화할 필요성이 있게 되고 그 후 1930년대에 들어서 은행의 합동정책이 차례로 적극적으로 추진되었다. 이 은행합동의 움직임과 함께 대만은행, 십오(十五)은행의 파탄 등을 계기로 하는 도시은행군의 재편이 진전되었으나 그 도달점의 하나가 한신은행계에 유력한 기반을 차지하고 있던 삼십사(三十四)은행, 야마구치 은행, 고노이케 은행 3행의 합동에 의한 삼화은행의 설립이었다.

『삼화은행사』에 의하면 합동의 목표는 첫째로, 무익한 경쟁을 피해 자금의 비용을 저하시키는 것, 둘째로, 3행의 자금을 집중하여 효율적인 운용을 도모하는 데 있었다고 한다. 당시 한신의 금융시장은 <표 5-5>에서 보는 것처럼 후지다·십오의 두 은행이 금융공황 후 경쟁의 장에서 밀려나고 스미토모 은행으로 예금이 집중되는 동시에 도쿄에 본점을 둔 대은행의 비중이 급속히 높아진 것이 눈에 띈다. 이 사이 합동에 참가한 세 은행도 예금획득에 성공하였으나 1930년대에 들어선 후에는 그 지위가 확실히 약화되었다. 합동에 참가한 3행의 평균예금 원가는 5대 은행보다 꼭 높은 것은 아니었지만 대출금리가 낮아 수익성은 나빴다.

<표 5-5> 오사카에서의 예금비중 (%)

	1920	1926	1929	1932	1935
스미토모	9.7	10.1	16.0	15.9	17.1
후지다	4.2	5.5			
노무라	1.8	3.7	5.9	5.8	6.2
제일	4.4	3.2	5.0	5.5	6.5
미쓰이	5.9	4.5	7.4	7.3	7.2
미쓰비시	4.5	4.3	6.5	5.9	5.5
야스다	2.4	4.9	4.7	4.5	5.4
십오	7.6	7.9	1.9	1.6	1.6
야마구치	9.0	10.9	13.2	12.7	
삼십사	9.1	10.9	14.5	13.2	
고노이케	2.5	5.1	7.4	7.2	
삼화	20.6	26.9	35.0	33.2	28.9

자료 : 『銀行通信錄』 각호에서 작성.
주 : 1932년까지의 삼화는 3행의 합계.

그 때문에 이전부터 3행 합동의 의견을 갖고 있던 일본은행 오사카 지점의 알선도 있던 터라 1932년 4월에 3행 수뇌가 합동에 합의하고 1933년 12월에 삼화은행이 설립되었다. 합동방법의 특징은 3행이 불입 자본금 및 그 30%에 해당하는 적립금을 거출해서 신은행을 설립하고 3행의 자산부채를 정리해 아무런 문제가 없도록 분명히 하고, 이에 더 해 채산상 유리한 것만 한정해서 계승한 것이었다. 이 경우 규모면에 서 열등한 위치에 있던 고노이케 은행에 대해서는 불입자본금의 반액 인 500만 엔과 적립금 150만 엔을 거출하여 신은행 주식을 2 : 1의 비 율로 구 주주와 교환교부하고 다른 2행에 대해서는 1 : 1의 교환비율로 하도록 했다.

3행 합동 전후의 대차대조표를 보면 고노이케 은행의 감자분과 합 동에 앞서 각행의 구 주주에 대해서 적립금을 헐어 교부금(삼십사은행 278만 엔, 7%, 야마구치 은행 179만 엔, 6.5%, 고노이케 은행 8만 엔, 1.5%)을 급부했기 때문에 주식계정에서 3,800만 엔 이상을 감했다. 이

에 대해 어음대부를 중심으로 대부금이 7,300만 엔 가까이 정리된 것
은 합동을 계기로 불황하에 누적되어 있던 고정대부의 정리에 노력했
다는 것을 의미한다. 또 예금자들도 합동을 호의적으로 받아들인 결과
예금도 증가하여 1936년 말 10억 엔을 넘고(<표 5-6>), 그 예금 점유율
은 5대 은행을 능가하여 11%에 달하였다. 그 결과 대부금의 대폭적인
정리와 맞물려 자금여유가 생기고 현금예탁금·콜론(call loan)이 증가
하였다. 신은행의 예금원가는 중복지점이 정리되면서 영업비가 감소하
고 또 전반적으로 금리가 저하하는 가운데 점차 낮아졌다. 다른 5대 은
행이 대출금리와 예금금리의 차이를 좁히는 가운데 삼화은행에서는
예금원가가 개선되고 은행경영이 효율화되었다. 무엇보다 합동의 목표
는 예상 그대로 달성되었는가의 여부는 보다 신중한 검토가 필요하다.

<표 5-6> 전국보통은행에서의 예금, 대출의 상위집중도(1936년말)

예금		대출금	
은행명	금액	은행명	금액
	백만엔		백만엔
삼화	1,198	야스다	679
스미토모	1,017	스미토모	618
야스다	972	제일	545
제일	929	삼화	532
미쓰이	857	미쓰이	518
미쓰비시	810	미쓰비시	370
상위3행계	3,187 (29.2)	상위3행계	1,842 (27.7)
6행계	5,783 (52.9)	6행계	3,262 (49.0)
전국보통은행합계	10,932 (100.0)	전국보통은행합계	6,660 (100.0)

자료 : 加藤俊彦, 「戰時經濟下の銀行資本(1) - 6大銀行を中心として -」, 『社
會科學硏究』, 1965, pp.10~13, pp.26~29.
주 : 괄호안은 합계에 대한 비율.

오사카 시장에서의 예금점유율은 스미토모가 급격하게 신장함에 따라 후퇴하는 것이 불가피했고 전국점유율도 하락추세를 보였다. 자금운용면에서 보면 삼화은행의 경영기반은 할인어음잔고가 크고 중화학공업화가 진전되는 속에서 유력한 대부처를 갖고 있었다고는 말하기 어려웠기 때문에 탄탄한 것은 아니었는데 이것이 합동에 의한 자금력의 강화로 보완되지는 못했다. 오사카의 본 지점 예금량은 동행 전체의 60%, 대출은 90%였기 때문에 각지의 지점에서 예금을 흡수하고 오사카에서 운용하는 것이 삼화은행의 특징이었으나, <표 5-7>의 예대율은 오사카에 본점을 둔 은행으로서는 스미토모·노무라에 비해 상당히 낮은 것이 주목된다.

<표 5-7> 오사카에서의 예대율 (%)

	1920	1926	1929	1932	1935
스미토모	127.0	117.7	84.0	99.3	73.4
노무라	126.8	89.2	73.6	83.8	74.7
삼화	85.8	82.1	69.4	78.3	48.4
제일	88.0	100.3	88.5	71.1	57.1
미쓰이	55.6	125.2	104.3	80.3	62.0
미쓰비시	70.3	75.6	58.0	79.3	48.1
야스다	74.5	95.6	54.0	58.5	50.3

자료 :『銀行通信錄』각호에서 작성.

이상에서 본 것처럼 잇따른 대합동은 미쓰비시 조선과 미쓰비시 항공기와의 합병에 의한 미쓰비시 중공업의 설립, 스미토모 신동강관과 스미토모 제강소의 합병에 의한 스미토모 금속의 설립 등 재벌계 직계기업의 재편성을 포함한 것이었다. 이를 통해 1930년대에는 기업규모가 갑자기 증가하였으며 신회사의 수익성이 향상되고 그 시장지배력이 높아졌다. 광공업부문에 한정하여 보더라도 자산규모를 기준으로한 유력주식회사 가운데 1936년에는 일철, 왕자제지가 1, 2위를 차지하고, 4위의 미쓰비시 중공업을 더한 3사의 자산총액은 10억 엔을 넘어 상위 100사 합계의 거의 6분의 1에 달하였다. 그 결과 1920년대에 약간 저하경향이었던 거대기업으로의 자본집중도는 1930년대 중화학공업화가 진행되는 가운데 다시 상승하게 되었다.

이러한 거대기업의 성립과 그에 따른 시장지배력의 상승에 대해 그 기업행동을 제한하고 독점의 폐해를 억제하기 위한 개입적인 정책도 취해졌다. 일철의 설립 목적 속에 저렴한 공급이 강조되고, 중요산업통제법에 근거한 카르텔 활동을 억제하려는 개입이 석탄, 종이, 맥주 등에서 나타난 것이 그 예인데, 이 법이 1936년에 개정되어 트러스트를 규제대상에 넣을 수 있게 된 것도 독점적 산업조직이 심화되었다는 사실을 반영하고 있다. 물론 1930년대의 대독점정책이 '독점의 자유'를 원칙으로 한 것은 제2차 대전후의 독점금지법에 의한 반독점정책의 전개와는 분명히 다른 것이었다. 정책이념으로서 '독점의 자유 제한'이 상공관료의 주도하에 위로부터 도입된 것은 그러한 정책을 지탱한 민중적 기반이 결여되어 있다는 것을 의미한다. 그러나 그러한 한계를 동반하면서도 이러한 반독점적 산업정책의 등장은 독점체제의 재편·강화라는 경제구조의 변질을 나타내고 있다.

제2절 재벌자본과 분권화

1. 분권화의 진전

제1차 대전 전후에 재벌자본은 콘체른 조직으로 이행했고 산하기업의 사업전개에 대응하면서 점차 지주회사로서의 성격을 선명하게 드러냈다. 직영사업부문의 독립이 지연된 스미토모에서도 1925년 스미토모 비료제조소, 1926년 스미토모 신동강관, 1927년 스미토모 벳시광산,

1928년 스미토모 규슈탄광이 차례로 설립되고 판매부문을 제외한 대부분이 주식회사로서 자립하였다. 이러한 가운데 전간기를 통해 재벌자본 각 부문의 자립성이 강해지고, 콘체른 조직하에서의 통할 방법이 분권화를 전제로 한 것으로 점차 변화해 갔다.

미쓰비시에서는 1918년의 '분계회사와 합자회사의 관계 결정', '분계회사 자금조달 및 운영방법 결정' 그리고 1919년에 합자회사 직제가 정비되면서 합자회사 이사회의 합의제에 근거한 집권적 통할방법이 결정되었다. 그러나 이 방법은 제정된 지도 얼마 되지 않는 1922년에 재무위원제를 설치하고 이사회 권한을 축소함으로써 전문화되고 분권화된 통할방법으로 전환하기 시작했다. 그 후 1929년에는 1918년에 이루어진 2개의 결정이 폐지되고, '분권화와 본사와의 관계'가 결정되면서 본사의 통할권한이 더욱 축소되어 자금면에서의 규정이 소멸하였다. 이에 대응하여 조직면에서도 1931년 11월에 사장결제의 보익기관으로서 사장실회가 설치되었다. 그 성격에는 약간 애매한 점도 남아있지만 사장실회의 설치는 이사회 회원 가운데 기무라 구스야타(木村久壽弥太) 등 4명의 장로들에게 사실상 결제를 위임한다는 것을 의미하고 있었다.

스미토모에서는 1923년부터 검토하기 시작한 사칙(社則)이 1928년에 새롭게 제정되었다. 이것은 앞서 말한 연계회사의 독립을 중심으로 하는 조직개혁에 대응하여 총이사 권한의 일부를 이사회에 이양하고, 연계회사의 최고책임자를 겸하고 있는 경우가 많았던 이사들의 합의제에 의한 의사결정으로의 이행을 진전시킨 것이었다. 미쓰이에서는 자금면에서 실질적인 분권화가 이미 제1차 대전 말까지 진전되고 있었으나, 1932년의 단 다쿠마(団琢磨) 암살을 계기로 대폭적인 기구개혁이 실시되었다. 1934년에는 상임이사제가 실시되는 동시에 미쓰이 일족이 은행, 물산, 광산의 각 사장직에서 물러났다.

이러한 변화로 미쓰이, 미쓰비시, 스미토모에서는 산하의 광산, 중화학공업기업의 성장에 의해 다각화가 더욱 진전되었고 이들 회사의 재벌본사에 대한 자립성이 높아졌다. 그것은 1920년대 이래의 연속적인 변화였으나 재벌의 경영조직은 직계 대기업으로의 권한 이양을 진전시키고, 상대적으로 자립적인 사업활동을 통해 산업구조의 변화에 대응하였다. 또 분권화를 촉진하는 관계가 만들어지기는 했으나 다른 면에서는 여전히 고율의 주식소유에 의해 본사는 직계기업의 인사, 투융자계획 등 경영의 최고 중요사항을 집중적으로 관리하고, 그것으로 재벌로서의 조직적 통일성을 유지하였다고 볼 수 있다. 이 경우 분권화가 진전된 배경으로 다음 두 가지가 중요한 의미를 지닌다.

첫째, 산업부문에서 카르텔을 중심으로 독점조직이 정착하였는데 이에 대응하여 재벌자본은 각자의 산하기업과 상사가 카르텔의 구성원으로서 중요한 역할을 수행하고 카르텔에 의한 횡적 조직화를 종적으로 결합하면서 중심적인 위치를 차지하고 있었다. 이에 따라 산하기업은 카르텔의 조직적 통제와 재벌의 콘체른으로서의 이해가 상충하는 것을 조정할 수 있는 자주성을 가질 필요가 있었다. 이를 위해서는 산하기업의 행동을 제약하는 본사의 권한을 축소하고 권한 이양을 도모해야 했다.

둘째, 재벌 동족의 추가적인 출자능력의 한계로부터 자금면에서의 통제력이 후퇴한 것이다. 본사에 대한 동족의 봉쇄적인 소유가 유지되는 가운데 본사 이익의 동족으로의 유출을 적극 억제해도 여전히 본사가 필요자금을 조달하는 데에는 한계가 있었다. 그 해결책의 하나가 지주의 공개를 주축으로 하는 금융자산의 조작이었다. 그러나 본사가 소유주식을 멋대로 조작하는 것이 완전히 허용될 리가 없다. '가업'으로 보이는 직계사업으로의 투자와 기타의 유가증권투자에는 통할상 구별이 있었다.

미쓰이 등에서는 직계, 방계, 유가증권과 같은 구분이 자산구분으로 채택되고 있었다는 것, 미쓰비시에는 합자회사가 '가업'의 통할을 담당하는 한편 기타 자산주라고 보이는 주식의 상당 부분이 개인명의로 보유되고 있는 것 등은 본사가 지주회사로서는 '가업'의 통할에 치중한 기능을 부여받았다는 것을 의미한다. 그 때문에 각 재벌의 본사는 동족의 가산을 집중해서 관리할 때 특히 '가업'의 발전에 관심을 집중하지 않을 수 없었다. 다른 한편 산하직계기업에서 보면 이것은 증자에 의한 자금조달에 제약이 있다는 것을 의미한다. 그 결과 자금조달을 포함한 산하기업의 기업행동과 본사가 체현하는 가산이나 '가업'의 통할 논리 사이에는 커다란 괴리가 있었다. 제1차 대전기의 미쓰이 재벌은 임시배당에 의한 증자에 더해 본사 소유의 방계회사주의 처분, 더 나아가 주식공개가 필요했지만 1920년대 이후 직계회사의 자기금융화가 진행되고 자금운용의 중심이 본사에서 은행 등의 금융기관으로 이행하는 등, 분권화를 전제로 한 금융적 지배가 전개된 것은 이러한 상황을 반영한 것이었다.

2. 자기금융화와 금융시장

재벌자본은 카르텔에 의해 산업부문 자본축적의 안정화를 도모하면서 그 기초 위에 선 재벌본사를 중심으로 다각적 투자활동을 전개해 종횡의 조직화에서 중심적 위치를 차지하고 있었다. 재벌자본의 위치가 이처럼 결정된 계기는 제1차 대전기에 재벌자본의 주변에서 급속히 성장하여 그 지위를 위협할 정도의 세력을 과시했던 2류 재벌의 몰락이었다. 2류 재벌의 동향은 주식시장과 관계금융기관에 의존한 자금조달이라는 특징을 갖고 있었는데 1920년 공황은 이러한 2류 재벌의 금융적 한계를 드러나게 하였다. 그 대표적 존재가 스즈키(鈴木) 상점이었지만 그 외에 무역업의 실패로 좌절한 후루카와(古河)·구하라(久原) 등도 마찬가지였다. 자금조달력의 차이가 2류 재벌의 몰락과 미쓰이·미쓰비시·스미토모라는 재벌자본의 지배적 지위 확립의 명암을 갈라 놓았다.

이러한 재편성은 1927년의 금융공황을 획기로 일단 완료된 것으로 보인다. 산업부문에서 독점조직 활동의 정착에 대응하여 2류 재벌 산하의 유력기업이 카르텔의 주요 구성원이 되거나 혹은 재벌자본 산하에 편입되어 독점적 지위를 유지하면서, 재벌자본을 중심으로 하는 종횡의 조직화의 일익을 담당하게 되었다. 그 구체적인 예는 광업부문의 후루카와·구하라·후지다, 조선의 가와사키 등이지만 콘체른적 조직의 재편과 카르텔과의 관계를 살펴볼 경우 제분·제당 카르텔에서의 스즈키 상점 파탄의 영향을 들 수 있다.

1926년 6월에 제분 7사가 체결한 생산제한협정은 제분업에서 카르텔 통제의 획기가 되었지만, 이 협정은 스즈키계인 일본제분의 판매공세로 인해 흔들릴 수밖에 없었다. 이러한 한계는 금융공황에 의한 스즈키 상점의 파탄 이후 일본제분이 미쓰이 물산 산하에 들어감으로써 극복되고 1928년에 일본제분과 미쓰이 물산 사이에 협정이 성립됨으로써 비로소 실효있는 가격통제가 성립되었다. 또 제당업에서도 1926년부터의 생산제한협정을 전제로 1928년에 사탕공급조합이 성립하여 공동판매가 실시되었으나, 그 계기가 된 것은 스즈키계의 제당기업이 대일본제당·메이지제당·대만제당에 공장을 양도하고 3사의 지배적 지위가 안정된 데 있었다. 2류 재벌의 경영적 동요가 산업부문의 독점조직의 활동을 제약하고 그 몰락·정리에 의해 독점조직의 통제력이 강화된 것이다.

이 사이 재벌자본은 1920년대에 금융자본으로 축적기반을 옮기고 은행뿐만 아니라 보험·신탁으로 그 투자분야를 넓혀 금융적 역량을 증대시켰다. 재벌자본은 이들 금융기관에 의해 모아진 사회적 자본과 산하기업의 여유자금을 배경으로 1920년대 산업재편성의 주도권을 장악하였다.

재벌자본과 그 이하의 기업집단 사이에 명확한 기로가 생긴 데에는 다음과 같은 배경이 있다. 즉, 1920년 공황부터 금융공황에 걸쳐 금융시장이 기형적인 고금리상태에서 벗어나지 못하고, 자금수요의 편재 속에서 경영난에 빠졌던 은행이 계속 콜 자금을 도입하고 예금획득을 위해 고리예금을 흡수한 결과, 이러한 은행의 자금비용이 높아져 경영이 개선되지 못하고 신용기구의 불안이 증가하고 있었다. 이러한 금융구조의 불안정성이 일시에 드러난 것이 1927년의 금융공황이었지만, 이상과 같은 금융시장의 조건은 재벌자본의 자금조달과 자금운용을 상대적으로 유리하게 만들었다.

전반적인 고금리상태를 반영하여 상대적으로 자금비용이 낮은 재벌계 은행들은 높은 이윤을 획득했다. 그리고 제1차 대전을 계기로 소득격차가 확대되고 이로 인해 발생한 중상층 이상의 가계잉여를 기반으로 한 신탁·보험 등의 금융기관이 저축성 자금을 충분히 흡수하고 있었다. 반면에 1920년대에는 대외경쟁압력에 의해 업적이 시원치 않을 수밖에 없었던 중공업부문을 시작으로 산하사업의 설비투자수준이 낮아 재벌자본에는 자금적인 여유가 생겼다. 그 때문에 재벌 본사와 직계 은행을 중심축으로 한 재벌자본의 자금운용은 자기금융적 성격이 농후하게 되고, 제1차 대전기에 나타난 주식공개 등의 외부자금동원에는 소극적이 되었다.

이 점이 가장 전형적으로 나타난 것이 미쓰이 재벌이었다. 더구나 재벌자본의 자기금융화는 금융시장의 고금리상태에도 불구하고 재벌계의 각 사업이 재벌내 여유자금을 이용함으로써 자금비용면에서 우위에 섰다는 것을 의미하고 있다. 재벌자본은 주식회사제도를 이용해

보다 적은 자본으로 효율적 지배를 확대할 수 있었기 때문에 금융자산의 운용, 조작을 통해 사업이익이 재벌동족 등으로 유출되는 것을 막는 한편 금융시장에서 비롯되는 제약을 누그러뜨리면서 사업확대에 이용했다.

물론 재벌자본의 자금운용이 금융시장에서 완전히 차단되어 시장기구의 영향을 전혀 받지 않았다는 것은 아니다. 재벌자본의 여유자금은 은행에 맡겨져 콜 시장으로 공급되고 단기운용으로서는 재벌계 은행에 고이익을 보증하였다. 이 같은 소극적인 자금수요의 연쇄는 재벌계 은행을 중심으로 하는 금융기구가 대전 붐의 마이너스 유산을 금융공황으로 청산할 때까지 남아있었다.

더욱 중요한 것은 재벌계 금융기관이 자본시장에 적극 관여하게 되고 자금운용의 방도가 확대된 점인데, 미쓰이 은행이 대표적이었다. 1920년대 최대의 투자부문이었던 전력업은 그 거대한 투자규모와 거액의 소요자금 때문에 대전기 이래 확대된 자본시장을 통해 사회적 자본을 흡수해서 발전한 대표적 부문이 되었다.

기쓰가와 다케오(橘川武郎)에 의하면 전력자본의 자금조달은 1920년대 전반부터 사채에 대한 의존도가 높아져, 1920년대 후반에는 사채가 중심적 역할을 하였다. 전력업의 높은 유기적 구성과 요금면에서의 제약에 의해 전력업이 그 정도 고수익·고배당을 실현할 수 있는 부문은 아니고 주식에 의한 자금흡수에는 한계가 있었기 때문이다. 전력사채의 발행에는 미쓰이·미쓰비시·스미토모의 각 재벌계 은행과 신탁회사, 일본흥업은행 등 유력한 금융기관이 관여하였다. 특히 미쓰이는 1923년 이래 업종별 발행고에서 제1위를 차지하게 된 전력사채를 단독혹은 단독에 가까운 형태로 대량 발행, 인수하였다. 이러한 움직임은 다른 재벌계 금융기관 등의 사채업무 확충을 재촉하고 사채시장의 발전에서 중요한 역할을 했다. 주식·은행차입금을 주류로 하고 있던 외

부자금의 도입경로를 풍부하게 하고, 산업자금 공급에서 재벌계 금융
기관의 역할을 높인 것이다.

이는 전력사채를 중심으로 하는 사채시장이 철도·제조업 등도 포
함하여 확대·발전하는 과정에서 더욱 분명해졌다. 재벌계 기업의 사
채는 말할 것도 없이 동일 계열의 금융기관에 인수되었으나 이러한 기
업에서는 재벌본사·은행을 중심으로 한 자금운용·조달이 주축이고
사채의 역할은 부차적인 것이었다. 오히려 중요한 점은 미쓰이·미쓰
비시·스미토모가 단순히 동일 계열뿐만 아니라 비계열의 산업기업과
도 사채발행업무를 매개로 긴밀한 관계를 가졌다는 데 있다. 전간기
(1920～1939년)에 앞의 3대 재벌 외에 야스다·제일·삼화·홍은의 7
개 금융계통이 사채발행에서 차지하는 위치는 전력업·철도업·제조
업의 각 부문에서 60% 전후에 이른다. 물론 이러한 사실은 재벌계 금
융기관이 금융면에서 이들 산업을 지배하고 있다는 것을 의미하지는
않는다.

그러나 여기서 특히 주목해야 할 것은 재벌계 금융기관을 중심으로
하는 7대 금융계통, 즉 금융시장의 중심적 위치를 차지한 은행군과 그
계열금융기관이 은행·신탁의 정기성 예금 흡수를 배경으로 산업자금
공급에서의 지위를 크게 높였고 이를 통해 대전 전의 자금조달방식 즉
특정기업에 대한 기관은행적 대출과 주주할당에 의존하는 일이 많았
던 주식발행 등에서 벗어나는 계기가 마련된 점이다. 제1차 대전기의
주식붐 붕괴로 주식투자를 꺼리게 된 투자가층을 신탁예금 등으로 끌
어들인 다음 이러한 금융기관을 매개로 간접적으로 자금을 흡수하는
방법이 등장한 것이다.

자본시장의 이 같은 전개는 1920년대의 자본수출과도 깊은 관련이
있다. 제1차 대전기에 금융완만을 기반으로, 신디케이트 은행단을 매
개로 하여 실현된 대중국투자는 니시하라(西原) 차관[1]의 예에서 보는

것처럼 대외적으로는 회수가 어렵게 되고 만몽철도 이권을 둘러싼 교섭 등 중일관계를 악화시키는 조건이 되었다. 이들 투자는 국가재정의 부담으로 은행단으로 환류되었음에도 불구하고, 니시하라 차관의 처리는 대중국정책을 규정하는 조건이었다.

이 같은 상황에서 일본의 대중국투자는 만철과 재화방을 축으로 전개되었다. 이 가운데 대만주투자의 중심인 만철에 대해 보면, 1920년대에는 정부의 외채 인수분을 제외하고는 국내에서의 주식불입징수와 증자를 기조로 하면서 사채·어음차입금 등으로 그 사업자금을 조달하였다. 더구나 만철의 상위주주에는 1920년대에 야스다 은행·미쓰이 물산·일본신탁은행·제일생명 등 법인의 이름이 나란히 올라 있고, 여기서도 재벌자본과 금융기관이 비중이 컸다. 제4회(1920년), 제5회(1927년)의 만철 증자에서 이처럼 법인주주가 진출한 것은 금융구조의 동요 속에서 자본시장의 방식이 변화하고 있다는 것을 잘 보여준다. 또 사채시장에서도 만철사채의 위치는 전력업 다음의 위치를 차지하고 있고 앞서 말한 7대 금융계통이 그 발행에서 큰 역할을 하였다. 이처럼 대전 전과는 형태가 다르다고는 하지만 재벌계 금융기관을 매개로 하는 '자기부담'의 자본수출은 만철, 나아가서는 동척 등의 국책적인 사업투자로서 국가적인 대외진출을 뒷받침한다는 의의를 갖고 있었다. 이리하여 재벌금융자본을 중핵적 담당자로 하는 자본시장의 전개는 1920년대 금융구조의 왜곡에 의해 제약되면서도 국내산업에 대한 자본공급 방식을 변화시키고 있었다.

---

1) 1917~18년 당시 데라우치 마사다케 내각이 북경정부와 계약한 일련의 차관. 제1차 세계대전 때 구미세력은 중국으로부터 일시적으로 후퇴하고 중국내에는 북경의 단기서 정권과 광동군 중심의 남방세력이 대치하고 있었다. 이때 데라우치 내각은 정치적 차관을 추진해 단기서 정권의 무력통일을 원조하면서 중국내에서 일본의 지도적 지위를 확립하려고 했다. 차관 총액은 2억 4,000만 엔에 달했으나 충분한 성과를 거두지 못했다.

3. 주식공개와 재벌전향

제1차 대전기에 사업자금 동원통로를 자본시장으로 확대하고 있던 재벌은 본사 부문에 의한 소유유가증권 등의 금융자산 조작을 통해 얻은 이익을 산하기업에 전략적으로 투자하는 방식을 창출하였다. 이 구도는 전간기에도 재벌의 투자자금수요 변동에 영향을 받으면서도 꾸준히 지속되었다.

이미 지적한 것처럼 1920년대에는 대외경쟁력의 압력으로 인해 업적이 부진한 중공업부문을 선두로 산하기업에 대한 설비투자가 제대로 이루어지지 않았고 이에 따라 직계회사의 자기금융화 경향이 뚜렷해졌다. 그 결과 대전기에 나타났던 주식공개 등에 의한 외부자금의 동원에는 소극적 경향이 나타났다. 눈에 띄는 것이라고는 스미토모와 미쓰비시에서 은행주의 공개가 이루어진 것뿐이었다.

1930년대 전반 이래 재벌전향이 진행되어 재벌은 봉쇄적 소유관계를 수정하기 시작하였다. 특히 주식공개가 진전된 것이 주목되는데 미쓰이계의 미이케 질소, 동양고압, 동양레이온(1933년), 미쓰비시 중공업(1934년), 스미토모 화학(1934년), 스미토모 금속(1935년) 등이 공개되었다. 이 공개는 스미토모의 경우를 예로 들면 스미토모 화학에서 450만 엔, 스미토모 금속에서 1,344만 엔의 프리미엄을 얻은 것에서 알 수 있듯이 재벌에게 무상의 자금을 대량으로 공급해 준 것은 아니었다.

다카하시 재정하에서 경기가 회복되면서 산업구조의 중화학공업화가 진전되고 바로 이 부문에서 공개가 두드러지게 진행된 것은 다음의 사실, 즉 봉쇄적 소유를 전제로 하는 재벌의 과거와 같은 자금조달방식으로는 이들 분야에서 사업을 확대하는 데 필요한 자금수요를 충족시킬 수 없게 되었다는 사실을 암시하고 있다.

이상과 같이 일반적으로 산업발전과 자금조달방식의 변화를 설명할 수 있다. 하지만 재벌의 자금조달·운용에서 더욱 중요한 것은 지주회사가 자회사의 증자에 대응하는 과정에서 주식을 공개하거나 혹은 소유유가증권을 매각하는 등으로 외부자금을 동원하는 방식이 제1차 대전 이래 강화되었다는 사실이다. 전향은 획기적인 사건은 아니었다. 그것은 미쓰비시와 스미토모에 대한 외부자금의 의존도를 보여 주는 <표 5-8>에서 확인할 수 있다.

<표 5-8> 주식공개와 외부자금의존 (백만엔, %)

기 간	스미토모 증자액	외부자금 의존도	미쓰비시 증자액	외부자금 의존도
1917~20	-	-	53.2	67.1
1921~29	37.9	29.6	75.9	56.1
1930~36	76.7	30.7	72.0	49.6
1937~41	229.5	52.3	423.0	55.5
1941~45	387.2	50.3	445.4	65.4

자료 : 武田晴人, 「資本蓄積(3) : 獨占資本」, 大石嘉一郎編, 앞의 책. 澤井實, 「戰時經濟と財閥」, 法政大學産業 情報センタ-·橋本壽朗·武田晴人 編, 『日本經濟の發展と企業集團』, 東京大學出版會, 1992.

투자수요가 침체된 1920년대 미쓰비시의 경우를 보면 대전기에 비해 자본시장을 매개로 한 증자자금의 조달률, 곧 외부자금 의존도가 하락했다. 그런데 재벌전향이 주목을 받은 1930년대 전반(1930~1936)에는 이것이 더 떨어져 스미토모와 큰 차이가 없었다. 변화가 생긴 것은 중일전쟁 이후로서 자회사의 증자액 규모가 대거 늘어났고 이에 따라 미쓰비시·스미토모에서 외부시장으로의 의존도가 높아졌다. 내부자본시장에서의 유보이익만으로는 자금면에서의 제약이 컸던 것이다.

또 <표 5-8>에 분명하게 나타나 있지는 않지만 공개된 기업의 사업분야가 1920년대에서 1930년대에 걸쳐 변화했다. 앞서 말한 것처럼 1930년대 전반부터의 공개는 중공업을 중심으로 한 것이었으나 1920

년대에는 미쓰비시 은행, 스미토모 은행 등의 주식이 공개되었다. 외부
자금에 대한 의존도의 차이는 크지 않았으나 공개된 부문은 쇼와공황
기를 사이에 두고 이동했다. 그것은 재벌 본사가 공개에 의한 프리미
엄 취득 등을 고려하여 각각의 시기에 우수한 업적을 거둔 부문의 주
식공개를 전략적으로 행하였음을 시사하고 있다. 1917년의 설립 시부
터 주식공개를 예정하고 있었으나 조선불황으로 실시하지 못한 미쓰
비시 조선이 1930년대 들어서 시국산업으로 성장한 미쓰비시 항공기
를 증자한 다음 합병하고, 미쓰비시 중공업으로 공개하기 시작한 것은
그러한 행동의 좋은 예이다. 거기서는 공개 시의 주가상승과 지주율의
저하방지가 의도되고 있었다.

미쓰이에 대해서는 비슷한 자료를 얻기가 힘들지만 직계의 3사(물
산, 광산, 은행)에 한해 이익금·배당금 등의 추이를 보면 <표 5-9>와
같다.

<표 5-9> 직계3사 배당금과 미쓰이 합명회사 (단위 : 천엔, %)

기 간	직계3사			미쓰이합명			E/A	C/B	F/D
	자본금 증가(A)	순익금 (B)	배당금 (C)	수익배당 (D)	증자불입 (E)	공제순 수취(D- E=F)			
1910~14	10,000	52,685	15,300	15,300	10,000	5,300	100.0	29.0	34.6
1915~19	125,500	214,716	155,376	154,936	89,078	65,858	71.0	72.4	42.5
1920~24	62,000	167,952	87,705	76,013	62,203	13,810	100.0	52.2	18.2
1925~29	0	169,257	112,835	103,448	0	103,448	-	66.7	100.0
1930~34	0	137,352	99,196	92,422	6,828	85,594	-	72.2	92.6
1935~40	102,950	252,759	170,107	155,834	69,410	86,424	67.4	67.3	55.5

자료 : 松元宏, 『三井財閥の研究』, 吉川弘文館, 1979, 所收의 각표에서 작
성.

물산과 광산의 2사에 대한 봉쇄적 소유를 해제하지 않았기 때문에
직계 3사에 대한 미쓰이 합명의 출자율은 일관되게 높았다(E/A). 그러

나 1920년대 후반부터 대전기처럼 임시배당에 의한 증자가 행해지지 않았음에도 불구하고 3사의 순익금에 대한 배당금의 비율(C/B)이 상승하고 합명의 수취배당금 속에 3사에 재투자되지 않은 비율(F/D)이 눈에 띄게 높았다. 미쓰이 합명을 정점으로 한 재벌내에서의 자금조정은 직계 3사의 이익을 다른 분야로 배분한다는 대전기와는 다른 양상을 나타내기 시작하였다. 그것은 도시바 등을 중심으로 한 산하사업이 전시경제로의 전환 속에서 기업성장이 매우 빠르게 진행되었다는 것을 반영하고 있다.

제6장 자본수출과 식민지

제1절 식민지의 공황

1. 만주의 공황

20세기 초 이래 특산 대두를 통해 세계경제에 편입되었던 만주는 대두시장의 축소를 계기로 대공황의 격랑 속으로 휩쓸려 들어갔다. 1930년 유럽으로의 대두수출은 전년에 비해 40% 가깝게 감소하였고, 대련의 대두가격은 1927~29년 평균을 100으로 할 때 1930년 72.0, 1931년 44.7로 폭락했다. 동시에 발생한 은가폭락으로 수출량의 감소세는 조금 약화되었으나 가격의 하락은 저지할 수 없었다. 더구나 런던시세에 규제를 받는 만주의 대두시세는 오지 농촌에 가까울수록 하락폭이 컸으며 그만큼 농민에 대한 타격은 심했다.

공황의 영향은 일본의 만주권익을 대표하는 만철에도 미쳐 동사의 이익금은 1930년도에 반감하고 1931년도에는 창업 이래 처음으로 손실을 입었다. 만철의 수익악화는 대공황을 근본 요인으로 하고 소련의 동지철도의 기능회복과 은가하락을 이용한 중국탄의 무순탄 구축 등을 특수 요인으로 한 것이었으나, 일본에서는 중국 측의 배일정책, 특히 만철병행선[1]의 영향이 지나치게 강조되어 '만주생명선'이 위기에

---

1) 만철병행선 문제는 만주의 철도 부설을 둘러싸고 일어난 중일간의 항쟁. 일본

처했다는 캠페인이 전개되었다. 이것은 만주사변 발발의 중요한 복선
이었다.

농업공황의 장기화과정과 관련해 살펴보면 대두가격은 1934년까지
계속 침체상태를 벗어나지 못하다가 1935년에 이르러서야 공황 전의
수준을 회복하였다. 도매물가도 농산물가격과 공업제품가격과의 차이
를 동반하면서 같은 추이를 보였고 1935년에 가서야 공황 전의 상태를
회복했다. 그러나 대두생산에 특화한 만주농촌의 궁핍은 가격면에서의
회복만으로 극복될 수 있는 것이 아니었다. 당시의 논설에서도 "농업
공황은 1934년까지 심화의 일변도였으나, 1935년이 되면 더 이상 그
얘기가 없었다. 곡물이 폭등하였기 때문이었을 것이다. 그러나 농촌은
여전히 위기라고 부르짖고 있었다. 하지만 그 정도는 아니었다"고 서
술하고 있다.

농촌위기는 농업생산의 정체와 농가경제의 악화로 나타났다. 이는
대두작부면적과 수확고의 감소로 나타나는데 한편으로 이것은 상품작
물에서 자급용 작물로 전환되었다는 것을 말하고 있지만 기본적으로
농업생산 전반이 퇴조한 것으로 보아야 할 것이다. 1929년과 가장 생
산이 낮은 1934년을 비교하면 전 농산물의 작부면적은 9.4%, 수확고는
29.3% 감소하였다. 이러한 생산저하의 요인으로서는 대공황 외에 만주
사변에 의한 전란, 금융·유통망의 파괴, 만주국 경제건설에 농민·역
축의 동원, 중국 본토로부터의 출가농업노동자의 감소 등이 지적되고
있다. 하지만 여기에 재래의 고율소작료·고율공조·상업고리대 자본

의 철도독점에 대해 중국 측은 독자의 철도부설을 진행시켰다. 1927년 이래
길해선, 봉해선, 타통선이 잇따라 개통되었다. 장학량 정권은 이에 더해 1930
년 1월 네덜란드와 호로도 축항계약을 맺었고 4월 동 정권의 동북교통위원회
는 위의 세 노선을 호로도와 연결해 수원, 흑하, 다륜에 이르는 세 개의 대간
선 부성을 계획함. 이에 대해 일본 측은 항의하였고 특히 대공황 하에서 만철
의 영업이 부진하자 이를 중국이 만몽의 권익을 침해한 결과라 선전함.

의 중압이 겹쳐 농가경제는 극도의 궁핍상태에 빠졌고 각지에서 기아, 유민이 증가했으며 이들은 비적(匪賊)의 공급원이 되었다.

일본 측이 행한 공황대책은 치안대책적인 집단부락의 건설을 별도로 하면 농민의 대한 춘경자금대부, 토착유통자본인 양잔(糧棧)에 대한 구제융자 등 일시적이고 미봉적인 것이었다. 만주중앙은행의 춘경자금대부는 대두단작화가 현저하고 그만큼 특산공황이 격렬하였던 북만주를 중심으로 1933~1934년에 약 2,800만 국폐엔(國幣円) 규모로 실시되었다. 이것은 폐제통일사업을 추진하고 있던 만주중앙은행에게 있어서는 디플레이션정책을 포기하는 것이었는데 공황이 얼마나 격렬하였는가를 말해주는 조치였으나 회수율은 지극히 나빴고 얼마 있지 않아 중지되었다. 그 대신 1934년부터 금융합작사가 조직되었다.

대두유통금융에 있어 관동군은 당초 유통기구 합리화를 위해 양잔을 배제하는 기본 구상을 갖고 있었으나 공황대책으로서의 특산금융 확대를 통해 양잔을 재활성화하는 방도가 추진되었다. 양잔기구를 무시하고는 공황대책이 의미를 갖지 못한다고 할 정도로 이 토착유통자본은 농촌에 뿌리깊은 기반을 갖고 있었기 때문이었다.

농업공황은 격심하였지만 공업공황은 대두생산과 연결된 유방업(油坊業)의 부진을 염두에 둔다고 해도 비교적 일찍이 수습되었다. 이는 무엇보다 만주사건비가 살포되고 만주국·만철경유로 자본수출이 이루어져 이것이 유효수요의 창출이라고 할 수 있는 경기회복기능을 수행했기 때문이었다. 1931년부터 1935년에 이르는 만주사건비 총액 9억여 엔 가운데 절반은 만주현지에서 건설, 군수출자구입 등에 충당되었고, 또 후술하는 것처럼 1932~1936년의 대만주투자는 11억 엔 이상이었다고 추계된다. 이로써 만주에서는 토목건설 붐, 기업신설 붐이 생겨 공업공황은 조기에 끝날 수 있었다.

2. 조선의 공황

미곡생산에 특화하고 있던 조선의 농업공황은 일본본토의 미가폭락
과 연동해서 1930년 10월부터 나타나기 시작했다. 일본본토와 조선에
서의 전례없는 풍작으로 쌀의 공급과잉이 표면화되고 여기에 조선농
민의 궁박판매, 대일이출의 급증이 더해져 일본본토의 미가는 계속 낮
은 상태에 있었다. 조선에서 미가가 회복된 것은 1934년부터였으나 이
출고는 공황 전의 수준을 일관되게 상회하고 있다. 미가에 이어 콩류
·잡곡·야채 등의 농작물 가격도 폭락하였는데 그 폭락의 수준은 일
본본토를 능가하는 것이었다.

이미 1920년대의 산미증식계획을 통해 농민층분해가 진행되면서 영
세소작농이 퇴적하고 있던 조선 농촌이 받은 타격은 컸고, 공황기에
지주의 토지집적은 더욱 진전되었다. 공황 전부터 고율소작료와 수리
조합비 등의 부담으로 고통받고 있던 농가의 부채는 당연한 것이지만
계속 증가하였다. 궁핍화하고 있던 농민의 일부는 농촌에서 도시로, 더
나아가 만주·일본으로 유출되어 갔다. 예를 들어 1930년도 경상남도
농가전업상황조사에 따르면 노동자 또는 고용인이 된 사람 1만 1,002
명 가운데 자신의 의사가 19%, 농업실패가 81%, 일본본토의 출가자
9,902명 가운데 자신의 의사가 32%, 농업실패가 68%였다. 다만 농촌으
로부터의 인구유출을 고려할 경우 농가의 궁핍화라는 압박 요인뿐만
아니라 조선·만주·일본에 공통되는 도시에서 비교적 일찍이 경기회
복이 이루어졌다는 견인 요인도 주목할 필요가 있다.

여기서 농업공황에 대한 농민 대응의 한 방법인 소작쟁의·농민운
동에 대해 언급할 필요가 있다. 특히 중요한 것은 소작권이동반대·소
작료감면 등의 요구를 내걸면서 동시에 민족해방투쟁의 성격을 띤 적
색농민조합운동이 전개되기 시작한 것이다. 1930년의 5·30간도봉기를

정점으로 만주를 거점으로 한 조선독립운동은 일본의 조선통치에 위협을 주었고, 이는 만주사변의 하나의 배경이 되었다. 만주사변 이후에도 이 적색농민조합은 고도의 조직성을 갖고 계속 활동하였다.

이리하여 농촌의 피폐는 조선통치의 안정을 위해 중요한 문제가 되었고 총독부는 이에 대한 철저한 대책 마련에 부심하였다. 이 경우 그 전제가 된 것은 이전의 기본정책이었던 산미증식계획이 본래는 일본의 식량문제를 해결하고 동시에 3·1독립운동대책으로서의 농가경제 향상을 목표로 한 것이었으나, 결과적으로는 지주제를 강화하고 자작농의 몰락을 촉진하였으며 또 일본에서는 조선미의 유입을 억제해야 한다는 압력이 강화되는 등 그 한계가 드러났다는 점이다. 이러한 상황하에서 총독부가 지배의 기둥인 지주제에 손을 대지 않은 채 새로이 채택한 정책이 정신주의적 색채가 강한 농촌진흥운동이었다. 1932년 11월부터 시작된 이 운동은 식량충실·현금수지균형·부채상환의 3대 목표를 자력갱생으로 달성하려고 하는 것이었다. 따라서 상층·중견농민은 물론 빈곤한 영세빈농의 생활을 향상시키기 위한 구체적 정책은 제시되지 않았다. 하지만 농민통합의 관점에서 보면 다가올 총력전체제를 준비한다는 역할은 충실히 수행했다.

다른 한편 1930년대 전반의 특징으로 들 수 있는 것은 농업식민지로서의 한계를 타개하기 위한 공업화정책이 일정하게 추진된 것이다. 하지만 이것은 농촌진흥운동과 마찬가지로 재정적 뒷받침이 결여된 것이었기 때문에 주로 일본으로부터의 자본유입을 위한 환경을 정비하는 데 주력하였으나 후술하는 것처럼 공업화는 착실하게 진행되었다. 따라서 도시부의 경기는 비교적일찍이 회복하고 실업률은 1931년을 정점으로 서서히 하락하기 시작했다. 농업공황의 장기화와 농촌피폐, 도시부의 조기 회복과 이를 가능케 한 일본으로부터의 자본도입 등은 만주와 조선의 공통적 현상이었다.

제2절 대식민지투자의 확대

1. 대만주투자의 증가

만주사변 이후 일본의 자본수출이 급증하여 식민지 도시부의 경기
회복을 촉진하였다. 이 시기는 제1차 대전기에 이어 일본의 대외투자
의 제2의 '황금시대'라 불리고 있다. 대공황기를 전후한 시기 대외투자
의 동향을 지역별로 보면 <표 6-1>과 같다. 전체적으로 1920년대 후
반에 비해 1930년대 전반에 현저하게 신장한 것을 확인할 수 있고, 그
성장을 주도한 것이 만주 및 조선이었고 대만은 정체기조였다.

<표 6-1> 일본(본토)의 대식민지권 투자의 지역별 구성 (백만엔, %)

	1926	1930	1936
중국본토	1,166(27.7)	1,446(26.8)	1,994(24.8)
만 주	1,402(33.3)	1,757(32.6)	2,919(36.4)
조 선	1,127(26.7)	1,507(27.9)	2,409(30.0)
대 만	519(12.3)	685(12.7)	707(8.8)
합 계	4,214(100.0)	5,395(100.0)	8,029(100.0)

자료 : 중국본토는 뒤의 <표 6-12>, 만주의 1926년은 滿鐵庶務部調査課,
『滿蒙に於ける日本の投資狀態』, 1928, p.5, 1930년은 滿鐵經濟調査
會, 『滿州經濟の發達』, 1932 pp.89~90, 1936년은 여기에 <표 6-2>
의 수치를 합산. 조선, 대만은 岩水晃, 「對外投資」(小野――郎編,
『戰間期の日本帝國主義』, 世界思想社, 1985, p.109, p116의 1931년
추계를 기준으로 山澤逸平・山本有造, 『貿易と國際收支』(長期經濟
統計14) 東洋經濟新報社, 1979, pp.242~243, pp246~247의 증권・사
업투자수취를 가감하여 산출.

1920년대 후반의 만주투자는 만철이 사채발행으로 조달한 자금을
사내사업, 계열회사 설립, 철도차관 등에 투하하는 방식이 중심이었고
나머지 자본계통은 대체로 저조했다. 그 원인으로서는 제1차 대전 말
에 급증한 투기적인 기업진출이 잇따라 실패하고 동시에 동북군벌이

배일정책을 강화한 것이 중요한 의미가 있다. 후자는 앞서 서술한 것
처럼 대공황에 의한 만철수익을 악화시키는 요인으로 간주되어 만주
사변이 일어나는 하나의 요인으로 작용했다.

만주사변과 만주국의 설립으로 투자환경은 일변하고 1932~1936년
의 대만주투자는 유량(flow)기준으로 약 11억 6,000만 엔의 거액에 달한
것으로 추계되지만 저량(stock)기준으로 보면 이를 수억 엔 상회하고 있
었을 것이다. 유량의 투자 내역을 보면(<표 6-2>), 계통별로는 만철루
트(59.5%), 형태별로는 사채(48.9%)가 가장 중요하였다.

<표 6-2> 대만주투자의구성(1932~36년 누계) (천엔)

	주식불입	지주공개	공채	사채	차입금	계
만 철	194,000	17,545	-	480,200	-	691,745
만주국	-	-	154,000	-	16,000	170,000
기 타	197,196	-	-	88,000	14,775	299,971
계	391,196	17,545	154,000	568,200	30,775	1,161,716

자료 : 日本經濟聯盟會, 『金輸出再禁止以來の我國財政經濟推移の過程』,
1939(『日本金融史資料』昭和編 第28編, pp.200~201).

여기서 우선 만철의 사업투자의 내용을 검토해보자(<표 6-3>). 1930
년대의 변화와 대조하기 위해 1927년과 1931년과 비교해 보면, 두 해
모두 사내사업투자가 80% 이상을 차지하고 그 가운데에서 철도·지방
시설·탄광이 중심으로서 투자배분은 기본적으로 변화하지 않았다. 사
외투자는 철도로의 대금, 운수통신부문의 주식 등 철도관련이 중심이
었으나 그 구성비는 높지 않았다. 그런데 1931년부터 1936년에 걸쳐
투자구성에서 매우 주목할 만한 변화가 발생했다. 즉, 사내사업투자와
사외투자의 비율이 역전된 것이다.

이 사이 사내사업투자가 7,500만 엔밖에 증가하지 않은 것에 비해
사외투자는 10배 이상의 증가세를 보여 주고 있다.

<표 6-3> 만철의 사업투자 (천엔, %)

		1927	1931	1936
대외사업투자	철도	248,278(32.7)	278,698(30.4)	320,099(18.1)
	항만	63,834(8.4)	85,146(9.3)	101,291(5.7)
	탄광	102,731(13.5)	115,799(12.6)	128,945(7.3)
	제유공장	- (-)	8,710(1.0)	10,252(0.6)
	제철소	20,748(2.7)	29,234(3.2)	- (-)
	지방시설	164,679(21.7)	184,369(20.1)	193,483(11.0)
	기타합계	644,842(84.9)	758,673(82.8)	833,924(47.2)
대외투자	유가증권 공업주식	6,734(0.9)	8,064(0.9)	52,039(2.9)
	광업주식	2,884(0.4)	26,923(2.9)	99,493(5.6)
	운수통신주식	26,800(3.5)	33,428(3.6)	19,311(1.1)
	기타합계	55,287(7.3)	87,360(9.5)	201,291(11.4)
	대금 철도	39,900(5.3)	50,875(5.6)	457,116(25.9)
	기타합계	59,453(7.8)	69,976(7.7)	464,410(26.3)
	기타	- (-)	- (-)	266,045(15.1)
	계	14,740(15.1)	157,336(17.2)	931,746(52.8)
총계		59,582(100.0)	916,009(100.0)	1,765,670(100.0)

자료 :『南滿州鐵道株式會社第三次十年史』, 1938, pp.2723~2747에서 작성.

　사외투자의 급증을 가져온 요인으로 첫 번째 들 수 있는 것은 철도 대금이 현저하게 증가했다는 점인데 만철이 건설·경영을 위탁받은 만주국 철도에 4억 엔 이상의 자금이 투입되었다. 둘째는 그 외에 2억 6,600만 엔이 있는데 이것도 만주국 철도의 건설비·개량비 등의 미정리항목으로서 첫 번째와 같은 성격의 투자이다. 셋째로, 유가증권투자도 1억 엔 이상 증가하였고 그 중심은 만주국 통제경제와 관련된 특수·준특수회사2)의 주식소유였다. 이상에서 이 시기 만철사업투자의 주축은 만주국 철도에 대한 대부이고, 만철콘체른의 형성에 이르는 관

---

2) 국가의 보호 또는 지배하에 특권이 부여되고 특별법에 근거하여 설립된 반관 반민의 회사. 만주사변 후 그 대부분은 국책회사라 불림. 공통적인 목적은 일본의 제국주의적 발전을 수행하는 것이고 특히 만주사변 이후 급증했다.

계회사에 대한 투자가 부축을 이루고 있다고 할 수 있다.

다음으로 또 하나의 투자루트인 만주국 경유의 투자내용을 살펴보기로 한다. <표 6-2>의 1억 7,000만 엔 가운데 1억 2,000만 엔이 소련의 동지철도를 매수하는 데 쓰이고 나머지는 만주중앙은행으로의 출자, 도시수도사업, 일반행정비 등으로 나갔다. 만철과 함께 중요한 역할을 담당한 만주국정부의 특수·준특수회사에 대한 투자는 구동북정권으로부터 접수한 자산의 현물출자와 만주중앙은행으로부터의 차입에 의한 현물출자로 이루어진 현지조달이 중심이고 만주국정부가 일본으로부터의 투자를 직접 매개하는 기능은 그렇게 크지 않았다.

이렇게 보면 대만주투자는 2개의 커다란 루트인 만철, 만주국 모두 최종 투자부문은 철도가 중심이고, 특수·준특수회사가 부심이었다고 할 수 있다. 제3의 루트인 기타 자본에 의한 주식불입과 사채취득의 대상으로서도 특수·준특수회사가 상당한 비중을 차지하고 있다.

철도투자의 실태를 보면 만주국이 만철에 건설·경영을 위탁한 국유철도는 관동군의 영향력으로 인해 우선 군사적 성격이 짙은 노선이었고, 북만지배(동지철도에 대항), 대소련전 준비, 일본해 루트 구축 등의 전략적 의도가 들어가 있었다. 1936년 말 현재 만주국 철도는 위탁경영 전의 2,939㎞에서 7,402㎞로 늘었다고는 하지만 증가분 4,464㎞에서 동지철도분 1,135㎞를 뺀 2,733㎞가 신개업노선이었다. 만철사선(滿鐵社線) 1,135㎞를 더하면 만철은 8,538㎞의 장대한 철도를 일원적으로 관리하게 된 것이다. 이상에서 본 것처럼 대규모의 신노선건설은 군사적 의의와 함께 경제적 의의도 갖는 것으로서 만주국 재정, 만철경영, 만주산업개발, 일본상품의 대만주수출 등의 제 방면에 다대한 영향을 미치고 있었다.

다음으로 특수·준특수회사의 특징을 보면 사업분야에서는 경제개발의 초기적 상황을 반영하여 전력, 운수통신, 금융, 척식 등의 기초적

부문에 중점을 두고 공업부문은 회사수는 많지만 쇼와 제강소를 제외하면 대규모 기업은 많지 않았다. 출자구성에서는 만철과 만주국정부에서 전체의 70%를 차지하고 있는 점이 주목되지만, 여기서 양자가 출자한 것의 절반 정도가 현물형태였다는 점을 기억할 필요가 있다. 즉, 특수·준특수 회사자본의 3분의 1은 만철사내 사업의 분리와 구동북정권 접수자산의 거출로 이루어지고, 만철·만주국정부가 일본의 대만주투자를 직접 이들 회사로 돌린 비율은 철도부문에 비하면 훨씬 적었다고 할 수 있다. 또 출자구성에서 30%를 차지한 기타 회사 가운데에는 재벌계가 약간 있지만 구성비가 모두 낮고 주도적 입장을 차지하지는 못했다. 이들 특수·준특수회사가 만주기업 전체에서 차지하고 있는 지위를 보면(<표 6-4>), 1936년 말 현재 회사수에서는 1% 정도이고, 자본금은 4분의 1을 차지하고 있다.

<표 6-4> 특수 준특수회사의 부문별 지위 (천엔, %)

| | 만주전회사 | | | | 특수·준특수회사 | |
| | 1931 | | 1936 | | 1936 | |
	회사수	불입자본금	회사수	불입자본금	회사수	불입자본금
농림척식	[15]	[9,035]	86	32,068	5	25,000(80.0)
광업	[6]	[3,475]	50	40,405	3	26,275(65.0)
공업	[147]	[90,938]	742	393,629	9	120,720(30.7)
전력			17	93,345	1	90,000(96.4)
상업	[92]	[26,349]	1,114	86,779	2	6,375(7.3)
운수·통신	[35]	[487,127]	148	664,230	3	44,600(6.7)
금융	[68]	[30,632]	187	51,457	3	31,500(61.2)
기타	[51]	[17,461]	424	58,762	2	7,375(12.6)
합계	[414]	[665,019]	2,768	1,420,685	28	351,845(24.8)
	1,351	706,832				

자료:『滿州經濟年報』昭和12年下, pp.487~489, 滿鐵産業部, 『滿州經濟統計年報』昭和10·11年版, p.205.
주 : 전회사라는 것은 일본법인·만주국법인의 각종 회사·공사의 합계. 단 [ ]안은 주식회사만 포함.

이것은 그다지 높은 비율은 아니라고 생각되는데 만약 전체에서 만철을 제외시키면 44% 정도로 상승한다. 특히 1931년부터 1936년까지의 증가분만을 추출하면 자본금의 한 절반 정도가 되고, 만철을 제외하면 4분의 3 가까이 된다. 부문별로 보아도 4개 분야가 과반을 차지하고 있고 비율이 낮은 것은 회사수가 많은 공업, 상업, 기타에 한정된다. 또 이들 가운데 공업부문에 대해서는 재벌계의 진출을 경시해서는 안되는데 1933년 대동양회(아사노), 1934년 만주스미토모 금속공업(스미토모), 1935년 만주소야전 시멘트(미쓰이), 만주미쓰비시 기기(미쓰비시), 1936년 만주펄프공업(미쓰비시), 일만펄프제조(미쓰이) 등 직접사업투자를 서서히 확대했다. 이것은 관동군의 재벌배제방침이 철회되는 동시에 경제개발이 기초단계에서 본격화의 단계로 이행하고 있기 때문이다.

이제까지 본 것처럼 만주사변 이후 1930년대 전반의 대만주투자는 만주국＝관동군이 주도하고 투자루트나 투하부문에서 국가자본이 주축이 되어 전개되었다. 하지만 1936년에는 커다란 변화가 생기는데 그 이후 투자규모가 커지고 중화학공업관련부문으로의 집중, 재벌자본의 직접적 진출의 증대 등이 나타났다. 그러면 이제 1936년까지의 투자를 규정한 요인을 관동군의 정책과 일본금융시장의 동향이라는 두 측면에서 정리해 보도록 한다.

제1기 경제건설기라고 일컬어지는 1936년까지 관동군 정책의 중점은 치안의 확보와 산업개발기반의 정비에 두었는데 이는 1937년 이후 5개년계획에 따라 중화학공업화가 본격적으로 시작된 시기와 대비된다. 대규모의 철도건설과 특수·준특수회사의 기초적 공공적 부문 중심의 설립은 이러한 관동군의 의도를 그대로 반영한 것이다. 관동군은 재벌배제 이데올로기를 강력하게 유지하면서 통제경제정책을 추진했으며, 초기의 중점과제를 달성하기 위해 만철과 특수·준특수회사를 동원했다. 재벌자본이 직접적 진출에 소극적이었던 것은 재벌배제책, 치안의 불안뿐만 아니라 앞서 말한 것처럼 만주경제개발이 초기단계에 있었기 때문이다. 신규투자 때에는 현지자산 외에 일본으로부터 자본을 도입할 필요가 있었고, 고수익을 기대할 수 없는 기초적 공공적 부문으로의 투자에는 신용있는 만철을 매개하는 방식이 적합하였다. 관동군은 만철을 이용하면서 일련의 재만기구개혁을 통해 만철에 대한 감독권을 착착 강화하고 있었다.

그런데 이 시기에 대만주투자가 증가한 것은 일본금융시장이 만주 측의 정책적 요청에 응할 수 있는 특수한 상황하에 있었기 때문이었다. 금수출재금지 이후 전례없는 저금리정책하에서 적자 국채의 일본은행 인수를 매개로 자본공급이 증가하였으나, 자본수요가 낮아 구조적 과잉자금이 축적되고 증권시장이 팽창하였기 때문에 만철사채에 대한 인기가 높아졌다. 1932~1936년에 걸쳐 만철사채는 차환도 포함하여 7억 엔 이상 발행되고 사채발행총액도 16.3%에 이르렀다. 사채발행 잔고 전체에서 차지하는 만철사채 잔고의 비율은 1928년의 8.0%에서 1936년에는 15.1%로 상승하고 기업별 순위 제1위의 자리를 확고히 했다. 이것과 연동해서 1934년에는 만주회사 설립 붐도 일어났으며 공모프리미엄 획득을 노리는 유령회사도 잇따라 설립되었다.

그러나 1935년경부터 일본금융시장에 절대적으로 의존하는 방법은 한계를 드러내기 시작했다. 일본경제가 공황으로부터 회복하면서 구조적 과잉자금은 해소되어 갔고 기채시장은 정체기조를 드러냈으나 여기에 적자 국채의 소화압력이 가해져 1936년부터는 만철사채 발행이 난관에 봉착했다. 이에 더해 비채산부문으로의 방대한 투자는 만철경영에 커다란 부담으로 작용하였고 드디어 만철의 신용에 어두운 그림자가 드리우기 시작했다. <표 6-5>에서 알 수 있는 것처럼 만철위탁경영의 만주국 철도는 수송량을 늘렸다고는 하지만, 영업킬로수가

1936년에는 만철사선의 7배 이상에 달하고 있었기 때문에 그 저수익성
을 감출 수 없었다. 만주국정부의 만철차입금은 일찍이 연체이자가 누
적되었고 만철사외투자의 이익률을 압박하고 있었다.

<표 6-5> 만주 철도의 수송실적

		1933	1934	1935	1936
만철 사선	승차인원(천명)	11,634	13,786	15,123	18,790
	1킬로미터평균객차수입(엔)	17,074	18,508	20,401	20,301
	화물톤수(천톤)	18,851	21,671	20,981	21,366
	하루1킬로미터당평균화차수입(엔)	229	246	250	240
만주 국선	승차인원(천명)	7,869	8,815	13,280	16,697
	1킬로미터평균객차수입(엔)	4,670	4,528	4,458	4,638
	화물톤수(천톤)	8,918	11,873	14,956	18,658
	하루1킬로미터당평균화차수입(엔)	31	37	30	32

자료 : 『南滿州鐵道株式會社第三次十年史』, pp.462~464, pp.517~518, p.1156,
p.1207.

<표 6-6>에서 1932년도의 이식·배당수입이 급증한 것은 종래의
길장(吉長)·사조(四洮)철도 등의 차관이식 체납분을 신규차관 원본(元
本)에 이월시킨 회계상의 조작에 지나지 않았고, 수익성이 가장 좋은
철도이익금이 일정하게 늘었음에도 불구하고 총자산이익률은 장기적
으로 하락하는 경향을 보였다.

이처럼 만주투자의 중심인 만철루트에 불안한 기운이 다가오기 시
작한 1936년은 만주산업개발의 본격화를 의미하는 5개년계획의 확정
기이고, 민간자본의 직접적 진출이 서서히 본격화되려는 분위기가 나
타난 시기였다. 현안인 만철개조문제는 만철의 경영난이라는 측면으로
부터도, 만주경제건설의 제2기로의 이행이라는 측면에서도 결론을 내
려야할 시기를 맞이하고 있었던 것이다.

<표 6-6> 만철의 경영실적 (천엔, %)

	1928	1930	1932	1934	1935	1936
사외투자(a)	123,455	162,577	284,669	600,787	804,346	931,746
이식·배당이익(b)	6,241	5,357	52,241	26,093	34,267	31,480
사외투자수익률(b/a)	5.1	3.3	18.4	4.3	4.3	3.4
철도이익금	74,281	58,562	65,051	73,244	84,030	79,597
이익금	42,553	21,673	61,288	46,467	49,624	50,174
총자산	992,532	1,062,805	1,217,862	1,559,410	1,767,270	1,929,626
총자산이익률(c/d)	4.3	2.0	5.0	3.0	2.8	2.6

자료 : 『南滿州鐵道株式會社第三次十年史』, pp.2723〜2724, pp.2751〜2752, p.2765, p.2768, pp.2776〜2778.

2. 대조선투자의 확충

만주와 마찬가지로 대조선투자도 1920년대 후반부터 이미 증가하기 시작하였지만, 이것이 만주사변을 계기로 가속화되었다.

<표 6-7> 대조선투자의 구성 (백만엔)

연도	국채	지방채	사채	대부금	주식	사업방자
1932	23.0	12.0	13.3	71.3	7.3	22.9
1933	32.6	22.7	-9.4	146.2	12.2	25.7
1934	33.9	1.3	2.4	24.5	9.0	14.5
1935	20.9	-2.9	59.2	0.0	54.8	19.0
1936	26.1	0.0	55.3	0.0	54.8	19.0
계	136.5	33.1	120.8	242.0	138.1	101.1

자료 : 山本有造, 『日本植民地經濟史研究』, 名古屋大學出版部, 1992, p.142.

투자형태별로 보면(<표 6-7>), 국채(주로 조선총독부공채), 사채(주로 조선식산은행의 식산채권), 대부금(조선은행·식산은행 등의 일본으로부터의 차입), 주식(조선본점회사로의 일본으로부터의 출자), 사업방자(일본본점회사의 조선으로의 투자) 등으로 구분되지만 만철사채와 같은 대표적 형태는 보이지 않는다. 기관별로 보면 첫째 조선총독부,

둘째 식산은행·동양척식·조선은행 등의 특수금융기관, 셋째 민간자본이고, 그 구성 비율은 1931년 말 잔고기준으로 각각 20%, 40%, 40%로 추계된다. 1932년 이래 민간자본 루트가 더욱 중요하게 되고, 1938년 말까지의 유량 기준의 구성비는 각각 대략 27%, 19%, 54%에 이르고 있다. 이는 만철기축, 증권투자 중심의 대만주투자와는 상당히 다른 구성이다.

다음으로는 각 경로별로 자본투자부면의 내용을 살펴보기로 한다.

우선 총독부에 의한 투자의 최대 특징은 식민통치 초기부터 일관된 관영조선철도이다. 특히 1920년대 후반부터 1930년대에 걸쳐서는 「국유철도12개년계획」에 근거하여 철도투자가 활발히 이루어졌다. 다만 만주사변 이후에는 투자의 신장에 비해 영업킬로수의 신장은 약간 둔화되었다(<표 6-8>).

<표 6-8> 조선총독부의 철도투자

	1926	1931	1936
공채·차입금잔고(천엔)	298,755	342,834	549,731
총독부철도투자누계(천엔)	190,002	298,782	430,682
영업킬로수(킬로미터)	2,159	3,009	3,576
화물수송량(천톤)	5,108	6,025	9,980

자료 : 朝鮮總督府財務局, 『朝鮮金融事項參考書』 昭和14年調, pp.192~193,
朝鮮總督府鐵道局, 『朝鮮鐵道四十年略史』, 1940, p.559, p.567, p.579.

이는 이 시기 투자의 중점이 신선개설에서 수송력 강화를 목적으로 한 기설선 개량으로 이행하였기 때문이고 중일전쟁기에는 개량비가 건설비를 상회하는 소위 건종개주(建從改主)의 시기를 맞이하게 된다. 같은 관영철도라고 해도 만주와는 역사적 조건이 상당히 다른 것이고 철도수입에서 경비를 뺀 수익계정은 1934년을 획기로 흑자기조로 돌아섰다.

다음으로 특수금융기관을 경유한 투자에 대해 보면 조선식산은행의 대출금의 용도는 1920년대 후반부터 1930년대에 걸쳐 농업에 일관되게 중점을 두었고 공업의 비율은 상승한다고는 하지만 여전히 10% 정도의 낮은 수준이었다(<표 6-9>). 이 점은 주요 업무인 장기대부의 용도별 내역에 보다 명료하게 나타나 있으며 농업, 수리사업, 토지개량 등의 농업관련분야에 많은 자금이 충당되고 공업은 1936년에도 2% 이하의 소액에 머물렀다. 식산은행이 전시광공업 금융기관으로 변모한 것은 중일전쟁이 일어난 이후이고 1936년까지는 1920년대의 농업금융기관의 성격을 여전히 갖고 있었다.

<표 6-9> 조선식산은행의 대출금 (천엔, %)

	1927	1931	1936
채권발행잔고	173,445	247,558	326,230
대출금계	214,104	282,546	457,353
농업	49.8	59.8	48.0
공업	4.0	3.1	12.0
상업	29.9	24.9	27.4
장기대부계	174,570	250,285	332,174
농업	28.1	33.7	33.3
수리사업	25.2	26.2	22.5
토지개량	8.1	6.4	6.0
금융조합연합회	11.0	10.9	6.5
토지가옥	6.5	5.5	8.7

자료 : 『朝鮮金融事項參考書』昭和14年調, pp.60~61, pp.109~110, 『朝鮮殖産銀行二十年志』, 1938, pp.87~88, 堀和生, 「植民地産業金融と經濟構造」, 『朝鮮史研究會論文集』第20集, 1983, p.165.
주 : 대출금, 장기대부의 내역은 백분비.

동양척식도 1936년까지는 성격이 변하지 않아 산미증식계획과 관련된 수리사업, 농사경영이 중요한 대출용도였다. 게다가 동척사채 잔고는 1931년 말의 1억 8,525만 엔이 1935년 말에도 여전히 1억 8,951만

엔으로 거의 변하지 않아 자본도입루트로서의 기능은 높지 않았다. 조
선은행의 경우도 이와 비슷한 상황이었다. 이 은행의 일본으로부터의
차입금은 이 시기에 거의 늘지 않았고 일질계(日窒系) 기업과의 관계
를 구축하였다고 해도 자본수입 중계기관으로서의 역할은 제한된 것
이었다고 평가할 수 있다. 식산은행과 동척은 광공업 투융자를 늘려
1930년대의 조선공업화와 보조를 맞췄다고는 하지만 일질계를 근간으
로 하는 광공업·전력부문 확대와의 금융적 관계는 생각만큼 큰 것은
아니었다. 한편 1934년에는 산미증식계획도 일단 중단되었기 때문에
대조선투자루트로서의 중요성은 상대적으로 저하한 것으로 보인다.

이에 대해 만주사변 이후 대조선투자 확충의 주축은 일본민간자본
의 직접 사업투자였다. 이 경향은 1920년대 후반 일질의 조선진출(1926
년 조선수전, 27년 조선질소비료 설립)로 시작되었고, 회사자본금의 부
문별 구성비도 국가자본 중심의 은행·금융업이 하락한 반면, 민간자
본을 주체로 하는 광공업, 가스·전기업이 상승하였다(<표 6-10>).

<표 6-10> 조선 회사의 산업부문별 구성 (천엔, %)

	1926		1931		1936	
	사수	불입자본금	사수	불입자본금	사수	불입자본금
농림수산업	76	13,993(7.3)	198	48,138(14.4)	311	81,370(12.3)
광업	10	6,120(3.2)	29	6,771(2.0)	106	81,644(12.3)
공업	250	31,711(16.5)	677	89,938(26.9)	1,127	139,090(21.0)
가스·전기업	45	18,765(9.8)	52	26,936(8.1)	32	74202(11.2)
운수·창고업	95	31,764(16.6)	324	37,840(11.3)	489	61,414(9.3)
은행·금융업	71	50,561(26.4)	149	65,793(19.7)	210	87,143(13.1)
상업 기타	542	38,755(20.2)	1,566	58,622(17.5)	2,684	138,707(20.9)
합계	1,090	191,668(100.0)	2,995	334,038(100.0)	4,959	663,570(100.0)

자료 : 1926년은 『朝鮮總督府統計年報』 昭和元年版, pp.164~167, 1931년은
朝鮮銀行京城總裁席調査課, 『朝鮮に於ける內地資本の流出入に就
て』, 1933, p.35, 1936년은 全國經濟調査機關聯合會朝鮮支部編, 『朝
鮮經濟年報』 昭和14年版, 권말 통계표, pp.26~27에서 작성.

약진한 부문의 주요기업을 자본계통별로 정리해 보면 일질의 화학·전력부문이 전체의 중핵을 이루고 여기에 미쓰이계의 경공업부문과 기타의 광업·전력부문이 그 뒤를 잇는 것이 특징이다. 이처럼 조선의 기업신설동향은 특히 자본계통면에서 특수·준특수회사 중심의 만주와는 명확하게 구별된다.

이상에서 본 대조선투자의 전개 요인을 만주와 대비하면서 다음의 세 가지로 요약한다.

첫째로, 일본 내에 유휴과잉자본이 형성되었다는 점인데 이는 만주와 공통되는 외적조건이다. 만철사채·만주국공채와 마찬가지로 총독부공채·식산채권·동척사채는 일본금융시장 내지 예금부에서 소화될 것이었다. 예를 들어 식산채권은 1932~1936년에 차환도 포함하여 67회, 총액 5억 5,600만 엔 정도 발행되어 기채시장의 활황 속에서 일본 증권시장에서 부동의 지위를 확립하게 되었고 은행채의 지도적 지위를 수립했다고 일컬어지고 있다. 하지만 주의해야 할 것은 일류 종목인 식산채권도 산미증식계획과 관련된 정책금융 때문에 발행 잔고의 30% 대를 예금부 인수가 차지하고 있는 점이고 금융시장에 대한 직접적 의존도는 만철사채보다도 낮았다.

둘째로, 소위 '우가키 자유주의정책'이 만주에서의 경제통제정책 및 일본에서의 중요산업통제법과 대비된다는 점에서 주목할 필요가 있다. 우가키 총독은 조선농업경제의 파탄상황을 타개하고 아울러 일만블록경제에서 조선의 지위를 강화하기 위해 농공병진정책을 주창했다. 무엇보다 가장 중점을 둔 시책은 농촌진흥이었고, 직접적인 공업화 조성책에서는 특별한 것이 별로 없었는데 굳이 든다면 대규모의 전원개발, 통제배제, 공장법 적용 제외 등이 일본자본유치의 효과를 가져왔다고 볼 수 있다. 이러한 정책동향에 식민지적 저임금의 유인이 첨가되어 민간자본의 직접적 진출이 활발히 이루어지고 공업부문에서는 저렴한 전력을 이용한 화학공업과 저임금을 노린 경공업이 성장했다. 그 결과 1936년까지의 공업화는 화학공업을 제외하면 여전히 식료품, 방직 등의 경공업이 중심이었고 금속, 기계공업 등은 여전히 낮은 수준이었다 (<표 6-11>). 그리고 일본자본은 조선민족자본을 압도하면서 전체적으로 상당히 높은 수익을 얻고 있었다.

<표 6-11> 조선 공업생산액의 업종별 구성 (천엔, %)

	1930	1936
방직	33,674 (12.8)	90,378 (12.7)
금속	15,236 (5.8)	28,365 (4.0)
기계기구	3,328 (1.3)	7,398 (1.0)
요업	8,348 (3.2)	19,032 (2.7)
화학	24,676 (9.4)	162,462 (22.9)
제재·목제품	7,037 (2.7)	19,230 (2.7)
인쇄제본	8,184 (3.1)	12,426 (1.8)
식료품	152,054 (57.8)	320,580 (45.2)
가스·기타	6,432 (2.4)	39,988 (5.6)
기타	4,068 (1.5)	10,002 (1.4)
합계	263,062 (100.0)	709,865 (100.0)

자료 : 『朝鮮經濟年報』昭和14年版, pp.208~209.
주 : 공장생산만 포함하고 가내생산은 제외.

이에 대해 만주사변 이후 일만블록 형성으로 충격을 받은 조선의 특수한 조건을 고려할 필요가 있다. 하나는 블록 내에서 광물자원 공급지로서 주목을 받은 점이다. 그 계기는 금수출재금지 이후의 산금장려정책에 의해 만들어졌는데 저렴한 전력 비용과 맞물려 광업회사가 잇따라 신설되었다. 또 하나는 블록 내에서 지리적으로 인접한 만주가 조선의 신흥경공업부문의 수출시장으로 기대되었다는 점이다.

이렇게 해서 1936년까지의 대조선투자의 특징은 만주가 국가주도·국가자본주축형이었다고 한다면 국가유도·민간자본주축형이라고 규

정할 수 있다. 이러한 특징은 또 대륙전진병참기지화로의 전 단계, 본
격적 중화학공업화의 준비단계라는 당해 기의 역사적 조건에 상응하
는 것이었다.

3. 대화북투자의 진전

우선 1920년대 후반부터 1936년에 걸쳐 대중국본토투자의 동향을
보자(<표 6-12>).

<표 6-12> 대중국본부 투자의 부문별 구성 (천엔)

	1926	1930	1936	
직접투자	559,220	650,859	993,478	(432,604)
농림수산업	6,500	-	4,512	(3,668)
광업	11,800	11,717	16,501	(16,384)
공업	196,688	232,697	468,563	(179,394)
면방적	-	183,322	381,643	(134,720)
공공사업	2,800	1,000	13,328	(6,328)
운수·부동산업	11,825	20,125	121,738	(52,308)
금융업	89,042	65,046	201,414	(102,607)
상업	237,251	248,169	157,039	(64,123)
기타	3,314	72,105	10,383	(7,792)
차관	606,378	795,271	1,000,538	
군사	86,227	87,080	130,839	
정치	155,263	166,793	193,959	
철도	132,518	165,776	186,663	
통신	52,657	72,613	67,123	
광업	53,979	78,256	86,875	
전력	5,896	7,677	6,133	
은행	26,739	35,433	44,905	
기타	59,323	66,418	99,848	
이자지불	33,776	115,225	184,191	
합계	1,165,598	1,446,130	1,994,016	

자료 : 金子文夫, 「資本輸出と植民地」, p.337.
주 : 직접투자의 1936년에서 괄호안은 화북의 수치.

　　직접투자·차관 모두 일정하게 증가하고 있지만 차관의 경우는 그
태반이 이자지불차관 등 불확실채권 정리와 관련된 명목상의 것이어
서 1930년대의 실질적인 신규차관은 겨우 500만 엔 정도에 지나지 않
았다. 한편 직접투자는 공업(주로 면방적업)이 1930년대에 눈에 띄게
증가했고 지역별 내역이 판명된 1936년을 보면 화북의 경우 최대 부분
은 역시 면방적업이었다.

　　1920년대의 재화방은 상해와 청도를 거점으로 하고 천진에는 거의
없는 것과 다름없는 상태였으나 만주사변 이후 상해의 성장은 멈추고
이와 대조적으로 청도, 천진에서는 잇따라 공장매수, 설비확장이 이루
어졌으며, 나아가 1937년 초에는 대규모적인 신증설계획이 발표되었다
(<표 6-13>). 재화방의 이러한 확대는 은가고등(銀價高騰)을 계기로
한 중국경제공황으로 인해 중국민족방이 어려움에 빠진 가운데 진전
되었기 때문에 중일전쟁이 발생하는 하나의 원인(遠因)이 되었다.

<표 6-13> 재화방의 설비확장

	정방기(천추)				직기(대)			
	상해	청도	천진	기타합계	상해	청도	천진	기타합계
1930	1,109	344	-	1,478	9,172	2,869	-	12,341
1933	1,314	368	-	1,707	13,282	4,865	-	18,438
1934	1,337	404	-	1,766	13,998	5,478	-	19,776
1935	1,352	492	-	1,869	15,518	7,114	-	22,932
1936	1,350	523	170	2,068	17,298	8,790	1,400	27,788
신증설계획	-	215	455	-	-	4,640	8,700	

　　자료 : 『東洋經濟新報』 1937年3月13日 号, p.4, 同 3月20日 号, p.36, 小島精
　　　　　一, 『北支經濟讀本』, 千倉書房, 1939, p.120.

　　재화방의 화북진출 요인으로서는 일본의 고율조업단축, 증설제한,
증세, 중국의 고율관세가 지적되지만 진출처가 화북에 집중된 것은 화
중의 배일운동격화와는 대조적으로 화북에서는 일본의 정치적·군사

적 지배가 상당히 진척되었기 때문일 것이다. 실제로 일본의 화북분리 공작이 추진된 1935년 이래 면방적업 이외의 중소상공업 자본의 화북 진출열이 갑자기 고조되고, 1935년 가을부터 1937년 초까지의 약 1년 반 사이에 천진에만 공업 41건, 1,199만 원, 무역업 211건, 237만 원, 기타 잡업 320건, 311만 원 합계 572건, 1,747만 원으로 소규모투자가 물밀듯이 이루어졌다. 또 이 가운데 무역업은 후술하는 기동(冀東)밀무역과 관련이 있다는 사실에 주목할 필요가 있다.

제3절 엔블록의 형성과 대식민지권 무역구조의 전환

1. 엔블록의 형성

앞 절에서 검토한 대식민지투자가 대공황 후 일본자본주의의 전개에 어떤 영향을 가져 왔는가 하는 문제에 대해 살펴보기로 한다. 우선 그 전제로서 만주사변 이후 엔블록의 형성과정을 폐제와 관세 측면에서 개관해 본다.

대공황이 진행하는 중에 발생한 만주침략은 블록경제의 형성이라는 것을 현실적인 과제로 삼고 있었고, 대만주투자의 급증과 함께 일만블록의 틀을 시급히 구축할 필요가 있었다. 만주의 폐제통일 방침에 대해서는 러일전쟁 후부터 금본위파와 은본위파의 대립이 있었다. 만주국 성립 후에도 최종적으로 금본위로 한다는 점에서는 일치하였음에도 불구하고, 즉시단행인가 과도적 은본위인가의 문제로 일본 측 내부에서 계속 논란이 있어 왔다. 폐제통일기관으로서 1932년 7월에 구 관은호(官銀号)의 접수를 기반으로 해 설립된 만주중앙은행은 과도적 은본위제(관리통화제)를 채용하여 만주중앙은행에 의한 구통화의 정리사업을 추진했으나 금권(金券)인 조선은행권은 계속 함께 유통되었다.

은계 구통화의 회수가 거의 끝난 1934년에 미국 은정책의 영향을 받아 은가가 급등한 것이 주요 요인으로 작용하여 조선은행권을 매개로 이루어진 대만주투자는 불리한 위치에 놓이게 되었고, 이에 만주국폐를 은계에서 금계로 전환시켜 일본 엔과 링크시키는 엔원등가정책을 시급히 실시할 필요가 있게 되었다. 1935년 8월 엔원 환율은 등가가 되고, 11월에는 일만 양 정부에 의해 금본위제의 시행이 발표되어 12월에는 일만통화링크(동시에 조선은행권은 만주로부터 철수)가 드디어 실현되었다. 엔원등가가 목표로 한 것은 첫째 만주국폐가치의 안정, 둘째로 만주로의 자본도입 촉진을 들 수가 있다. 하지만 엔원등가는 재래의 은경제를 이용하기 보다는 이를 압박·파괴하는 작용을 했다.

우여곡절 끝에 1935년 통화·외환면에서의 일만일체화가 실현된 데 비해 관세면에서의 일체화는 상대적으로 늦었다. 1932년에 해관이 접수되고 중국본토와의 사이에 관세선이 설정되었음에도 불구하고 대일관세율은 만주국정부의 재원확보를 위한다는 이유로 좀처럼 인하되지 않았다. 1932~1936년에 걸쳐 관세수입은 꾸준히 세입총액의 30~40%를 차지하면서 최대의 재원으로서의 역할을 수행하고 있었다. 단지 품목별로는 소비재에 중과세되어 중국농민에게 부담이 가해진 반면, 경제개발과 직결되는 생산재에는 상대적으로 가볍게 과세되어 차별이 존재했는데 이와 관련하여 만주는 일본본토 중화학공업의 중요한 시장이었다는 점을 항상 기억할 필요가 있다.

다음으로 화북분리공작이 진전되면서 일본·만주·중국블록이 형성되는 과정을 보면, 폐제면에서는 1935년 1월의 리스-로스 폐제개혁이 큰 영향을 미쳤다. 1933년의 폐량개원(廢兩改元), 1934년의 은가폭등을 거쳐 실현된 국민정부의 폐제개혁은 일본 측의 예상과는 달리 크게 성공해 화북분리공작에 치명타를 가하였다. 일본 측은 급히 기동방공자치위원회,[3] 기찰(冀察)정무위원회[4]를 발족시켜 화북을 정치적으로 분

리시키려고 하였으나 폐제개혁이 성공하면서 중국 전체의 경제적 통
일이 촉진되어 경제적 분리의 전망은 불투명하게 되었다. 천진군의 북
중국 자주폐제안은 만주국 국폐의 이용으로부터 후퇴(後退)하여 국민정부의
법폐와의 링크를 고려하지 않을 수 없게 되었다. 결국 1936년 5월에 이
르러서는 기존의 성립(省立) 하북성 은행으로 하여금 신은행권을 발행
하도록 만들었으며 계속해서 같은 해 11월에는 조선은행권과 링크된
은행권을 발행하는 기동은행을 신설했다. 그러나 이러한 금융분리공작
도 법폐의 유통권 확대에 대항하는 뒷받침이 없는 상태였기 때문에 통
화면에서 일본·만주·중국블록 형성은 실질적으로는 1937년의 노구
교 사건 이후 중국연합준비은행의 설립까지 미루어지지 않을 수 없었
다.

　　관세면에서의 엔블록 확대는 기동밀무역으로 중국관세선이 파괴되
면서 빠르게 진전되었다. 만주사변 후의 배일운동과 1933년 국민정부
의 관세인상으로 일본의 대중국본토 수출은 무역통계상으로는 큰 폭
으로 감소하였으나 관동주 경유의 기동 해안으로의 밀수출은 1935년
부터 크게 증가하였다. 이 해 관동군에 의해 기동지구의 밀수단속기관
의 무장이 해제되고 1936년 2월에는 기동정권이 저율 사험료(査驗料)
를 설정하여 밀무역이 특수무역으로 공인되었기 때문이다. 고관세품목
인 인견사, 모직물, 사탕 등은 밀수출액이 정규수출액의 3~7배에 달했
다고 한다. 더구나 저율의 사험료는 일본제품에만 적용되는 차별적인
것이었고 엔블록을 억지로 확장하기 위한 공작이었다. 밀무역으로 중

---

3) 1935년 6월 당고정전협정 이후 일본 측의 공작으로 세워짐. 곧바로 괴뢰정부
　인 기동방공자치정부로 개칭됨.
4) 만주사변, 중일전쟁의 중간기에 중국국민정부의 양보로 북평(북경)에 성립한
　송철원 정권. 일본은 이 정부를 강화해 화북지역을 중국에서 분리하려고 했
　으나 민중의 반대로 뜻을 이루지 못함.

국의 관세수입은 크게 줄었을 뿐만 아니라 화북경제의 식민지화가 추
진되었다는 의미도 갖고 있던 이상 밀무역 문제는 일본제국주의와 중
국민족주의가 충돌하는 첨예한 대립점이 되었다.

2. 대식민지권 무역구조의 전환

대공황, 만주사변을 거치면서 엔블록이 형성되자 대식민지권 무역은
중요한 변화를 맞이했다. 1928년과 1936년의 수이출입의 지역별 구성
을 대비해 보면(<표 6-14>), 수이출면에서는 조선과 관동주=만주의
비율이 증가했다.

<표 6-14> 일본의 대식민지권 무역의 지역별 구성 (백만엔, %)

		1928	1936
수이출	대만	132.3(5.4)	243.8(6.7)
	조선	295.8(12.0)	647.9(17.8)
	관동주	110.2(4.5)	347.2(9.5)
	만주	69.1(2.8)	150.9(4.1)
	화북	104.2(4.2)	60.1(1.7)
	화중·화남 등	199.9(8.1)	99.6(2.7)
	소계	911.4(37.0)	1,549.5(42.6)
	총계	2,461.7(100.0)	3,638.7(100.0)
수이입	대만	214.5(7.7)	358.9(9.7)
	조선	333.8(12.0)	518.0(14.0)
	관동주	150.4(5.4)	33.8(0.9)
	만주	61.7(2.2)	205.6(5.5)
	화북	68.1(2.4)	69.6(1.9)
	화중·화남 등	104.7(3.8)	85.2(2.3)
	소계	933.3(33.6)	1,271.1(34.3)
	총계	2,780.1(100.0)	3,707.7(100.0)

자료 : 山澤逸平·山本有造, 『貿易と國際收支』, p.179, p.183, p.212, 大藏省,
『大日本外國貿易年表』 昭和3年版, 『日本外國貿易年表』 昭和11年
版.

이는 이 기간 중 대식민지무역 전체가 증가한 사실에 대응한 것인데 관동주=만주보다 조선의 비중이 증가한 점이 주목된다. 이에 대해 중국본토는 눈에 띄게 하락하였고 관동주 경유의 기동밀무역을 고려한다고 해도 수출시장으로서의 지위하락은 부정할 수 없는 것이었다.

수이입면에서는 조선과 대만의 구성비 상승과 관동주=만주 및 중국본토의 하락이 대조적이다. 특히 엔블록이 형성되었음에도 불구하고 관동주=만주의 비율이 하락한 것이 주목된다. 수이출입 전체를 정리해 보면 대만·조선의 지위상승, 중국본토의 지위하락, 관동주=만주는 수출면에서는 상승과 수입면에서의 하락 그리고 대만을 제외하면 수출초과현상이 강하였다고 개괄할 수 있다.

다음으로 일본의 대식민지권 무역의 주요 품목에 대해 살펴보겠다. <표 6-15>는 엔블록 지역으로의 주요수이출품 중 상위 세 품목만을 보여 주고 있다.

<표 6-15> 일본의 엔블록지역으로의 주요수이출품 (천엔, %)

	1928		1936	
대만	면직물·견직물	15,078(11.4)	비료	28,491(11.7)
	철류	8,695(6.6)	면직물·견직물	19,325(7.9)
	건어·함어	5,498(4.2)	철류	16,257(6.7)
조선	면직물	42,766(14.5)	기계류	40,862(6.3)
	철류	15,066(5.1)	견직물	36,565(5.6)
	견직물	13,376(4.5)	면직물	32,118(5.0)
만주=관동주	면직물	60,264(33.6)	면직물	75,552(15.2)
	소맥분	10,311(5.8)	기계류	47,534(9.5)
	기계류	5,267(2.9)	수송용기기	30,068(6.0)
화북	면직물	30,186(29.0)	기계류	8,984(14.9)
	소맥분	13,567(13.0)	수용용기기	7,288(12.1)
	사탕	10,779(10.3)	철류	6,963(11.6)

자료 : 『臺灣貿易年表』 昭和2·11年版, 『朝鮮貿易年表』 昭和3·11年版, 『大日本外國貿易年表』 昭和3年版, 『日本外國貿易年表』 昭和11年版에서 작성.

  공통적인 특징으로는 1928년에 각지에서 선두의 위치에 있던 면직물이 쇠퇴하고 기계류를 비롯한 중화학공업품이 두각을 나타낸 것이다. 일본자본주의의 중화학공업화가 진전되면서 경공업품에서 중화학공업품으로 이동한 것이다.

  이처럼 주요 수이출품에서는 중요한 변화가 일어났으나 주요 수이입품의 내용은 거의 변화하지 않았다(<표 6-16>). 대만의 사탕·쌀, 조선의 쌀, 만주=관동주의 콩·콩깻묵, 화북의 실면·조면 등이 여전히 상위를 차지하고 있어, 이미 자리 잡고 있던 식료·농산물 원료의 대일공급기지로서의 성격은 바뀌지 않았다. 다만 특정 품목으로의 집중도는 하락의 추세를 보였고 기타 원료품과 공업제품 등 식민지 개발의 진전을 반영한 품목이 성장한 것은 유의할 필요가 있다.

<표 6-16> 일본의 엔블록으로의 주요수이입품 (천엔, %)

		1928		1936
대만	사탕	121,413(56.6)	사탕	163,495(45.6)
	쌀	53,299(24.8)	쌀	124,309(34.6)
	바나나	8,615(4.0)	광물	15,637(4.4)
조선	쌀	183,421(54.9)	쌀	249,426(48.1)
	콩	23,340(7.0)	비료	38,390(7.4)
	생사	16,251(4.9)	콩	23,461(4.5)
만주=관동주	콩깻묵	72,856(34.3)	콩	60,519(25.3)
	콩	49,541(23.4)	석탄	26,718(11.2)
	석탄	23,677(11.2)	콩깻묵	25,388(10.6)
화북	실면·조면	25,796(37.9)	실면·조면	19,287(27.7)
	석탄	6,069(8.9)	석탄	10,656(15.3)
	쇠고기	5,789(8.5)	쇠고기	6,198(8.9)

자료 : 위와 같음

  다음으로 주요무역품목 중 쌀, 면직물, 기계의 동향에 초점을 맞추어 살펴보기로 한다.

우선 1920년대에 이입량이 급증한 식민지미는 대공황기의 미곡과잉 문제를 발생시키는 원인이 되었음에도 불구하고 일본본토시장에서의 비중은 계속 증가했다. <표 6-17>을 보면 외미수입량이 감소한 것과는 대조적으로 식민지미의 일본본토로의 공급량은 계속 증가하였음을 알 수 있다. 더구나 일본본토시장에서 유통되는 쌀에 한정한다면 식민지미의 비중은 25% 전후를 차지해 미곡시장에서의 공급과잉문제를 더욱 격화시켰다. 물론 일본의 식민지미 대책은 이입규제, 조선 산미증식계획의 중지 등 여러 가지가 강구되었지만 결과적으로 이입이 증가하는 것을 막을 수 없었다. 이는 우선 식민지 농업공황에 의한 궁박판매 압력에 원인이 있었고, 또 하나는 브랜드의 대량성, 판매주체의 대자본력 등 도시부에서의 대량소비에 적합한 식민지미의 시장경쟁력에서 비롯된 것으로 볼 수 있다.

<표 6-17> 일본에서의 미의 공급

	1920년	1925년	1930년	1935년
공급고 (천석)	68,046	74,746	75,188	81,289
전년도로부터의이월고(%)	6.1	7.4	9.3	20.1
일본에서의 생산 (%)	89.4	79.9	79.2	63.8
조선으로부터의이입고(%)	2.4	7.0	6.9	10.4
대만으로부터의이입고(%)	1.0	2.9	2.9	5.5
기타로부터의수입고(%)	1.1	2.9	1.7	0.1
식민지외로의 수출고*(%)	0.1	0.1	0.1	0.3

자료 : 羽鳥敬彦, 「植民地」, 小野一一郎編, 『戰間期の日本帝國主義』, 世界思想社, 1985, <표 5-3>.

주 : 1) *는 식민지 외로의 수출고(재수출은 포함하지 않음)를 공급고에서 뺀 것.
　　 2) 전년 11월부터 당년 10월말까지의 미곡연도.

식민지에서는 대일이출비율이 상승하였고 조선의 1인당 미소비량은 1926~1928년 평균 0.53석에서 1934~1936년 평균 0.39석이라는 극한

의 수준으로 감소하였다. 또 대만에서는 1920년대 후반부터 등장한 봉
래미가 보급되면서 그 때까지 당주미종(糖主米從)경제에서 당·미 2대
상품 중심의 식민지경제로 재편성되었다.

1920년대까지 대식민지권 수이출의 주축상품이었던 면직물은 1930년
대에 들어서자 그 지위가 상당히 하락했다. 일본의 면직물 수이출 전체
에서 보더라도 식민지권 시장의 비중 감소가 확연하다(<표 6-18>). 대
공황으로부터의 탈출과정에서 일본면직물의 합리화 그리고 엔화의 가
치하락 등을 무기로 세계시장으로 눈부시게 진출했고 각지에서 면업
분쟁을 일으켰기 때문에 식민지권의 의의가 감소했다는 사실은 일본
경제에 중요한 의미를 가져다주는 것이었다.

<표 6-18> 면직물수이출시장의 구성 (천엔, %)

	1928	1936
대만	15,078(3.7)	19,325(3.6)
조선	42,766(10.4)	32,118(6.0)
관동주=만주	60,264(14.7)	75,552(1.5)
중국본토	113,286(27.6)	7,860(1.5)
소계	231,394(56.4)	134,855(25.2)
홍콩	17,440(4.3)	15,101(2.8)
네덜란드령동인도	39,261(9.6)	55,390(10.4)
인도	70,177(17.1)	72,517(13.6)
이집트	17,626(4.3)	20,525(3.8)
기타모두합계	410,061(100.0)	535,034(100.0)

자료 : <표 6-15>의 자료 및 『橫浜市史 資料編 2(增訂版)』, 1980.

식민지권 시장에서 후퇴한 가장 큰 원인은 중국본토가 극도로 축소
한 데에 있고 이는 일화배척, 관세인상, 농촌구매력 저하, 재화방을 선
두로 하는 중국면공업의 성장 등 복합적 요인에 의한 것이었다. 또 조
선시장도 현지생산의 증가로 축소되었다. 이러한 식민지권 시장의 후
퇴는 인도, 네덜란드령 동인도, 이집트, 아르헨티나, 호주 등의 시장개

척을 목표로 한 수출드라이브 정책을 가져 오게 했고 이는 국제경제분
쟁으로 귀결되었다. 역사적으로 면공업이 외화획득의 사명을 갖고 있
었다는 것을 염두에 둘 때 엔블록에서 신시장으로 이동했다는 사실은
결국 엔블록으로의 수출은 외화획득수단이 되지 못한다는 모순점이
표출된 것으로 볼 수 있다.

다른 한편 면직물을 대신하여 대식민지권 수이출의 주역으로 등장
한 기계기구의 경우 그 주요품목의 시장구성을 보면 <표 6-19>와 같
다. 면직물에 비해 기계기구의 수이출 의존도는 그렇게 높지 않지만
중화학공업화의 발전기에 수이출 시장을 확보한 것은 상당한 의의가
있는 것이었다. <표 6-19>를 보면 거의 대부분의 품목에서 만주=관
동주와 조선의 구성비가 높은데 이는 대식민지투자의 중점지역과 일
치한다.

<표 6-19> 기계기구 수이출시장의 구성 (1936년)

	총수이출액 (천엔)	식민지권의 구성비(%)				
		대만	조선	만주=관동주	중국본부	소계
정밀기기	40,300	8.5	28.2	31.4	5.9	74.1
수송용기기	104,100	10.2	25.7	28.9	11.9	76.7
자전차·부품	36,954	9.5	31.1	6.6	20.1	59.1
자동차·부품	34,474	15.8	33.3	24.5	12.3	86.0
철도차량·부품	19,041	7.5	26.0	63.4	0.4	97.4
선박	8,646	0.2	5.4	56.3	0.4	62.3
기계류	135,620	9.4	30.1	35.0	12.5	87.0
전기기계·부품	28,226	7.0	36.5	34.8	6.3	84.6
방적기계·부품	17,300	-	12.6	8.9	61.7	83.2
철도기관차	18,483	2.8	15.6	78.4	2.2	99.0

자료 : 『日本外國貿易年表』, 『臺灣貿易年表』, 『朝鮮貿易年表』 各 昭和11
年版.

특히 철도차량·부품과 철도기관차에서 만주=관동주의 구성비가

높은 것은 철도투자와 관련되어 있다는 것을 말해 준다. 이 시기 만철용이라는 것도 사무소 구입물품의 약 80%는 일본제인 것으로 추정되어 만주의 기계기구수입에서의 대일의존도는 높았다는 것을 알 수 있다. 또 중국본토는 방직기계·부품이 높은 비율을 나타내고 있는데, 이는 재화방용이라고 보아도 틀림이 없을 것이다. 이처럼 기계기구수이출이 식민지권에 집중된 것은 일본제 제품이 수요에 응할 정도의 기술수준에 도달했다는 것은 일단 대전제로 하고 그 외에 자본수출과의 연관, 더 나아가 관세·운임 등의 보강장치가 작용하고 있었다고 여겨진다.

3. 엔블록의 한계

대공황기를 거치면서 일본의 대(對)식민지권 무역의 기본구조는 경공업품 수이출-농산물 수이입에서 중화학공업품 수이출-농산물수이입이라는 질적 전환을 경험했다. 그러나 1930년대의 무역구조를 엔블록의 자율성의 관점에서 되돌아보면 여기에는 두 가지 커다란 한계가 있었다.

첫째는 블록 내에서 자원자급도가 그렇게 높지 않다는 점이다. <표 6-20>은 블록 외인 화중·화남까지 포함한 수이입 의존도를 보여 주고 있는데 일부 원료품을 제외하고는 전반적으로 블록내 자급도가 낮다는 것을 분명하게 보여 주고 있다. 그 가운데에서도 가장 기초적 자원인 면화, 철(특히 설철), 원유의 자급도가 극히 낮다. 물론 블록경제 그 자체가 폐쇄적이고 자기완결적인 것은 아니고 또 자원개발에는 시간이 필요하다는 점도 있다. 그러나 제1차 대전기의 니시하라 차관에서의 동양자급권 구상을 시작으로 블록화의 발상의 근저에 놓여 있는 것은 대체로 자원의 자급이고, 만주사변이나 그 뒤의 화북분리공작도

자원확보가 기본적 동인이었음에도 불구하고 실제의 성과는 매우 미미하였다. 이처럼 군부가 주도하는 전쟁확대의 논리에는 객관적인 근거가 없었다.

<표 6-20> 원연료자원의 대식민지권 의존도 (1935년)

	총수이출액 (천엔)	식민지권의구성비(%)			
		대만	조선	중국	소계
섬유원료	982,690	0.0	3.8	3.7	7.6
양모	193,092	-	-	0.7	0.7
면화	727,820	-	1.9	3.0	4.8
금속원료	150,850	6.5	6.6	8.5	21.7
철광석	35,776	-	3.4	30.5	34.0
설철	84,231	-	-	0.7	0.7
비철금속광	28,594	34.4	30.6	3.5	68.5
기타원료품	454,512	0.7	15.8	27.9	44.5
식물성유지연료	118,737	0.1	15.4	77.9	93.4
비금속광물	83,539	1.2	36.5	14.5	52.3
광물성연료	212,172	0.4	3.2	19.7	23.3
석탄	56,178	1.3	11.5	68.6	81.4
원유	106,854	0.0	0.0	1.2	1.3

자료 : 行澤健三・前田昇三, 『日本貿易の長期統計』, pp.166~167.
주 : 만주・관동주는 중국에 포함.

그러나 자원부존만을 문제로 보면 제3국으로부터의 수입에 지장이 없는 한 블록경제의 치명적 한계라고 할 정도는 아니었다. 이보다 더욱 근본적인 문제는 엔블록의 형성으로 일본의 국제수지구조가 외화위기에 직면하지 않을 수 없게 되었다는 점이다.

문제를 국제수지의 기본이 되는 무역수지에 제한해 볼 때 외화획득이라는 관점에서 제3국 무역에서는 당연히 수출초과를 기대하였고, 외화결제가 필요없는 블록내 무역에서는 반대로 수입초과가 유리하다. 일본에서 보면 엔블록에서 수입을 확대하는 것은 제3국으로부터의 수

입억제, 외화절약과 연결되고, 엔블록으로 수출을 억제하는 것은 제3
국으로의 수출촉진으로 연결된다. 그런데 <표 6-21>에서 보는 것처럼
대공황 이전의 대식민지권 무역수지가 외화결제가 필요없는 식민지에
서는 수입초과, 결제가 필요한 중국본토에는 수출초과로 외화획득에
적합한 구조였던데 반해, 블록화가 진행 중인 1936년이 되면 블록 내
에서는 대폭의 수출초과, 블록 외에서는 수출초과의 규모가 감소해 외
화상황이 블록 안팎에서 악화되었다.

<표 6-21> 대식민지권 무역수지의 지역별 구성 (백만엔)

	1928	1936
대만	-82.2	-115.1
조선	-38.8	129.9
관동주	-40.2	313.4
만주	7.4	-54.7
화북	36.1	-9.5
화중 · 화남 등	95.1	14.4
합계	-21.9	278.4

자료 : <표 6-14>와 같음.

　　일본 무역구조 전체에서 보면 엔블록에서 자원을 수입 · 가공해서
제3국으로 수출한다는 흐름이 기축이 되지 못하고, 반대로 제3국에서
자원 · 중공업품을 수입해서 각종 공업품을 엔블록으로 수출하는 흐름
이 중심이 되었다. 이리하여 외화부족문제로 집약되는 엔블록의 구조
적 모순은 중일전쟁기 전시경제가 진전되면 더욱 심화되어 위기적 상
황에까지 이르게 되는데 그 원형은 이미 1936년까지의 시기에 형성되
고 있었다.

제7장 전쟁과 국제정세

제1절 중일전쟁의 장기화와 삼국동맹

1. 중일전쟁의 전개

　1937년 7월 북경 부근 풍대(豊臺)의 노구교에서 일어난 군사충돌은 그 발생을 충분히 예상할 수 있었던 사건이었다. 당시 일본군부의 화북분리공작은 하야시 센쥬로 내각(1937년 2∼5월)의 사토 외상이 주장한 수정방침을 무시한 채 강행되었는데, 그 결과 제2차 국공합작을 수행하면서 항일자세를 강화하고 있던 남경국민정부와 현지 일본군 사이에 긴장이 고조되고 있었다. 1936년 5월에 중국 주둔군이 남경국민정부에 예고도 하지 않고 갑자기 2천여 명에서 5천여 명으로 증강되고, 북경·천진 외에 풍대에도 주둔했다는 것은 중국민중의 분노를 불러일으키기에 충분한 것이었다.

　당시 중국에서는 소규모의 군사충돌이 자주 발생하였고, 그 때마다 현지교섭을 통해 응급조치식으로 해결해 왔다. 하지만 노구교 사건에서 주목되는 것은 현지교섭이 마무리된 시점에서 고노에 후미마로(近衛文麿) 내각이 육군의 강경한 파병안을 안이하게 수용함으로써 전면전쟁의 길로 나가게 되었다는 사실이다. 이때 참모본부의 사실상의 책임자였던 제1부장 이시하라 간지(石原莞爾)는 대소련군비의 증강에 전

력을 기울이는 한편, 중국통일이 진행되는 것은 수용하자는 불확대방
침을 주장하였으나 참모본부 내에는 지지자도 적고, 육군성을 비롯하
여 중국의 항전력을 경시하는 낙관적 확대파가 우세하였다.

　이러한 육군 강경파의 주장에 고노에 수상·히로타 외상 등은 맞장
구를 쳤을 뿐만 아니라, 국내외에 중대결의성명을 발표하고 수상관저
에 정계·재계·매스컴 관계자를 불러 협력을 요청하였다. 외무성 동
아국장 이시이 이타로(石射猪太郎)는 사태를 우려하여 수상관저에 가
보니 그곳은 축제처럼 떠들썩하였고, 정부 스스로 기세를 올려 사건확
대의 방향으로 나아가는 태세였다고 말했다. 이처럼 중일전쟁으로의
길은 군부와 정부 그리고 겉으로 드러나지는 않지만 재벌자본이 함께
만든 것이었다.

　정부의 협력요청에 대해 각계 대표는 모두 순응하였다. 과거 만몽방
기론을 주장하였던 『동양경제신보』의 견해도 일본과 중국이 전면적으
로 충돌할지도 모른다는 것을 염려하여 일본정부가 신중한 태도를 갖
기를 바란다는 내용에 머물러 비판적 태도를 견지하기는 했으나 어딘
지 모르게 박력이 부족한 것이었다.

　1937년 8월에는 상해에서도 전투가 시작되고 정부는 9월 2일에 북지
사변(北支事變)을 지나사변(支那事變)으로 바꾸어 불렀다. 선전포고도
하지 않았고, 또 '전쟁'이라고 부르지 않은 것은 무엇보다도 국내외 사
람들을 수긍시킬 만한 전쟁명목을 찾을 수 없었기 때문이었으나, 다른
한편으로는 미국이 중립법[1]을 발동하여 군수물자의 대일수출을 금지

---

1) 제2차 대전 이전의 미국 국내법으로서 교전중인 외국의 쌍방에 대한 병기류
　·전략물자의 수출금지를 규정하였음. 1935년에 제정된 이후 갱신을 거듭하
　다 1939년에 실질적으로 파기됨. 이것이 제정된 것은 제1차 대전 때처럼 미국
　의 상선·여객선이 교전국의 공격을 받고 이를 계기로 참전이 반복되는 일을
　막기 위한 것이었다. 이러한 의미에서 중립법은 미국의 고립주의적 자세를
　표명하는 것이었다고 볼 수 있다.

하는 것을 육해군 당국이 두려워하였기 때문이었다. 전쟁확대파는 과감하게 일격을 가하면 중국은 항복할 것이라고만 생각하였고, 중국군의 끈질긴 저항에 어떻게 대처할 것인가에 대한 명확한 작전계획도 없이 현지군의 움직임에 이끌려 전선을 확대하고 대병력을 차례로 투입하였다. 일본군은 3개월에 걸친 예상외의 격전 끝에 상해를 간신히 점령한 이후 후퇴하는 중국군을 쫓아 남경으로 들어가 1937년 12월에 이를 점령하고 포로・시민에 대한 대량살해・폭행을 자행하였다.

남경함락 전후에는 전쟁종결의 가능성이 있었으나 1938년 1월 "이후 중국정부를 상대하지 않는다"는 일본정부의 성명으로 전쟁은 장기화되었다. 4~5월의 서주작전을 거쳐 8월부터는 사실상의 수도 무한삼진(무창・한구・한양)을 공략하는 무한작전을 시작하고, 10월에는 한구, 광동을 점령하였으나 국민정부는 중경을 거점으로 더욱 강력한 항전을 계속했다. 연안의 중국공산당도 지구전의 제2단계=전략적 대치단계로 전쟁의 위치를 설정하면서 항일근거지를 확대했다. 이리하여 1938년 안에 최종승리를 얻는다는 일본 측의 계획은 어긋나고, 백만 가까운 대군이 발이 묶인 채 중국전선은 교착상태에 빠졌다.

일본은 여기에 이르는 과정에서 화평을 위한 노력을 하지 않았던 것은 아니고 나름대로 여러 가지 노력을 기울였다. 국민정부를 상대로 한 화평공작 가운데 최대의 것이 트라우트만(O.P. Trautmann) 주중국 독일대사를 중개로 한 공작이다. 이 공작의 표면에 나선 것은 히로타 외상이었으나, 배후에서 추진한 것은 참모본부였고 조기화평을 희망한 이시하라 제1부장이 1937년 8월부터 독일과 접촉하고, 9월 이래는 다다 하야오(多田駿) 참모차장이 추진역을 맡았다.

그러나 중국 측은 비교적 온건한 화평안이 제시되었던 11월 중에는 브뤼셀의 9개국조약체결국회의에서의 대(對)일본경제제재 실현에 기대를 걸고 화평을 받아들이지 않았다. 그러나 동 회의가 실패한 후 중국 측이 화평조건을 받아들이기로 결의하였을 때는 일본 측이 남경점령에 도취되어 화평조건을 크게 강화해 화북분리·전비배상을 포함한 11항목을 첨가했다. 더구나 교섭의 전권을 위임받은 히로타 외상으로부터 이들 구체적 조건이 중국 측에 정확하게 전달되지 않았기 때문에 1938년 1월 중국 측은 구체적 설명을 요구하였으나, 고노에 수상·히로타 외상 등은 중국 측이 성의가 없다고 주장하면서 참모본부의 반대를 누르고 교섭을 중지하기로 결정했다. 교섭에서 구체적 조건을 제시하지 않은 일본 측과 제시를 요구한 중국 측 모두 성의가 부족하였던 것이 분명하였다. 이 점을 가지고 '히로타 외상의 모략'이라고 보는 견해가 있지만, 그러한 히로타의 행동을 내각이 사전에 용인하였다는 사실을 중시해야 한다. 트라우트만 공작을 실패로 끝나게 하고 중일전쟁을 진퇴양난의 장기전으로 만든 직접적인 책임은 참모본부가 아니라 고노에 수상 이하 정부에 있었던 것이고, 천황도 이때는 정부 측을 지지하고 있었다.

　1938년 1월 "국민정부를 상대하지 않는다"는 성명이 나온 이후 참모본부는 일시적으로 전면불확대(戰面不擴大)의 방침을 주장하였으나 현지군의 압력으로 방침을 바꾸어 4~5월에 서주작전을 시작하였지만 중국군의 주력을 격파할 수 없었다. 국민정부와의 교섭루트를 스스로 차단한 것을 후회한 고노에는 5~6월에 내각을 개조하고, 외상에 육군대장 우가키를 지명했다. 1월의 성명에 구애받지 않는다는 것과 대중국외교를 외무성에 일원화한다는 것을 조건으로 외상에 취임한 우가키는 곧바로 국민정부와의 비밀교섭을 시작하였으나, 육·해군은 대중국외교를 담당할 대지원(對支院)의 설치를 주장하면서 우가키의 공작을 방해했다. 그리고 고노에 수상이 약속을 뒤집고 군부의 주장을 지지한 것을 알고 우가키는 재임 4개월 만에 사임하였기 때문에 절호의 화평기회는 또 다시 사라졌다.

　장개석과 함께 국민당의 유력자인 왕정위를 통한 화평공작은 최종적으로는 1940년 3월의 남경괴뢰정권 수립으로 간신히 마무리되었다. 1938년 7월 고종무가 일본에 와서 육군성 군무과장 가게사 사다아키(影佐禎昭) 대좌의 소개로 이타가키 세이지로(板垣征四郎) 육상·다다 참모차장들과 접촉한 이래 진전된 동 공작의 본래 계획은 왕정위의 중경탈출에 맞추어 일본정부가 화평조건을 공개하고, 왕은 일본의 비점령지역에서 군대를 가지고 신정권을 수립하면서 중경정부를 끌어들여 대일화평을 실현한다는 것이었다.

　1938년 11월에 상해에서 가게사 군무과장과 참모본부 지나반장(支那班長) 나가이 다케오(今井武夫) 중좌 등이 왕의 심복 고종무·매자평과 회담하여 만든 「일화협의기록」에는 일본군이 2년 이내에 철군한다는 것이 정해져 있었으나, 같은 달 말의 어전회의에서 결정된 「일본·중국 신관계 조정방침」에는 철병기한이 명시되지 않았을 뿐만 아니라 신정부·기관에 일본인 고문을 배치하는 등 중국의 주권을 크게 제한하는 여러 요구가 포함되었다. 그리고 12월에 왕정위의 중경탈출을 기회로 이루어진 고노에 수상의 성명내용도 물론 어전회의의 방침을 따른 것이었다. 이와 같은 화평조건을 항일세력이 받아들일 리가 없었다. 1939년 1월에 국민당 중앙위원회로부터 당적을 박탈당한 왕정위의 앞날에는 일본의 괴뢰가 되는 길밖에 없었다.

　이와 같은 화평공작 경과에서 특히 눈에 띄는 것은 고노에 내각의 리더십이 결여되었다는 사실이다. 교섭원안에는 내각까지 올라가면 도저히 중국 측이 수락할 것 같지 않은 가혹한 조건이 잇따라 포함되어 교섭을 결렬로 몰아넣었는데, 일이 이렇게 된 것은 정면에서 선전포고를 하지 않았을 뿐이지, 노골적인 '노상강도'와 같은 발상을 일본의 정책입안자들이 가지고 있었기 때문이었다. 리더십의 결여는 당시 정치가들의 자질이 부족하였다는 것에서도 비롯된 것이었지만, 그보다

더 큰 원인은 중일전쟁이 가진 침략적 성격 그 자체에 있었다. 아무런
명목도 없이, 명확한 계획도 없이 시작된 전쟁이기 때문에 정책 자체
가 혼란스럽게 될 수밖에 없었던 것이다.

2. 중국에 대한 국제적 지원

개전 후 1년 4개월만에 한구와 광동이 함락되었으나 중경과 연안에
근거를 둔 중국군은 저항을 계속하였고, 1938년 12월에 일어난 왕정위
의 중경탈출도 화평의 실마리는 되지 못하였다. 1937년 7월에서 1941
년 12월의 태평양전쟁 개전에 이르기까지의 4년 5개월에 걸친 긴 시간
을 중국은 일본의 군사침략에 맞서 어떤 나라의 도움없이 혼자의 힘으
로 완강하게 대항했다.

제2차 대전 중에 미국은 1941년 3월에 제정된 무기대여법(Lend-Lease
Act)에 의해 연합국에 총액 500억 달러를 넘는 원조를 하였으나, 그 가
운데 310억 달러가 영국, 110억 달러가 소련에 제공되었고 중국에는
1946년까지 겨우 약 15억 달러 정도만 공여되었다. 더구나 이 가운데
1941년 중국에 공여된 분은 2,600만 달러에 지나지 않았다.

<표 7-1> 중국에 대한 원조 (백만달러)

계약연도	소련	프랑스	미국	영국	계
1938	100	5			105
1939	150	10	25	38.5	223.5
1940			45		45
1941			126	40	166
원조액계	250	15	196	78.5	539.5
사용액계	170	12	121	47	350

자료 : Arther N. Young, *China and the Helping Hand 1937-1945*, Harvard
Univ.Press, 1963, pp.440~441.

　<표 7-1>은 1937~1941년의 중일전쟁기에 중국에 제공된 각종 원조규모와 사용액을 보여 주고 있는데, 소련으로부터 1억 7,000만 달러, 미국으로부터 1억 2,100만 달러를 중심으로 사용액 합계는 3억 5,000만 달러에 지나지 않았다.

　하지만 이와 같은 원조가 없었다면 중국이 근대병기를 갖춘 일본군과 전쟁을 계속하는 것은 불가능하였으리라는 것도 사실이다. 이제 그 원조 실태를 당시 국민정부의 재정고문이었던 미국인 영(A.N. Young)의 저서에 주로 의존하여 검토해 보자.

　중일전쟁 시작 당시 실제로 중국과 가장 깊은 관계를 맺고 있던 나라는 독일이었다. 독일은 그 때까지 10년간 137명의 장교를 중국에 보내고, 개전 시에는 30명의 군사사절단이 중국군의 근대화에 노력하고 있었다. 또 독일로부터 신품 무기와 중고품 무기를 대량으로 매입하였다. 1936년 11월에 일독방공협정을 체결한 지 얼마 안 된 독일에게 있어 중일전쟁은 일본과 중국 가운데 어느 나라를 선택해야 하는가하는 고통스런 문제를 제기한 사건이었다. 따라서 독일은 이러한 딜레마 때문에 앞서 말한 트라우트만 공작에 대해 친중국노선에 선 트라우트만 주중대사에게 우편배달부 역할만을 인정한다고 못 막았다. 그 때문에 남경점령 후 일본 측이 화평조건을 크게 강화하였을 때에도 트라우트만은 히로타 외상이 디르크센(H.v. Dirksen) 주일대사에게 대략적으로 설명한 내용을 독일외무성 경유로 입수하여 국민정부에 전달한다는 상당히 비주체적인 역할밖에 할 수 없었다.

　전통적으로 친중국노선에 서 있던 독일 외무성이 트라우트만 공작에서 소극적인 행동을 한 것은 외무성을 무시하고 일독방공협정을 조인한 나치당원 리벤트로프(J.v. Ribbentrop)의 친일노선이 독일외교 전체를 규정하고 있었기 때문이었다. 1938년 2월 외무장관에 임명된 리벤트로프는 5월에는 재중국 군사고문단의 철수를 명령하고, 이에 불복한 트라우트만을 6월에 파면했다.

소련은 독일과 반대로 중일전쟁 시작과 함께 중국에 대한 군사원조에 나섰다. 중소간에는 불가침조약을 위한 교섭이 진행되고, 1937년 8월에 조인되었다. 그 때 소련으로부터 중국법폐 1억 원(약 3,000만 미달러)의 크레디트공여가 약속되고, 곧바로 항공기와 항공의용병 및 군사고문단이 파견되었다. 정식계약은 1938년 3월에 이루어지고 그 때 5,000만 달러로 원조규모가 확대되었다. 1937년 9월 29일부의 미국대사관 보고는 300기의 소련항공기가 감숙성 난주 경유로 중국으로 보내졌다고 기술하고 있다.

국민정부의 사료에 의하면 1937~1941년에 소련에서 입수한 군수품은 항공기 934기, 전차 82대, 각종 차량 2,118대, 각종 포 1,140문, 포탄 200만 발, 기관총 9,720정, 소총 5만 정, 탄약 1억 8,000만 발, 공폭폭탄(空爆爆彈) 3만 1,600발에 달하였다. 또 소련인 항공의용병수도 1939년까지 약 2,000명에 달하고 500명의 군사고문단이 활약하고 있었다. 고문단의 역할은 후방훈련에 한정되어 있었지만, 항공의용병은 소련제 전투기를 타고 일본기와 공중전을 수행하는 한편, 일본 측의 항의를 무시한 채 폭격기로 중국 내의 일본공군기지와 대만까지 폭격을 감행하였다.

소련이 이처럼 적극적으로 중국을 지원한 이유는 중국이 소련을 대신하여 일본과 싸운다는 인식을 갖고 있었기 때문이었다. 1938년 초에 특사로서 소련을 방문한 손과(孫科)에게 스탈린(I.V. Stalin)은 "중국은 자신만이 아니라 소련을 위해서도 싸우고 있다. 일본인의 최종목표는 바이칼호까지 전 시베리아를 제압하는 것이다. 중국은 소련으로부터 무기와 항공기 등 모든 원조를 계속 받을 것이다. 그러나 소련은 이 전쟁에 참가할 예정은 없다"고 말했다. 국민정부가 갈망하던 소련참전은 실현되지 않았으나 소련 극동군은 급속히 증강되고 대소전을 제1목표로 한 일본 육군은 만주관동군 충실화에 여념이 없어 중국전선으로 병력을 충분히 보내지 않았다. 1938년 7~8월의 장고봉 사건²⁾과 1939년 5~9월의 노몬한 사건³⁾에서 일소 양군이 충돌해 일본군을 대파하였는데, 이것도 소련군이 중국군을 측면에서 지원한 것이라고도 볼 수 있다.

1939년 초까지 중국은 소련으로부터 약속받은 원조규모 합계 1억 달러를 거의 다 사용하였기 때문에, 손과가 다시 모스크바를 방문해 같은 해 6월 새로이 1억 5,000만 달러의 원조계약을 체결했다. 소련의 원조는 모두 국민정부에 주어지고 중국공산당에 대한 원조는 없었다는 것, 이자율은 미국의 4%에 대하여 3%로 관대한 것, 중국 측은 광산물과 농산물로 차관을 반제하는 약속을 하였다는 것이 주목된다. 1939년 9월 제2차 대전이 시작되면서 소련으로부터의 군사원조는 약간 줄어들었지만 계속되었고, 1941년 6월 독소전이 시작되자 급격히 감소하고 같은 해 10월에 종료되었다.

소련으로부터의 원조가 일찍부터 적극적이었던데 비해 미국, 영국, 프랑스로부터의 원조는 좀처럼 시작되지 않았다. 다만 미국정부가 홍콩과 런던으로 긴급 피난시킨 중국소유 은을 매입한 것은 법폐의 대외 시세를 유지하는데 있어 중요한 역할을 하였으며 법폐의 발행을 통해 국민정부가 재정을 조달하는 것을 가능하게 하였다.

1938년 이래 공여된 원조로서는 프랑스에 의한 철도건설에 관한 것이 있다. 1938년 10월의 광동·한구함락은 홍콩루트를 통한 물자원조

---

2) 1938년 소만동부국경에서 일어난 일소양군의 충돌사건.
3) 1939년 만몽국경인 노몬한에서 일어난 일소 양국간의 국지전쟁. 처음에는 단순한 국경분쟁이었으나 관동군은 강경방침을 고수하면서 본격적인 군사충돌을 일으킴. 일본군은 소련군의 기계화 부대에 의해 1개 사단이 괴멸당하는 대패를 당함.

를 어렵게 만들고 대신 프랑스령 인도지나(현재의 베트남) 하이퐁으로 부터의 수송이 원장(援蔣)루트4)의 중심이 되었다. 프랑스자본은 중국과의 국경에서부터 광서성 남녕까지의 철도를 건설하였으나 완성 직후인 1939년 12월에 남녕이 함락되었기 때문에 제 기능을 발휘하지 못했다. 계속해서 운남성 곤명까지 개통되어 있던 철도를 중경 상류의 양자강 연안으로 연장하는 계획이 수립되고 1940년 전반에는 약간의 자재가 들어왔으나 같은 해 9월 일본군의 북부 프랑스령 인도지나 침략으로 좌절되었다.

미국과 영국이 중국으로의 지원태세를 명확하게 한 것은 한구・광동함락 후인 1938년 11월에 고노에 수상이 동아신질서의 건설이야말로 일본의 목표라는 성명을 발표하고, 양자강의 자유통행금지 등을 통해 영미자본의 중국에서의 활동을 강력하게 규제하면서부터였다. 한구・광동을 상실하면서도 장개석이 철저항전의 결의를 버리지 않은 것을 알게 된 루스벨트 미 대통령은 12월 초에 대중국 상업차관 2,500만 달러를 공여하기로 하였다(정식계약은 1939년 2월). 이 소식은 왕정위의 중경탈출로 타격을 받고 있던 장개석과 국민정부에 있어 매우 든든한 국제적 지원이 되었다.

1938년 12월에 영국도 미국정부에 법폐안정을 위한 공동차관을 제안하였으나 거절되었기 때문에 다음 해인 1939년 3월 단독으로 500만 파운드(=2,300만 달러)를 정부보증으로 홍콩상해・챠터드(Chartered) 두 은행으로부터 거출하고 중국・교통은행 두 은행거출분과 합쳐 1,000만 파운드의 안정기금을 설치하였다. 이것들을 시작으로 미국・영국으로

---

4) 중국국민정부(장개석 정권)을 원조하는 물자수송로. 중일전쟁으로 일본은 중국에 경제봉쇄를 실시했으나 영국, 미국, 소련 등은 중국에 군수품, 물자를 수송하면서 원조했다. 여기에는 프랑스령 인도지나루트, 버마루트, 신강루트가 있었다.

부터의 차관공여가 차례로 이루어졌다. 그것들은 1941년 3월에 미국의 무기대여법이 제정되기까지는 비군수품 구입의 상업차관 내지 법폐유지의 통화차관이 되었으나 이것으로 여유자금을 군수품구입에 충당할 수가 있었기 때문에 사실상 모두 군사원조였다고 볼 수 있다.

문제는 군수품의 수송루트를 어떻게 확보하느냐에 있었다. 전술한 것처럼 1938년 말부터는 프랑스령 인도지나루트가 원장루트의 중심이 되고, 소련과 미국으로부터의 물자도 하이퐁으로 운반되어 1939년 후반에는 매월 약 2만 톤의 물자가 동 항구로부터 중경으로 보내어졌다. 1939년 12월 남녕이 함락되면서 동지역 경유루트는 폐쇄되었으나, 곤명 경유의 수송은 활발히 이루어져 일본참모본부의 추정에 의하면 1940년 6월 현재 원장루트의 내역은 프랑스령 인도지나루트가 월간 1만 5,000톤으로 전체 3만 1,500톤의 41%로 최대 비중을 차지하고 있고 버마루트가 32%, 연안루트가 19%, 서북루트 약 1%를 크게 추월하고 있다. 같은 해 9월의 북부 프랑스령 인도지나 침략은 이 최대의 원장루트를 차단할 목적으로 단행된 것이었다.

이 참모본부 추정으로 소련과의 서북루트가 월간 500톤, 약 1%인 것은 지나친 과소평가라고 볼 수 있다. 소련으로부터의 원조무기 중 많은 것은 홍콩·프랑스령 인도지나루트 경유이고 당초 1년 반 사이에 흑해 오뎃사 항으로부터 6만 톤이 출하되었으나 1938년 말에는 소련 국경 탑성에서 난주 경유로 중경에 이르는 전장 4,326㎞의 수송도로가 완성되고 트럭과 낙타 등에 의한 수송이 시작되었다. 1941년 전반에는 월평균 5,000~8,000톤의 물자가 운반되었다.

프랑스령 인도지나루트가 차단되면서부터는 버마루트가 최대 수송로가 되었다. 1937년 말부터 국민정부는 중경－곤명－라시오(랭군에서의 버마루트의 종점)를 연결하는 전장 229㎞의 자동차도로의 건설에 착수하여 1938년 말에 개통되었다. 최고지점이 해발 2,600m라는 험준

한 산악지대를 꿰뚫는 난공사에는 20만 명의 노동력이 투입되었다. 이러한 버마루트가 프랑스령 인도지나 다음으로 중요한 물자수송로서의 지위를 굳힌 1940년 6월 일본은 영국에 버마루트의 폐쇄를 요구했다. 프랑스가 독일에 항복하여 곤경에 놓여있던 영국은 3개월간 폐쇄한다는 발표를 하여 중국은 전례없는 곤경에 빠졌다. 1년 후 장개석이 이 사건으로 중국에서의 영국의 위신은 영원히 사라지게 되었다고 말한 것은 당시 중국의 고립감이 상당히 심했음을 의미한다. 당시 국민정부 내에 나타난 대일타협의 움직임을 누른 것은 팔로군[5]이 전력을 다해 싸워 일본군에 커다란 손실을 입힌 백단대전이었다. 영국도 독일공군의 맹폭을 격퇴, 히틀러의 영국본토상륙을 단념시키고 10월에는 버마루트를 재개했다. 이후 곤명에 도착한 트럭 대수와 물자 톤수는 <표 7-2>에 나타난 그대로이고 지원이 강화되었다는 것을 알 수 있다.

<표 7-2> 곤명도착 물자수량

연월일	트럭대수	물자톤수
1940. 10.19~11.17	1,740	4,788
11.18~12.17	1,720	4,730
12.18~41.1.17	2,448	6,732
1941. 1.18~2.17	2,914	8,012
2.18~3.17	2,855	7,851
3.1~3.31	3,127	8,600
4.1~4.30	4,004	11,100
5.1~5.31	4,727	13,000
6.1~6.30	4,573	12,850
7.1~7.31	5,128	14,100
8.1~8.31	3,345	9,200
9.1~9.30	5,349	14,172

자료 : Arther N. Young, 앞의 책, p.117.

---

5) 제2차 국공합작이후 중국 공산당 홍군 4만 5천 명은 국민혁명군 제8로군으로 재편됨.

또 항공기에 의한 인원수송 외에 의약품·휘발유·은행권·텅스텐 등이 공수된 것도 양적으로는 적었으나 중요한 의미를 가지고 있다. 중국정부가 지배하고 미국이 경영하는 중국국민항공공사는 홍콩-중경간의 운항을 계속하고, 1941년 11월에는 히말라야산맥을 넘어 캘커타-중경간의 루트가 개척되었다. 버마루트가 차단된 후는 미국공군도 가담한 대대적인 공수가 히말라야를 넘어 전개되었다.

3. 일본의 고립과 삼국동맹

중일개전 직후에는 소련으로부터의 군사원조를 제외하고는 거의 고립상태에 놓여 있던 중국이 중경으로 쫓겨 들어간 이후 영미 두 나라로부터 원조를 얻기 시작한 데 반해, 1933년 국제연맹 탈퇴로 이미 국제적 고립의 길을 걷기 시작한 일본은 중일전쟁의 시작으로 점차 그 고립의 정도가 심해져 갔다. 일본과 영미와의 대립에 대해서는 뒤에 서술하겠지만 그러한 일본이 접근하고 있던 상대는 역시 국제적인 고립상태에 놓여 있던 독일과 이탈리아 두 파시즘 국가였다.

1936년 11월 일독간에 조인되고 1937년 11월 이탈리아가 참가한 일독이(日獨伊)방공협정은 독이 양국에서 대영국 견제라는 목표를 부분적으로 편입시켰다고 해도 어디까지나 소련과 코민테른에 대한 저항을 노린 협정이었다. 특히 일본 측은 일독간의 비밀부속협정에서 한쪽이 소련과 전쟁을 하는 경우 다른 쪽은 소련을 지원하지 않는다고 결정한 점을 중시하고 있다.

반면에 1938년 7월에 독일 외상 리벤트로프가 제안한 일독이 삼국간의 군사동맹안은 소련이 아니고 영불을 주 대상으로 하고 특히 영국 군사력을 서구·지중해·동아시아로 분산시킨다는 목표를 가지고 있었는데, 일본 측의 생각은 소련 상대의 방공협정이 중심이었고 영불간의 전쟁에 휩쓸려 들어가는 것은 경계했다. 폴란드공격을 서두른 히틀러(A. Hitler)는 삼국동맹이 체결되기 전에 영소협정이 성립되는 것을 두려워해 소련에 공작을 가하여 1939년 8월 독소불가침조약을 체결했다. 히라누마 기이치로(平沼騏一郎) 내각(1939년 1~8월)은 이것을 독일의 배신행위로 보고, 독일에 항의한 다음 총사직했다.

히틀러는 예정 그대로 1939년 9월 폴란드에 침입하여 제2차 세계대전이 시작되었는데 아베 노부유키(阿部信行) 내각(1939년 8월~1940년 1월)은 '구주(歐州)전쟁'에 개입하지 않는다는 방침을 정하고 그 뒤의 요나이 미쓰마사(米內光政) 내각(1940년 1~7월)도 처음에는 대독일 소극책을 취하고 있었다. 그러나 1940년 4~6월에 독일군이 전격적으로 노르웨이·네덜란드·프랑스 등을 제압하자 육군의 책동으로 요나이 내각은 총사직하고 제2차 고노에 내각(1940년 7월~1941년 7월)이 성립했다. 외상에는 마쓰오카 요스케가 기용되었다.

마쓰오카는 고노에 수상의 뜻에 따라 육해군의 주장을 수용하여 같은 해 9월에 일독이 삼국동맹을 체결하게 되는데 마쓰오카의 주관적 의도는 소련도 포함시킨 사국협상(四國協商)의 체결과 그 압력으로 미일충돌을 피하자는 것이었다. 다른 한편 히틀러도 영국공군의 예상외의 강력한 저항에 의해 제공권을 확보하지 못하고 영국본토상륙작전을 재검토해야 할 상황이었기 때문에 리벤트로프 외상의 삼국동맹과 사국협정 구상을 일시적으로 지지하고 그로써 미국참전을 저지하려고 하였다. 다만 히틀러는 삼국동맹이 대미억제의 역할을 하지 못한다는 것을 알고 다시 지론인 친영반소노선으로 돌아가 대소전 준비를 하게 된다. 이렇게 해서 나치스외교의 이중성과 히틀러 자신의 방침변경에 대해 일본 측은 거의 알지 못했다.

그런데 제2차 고노에 내각과 군부가 삼국동맹에 걸었던 기대는 그에 의해 프랑스령 인도지나와 네덜란드령 동인도로의 남진정책이 용이하게 되었다는 점에 있었다. 1940년 7월에 막 발족한 고노에 내각과 대본영과의 연락회의에서 결정된 「세계정세의 추이에 따른 시국처리요강」은 본래 육군원안을 해군이 수정한 것이었다. 여기서는 속히 지나사변의 해결을 촉진함과 동시에 호기를 포착하여 대남방문제를 해결한다는 독자적인 남진정책이 제출되었는데 이는 군사적으로 난관에 부딪친 중일전쟁의 대체물로서 제기된 것이다. 이 신국책의 의의는 전통적으로 남방중시의 해군뿐만 아니라 육군도 남진정책을 선택하였다는 데 있다. 이즈음부터 마쓰오카 외상에 의해 대동아공영권이라는 단어가 사용되기 시작했다.

그러나 남진정책의 선택은 대미충돌의 가능성을 강력하게 내포하고 있는 것이었다. 영국은 대독일전 때문에 동아시아에서 유화책을 펴야 했지만 미국은 1939년 7월 미일통상항해조약폐기를 통고하였고, 1940년 1월에 이르러서는 언제라도 대일 경제제재를 할 수 있게 되었다. 미국에 의한 석유·설철·기계류의 대일수출금지조치가 일찍부터 예상되었고 1940년 7월에는 우선 항공기용 휘발유의 수출이 금지되었다. 그러한 미국에 대하여 의연한 태도를 보이는 것만이 억지효과를 가진 것이라고 믿은 마쓰오카 외상은 독일, 이탈리아와 삼국동맹을 추진한 것이다.

삼국동맹안을 문제로 한 9월의 어전회의에서 하라 요시미치(原嘉道) 추밀원의장은 미국이 석유, 철 등도 수출금지하는 대일 경제제재를 강화할 것을 염려하였고 후시미노미야 히로야스(伏見宮博恭) 군령부총장도 석유보완에 대한 전망을 질문하였다. 이에 대하여 호시노 나오키(星野直樹) 기획원 총재는 설철수출금지의 영향은 그다지 크지 않다고 답하였다. 마쓰오카 외상도 네덜란드령 동인도의 석유를 독일의 도움으로 확보할 수 있을 것이라는 낙관적 견해를 제시하였다.

<표 7-3>에 의하면 당시 일본의 무역수지는 전체로는 흑자처럼 보

이지만 만주·관동주·중국과의 대폭흑자는 동 지역 전체가 엔블록에 포함된 결과 제3국 무역의 적자를 결제할 수 있는 외화획득의 기능을 완전히 상실했다. 이 해부터 대(對)제3국 무역외수지가 적자로 전환되면서부터 심각한 외화부족=수입력 감퇴가 나타나게 되었다. 더 나아가 최대의 무역상대국이 미국이고 특히 석유와 설철 수입의 압도적 부분을 미국에 의존하고 있다는 사실은 전술한 것처럼 미국에 의한 경제제재를 경계하는 근거가 되었다. 삼국동맹은 이러한 일본경제의 대미의존으로부터의 탈각을 목표로 하고 있었다. 일본으로서는 독일로부터의 고급공작기계 수입은 중요한 의미를 갖는 것이었고 인조석유기술의 도입에도 기대를 걸고 있었다.

<표 7-3> 일본의 대외무역(1939년) (백만엔, %)

상대국	수출	수입	수입내역		
			석유	기계	설철
만주	535.7(15.0)	405.6(13.9)	2.1(0.8)	-	0.1(0.0)
관동주	755.9(21.1)	61.8(2.1)	-	-	0.2(0.1)
중국	455.5(12.7)	215.7(7.4)	-	-	2.3(1.1)
엔블록소계	1,747.1(48.9)	683.1(23.4)	2.1(0.8)	-	2.6(1.2)
미국	641.5(17.9)	1,002.4(34.4)	200.4(79.0)	165.5(57.4)	181.9(86.0)
영령인도	211.0(5.9)	182.3(6.2)	-	-	8.0(3.8)
네덜란드령동인도	137.8(3.9)	71.6(2.5)	29.7(11.7)	-	3.7(1.7)
독일	25.0(0.9)	141.0(4.8)	0.4(0.2)	79.3(27.5)	0.2(0.1)
영국	132.1(3.7)	24.4(0.8)	0.2(0.1)	13.3(4.6)	0.2(0.1)
이탈리아	5.7(0.2)	7.1(0.2)	-	2.0(0.7)	-
제3국소계	1,829.3(51.1)	2,234.6(76.6)	251.5(99.2)	288.2(100.0)	208.9(98.8)
세계계	3,576.4(100.0)	2,917.7(100.0)	253.6(100.0)	288.2(100.0)	211.5(100.0)

자료 : 東洋經濟新報社, 『昭和産業史』 第3卷, 1950, 大藏省編, 『昭和十五年日本外國貿易年表』 上篇.
주 : 제3국소계는 엔블록 이외의 국가들의 계.

그러나 인조석유 제조용 고압반응통(高壓反應筒)의 수입교섭은 크루프사가 독일 당국의 허가를 받지 못했기 때문에 좌절되고, 네덜란드령 동인도와 석유 등에 대한 수입교섭을 할 때에는 일본이 주석과 고무를 독일로 재수출한다는 사실이 장애가 되었다. 일본은 독일로부터 얻기로 한 기술원조가 중단되었을 뿐만 아니라 원료획득 면에서의 대독협력으로 불리한 상황을 초래했다. 독일의 전격전 승리와 높은 기술수준에 현혹된 일본군부와 고노에·마쓰오카 등은 이처럼 경제적으로 전혀 승산이 없는 대미영전쟁의 길로 빠져들어 갔다.

북부프랑스령 인도지나 침입과 그에 대응한 미국의 대일설철수출금지는 그 첫 걸음이었다. 1940년 7월 「시국처리요강」에 따라 고노에 내각은 프랑스령 인도지나의 원장루트 폐쇄와 일본군 진주를 요구했으나, 9월 하순 파견부대가 중국과의 국경에 침입하여 프랑스군과 충돌하고 북부프랑스령 인도지나를 점령했다. 삼국동맹 조인 직전에 일어난 이 사건에 미국은 곧바로 대응하여 설철전면금수를 실시하였다. 그런데 이 조치로 일본의 철강업이 입은 타격은 크지 않았다. <표 7-4>에서 보는 것처럼 1941년 이래 수입설철의 사용은 격감하였으나 선철생산이 증가한 데 힘입어 강재생산량은 약간 감소하는 데 머물렀다.

<표 7-4> 일본본토의 철강업과 설철 (천톤)

연도	강재생산	선철생산	설철사용	설철수입	미국에서의 수입
1936	4,548	2,008	3,337	1,479	1,028
1937	5,080	2,308	4,394	2,420	1,777
1938	5,489	2,563	4,265	1,358	1,007
1939	5,381	3,179	4,660	2,555	2,175
1940	5,261	3,512	4,405	1,391	1,116
1941	5,046	4,173	3,399	203	109
1942	5,051	4,256	3,830	39	1
1943	4,810	4,032	4,356	30	-
1944	4,148	3,157	4,269	-	-

자료 : 東洋經濟新報社, 『昭和産業史』 第1卷, p.128 ; 第3卷, pp.277~278.

수출금지 직후 『동양경제신보』는 1934년 일철이 창립되면서 각사에서 건설하여 온 대규모 용광로가 가동을 시작하였기 때문에 "미국의 설철이 들어오지 않아도 그 곤란의 정도는 현저히 경감되고 있다"고 쓰고 있다. 전술한 9월의 어전회의에서 기획원 총재의 설철금수에 관한 발언도 생산확충의 실적에 입각하여 약간 민간수요를 억제하면 중일전쟁을 계속하는 것은 어렵지 않다는 것이었다. 물론 대미전쟁에서 예상되는 군수확대에 대응할 수 있는 전망은 아직 없었던 것도 사실이고, 그 의미에서의 타격을 부정할 수는 없지만 설철금수의 효과는 미국이 기대하는 정도는 아니었다. 이는 단계적으로 수출제한이 강화된 1940년 12월 중고품을 포함한 전면수출금지가 된 공작기계에 대해서도 마찬가지였다.

이와 같이 추축 3국의 군사동맹은 미국의 참전의욕을 약하게 하기는커녕 더욱 강하게 만들어 1940년 11월에 3선된 루스벨트 미 대통령은 연말의 「노변담화」에서 미국을 '민주주의의 대병기창'으로 만든다고 선언하고, 다음 해인 1941년 3월 무기대여법을 제정하여 대영원조를 대폭 강화했다. 무엇보다 이 단계의 미국은 유럽전선 제일주의에 입각하여 일독 쌍방과의 두 정면전쟁을 피한다는 생각을 가지고 있었기 때문에 대일 경제제재를 가하면서도 일본을 대미전쟁으로 몰고 가지 않는다는 방침을 취하였다. 1940년 9월 단계에서의 석유금수안이 시기상조로서 실행되지 않은 것도 그것이 일본의 네덜란드령 동인도에 대한 공격을 초래해 미일전쟁으로 확대되는 것을 경계하였기 때문이었다.

1941년 4월 유럽을 방문한 마쓰오카 외상에 의해 일소중립조약이 체결되었으나, 그것은 그가 이전부터 품고 있던 일독이소(日獨伊蘇) 사국협상 구상과는 거리가 먼 것이었다. 독일은 일본과 이탈리아에 알리지 않고 대소전을 준비하고 있었기 때문에 마쓰오카의 이러한 구상에는 냉담하였고, 대독전에 즈음하여 양면전쟁을 걱정하던 소련지도부가 일소중립조약을 환영하였기 때문이었다. 더구나 소련정부는 동시에 영미로의 접근을 시작하였고 마쓰오카의 외교는 일본의 고립을 더욱 심화시켰다.

1941년 6월 독소전의 시작을 계기로 7월에 감행된 남부프랑스령 인도지나의 침입도 그에 대한 미국의 대일석유전면수출금지는 일본의 대(對)미영란 전쟁으로의 두 번째이자 결정적인 계기가 되었다. 독소개전의 기회를 포착한 마쓰오카는 삼국동맹의 정신에 따라 대소전을 시작해야 한다고 주장하였으나 받아들여지지 않고 육해군이 주장하는 남부프랑스령 인도지나 진주안이 고노에 수상의 지지를 받아 결정되었다. 육해군의 주장은 일란(日蘭) 교섭조차 좌절된 현재 전략상의 최중요지인 남부프랑스령 인도지나에 교두보를 확보하는 것이 미영란의 대일본포위를 완화시킬지도 모르고 가령 그 결과 대영미전을 한다고 해도 군사상으로 유리할 것이라는 좁은 군사적 시점에만 근거한 경직된 발상이었다. 어전회의에서 스기야마 하지메(杉山 元) 참모총장은 현재 독일의 전황이 유리하기 때문에 미국이 참전하지는 않을 것이라고 말하고 마쓰오카 외상도 주도면밀하게 준비하면 영미전을 하지 않을 가능성이 많다고 하면서 남부프랑스령 인도지나 침입이 대영미전으로 연결될 가능성이 적다고 보았다. 이러한 낙관적 예측하에서 대영미전을 사양하지 않는다는 결정도 아울러 이루어졌다.

그 때문에 남부프랑스령 인도지나 침입에 대한 대응조치로서 미영란 삼국이 잇따라 일본자산을 동결하고 8월에 대일석유수출을 전면중단한다는 강경책을 취한 것은 마쓰오카 외상을 조각에서 배제하고 막 성립한 제3차 고노에 내각과 육해군을 경악시키기에 충분한 것이었다. 석유전면수출금지야말로 대일 경제제재의 마지막 카드이고 중국으로부터의 철병을 포함한 일본의 정책이 크게 바뀌지 않는 한 대(對)미영

란 전쟁으로 직결되기 때문이었다. 이후 1941년 12월의 개전까지 일미
교섭은 계속되었다. 1941년 10월에 도조 히데키(東條英機) 내각이 성
립한 다음에도 교섭은 계속되었으나 중국에서의 철병을 결사 반대한
육군은 장기적으로는 독일군의 승리에 기대를 걸면서 해군과 함께 대
미영전으로 일본을 이끌고 갔다. 독일도 또 대미개전의 각오를 굳힌
일본과 연락을 시작하고 일미개전이 되었다는 소식을 듣고 히틀러는
기쁜 나머지 양손으로 무릎을 치면서 모인 사람들과 향후의 새로운 세
계정세에 대해 이야기하였다고 한다.

제2절 태평양전쟁의 국제관계

1. 전황의 전개와 대외무역

1941년 12월 8일 일본해군은 하와이를, 육군은 영령 말레이시아를
각각 기습 공격함으로써 일본은 대미영전에 돌입했다. 같은 해 12월
11일 독일·이탈리아도 대미선전포고를 하여 이로써 아시아와 유럽의
전쟁은 연결되고 문자 그대로 세계대전이 펼쳐졌다.

일본정부는 이 대미영전을 '지나사변'도 포함하여 '대동아전쟁'이라
고 부르기로 결정하고 그것은 대동아신질서 건설을 목적으로 한 전쟁
이라는 의미를 갖고 있다고 발표했다. 하지만 용어결정과정에서 해군
은 태평양에서의 대미단기결전을 중시해 태평양전쟁이라고 불러야 한
다고 주장하여 태평양에서는 장기지구태세를 갖고 중국·영국을 굴복
시키는 것을 제1의 목표로 해야 한다는 육군과 대립했다는 점이 주목
된다.

육군의 대미지구(對美持久)·영중굴복(英中屈伏)이라는 전략은 개
전 직전인 1941년 11월에 대본영 정부연락회의가 결정한 「대(對)미영

란장(美英蘭蔣)전쟁 종말촉진에 관한 복안」에 일독이 삼국협상에 앞서 영국을 굴복시킨다는 방침에 따른 것이었다. 1942년 1월에 체결된 일독이 군사협정에서 일본군과 독일·이탈리아군이 작전지역의 경계를 인도양상 동경 70도선으로 정한 일본 측의 목표도 독일·이탈리아군이 일본군의 남방작전에 호응하여 중근동방면으로 진출하는 것을 기대하고 일본해군이 인도양에서 영인간 연락을 끊음으로써 영국의 굴복을 재촉한다는 것이었다. 다만 대소전에 전력을 집중하고 있던 독일은 중근동 진출의 여유가 없어 협정에서는 일본 측의 기대는 사실상 무시되었다. 일본육군의 전략은 압도적으로 우세한 독일군이 조만간에 영국본토 상륙을 결행할 것을 전제로 성립된 것이고 독일 측의 대소전 중시의 기본전략과 군사력의 한계를 못 본 것이었다. 1942년 3월에는 독일은 역으로 일본에 향하여 대소개전을 요구하는 양상이 되었다.

육군은 의향을 떠보고 있던 독일과의 공동작전이 곤란하다고 판명되어 장기적 전망을 상실한 데 대해 해군은 서전에서 예상외의 승리로 사기가 올라 태평양에서의 공세를 적극화하고 미국군의 반공거점인 호주를 제압해야 한다고 주장하였으나 육군의 반대에 부딪쳤다. 그리고 미항공모함의 격멸을 목표로 한 1942년 6월의 미드웨이 해전에서 역으로 주력 항공모함 4척을 잃으면서 일미전력이 역전되는 빌미를 제공했다. 기세가 오른 미국은 같은 해 8월 미호(美濠)차단작전의 일환으로서 일본군이 점령하고 있던 과달카날섬에 상륙하였고 1943년 2월 일본군은 2만여 명의 사망자를 내고 철수하였다. 과달카날섬의 일본군 패배가 같은 1월의 스탈린그라드공방전에서의 독일군 항복과 함께 제2차 세계대전의 결정적인 전환점이 된 것은 잘 알려진 사실이다.

군사동맹으로서의 삼국동맹이 거의 기능하지 않았던 것과 대조적으로 연합국 측에서는 군사동맹조약을 맺지 않았음에도 불구하고 미영소를 중심으로 군사작전상의 밀접한 연계가 지속되었다. 1941년 12월

의 미국참전 직후에 미국을 방문한 영국 수상 처칠(W. Churchill)은 미
영군사회의를 열고, 같은 해 3월에 확정한 미국의 대영협조=유럽제일
주의를 재확인하였다. 이후 소련과 중국도 가담한 수뇌회의가 자주 열
려 전략상의 결정·조정이 이루어졌다. 물론 여기서는 소련이 절실하
게 원했던 제2전선의 구축을 둘러싸고 미·영·소간의 의견대립을 비
롯하여 여러 가지의 대립·마찰도 있었으나, 추축국 측의 작전이 항상
불안했던 것과는 달리 연합국 측에서는 실질적인 협동작전이 이루어
졌다. 이러한 점에 유의하면서 당시 일본의 대외무역상황을 <표 7-5>
에서 살펴보기로 한다.

<표 7-5> 일본의 대외무역(1942·43년 평균) (백만엔)

상대국		금액(%)	주요품목					
수출	계	1,709.9(100.0)	기계류	354.1	직물류	301.6	종이류	145.5
			약품류	123.4	식료품	115.1	의류	83.4
	중국	512.5(30.0)	기계류	126.1	종이류	64.3	약품류	53.5
	만주	523.9(30.6)	기계류	120.1	직물류	68.1	의류	50.2
	관동주	369.7(21.6)	직물류	83.2	기계류	70.8	종이류	27.5
	프랑스령인도지나	120.7(7.1)	직물류	57.3	기계류	7.9	생사	6.7
	네덜란드령동인도	35.6(2.1)	직물류	13.7	기계류	7.0	약품류	4.0
	샴	77.1(4.5)	직물류	40.0	기계류	9.1	종이류	5.1
	독일	27.1(1.6)	고래유	6.0	광·금속	3.6	생사	3.4
수입	계	1,838.0(100.0)	조면	245.3	정미	163.2	석탄	161.0
			콩	97.6	철광	94.4	선철	93.9
	중국	798.9(43.5)	조면	239.6	석탄	139.3	철광	89.6
	만주	432.9(23.6)	콩	97.5	선철	86.6	석탄	16.1
	관동주	40.3(2.2)	소금	13.0	콩깻묵	6.0	광물류	4.3
	프랑스령인도지나	178.2(9.7)	정미	99.9	고무	39.6	석탄	5.6
	네덜란드령동인도	56.3(3.1)	광유	27.1	고무	6.8	키니네	5.7
	샴	108.0(5.9)	정미	57.5	고무	13.0	주석광	7.8
	독일	80.3(4.4)	기계류	52.1	약품류	11.3	염료류	7.7

자료 : 大藏省編, 『昭和十八年日本外國貿易年表』上篇.
주 : 수출입합계 상위 7개국에 대해 표시.

이 표에는 육해군이 세관을 거치지 않고 직접 행한 무역분과 군관계 품의 이동분은 포함되어 있지 않은데 그것을 고려해도 앞의 <표 7-3>에서 본 중일전쟁기와 비교하여 보면 대외무역이 축소경향에 있다는 것이 명백하다. 상대국별로 보면「중국·만주·관동주」가 수입의 82%, 수입의 69%를 차지하고 나머지는 거의 동남아시아 점령지역이었고, 추축국 독일과의 무역은 미미한 것에 지나지 않았다. 더구나 동남아시아 지역과의 무역은 1944년에 들어서 해상수송이 어려워졌기 때문에 급속히 감소하였다.

수출품에서는 기계류가 수위를 차지하고 있다. 철도기관차·차량, 자동차, 전신전화기 등 교통관계품이 눈에 띄지만 방적, 직포기와 금속공·목공기계도 무시할 수 없다. 지배지역의 경영과 공업화의 지향의 일단을 살펴볼 수 있기 때문이다. 수입품의 상위는 프랑스령 인도지나, 샴으로부터의 정미를 제외하면 중국·만주에서의 조면·석탄·콩·철광·선철이 차지하고 있고 특히 인도와 미국으로부터의 수입이 두절된 조면수입에 대해서는 중국으로부터 수입이 증가한 것이 눈에 띈다. 대미영 개전의 직접적 계기가 된 석유에 대해서는 네덜란드령 동인도로부터 838만 엔(1942년), 4,588만 엔(1943년), 보르네오는 각각 720만 엔, 1,872만 엔, 싱가포르에서 각각 108만 엔, 1,206만 엔이 수입되었지만 수출원유단가로 환산하면 1942년 계 19.6만 킬로리터, 1943년 계 93.7만 킬로리터밖에 안 되고 두 해의 남방석유의 환송량이라고 하는 142.8만 킬로리터(1942년), 261.3만 킬로리터(1943년)의 일부분에 지나지 않는다. 이는 육해군의 손에 의해 직접 이루어진 수입분이 무역연표에 기재되지 않았기 때문이다. 1943년 후반부터 미 잠수함에 의한 유조선 피해가 증가하기까지 남방석유는 기대이상으로 일본의 석유수요를 충족시켰다.

당시 독일과는 상선으로 위장한 순양함에 의해 무역이 이루어지고 있었는데, 이를 '버드나무 수송'이라 불렀다. 1942년 8월 대본영 정부 연락회의석상에서 제국물적전력증강을 위해 독일로부터 제국이 긴급하게 필요한 선박 및 중요자재를 공급받는 동시에, 이 실행을 위해 독일 측이 필요로 하는 물자의 공급 기타에 관한 특별조치를 강구하기로 한다고 결정할 때, 도고 시게노리(東鄕茂德) 외상은 '물자의 공급'이라는 것은 독일 측이 원하는 고무·주석·유지 등이라고 설명했다. 재수출의 약품류는 고무, 광금속류는 주석일 것이다. 당시 육군은 독일로부터 선박 50만 톤, 강재 100만 톤을 수입하기를 원했으나 독일 측은 소극적이었고 일본의 대소전 참가를 조건으로 하였기 때문에 거래는 성립하지 않았다. '버드나무'선에 의해 수입된 것은 총포·공작기계 등 기계류와 화학약품·합성염료류이고 철강수입은 1,000톤대에 머물렀다.

1942년 7월까지 약 반년 사이에 일독연락선 16척 가운데 3척이 침몰한 수송상황에서는 가령 양국에 물자공급증가의 의향이 있었다고 해도 실현 불가능한 것이었다. 이는 일본 해군이 해상호위의 중요성을 일깨워 준 제1차 대전에서 아무 것도 배우지 못한 채 오로지 러일전쟁 이래의 함대결정만 염두에 두고 있었기 때문이었다. 또 개전하면서 선박 상실량은 연 100만 톤 이하로 한다고 예상했으나 이도 일찌감치 깨져 전쟁 2년째에 벌써 164만 톤이 되고, 3년째에는 384만 톤에 달했다. 100척 가까운 대수송선단이 수십 척의 미영 호위함에 둘러싸여 대잠항공기에 보호되면서 대서양을 건너는 것과 대조적으로 일본과 점령지·전장을 연결하는 해상수송로에서는 미국 잠수함과 항공기가 호위없는 일본 선박을 차례로 침몰시켜, 1944년에 들어서면 일독간 물자수송은 거의 사라진다. 1943년 1월에는 일독·일이간에 경제협정이 체결되어 물자·기술의 교환이 진전되었음에도 불구하고 실제로 1943년 중에는 앞서 말한 정도의 무역만이 이루어졌다. 추축국간의 협력은 군사면이나 경제면에서도 연합국 측의 그것에 비해 훨씬 열악한 것이었다.

2. 전쟁과 아시아 제 민족

일본이 미·영과 개전한 것은 고립무원 상태에서 항일전을 전개하고 있던 중국에게 구원의 손길을 뻗친 것이나 다름없었다. 1942년 1월에는 중국군이 호남성 장사(長沙)를 공격하는 일본군을 격퇴했는데 이 승리는 태평양과 동남아시아에서 패퇴를 거듭하고 있던 영미군에게 커다란 힘이 되었다. 중국이 될 수 있는 한 많은 일본군을 계속 떠맡을 것을 기대하여 1942년 2월 미국은 5억 달러의 차관공여를 결정하고 영국도 5,000만 파운드(=약 2억 달러)의 차관을 대여하기로 했다는 성명을 발표했다. 미국으로부터의 5억 달러 가운데 2억 달러는 국민정부발행 달러표시 내국채의 뒷보증에 사용되고 나머지 많은 돈은 금으로 현송되었는데 1945년 일본이 패배한 후의 송금이 2억 달러에 가까웠다고 한다. 이에 대해 영국으로부터의 5,000만 파운드 차관은 일본패배까지 물자구입에 충당된 분이 300만 파운드, 그 후 1948년 7월까지 510만 파운드가 사용되었다.

대중국원조로서는 이외에 전술한 무기대여법에 근거한 것이 있고 그 연차별금액은 <표 7-6>에서 보는 바와 같다.

<표 7-6> 미국의 무기대여액 (백만달러)

연도	총액	대중국액
1941	1,540	26(1.7)
1942	6,893	100(1.5)
1943	12,011	49(0.4)
1944	14,940	53(0.4)
1945	13,713	110(78.0)
1946	1,751	210(12.0)
계	50,848	1,545(3.0)

자료 : Young, 앞의 책, p.350.
주 : 1945년의 대중국분의 반은 일본항복 후의 실행.
   그 외에 영국으로부터의 대중국 무기대여가 1,100만파운드 있음.

전체에서 차지하는 중국의 비중은 작지만 중국에게는 강력한 지원이었다. 그러나 1942년 5월 일본군의 북부버마 점령으로 인해 연합국으로부터의 군수물자는 앞서 말한 히말라야를 넘는 공수(空輸)에 의존하였다. 1943년 9월에는 중국국민항공공사가 23기로 1,134톤을, 미국공군이 225대로 5,198톤의 물자를 공수했다.

미국은 1942년 3월 스틸웰(S.W. Stilwell) 중장을 중경에 보내 장개석을 면담하고 군사원조를 강화했으나 그것은 버마 지상루트의 탈환을 전제로 중국육군을 강화하고 일본군을 몰아낸 다음 중국본토에서 미군을 일본으로 진공시킨다는 전략에 근거한 것이었다. 이 점은 1943년 11월의 미영중 수뇌의 카이로회담에서 확인되었지만, 그 직후 테헤란에서 열린 미영소 수뇌회의에서 미영군의 북프랑스 상륙작전과 독일의 패배 직후 소련의 대일참전이 결정되었기 때문에 버마 작전의 의의는 감소했다. 그러나 1943년 12월 말 스틸웰은 인도에서 훈련한 중국군을 이끌고 북부버마에 진입하였고 1944년 5월에는 미이토키나 비행장을 점령하였고 그 결과 중경으로의 공수가 격증했다.

그런데 중국본토에서는 1944년 대륙을 남북으로 종단하는 일본군의 대작전(대륙타통작전)에서 국민정부군이 크게 패하였다. 중경의 방위도 위태로운 상태에 빠졌는데 이는 격렬한 인플레이션의 진행으로 병사들의 수입이 감소하고 전의가 저하되었기 때문이었다. 무엇보다 대작전으로 일본군이 수적으로 적어진 화북을 중심으로 중국공산군의 활동이 활발해진 것도 간과할 수 없다. 외국으로부터의 원조가 전혀 없는 연안 쪽이 중경보다 항전의식이 높고 해방구가 확대되었다. 중국에 대한 원조의 의의를 과대평가해서는 안 되는 이유가 여기에 있는 것이다.

태평양전쟁에서 일본이 목표로 내세운 '대동아신질서'라는 것이 점령지 제 민족에 있어 어떠한 성질을 가지는 것인가는 중국에서의 사태에서 이미 증명되었다. 덧붙여 말하면 대만·조선에서 식민지 수탈을 더욱 강화하면서 전개된 전쟁이 아시아민족해방을 위한 것이 아니라는 것은 당연했다. 개전 직전인 1941년 11월에 대본영 정부연락회의가 결정한 「남방점령지행정실시요령」은 점령지에서는 우선 군정을 실시하고 국방자원 취득과 점령군의 현지자활을 위해 민생에 영향을 줄 수 있는 중압은 참아내기로 결정했다. 일본군의 활동유지를 위한 현지주민의 생활수준 저하는 어쩔 수 없는 일이라고 본 것이다. 최고지도부의 이러한 무책임한 태도로 인해 점령하 동남아시아 각지에서는 식료품 부족으로 인한 아사자가 많이 발생했다.

정치면에서는 원주토민에 대해서는 일본군에 대한 신뢰를 조장하도록 지도하고 그 독립운동이 지나치게 발생하는 것을 피하도록 해 민족독립을 오히려 억누르고 싶다는 본심을 드러내었다. 특히 화교에 대해서는 장개석 정권으로부터 이탈해 일본의 시책에 협력 동조하도록 만든다고 결정했으나 이로 인해 싱가포르에서 중국계 주민이 대량학살 당하는 일이 발생했다.

일본정부와 육해군이 점령지의 민족독립을 원하지 않았던 것은 1942년 3월의 대본영 정부연락회의의 석상에서 자바를 네덜란드령 동인도에서 독립시킨다는 외무성의 원안이 출석자들의 맹렬한 반대에 부딪쳐 결정되지 못한 사실에 잘 드러나 있다. 1943년 5월 어전회의에서 결정된 「대동아정략지도대강」에서는 버마와 필리핀의 독립방침을 다시 확인했음에도 불구하고, 말레이시아와 네덜란드령 동인도(자바 포함)는 일본제국의 영토로 결정되었다. 같은 해 1월 도조 수상이 버마

와 필리핀의 독립을 인정하는 연설을 했을 때, 인도네시아의 민족운동
지도자 수카르노가 "도조의 성명은 우리 민족의 머리위에 내리쳐진 철
추와 같다"고 강력하게 비판하였음에도 불구하고, 어전회의는 인도네
시아의 독립을 부정하였다. 일본정부가 인도네시아의 독립을 인정하는
것으로 방침을 바꾼 것은 일본의 패색이 짙어진 1944년 9월 고이소 내
각 때이고 수카르노의 독립선언은 일본패배 직후로 넘어갔다.

　　버마의 독립은 1943년 8월, 필리핀의 독립은 같은 해 10월이었으나
모두 일본의 괴뢰정권에 지나지 않았다. 1942년 9월 대동아성의 신설
에 반대하고 외상을 사임한 도고 시게노리는 1945년 4월에 스즈키 내
각의 외상(대동아상 겸임)이 되었을 때의 대동아성은 매우 한산하였다
고 하면서 "버마 및 앞서 독립을 선언한 필리핀에서도 군사령관이 군
사문제뿐만 아니라 내정의 지도도 전쟁수행과 불가분의 관계가 있다
는 이유로 이를 지도하고 있었다. 그렇다면 이들 국가에 주재하는 대
사는 대동아대신의 지도하에 외교사무를 보고 있었으나 그러한 사항
에 대해서도 군사령관이 구처권(區處權)을 갖고 있었다.⋯⋯이렇다면
도조 등 군부가 무엇을 위해서 그 소란을 떨면서 대동아성을 설립했는
지 이해하기 어렵다"고 하면서 버마·필리핀에서도 사실상 군정이 계
속되었다는 점을 분명히 했다.

　　이와 같이 일본군에 의한 동남아시아 제 지역의 점령과 서구제국주
의 지배의 배제가 곧바로 제민족의 독립을 가져온 것은 아니고, 독립
은 일본제국주의에 의한 새로운 지배하에서 축적된 제 민족 스스로의
노력과 희생 끝에 얻어진 것이었다.

제8장 경제신체제와 통제회

제1절 경제신체제논쟁

기획원은 1940년 8월 1일 일본정부가 기본국책요강을 발표한 것을 계기로 경제신체제확립요강의 원안을 입안하게 되었다. 그 내용 중에 일본을 중심으로 일본·만주·중국 3국 경제의 자주적 건설을 기조로 국방경제의 기초를 확립한다는 내용의 문구가 있었고, 기획원은 이에 부응하여 고도국방경제를 확립하기 위한 종합적 계획경제를 실시하기로 결정했다. 1940년 8월에 기획원 심의실이 신설되고, 여기에는 각 성에서 혁신성향이 강한 관료들이 모여 경제면에서 신체제를 설계하기 위한 작업을 본격적으로 시작했다.

이들이 작성한 기획원 원안에서는 '자본과 경영의 분리'원칙을 주장하면서 기업의 목적을 이윤에서 생산으로 전환할 것을 주장했다. 이는 국민경제의 능률향상 및 생산력의 증강을 도모하고 국방산업의 자주성을 확립하는 동시에 국민경제의 계획성을 확립함으로써 국방국가체제의 완성을 도모하기 위한 것이었는데 이를 위해 다음의 사항을 강조했다. 우선 기본방침에서는 자유기업체제를 개혁하고 국민경제를 종합계획적인 생산공동체로 조직해야 한다고 하였다. 그리고 또 기업을 자본의 지배에서 이탈시켜 국민생산협동체의 일원이라는 입장에 서게 하고 '기업의 설립, 분리, 합병, 해산의 자유를 제한한다', '기업에서의 경영의 우위를 확보하고 기업경영의 공공성을 확보하고 경영담당자에게 공적성격을 부여한다', 또 '배당을 통제하고 경영자로 하여금 자본에 구속되지 않고 생산의 확보증강 및 확대재생산에 대한 국가적 책임을 맡겨 그 창의와 능력을 발휘시킬 필요가 있다'고 하였다.

이들 기업에 대해서는 국가적 생산의 증강에 대한 기여에 따라 보장제도를 신설하고, 현재 자본의 입장에서 하나의 기업에 포함되어 있는 다각경영체를 계획적, 기술적 입장에서 생산증강을 위해 분리결합하고 재편성해야 한다고 하였으며 중소기업도 이를 정리, 재편성하고 정부가 특히 필요하다고 인정할 때는 기업을 국영으로 할 수 있다는 등의 내용을 가지고 있었다.

기획원 관료들은 원안을 작성하면서 군부의 의사만을 반영하는 것이 아니라 재계의 동향에도 주목한 것으로 보인다. 하지만 이들이 관심을 보인 대상은 기존의 보수적인 재계인들보다는 군부의 의사에 동조하는 혁신성이 강한 재계인들, 특히 중공업을 중심으로 새롭게 부각되기 시작한 사람들이었다. 원안을 작성하는 가운데 그 내용이 조금씩 민간 측에 알려지게 되었고 특히 1942년 9월 초 '자본과 경영의 분리'론이 보도되자 재계는 곧바로 이에 크게 반발하였다. 이후 약 3개월에 걸쳐 전시 일본이 선택해야 할 경제체제를 둘러싸고 지배계층 내부에서 치열한 논쟁이 전개되었는데 이것이 소위 경제신체제논쟁이다.

'자본과 경영의 분리'문제 외에 기획원 원안에서는 기존 경제단체를 재편성한다는 견해를 제시하고 있다. 즉, 경제단체는 국민생산협동체의 한 단위에 불과한 생산협동체라고 규정하고 강제설립에 의한 공법인으로서 지도자원리를 적용하고, 주요 부문별 · 업종별 등의 경제단체 외에 전 산업을 통할하는 최고경제단체를 조직한다는 것이었다. 경제단체는 정부의 공동기관, 정부의 대행기관, 하부경제단체의 통할, 지도 그리고 생산, 배급의 실적조사 등의 직능을 가진다. 그리고 최고경제단체는 내각(기획원), 하부단체는 각각의 소관관청이 감독하고 정부는 최고경제단체 지도자의 임면권 및 그 외 임원임면의 인가권을 가지는 한편 경제단체의 임원에는 관리도 취임할 수 있도록 하였다.

이에 대해 재계는 즉각 반박 성명을 발표하였는데, '자본과 경영의 분리'에 반대하는 재계 측의 입장은 다음과 같은 것이었다. 즉, 기업이 어느 정도 이익본위로 행동하는 것은 반드시 필요한 것이고, 탁상공론식의 경제통제는 생산을 저해할 위험이 있으며, 생산력 확충은 고물가·고이윤이라는 자극에 따르는 것이 가장 유효하다는 것이었다. 그리고 사업경영이라는 것은 본래 자본과 경영이 완전히 의기투합하는 경우에 최대의 효율을 거두며, 독일의 나치스도 오히려 자본과 경영을 일치시키는 방향으로 나가고 있다는 점을 지적하였다. 또 자본의 경영 간섭행위를 막기 위해서는 국가총동원법의 경리명령 내지 이윤통제수단만으로 충분하고 자본과 경영을 분리할 필요까지는 없다고 하였다.

그리고 정부의 지도가 적절하면 민간의 자발적·전면적 협력은 쉽게 얻을 수 있기 때문에, 현재의 경제가 제대로 돌아가지 않는 것은 정부가 일방적으로 독선적인 통제를 밀어붙이기 때문이라고 비판하고 있다. 경영책임자가 경제관리가 되어 경제를 행정사무화하면 창의가 발휘되지 않고 능률이 오르지 않는다는 점을 지적하였으며, 국가가 임명하는 중역에게는 상당한 비용이 들어갈 것이 명백한데, 이는 개개 기업의 채산과는 별상관이 없지만 국가 전체의 채산은 악화된다고 하였다. 임면권을 외부단체에 이양하면 사업경영에 대한 주주의 열의와 경영자의 책임감이 희박해지는 것은 당연한 것으로 이는 국책회사의 경우를 보면 잘 알 수 있다고 하였다. 그리고 재계는 기획원 원안을 보면 소련의 계획경제, 통제경제의 냄새가 짙게 나고, 그 근저에는 공산주의적 사상이 놓여 있는 것은 아닌지 의심된다고 맹공을 퍼부었다.

여기서 보는 것처럼 재계는 우선 '자본과 경영의 분리'는 자본가의 이윤동기를 제한하여 생산을 저해하는 결과를 초래한다는 것을 강조하고, 더 나아가 종래 관청통제의 비능률을 지적하고 통제강화에 반대하였다. 중역의 임면과 이익처분을 주주총회에 맡기지 않고 정부가 전부 장악하는 점에 대한 반발은 매우 격렬하였다. 자본과 경영을 분리하고 게다가 경영자의 임면권을 정부가 장악하면 결국 기업은 전부 관의 의도에 좌우된다는 점을 재계는 두려워하고 있었다.

재계는 그들의 일치단결된 모습을 확고히 보여 주기 위해 1940년 12월 7일 일본공업구락부, 일본경제연맹회, 일본실업협회, 일본실업조합회, 공업조합중앙회, 전국산업단체연합회, 전국금융협의회의 7단체 이름으로 「경제신체제에 관한 의견서」를 발표했다. 여기에 나타난 재계의 입장도 앞서 말한 바와 대동소이하지만, 그 주요 내용은 지나친 통제는 경제를 위축시키고 이윤추구는 인정해야 하며 정부가 기업체의 조직에까지 간섭한다고 해서 생산이 증강되는 것은 아니라는 점을 명기하였다. 그리고 물가의 상승을 막고 생산을 증가시키기 위해서는 기업의 자주성과 개인의 창조성을 존중해야 한다는 점을 강조했다.

기획원 원안에 대해 재계가 이처럼 조직적으로 강력하게 반대의사를 표명하자 기획원도 이에 대응할 필요가 있었다. 호시노 기획원 총재는 재계가 들고 있는 반대의 근거에 대해 간담회(국무회의) 석상에서 다음과 같은 내용의 말을 했다. 즉, 기획원 원안은 결코 소련의 공산주의사상에 근원을 가진 것이 아니고 계획경제 기타 정책의 구체화가 소련의 그것과 유사하다면 그것은 '갖지 못한 나라(have-nots)'의 공통적인 대책에 불과하다. 그리고 본질적인 의미에서 '자본과 경영의 분리' 등은 기획원에서는 전혀 고려하고 있지 않다는 것이었다. 콘체른의 해체도 물론 고려하지 않고 있지 않으며 우리들이 시도하는 것은 동업단체를 만드는데 있어 너무 작은 단체이거나 그 업종에 따라 어떤 부문에 편입되면 좋을 것인지 분간이 안 되는 것에 대해서 경우에 따라 이합

집산을 명령할 수 있다는 것에 지나지 않는다고 하였다. 또 동업단체의 이사에 대한 임면권을 정부가 장악하는 것도 실제상 다른 방법이 없고, 운영에 있어서는 엄중히 관료독선을 경계하고 민간경험자의 지식경험에 의해 운영할 것이며, 경영에 대한 지도자원리도 이 의미에서 관료독선과는 반대로 민간전문가의 수완과 식견을 기대하고 있다는 점을 강조했다.

이 같은 정세하에서 군부는 1940년 12월 29일 각의 석상에서 오이가와 고시로(及川古志郞) 해군대신을 시켜 국방국가체제의 완성을 위해서는 기본국책요강을 반드시 구현할 필요가 있다는 점을 강조하도록 했다. 발언의 내용을 보면 특히 경제시책의 경우 현재 당면하고 있는 시국처리를 완수하는 데 중점을 둔 개혁을 위해 일시적이라도 생산력의 저하를 초래하거나 혹은 민심의 불안을 가져올 일은 경계해야 하지만, 현재의 시국에 대응하여 전시경제력을 강화하고, 특히 생산력의 확충을 위해서는 하루빨리 강인하고 지구력있는 태세를 정비할 필요가 있음을 지적하였다. 그리고 정부는 이 종합적인 지도력을 강화하는 데 필요한 조치를 강구할 필요가 있다는 점을 지적하면서 암암리에 간담회에 압력을 가하고 있었다. 하지만 기획원과 군부가 이처럼 기획원 원안의 본질을 수정하려는 움직임을 막으려고 하였으나 대세는 이미 원안 수정의 방향으로 나아가고 있었다.

경제신체제논쟁은 기획원에 모인 혁신관료와 재계 사이에만 있었던 것은 아니었다. 경제신체제논쟁 과정에서 재계의 주장이 분열하여 자주통제론만을 주장할 것이 아니라 정부의 정책형성에 보다 적극적으로 참가해야 한다는 주장이 재계 일각에서 나타났다. 재계 수정파라고도 부를 수 있는 이 그룹은 1940년 9월 철강·석탄·해운 등 5업계의 지도자를 중심으로 중요산업통제단체간담회가 설립됨으로써 그 명확한 모습이 드러나게 되었다. 이 그룹에는 초대회장에 취임한 히라오

하치사부로(平生釟三郎), 이전부터 독자의 기술주의적 기업론을 펴 온 이연(理研)콘체른 회장 오고우치 마사토시(大河內正敏), 전 상공대신 후지와라 긴지로(藤原銀次郎) 등 이미 사업일선에서 은퇴한 사람들이 포함되었다. 하지만 종래의 재계 주류파와 구별되는 수정파의 형성에 있어 보다 중요한 존재는 전시생산의 담당자로서 그 지위가 높아진 중공업부문에서 실제로 경영을 하고 있거나, 또는 동 부문에서 형성된 통제단체에 이사로 취임한 상대적으로 젊은 전문경영자들이었다. 그들은 여러 모순점을 드러내고 있는 전시경제통제하에서는 고수익을 올리는 것도 중요하지만 자신들의 경영능력을 부각시키기 위해서는 계획경제를 추구하는 것이 필요하다는 인식을 가지고 있었다.

하지만 재계 수정파와 구래의 주류파와의 대립은 상대적인 것이었고 기업목적으로서의 이윤추구의 승인, 기업의 인사·경영면에서의 정부로부터의 자유, 일업일사(一業一社) 통제주의와 기계적인 콘체른의 분리를 반대하는 점 등에서 양자의 주장은 거의 일치하고 있다. 이 점에서 볼 때 재계 수정파도 대체적으로 자유주의적 자본주의를 지지하고 있다고 볼 수 있다. 다만 중요산업단체통제간담회가 경제신체제논쟁의 최종국면이라고 할 수 있는 확립요강이 각의에서 결정되기 직전(1940년 12월 7일)에 나온 7단체 의견서에 서명하지 않았는데, 이 사실은 재계 내에 기존의 보수파와는 시각이 조금 다른 그룹이 성립되었다는 것을 보여 주는 하나의 증거이다.

『경제단체연합회전사』는 이때의 사정을 다음과 같이 말하고 있다. 즉, 중요산업단체통제간담회는 조정자적인 입장을 관철시키고 있었는데 이는 재계 일부의 현상유지세력을 비판하거나 설득하여 경제신체제 안으로 끌어들이는 한편, 군부와 관료 내의 혁신세력이 지나친 주장과 행동을 하는 것을 제어해 신체제의 이념이 재계 내지 산업계의 현실을 인정하는 선에 머무르게 하는 것이었다. 그 의미에서 이 중요산업단체통제간담회의 입장은 상공차관 기시 노부스케(岸信介) 등을 중심으로 하는 기획원 관료 입장에 접근하고 있는 것으로 보인다.

중요산업단체통제간담회에 모인 것은 중공업 각 카르텔의 대표자였고, 이들은 독점자본으로서의 이익을 유지하기 위해 군부·혁신관료의 의견을 받아들이면서도 다른 한편으로는 위기에 직면하고 있는 1940~1941년의 일본경제하에서 최대한의 이윤을 얻으려고 시도한 것이다. 군부·혁신관료는 고도국방국가의 건설을 계획경제=통제의 강화로 실현하려고 하였으나 중요산업단체통제간담회는 기업경영의 내부에까지 미치는 개입에는 반대하면서도 자치적 통제로는 이미 일본경제의 위기를 타개할 수 없기 때문에 국가목적에 부합되도록 부르주아지=민간주도의 재편성을 염두에 두고 있었던 것이다. 이들이야말로 사익을 공적 형태를 통해 실현하려고 한 사람들이었다.

재계 수정파가 구래의 주류파와 다른 점은 다음의 세 가지로 정리할 수 있다. 첫째, 사익과 공익의 관계에 대한 이해에 있어 상당한 차이가 있었다. 예를 들어 히라노는 이윤추구가 바람직하지 않은 것으로 말하고 있으나, 고 세이노스케(鄕誠之助)는 히라노의 이러한 생각을 '빨갱이 사상'이라고 반박하였다고 하는데 이것은 이 문제에 대해서 재계가 분열하고 있었다는 것을 암시한다. 그러나 히라노를 포함한 재계 수정파가 공익우선을 기획원관료처럼 기업의 채산을 고려하지 않는다는 의미로 해석한 것은 아니었고, 사익을 추구하는 과정에서 공익이 실현될 수 있다는 재계 보수파의 생각과 크게 다른 것은 아니었다. 재계 수정파가 공익우선을 찬성한 것은 사익을 추구하면서도 공익을 실현시킬 수 있는 기구를 만드는 것이 중요하다는 생각에서였는데, 이것을 중요산업협의회의 사무국장인 호아시 케이(帆足計)는 활사봉공(活私奉公)이라고 표현했다.

둘째, 중공업의 전문경영자로 이루어진 재계 수정파는 소유와 경영의 관계에 대해서도 상대적으로 혁신적이었다. 예를 들어 기획원안에 대한 의견으로서 미쓰비시 중공업 회장인 고코 기요시(鄕古潔)는 '소유와 경영의 분리'문제에 관해 이것이 '출자자 또는 주주의 권리를 완전히 빼앗는다'는 의미라면 실행할 수 없는 것이고 다만 종래와 같이 자본가의 수중에 전적으로 맡기기는 않고 또 국가목적에 도움이 되지 않을 경우 이에 제한을 가하는 정도라면 신체제에 적합한 개혁이 될 것이라고 하였다. 전시경제가 진행되면서 점차 전문경영자가 주주(재벌본사)로부터 자립하게 되었는데, 고코의 이러한 주장은 이와 같은 사태의 추이를 반영하는 것이었다. 동시에 이러한 경향이 신체제가 추진되면서 촉진될 수도 있을 것이라는 전문경영자의 의향을 나타내는 것이라고 볼 수도 있다.

셋째, 재계 수정파는 종래의 보수파 이상으로 통제단체의 재편성문제에 대해 많은 관심을 보였다. 우선 경제계획의 기획·운용에 있어 이때까지 일방적으로 정보를 제공만 했을 뿐이고 그 편성에 참가하기는커녕 관련된 정보조차 얻지 못했지만 이제는 여기게 참가하게 된 것이고, 또 하나는 초기 통제과정에서 급조되었던 다원적인 통제단체를 재조직함으로써 배급면의 불균형을 시정함과 동시에 중점주의적 할당을 달성한 점이다. 기존 통제단체의 평등주의적인 운영원칙은 이미 대기업에 있어서는 커다란 장애가 되어 있었는데, 재계 수정파가 지도자원리를 받아들이고 또 공익우선을 주장하는 근거가 바로 이 점에 있었다.

따라서 1940년 후반 기획원 혁신관료와 재계 보수파의 격렬한 논쟁 배후에는 기업에 대해 보다 현실적인 인식을 가진 경제관료와, 소유와 경영문제에 대해 보수파와는 다른 견해를 가진 재계 수정파가 새롭게 결합하고 있었다는 사실에 주목해야 한다. 하지만 재계 수정파가 경제운영의 담당관청인 상공성과 의견이 항상 일치한 것은 아니었다. 그러나 양자 사이에 기업의 고유목적인 이윤추구를 인정한다는 기본적인 발상은 공유하고 있었고, 그 때문에 사익과 공익의 일치를 가능하게 하는 제도로서 경제신체제를 구상하고 있다는 점에서 공통되는 지향을 갖고 있었다.

제2절 경제신체제확립요강의 성립

앞서 본 것처럼 경제신체제논쟁에서 나타난 재계의 의도, 즉 이윤원리를 인정해야 기업의 생산의욕이 감소하지 않는다는 주장은 기업의 국가성을 강조하였던 기획원 본래의 구상과 정면에서 대치되는 것이었고 결국 재계의 주장 가운데 많은 것이 경제신체제확립요강의 최종 결정과정에서 수용되었다. 1940년 11월 12일 이후 몇 차례 개최된 경제관계각료 간담회에서는 고바야시 이치조(小林一三) 상공대신 등이 재계의 주장을 대변하였고, 12월 1일에는 고바야시가 중심이 되어 재계 견해를 대폭 받아들인 수정안이 작성되었다. 그러나 이에 대해 군부 및 대정익찬회(大政翼贊會) 등에서 반발하여 다시 수정되었으나 고도국방국가의 확립이라든가 지도자원리의 강조 등 기획원 원안에 나타났던 정신적 이념을 강조하는 데 머물렀다. 이리하여 12월 7일 각의에서 최종적으로 경제신체제확립요강이 결정되었다.

경제신체제확립요강에서 특히 중점을 둔 것은 전시경제의 운영을 담당해야 할 경제기구의 정비 및 강화였다. 경제신체제확립요강은 경제단체의 신조직을 업종별, 물자별로 편성해야 한다는 것을 제시하고, 또 이들 경제단체의 구성분자로서의 각각의 기업에 대해서도 새로운 기업체제를 확립할 것을 요구하고 있다. 제시된 기업체제의 기본방침 가운데 가장 주목해야 할 것은 기업담당자로 하여금 기업을 국민경제의 구성부문으로 인식케 하고 창의와 책임을 강조한 점에 있다. 또 단위기업을 구성분자로 하여 결성되는 경제단체는 업자의 추천에 근거하여 정부가 인가하는 이사의 지도하에서 이를 운영한다는 방침이었다. 그리고 이 지도자는 경제단체로 하여금 정부의 협력단체로서 중요정책의 입안에 있어 정부에 협력하는 동시에 실시계획의 입안 및 그 계획실행의 책임이 맡겨지고, 필요한 경우에는 정부에 의견을 상신해야 한다. 물론 하부경제단체 및 소속기업은 그 지도하에 연계되었다. 다시 말해 계획경제 수행을 위하여 단위기업, 경제단체, 상위경제단체, 정부간의 연계는 계획의 입안이나 그 실시에 있어서도 상의하달(上意下達), 하정상통(下情上通)이 가장 정확하고 원활하게 이루어지도록 조직적 일체가 되는 것이 경제신체제의 궁극적인 목표라 할 수 있다.

이를 위해서는 기업담당자가 국가공익에 대한 책임을 무겁게 느껴야 했고, 다른 한편 그 지도감독의 핵심을 담당하는 정부와 관료의 책임도 중요하였다. 단지 정책요강을 결정하고 법규명령을 내는 것만으로 소기의 목적을 달성할 수 있다고 본다면 이는 커다란 과오가 될 것이기에 경제신체제를 건설하기 위해서는 강력한 정치력을 확보해 관민의 상극, 관료의 독선을 없앨 필요가 있었고 이는 일본전시경제의 중대한 과제로 제시되었다. 1941년에 나온 재계의 요구에서도 관민간의 협조문제에 대하여 벌써 언급하고 있었다.

그러면 이제 기획원의 원안이 재계의 반발에 부딪쳐 어떻게 수정되었는가를 살펴보기로 하자. 우선 보상제도는 '자본과 경영의 분리'를 전제로 하는 것이기 때문에 이에 관한 항은 재계의 의도대로 삭제되어 기업체제에 관한 부분 속에 완화된 표현으로 포함되었다. 그러나 국가생산력을 증대시키는 데 있어 이윤의 증가를 인정한다든가 발명발견, 우수한 기술에 대한 장려의 길을 강구한 것은 일단 원안의 정신을 살린 것으로 볼 수 있다. 다음으로 기획원 원안은 경영과 노동만을 중시하고 자본을 경시하는 경향이 있었는데, 기업체제의 기본방침 속에서 기업을 자본, 경영, 노무의 유기적 일체라고 정의한 것은 재계의 의향을 받아들인 것이다. 종합적 계획경제의 수행이라고 명기한 것은 각의에서 경제계획이라고 바꾼 것을 다시 수정하여 기획원 관료의 주장을 받아들인 것이다. 지도자원리에 대해 재계는 한 목소리로 반대했고, 원안에서는 기업경영의 공공성을 확보하고 경영담당자에게 공적성격을 주어 그 임면에도 제한을 가한다는 것이었으나, 기업체제의 기본방침에서는 기업경영자의 창의와 책임하에 자주적 경영에 맡기는 것으로 해 가볍게 다루고 있다.

원안은 중소기업에 대해 이것을 생산의 고도화를 목표로 가능한 한 정리·재편성한다는 방침이었으나, 결정안에서는 중소기업은 가급적 유지·육성한다는 식으로 표현이 바뀌었다. 경제단체에 대해서는 원안에서는 이것을 공공특수법인으로서 지도자가 통솔하는 지도자 조직으로 하였으나, 각료회의에서는 업자의 추천에 근거하여 정부가 인가하는 이사중심의 조직으로 바뀌었다가 이것이 다시 수정되어 이사의 지도하에 운영되는 조직이 되었다. 결국 지도자원리나 '자본과 경영의 분리'문제에서 관료와 재계는 서로 절충하여 상당히 애매한 표현으로 정리되었지만 역시 재계의 주장이 상당히 반영되었다고 볼 수 있다. 군부는 기획원 원안을 지지하였으나 근본적인 문제에서는 산업이익을 위해 대폭 양보할 수밖에 없었다. 전쟁을 지속하기 위해 국가가 경제를 더욱 강력하게 통제한다는 목표하에 경제체제 자체를 전환하려고 했으나, 이는 재계 특히 독점대재벌의 이익을 보장한다는 것이 전제되어야 했는데 이러한 재계의 의도는 기획원 원안이 수정되는 과정에서 분명하게 드러났다.

이상에서 본 것처럼 재계의 반발로 인해 기획원이 처음에 의도한 것과는 달리 상당히 온건한 형태로 표현이 많이 바뀌었지만 전시경제통제사상 경제신체제확립요강은 다음의 두 점에서 획기적인 의의를 갖고 있다. 첫째는 소위 종합적 계획경제의 수립을 목적으로 종래의 통제경제를 한층 전진시켰다는 점이다. 둘째는 독점자본의 카르텔적 통제조직을 더욱 발전시켜 카르텔을 국가통제기관으로 전환시켰다는 점이다. 즉, 관민협력에 의한 계획경제의 수행 특히 주요 물자의 생산, 배급, 소비를 총괄하기 위하여 산업단체를 정리 · 통합하고, 그럼으로써 생산 · 유통 · 소비의 전반에 걸친 일원적 통제기구를 확립하려고 한 것이었다.

그리고 당시 경제신체제의 통제이념과 조직원리에 가장 정통하였던 호아시는 경제신체제확립요강의 저변에 흐르고 있는 기본정신을 다음의 네 가지로 정리하고 있다. 즉, 공익우선의 원칙, 생산중점주의, 소위 지도자원리의 원칙, 그리고 관민 각각이 그 직분에 따라 일치협력해야 할 체제를 통제기구와 그 운용의 측면에서 실현하는 것이라고 하였다. 결국 이 네 가지는 전쟁을 수행하는 데 있어 민간과 정부가 협조해야 한다는 대원칙하에서 다음과 같은 상호연관성을 가지고 있었다.

전시경제가 난관에 부딪치게 된 원인의 하나인 관료통제의 폐해를 타개하기 위해서는 민간경제주체의 주체성을 발휘시켜 정부에 대한 협조를 촉구해야만 했다(관민협조). 그러나 민간의 주체성 발휘라는 것이 단순히 사적이윤원리에 근거한 자유주의경제로의 회귀를 의미하면 안 되고 어디까지나 국가목적을 실현하는 데 있어야 한다(공익우선). 그 국가목적은 전시경제를 추진하기 위한 생산증강이지만(생산중점주의), 그것은 강력하고 효율적으로 실현되어야 한다는 것이다(지도자원리).

제3절 통제회의 설립과 그 한계

1941년 8월 30일 중요산업통제령이 공표되고 9월 1일부터 시행되면서 통제회가 설립되기 시작하였다. 중요산업단체령이 시행된 후 곧바로 중요산업을 지정하는 내각령이 나올 예정이었다. 하지만 상공성이 통제회 회장의 전임제를 강력하게 주장한 데 대해, 재계가 회장이 될 만한 민간의 인재를 현직에서 물러나게 한 다음 통제회 회장에 전임케하는 것은 곤란하다고 반대했고, 또 관청간에 통제회의 감독권을 둘러싼 소관 다툼 때문에 늦어지게 되었다.

통제회장의 전임문제는 통제회의 설립을 둘러싸고 일어난 군부, 기획원 관료 및 재계 사이의 대립양상을 보여 주고 있다. 중요산업단체령 제16조는 회장, 부회장, 이사장 및 이사는 다른 직무 또는 상업에 종사할 수 없고 단 주무대신의 인가를 받을 때에는 이를 제한하지 않는다고 규정하고 있다. 이에 근거하여 상공성과 기획원은 국책회사의 사장인 경우를 제외하고는 통제회 회장은 전임으로 해야지 겸임으로 해서는 안 된다고 주장하였으나, 이에 대해 재계 측은 전임론은 결과적으로 퇴직관리나 군인들이 통제회회장이 되는 길을 만들게 될 것이고 이것은 신체제요강의 정신, 즉 재계의 자주통제에 반하는 것이라고 맹렬히 반대하였다.

관청간 소관 다툼의 경우 그 몇 가지 예를 들면, 화학공업의 경우 농림성은 비료통제회를 별도로 설립하여 유안 등 농림성 소관의 권한을 유지하려 하였고, 상공성은 이를 화학공업통제회의 원료별 부회 내지 기초약품 부회에 편입시키려고 하였다. 또 체신성은 비철금속통제회에 케이블(cable)이 포함되는 것에 반대하고, 전기기계통제회에 대한 감독권을 요구한 상공성과 절충이 필요하여 각 성간의 타결이 쉽지 않았다. 이러한 가운데 중요산업통제단체협의회에서는 관료통제의 배제와 함께 통제회 설립산업을 조속히 지정하여 그 설립명령을 발표하라고 요구하였다.

1941년 10월에 들어서도 각 성간의 대립은 계속되어 사무절충의 형태로는 이러한 문제들을 해결할 수 없어 결국 각의에서 합의하는 형태를 취하게 되었다. 이로써 원칙에 대해서는 일단 타협을 보았는데 그 내용은 통제회 설립산업의 지정은 중점산업순으로 한다는 것, 통제회의 주관관청 이외의 다른 관청도 그 소관사항의 범위 내에서는 통제회를 지도 및 감독한다는 것, 주관관청은 수요자의 감독관청에 대하여 수급통제, 가격통제 등에 대해 협의할 것, 회장은 민간인으로 원칙적으로 전임제로 하고 광범위한 권한을 위임한다는 것 등이었다. 통제회의 설립촉진에 관한 이 각의에서의 합의 이후 제3차 고노에 내각은 총사직하고 도조 내각의 상공대신에는 기시가 취임하여 통제회의 설립은 혁신관료의 대표주자인 기시의 손에 의해 이루어지게 되었다.

철강통제회는 1941년 10월 30일 중요산업지정 규칙에 의해 9업종 12통제회의 제1차 지정이 이루어지기 전에, 중요산업단체령에 근거하여 이미 통제회로서 창립총회를 열었다. 그리고 회장에는 히라오가 일본제철 사장을 사임하고 취임하였기 때문에 회장전임문제에 대해서는 상공성의 의지가 관철되었다. 철강통제회에 이어 11월 중에는 석탄, 12월에는 광산·시멘트·차량·자동차, 1942년 1월에는 정밀기계, 전기기계, 금속공업, 무역, 조선 등 각 통제회가 설립되었다. 제2차 지정분의 통제회는 1942년 9월부터 10월에 걸쳐 경금속, 양모, 피혁, 마, 견인견, 면'스프(staple fiber)',[1] 유지, 화학공업 등 8개의 통제회가, 조금 늦게 1943년 1월에 고무통제회가 설립되었다. 제2차 지정이 늦은 것도 역시 그 주된 이유는 관청간의 관할 다툼에서 비롯된 것이었다. 제1차

---

1) 화학섬유의 일종으로 면사 대신에 직물에 사용됨.

지정과 제2차 지정 사이인 1942년 5월에 철도성 주관의 철도궤도통제
회와 금융업에서 업태별 11통제회가 설립됨으로써 모두 33개의 통제
회가 설립되었다.

  통제회 가운데 가장 일찍 설립된 것은 앞서 말한 것처럼 철강통제회
인데, 철강업은 1940년 4월부터 일본강재연합회를 개조하여 성립한 일
본철강연합회를 중심으로 일본의 각종 산업 가운데에서는 내부조직이
정비된, 가장 고도의 통제형태를 갖추고 있었다. 그러나 1940년 10월
16일 미국의 대일본설철수출금지에 의해 종래 설철제강법을 중심으로
편성되어 있던 일본철강업은 상당한 충격을 받게 되고, 이를 계기로
미국에 대한 원료의존에서 벗어나 대동아공영권 내부에서 철강업의
자립을 도모해야 한다는 목소리가 높아지고 있었다. 이와 함께 철강업
의 통제방식에 대한 비판 즉, 종래의 카르텔 기구를 기계적으로 전시
경제체제하의 새로운 상황에 적응시키려는 방식에 대한 비판이 제기
되었을 때 경제신체제에 의한 경제기구의 전반적 재편성기운이 고조
되었고, 이를 계기로 일본철강연합회는 통제회로 급속히 재편되어 간
것이다.

  기존 일본철강연합회의 한계로 지적된 점은 우선 업자의 카르텔에
서 발전한 단체이기 때문에 통제에 순응하여 기구개혁을 거듭하면서
도 근본적으로는 개개 기업의 이익을 옹호하는 데 주력하였다는 점,
지도기관인 상임이사회도 다수의 유력업자가 모였기 때문에 완전한
의견일치를 기대할 수 없었다는 점, 게다가 무사안일주의에 빠져 눈에
띄는 활동을 전혀 하지 못하였다는 것이었다. 다음으로 지적된 것은
이해관계가 다른 개인기업의 집합체인 관계로 합의제에 의한 협의에
서 상호견제로 인해 현상유지적이 되고, 혁신적 정책을 수립하거나 현
안을 적극적으로 해결하는 것이 곤란하였다. 그리고 회장도 선거로 뽑
은 의장과 같은 것이었기 때문에 회원에 대한 지도성을 갖지 않았다는

것 등이었다.

물론 이러한 여러 점들은 단지 일본철강연합회에 한정된 것이 아니었고 당시의 다른 모든 카르텔 단체에도 공통적인 현상이었다. 다만 철강업계는 통제회의 주체가 될 수 있는 일본제철과 철강연맹 및 일본철강연합회라는 유력한 기관이 이미 존재하고 있다는 유리한 조건을 갖추고 있어 통제회가 다른 부문에 비해 빠르게 설립할 수 있었고, 상공성도 이를 통제회의 시범케이스로 추진한 것이었다. 여기에는 철강이 고도국방경제 건설을 하는 데 있어 중요한 소재이고 긴급한 증산이 필요하다는 인식이 군부나 업자간에 모두 있었고, 무엇보다 철강업의 경우는 사적인 재벌자본보다 국가자본이 주도하였다는 점도 통제회의 설립을 용이하게 하였을 것으로 추측된다.

철강통제회는 1941년 5월 1일부터 업무를 시작하였고 이와 함께 철강연맹은 4월 30일, 일본철강연합회는 5월 15일에 해산하였다. 철강통제회의 규약, 시행규칙은 경제신체제확립요강에서 규정된 바에 기초한 것이었으며 나중에 중요산업단체령이 공포될 경우에는 곧바로 여기에 법적성격을 부여하도록 목적·기구·조직·운영방침 등 모두 중요산업단체령을 예상하고 규정되었다. 8월 말에 중요산업단체령이 공포된 후에는 이에 법적 근거를 가진 통제회로서 히라오를 초대회장으로 하여 재발족하였다.

석탄통제회의 설립은 철강업의 경우처럼 그렇게 순조롭게 진행되지 못했다. 그 이유 중 하나는 통제회의 주체가 될 유력한 생산통제기관이 없었고, 대규모 업자의 출송탄 제한 카르텔인 석탄광업연합회는 석탄의 증산과 조성을 위한 반(半)국책기관으로 그 성격이 변했다고는 하지만 석탄광업연합회 외에 이해관계가 얽혀 있는 몇 개의 아웃사이더 단체가 군웅할거하고 있는 상태였던 데 있다. 또 판매통제기관으로서 쇼와 석탄회사도 국책적 배급기관인 일본석탄회사로 개조되었지만 이것과 석탄광업연합회와의 관계도 원활하지 못했다. 게다가 각사의 이해관계가 관련된 좀 더 구체적인 문제로서는 통제회로 조직된 후 대규모 업자와 중소업자의 생산수량의 연액 기준을 어디에 둘 것인가에 대해 사전합의가 좀처럼 성립되지 않았는데 이 문제는 단독가입인가 지구통제회로의 편입인가의 문제와 연관되어 분규가 거듭되었다.

상공성은 1941년 7월 11일에 간담회를 열고 석탄통제회 성립요강안을 발표하고 단독가입회원을 연산 30만 톤 이상의 24사로 하고, 30만 톤 미만의 600여 사는 7개의 지구별 통제회로 단체가입시켰다. 이에 따라 1921년 창립 이래 석탄생산의 자치적 통제기관으로서의 역할을 담당해 온 석탄광업연합회 및 호조회, 우베 석련(宇部石聯), 죠반 탄련(常磐炭聯), 북석동교회(北石同交會)도 해산되었다. 통제회에는 생산·자재·배급·감리·기술의 5부를 설치하고 일본석탄도 회원으로서 판매부문의 전권을 정식으로 파악하고, 외지 및 만주와 중국의 통제단체와 연락협의회를 만든다는 안을 제시하였다. 그러나 이에 대해서도 원료탄을 생산하고 있는 몇 회사는 특수지위의 보증을 요구하고, 호조회도 해산에 난색을 표명하는 등 반대론도 적지 않았다. 제1차 지정 가운데 11월부터 발족한 석탄통제회는 결국 이 상공성안에 따르는 형태를 취하게 되었으나 통제회의 성립까지 필요한 사전조정은 철강업의 경우와 비교하면 상당히 어려운 편이었다.

화학공업의 경우는 제조공정이 복잡하고 제품도 매우 많았기 때문에 단일의 통제회조직을 갖지 못하고 일단 종합적인 화학통제회를 설치하고 그 아래에 중요한 상업종류별 통제회를 두고 비교적 특수성이 강한 것은 별도의 소통제회를 둔다는 것이 1941년 6월경의 상공성 안이었다. 이 안에는 화학공업통제회하에 유산, 암모니아, 카바이트, 유기합성, 타르 등 7개의 하부기구를 두고, 피혁, 고무, 유지, 시멘트 등은 별도의 통제회를 두기로 하였다.

  기계공업도 제작품종이 다양하고, 업자수도 약 10만 명에 달하여 이 것을 통제회로 조직하는 데에는 많은 문제가 있었다. 우선 현존 업자 는 공업조합으로 조직되어 있기 때문에 공업조합법과 통제회의 관계 를 명확하게 규정할 필요가 있었는데, 이 점은 포괄적인 산업단체령의 통칙적 규정에 따라야 했기 때문에 단체령을 단일 형태로 할 것인가, 물자별로 제정할 것인가의 방침이 아직 결정되지 않은 상태에서 일단 설립준비는 진척되었다.

  통제회의 조직형태로서 전품종의 기계를 망라한 단일의 지도자하에 두는 통제회를 설립하자는 안은 각 기종간의 조정과 종합계획의 입안 을 위해서 유리하였음에도 불구하고, 실정과는 너무 동떨어진 것이었 다. 또 기계 전반을 포함하는 통제회의 지도자를 선발한다는 것은 지 난한 과제여서 1개의 통제회와 지도자로 복잡다기한 각 기종의 특이성 을 유지하면서 통제를 실행하는 것은 도저히 불가능하였고, 만약 강행 한다면 또 다시 획일적인 관료통제가 될 우려가 있었다. 당시의 전국 적 통제단체였던 일본철강제품공업조합과 일본기계공업조합연합회는 자재의 배급통제단체로서의 의의가 컸기 때문에 이것을 곧바로 기계 통제회로 개조해서 생산통제단체로 만든다고 하여도 강력한 지도성을 발휘하는 것은 불가능하다는 등의 이유가 있어 기계부문에서의 통제 회 설립은 거의 불가능한 것처럼 보였다.

  이러한 가운데 기계를 분야별로 대구분하여 공작기계, 전기기계, 수 송기계, 광산용기계, 일반기계 등 각각 별개 통제회를 두고 이들 통제 회를 일원적으로 통할하는 협의회를 상부에 두는 안, 혹은 각 부문별 로 실질적으로는 통제회와 거의 같은 기능을 가진 통제단체를 설치하 고 이것을 통할해서 통제회로 한다는 안과, 더 세분해서 조선, 비행기, 자동차, 차량, 정밀기계, 전기통신기, 케이블 등에 각각 별개의 통제회 를 두는 안 등이 제안되었다. 그러나 같은 공업부문 내에 상품별 통제회를 다수 설치한다면 통제회 자체를 통제할 필요가 있게 된다. 또 기종별 통제회의 상위에 있는 협의회나 종합통제회에 하부통제회를 좌우할 수 있는 실질적인 권한을 부여하지 않으면 종합조정 그 자체가 불가능하게 되어 각 기종별 통제회의 분파주의를 조장하는 데 머무르게 되기 때문에, 그 때에는 지도자원리도 공문화될 우려가 있다는 문제가 생겨 용이하게 결론을 얻지 못하였다. 그러나 어떻든 기계통제회도 1942년 12월 10일 정밀기계통제회를 시작으로 설립되기 시작했다.

이처럼 각 산업마다 통제회 설립은 내적으로 복잡한 양상을 띠고 있었지만 결국 1942년 말이 되면 거의 모든 산업에서 통제회가 설립되어 활동을 시작하였다. 이처럼 설립된 통제회는 호아시에 의하면 단순히 행정기구의 일부를 민간에게 이양한 것이 아니라 생산확충을 위한 진정한 거점이 되어야 하였고, 여기에는 경제통제의 지도력을 집중하고 업계의 창의와 협력에 의해 경제신체제를 확립하기 위한 강력한 본부가 될 필요가 있었다.

당시 상공성 총무과장으로 통제회 설립의 실무를 담당하였던 미노베 요지(美濃部洋次)는 통제회의 필요성에 대해 다음과 같이 말하고 있다. 즉, 일본이 국방력의 안정성을 확보하고 동아신질서를 건설하기 위해서는 일본경제가 고도의 자급자족성을 확립해야 한다. 하지만 일본 자체의 힘만으로는 이를 달성할 수 없는 것이 현실이다. 따라서 일본이 가진 경제력을 집중동원하여 이것을 가장 유효하게 발휘하는 것이 제일 필요하다. 그리고 전체의 힘을 하나로 집중하여 하나의 목적을 달성하려고 하면 하나의 조직하에서 각각의 역할을 결정하여 그 목적을 향해 나가야 한다는 것이었다. 통제회의 성립으로 일본 전체의 힘이 하나로 집중동원되어 국가의 요청에 따라 움직일 때, 관과 민의 대립은 사라지게 되고 통제하는 사람과 통제받는 사람 모두가 일본의 경제력이 되고, 생산력이 된다고 했다.

통제회의 설립에 대한 군부의 태도는 이후 통제회의 성격과 활동을 크게 규정하는 매우 중요한 문제였다. 다행히 통제회가 설립할 당시 군부는 이에 상당히 호의적인 태도를 보였다. 1942년 3월 16일 사와모토 요리오(澤本賴雄) 해군차관은 12명의 통제회 회장 및 이사장을 초대하여 통제회 측으로부터 각 통제회의 현상 및 이후 운영상의 희망을 들은 다음, 해군 측과 통제회와의 연락방법에 대하여 논의했다. 해군당국은 앞으로 통제회의 건전한 육성에 최대의 관심을 기울이고 이에 지원을 아끼지 않는 동시에 현재 군관리하의 공장도 통제회가 충분한 준비가 마무리되는 대로 순수 군수 및 군기밀공장을 제외하고는 점차 각 통제회와 해군공업회가 밀접한 관련을 맺도록 하고, 또 통제회가 안정된 위치에 놓이게 되면 통제회가 소관해야 할 영역을 확대할 방침이라는 견해를 표명했다.

그 직후 육군에서도 철강, 석탄, 광산 등 각 통제회 수뇌 및 일본무역회, 중요산업통제회, 중요산업통제단체협의회 수뇌 23명을 초대하고 육군 측에서는 기무라 헤이타로(木村兵太郎) 차관 등이 출석하여 각 통제회의 발전에 대한 육군의 방침에 대한 설명이 있었다. 역시 육군도 각 통제회가 빠른 시일 내에 정착해야 한다는 점을 인식하고 있으며, 지대한 관심을 가지고 그 육성발달을 염원하고, 이에 대한 적극적 지지를 아끼지 않을 방침이라고 말했다.

기무라 차관은 군관리공장 등 기타 문제에 대해 다음과 같이 구체적으로 설명했다. 첫째, 군관리공장의 처리문제에 대해 통제회 측으로부터 통제회가 제자리를 잡으면 육군에 절대적으로 필요한 것을 제외한 대부분의 군관리공장을 통제회의 일원적 통제하에 두고, 주문 등 기타 모든 것을 통제회를 통해 실행되도록 하고 싶다는 바람이 있는데 육군당국도 점차 군관리를 폐지 또는 축소하여 통제회의 권한에 맡기는 방침을 갖고 있다고 했다. 다만 병기 기타 군기밀상 절대 필요한 것은 여전히 군관리로 하고 싶다는 뜻을 분명히 했다. 둘째, 병기공업회의 문제에 대해 통제회 측이 현재 병기관계의 대회사가 병기공업회를 통하여 육군의 직접 지휘하에 집중되어 있는데 이를 앞으로는 통제회의 일원적 소관으로 하고 싶다고 말한 데 대해, 육군당국은 병기공업회는 친목 또는 기술의 향상을 목적으로 하는 것이기 때문에 통제회와는 전혀 성격이 다른 것이라고 말하면서 이것도 양자가 충분히 논의한 이후 조정하자고 하였다.

이상에서 본 것처럼 통제회는 많은 기대 속에 출발하여 전시경제에서 중요한 기능을 담당할 것으로 예상하였으나 그 성과는 기대에 미치지 못했다. 그 이유는 우선 전시경제하에서 가장 중요한 병기공업이 공장사업장 관리령에 의해 육해군성의 직접관리하에 있었고 통제회에는 속하지 않았다는 점을 들 수 있다. 어느 기업이 통제회에 가입해도 그 기업의 병기부문은 어떠한 통제회와도 관련없이 육군공업회 및 해군공업회에 편성되어 있는 상태였기 때문에 통제회의 통제를 받지 않게 되었다.

본래 군공업회는 관민 상호간에 의사를 소통하고 협력하며 기술을 서로 원조하기 위해 설립된 조직이었고, 공업회 자체가 자재할당 등의 업무를 수행하는 것은 아니었다. 이러한 점에서 통제회처럼 정부의 계획에 참여하고 할당업무를 담당하는 조직과는 처음부터 다른 것이었다. 그러나 실제 공업회 산하의 기업은 관리공장 또는 감독공장으로 지정되어 공업회 중에 조직된 각 부회마다 각 기업이 업종별로 조직되었기 때문에 통제회체제와 중복 및 대립관계에 놓이게 되었다. 공업회 운영의 실권은 병기행정본부, 함정본부, 군공창 등 군부가 장악하고 있었기 때문에 산하공장 또는 기업은 강력한 권력의 보호를 받게 되고 통제회의 역할과 기능을 잠식하는 경우가 있었다. 다만 공업회는 군이 발주하는 함정, 항공기 기타의 군특수품 제조부문에 결성되어 있었고 발주조정 또는 생산조정이 기능한 기초소재부문에서는 통제회가 조직되어 그 기능을 일률적으로 발휘하고 있었기 때문에 공업회와 통제회가 경합하는 일은 극히 드물었다.

그러나 발주를 통제회가 독점적으로 장악하지 못하고 육해군이 두 개로 나누어 그 대부분을 차지하고 있는 상황이 전쟁 말기 최중점사업이었던 항공기제조공업에서 나타났다. 그 결과 항공기제조부문에서 군수품을 생산하는 통제회는 좋든 싫든간에 육해군 공업회적 성격을 띠게 되었다. 육해군 공업회가 자재배급과 전도금 배급을 무기로 통제회 회원기업 가운데 주요 군수기업을 직접 편입시킴으로써 관련 통제회의 수주사정・자재할당기능은 무력하게 되었다.

철강업을 제외한 다른 부문에서는 민간공장의 경우 대체적으로 상공성의 관할하에 있는 일반 통제회의 자재할당을 기다리기보다는 직접 군관리공장 혹은 지정공장이 되는 것이 자재획득면이나 제품대금의 선금을 받는 면에서 훨씬 유리하였기 때문에 경쟁적으로 군의 지정을 받으려고 했다. 군부는 통제회 설립시 모든 것을 통제회와 협의하여 필요한 사항을 결정하겠다고 말하였으나, 군부가 병기관련부문을 직접 통제하려는 의사는 강력하여 군관리공장은 군부의 성역으로 남아 결국 통제회의 힘을 약화시키는 결과를 초래했다.

통제회 그 자체에 내재하는 문제점으로 중요한 것은 관청간의 분파주의, '1산업 1통제회'의 원칙을 채용할 경우 산업의 범위, 재벌과 통제회의 관계, 지도자 난, 관청권한 이양문제가 있었다.

관청간의 관할 다툼문제는 앞서 통제회의 성립과정에서 본 것처럼 직접적으로는 산업별 주무관청간의 소관 다툼이었다. 일반적으로 통제회에 관해 상공성은 중요산업단체령의 입안자였기 때문에 적극적으로 추진하려는 입장이었던 데 반해, 다른 산업관련 관청들은 오히려 '1사1업'의 국책회사방식 예를 들면, 체신성의 제2차 전력국가관리구상, 운수성의 해운국가관리구상, 농림성의 수산통제회 설립, 일본목재의 국책회사화 구상 등을 지향하고 있었다. 이러한 관청간의 소관 다툼은 재계로부터 많은 비판을 받았다.

다음으로 '1산업1통제회'의 원칙을 채용할 경우 산업의 범위문제가 대두되었다. 이것은 중요산업단체령이 기획원의 산업별 칙령안 대신에 상공성 사무국이 주장한 단일칙령안이 받아들여져 제정되었기 때문에 내용이 추상적이 되고 중요산업지정이 각령에 의해 이루어졌기 때문에 발생한 것이다. 실제로 문제가 된 것은 1차 지정 때 기계, 2차 지정 때 화학과 섬유였다. 결과적으로는 기계에서는 전기기계, 산업기계, 정밀기계, 자동차, 차량, 조선의 6개 통제회가, 섬유에서는 면'스프', 견인견, 양모, 마의 4개 통제회가 설립되고, 화학의 경우는 단일 화학공업통제회 아래 4개의 부회를 설치하는 형식을 취하게 되었다.

이 산업구분의 문제는 화학·섬유의 경우처럼 관청의 소관 다툼과 관련된 측면이 있었으나, 기업 측에서 보면 다각경영기업은 이에 대응하기가 어려운 문제였다. 이 문제는 형식적으로는 다각적 경영기업의 경우에는 복수의 통제회에 가입한다는 형식으로 처리되었으나, 현실적으로 복수의 통제회로부터 지시와 지령을 받는 경우 기업으로서 유기적 통일성을 유지하기가 곤란하였고, 다각경영의 장점을 살리기가 어려웠다. 일본은 후진형 공업화를 추진하였기 때문에 다각적 경영을 하는 기업이 많았고 특히 중화학공업의 경우 그 경향이 매우 강하였다. 이러한 조건하에서는 처음부터 산업별 통제회가 충분히 그 기능을 발휘할 수 없었다.

통제회와 재벌의 관계도 중요한 문제였다. 전전 일본의 재벌 특히 미쓰이, 미쓰비시, 스미토모 등 종합재벌은 지주회사인 본사를 정점으로 생산·유통·금융에 이르는 거의 전 산업 분야에 자회사·손회사를 가진 다각적 콘체른이었고, 산하회사의 인사·자금·원재료조달·

제품판매 등의 기본적 정책은 본사로부터의 수직적 통제원리를 따르고 있었다. 그런데 산업별 통제회는 해당 산업에 관한 원재료・제품・노동력・자금 등의 수급이 일원적으로 통제하는 것이었기 때문에 이 수평적 통제원리와 기존 재벌의 원리가 상충될 우려가 있었다. 뿐만 아니라 통제회는 재벌상호간의 관계에서도 문제점을 내포하고 있었다. 본래 일본의 카르텔은 보통 다른 재벌에 속하는 여러 기업으로 구성되었고, 그러한 이유로 재벌간의 대립으로 카르텔통제가 약화되기 쉬웠다.

전시강제 카르텔적인 성격을 지닌 통제회는 이 카르텔 통제를 강화하려는 것이었음에도 불구하고, 통제회 내부에서 재벌간의 상호견제가 이를 불가능하게 만드는 사태가 발생한 것이다. 이 점을 단적으로 드러낸 것이 몇몇 통제회에서의 회장인사문제였는데, 예를 들어 석탄통제회의 경우 미쓰이・미쓰비시・스미토모・후루카와는 임원파견을 거부하였고 그 결과 회장에는 메이지 광업 출신에 배급통제회사 일본석탄 사장인 마쓰모토 겐지로(松本健次郎)가, 이사장에는 기획원 차장인 우에무라 고고로(植村甲午郎)가 취임한다는 일종의 중립인사가 이루어졌다. 시멘트 통제회의 경우는 균형인사가 이루어져 회장에 아사노(淺野) 시멘트 사장인 아사노 소이치로(淺野總一郎)가 취임하고 이사장은 오노다(小野田) 시멘트에서 나왔다. 이처럼 타협인사로부터는 경제신체제가 기대한 강력한 지도자원리 등은 발휘할 수 없었고 일본의 독점조직이 가진 역사적 특징으로부터 보아도 통제회는 이념에 그치고 성과는 얻을 수 없는 운명을 갖고 있었다.

통제회의 지도자를 찾는 것도 지난한 과제였다. 나치의 지도자원리를 도입하였음에도 불구하고, 실제로 적임자를 얻는다는 것은 처음부터 어려웠다. 중요산업통제단체협의회 서기장인 호아시는 "일본 재계에는 소위 재계 중진 내지 재계의 우두머리라고 불릴 수 있는 쟁쟁한 인물은 있지만 한 몸에 기술력과 조직력을 갖춘 지도자를 얻는 것은 매우 어려운 실정이다. 이를 비유적으로 말하면 히틀러는 지도자라고 불릴 수 있지만 무솔리니는 대체로 우두머리의 범주에 가깝다. 이러한 우두머리에게 전시통제경제의 복잡한 과제를 풀 수 있는 전권을 맡긴다는 것은 무리이다"라고 말하고 있다.

앞서 본 석탄, 시멘트의 타협인사도 그 한 예이지만 회장전임제(겸임금지)도 인재확보를 어렵게 한 요인이었다. 철강통제회의 경우는 일철사장 히라오를 회장으로 끌어들였지만 후임 사장인 도요타 데이지로(豊田貞次郎 : 해군대장)는 다루기가 어려웠고, 광산통제회의 경우는 일본광업의 이토 분기치(伊藤文吉)를 강제로 끌어들였으나 통제회에 출근하는 것은 주2회에 지나지 않았다. 전임제인 회장·이사와는 별도로 회원기업과 통제조합의 대표로 구성된 평의원제도도 거의 활동을 하지 못했다.

끝으로 관청권한의 이양문제라는 것은 관청이 독점하고 있는 통제권한을 통제회로 대폭 이양한다는 당초의 구상이 크게 늦어졌다는 문제였지만, 이것은 이상에서 본 여러 문제의 총체적 귀결이었다. 정부 측에서는 통제회의 지도성이 부족하다는 이유로 통제회의 정비가 먼저 이루어져야 한다고 주장한 반면, 통제회 측은 권한이 결여되었기 때문에 정비가 어렵다고 반론하면서 입씨름이 계속되었다. 중요산업단체협의회의 결의를 받아 이루어진 앞서 본 각의합의에서는 "통제회 회장에 대해서는 될 수 있는 한 광범위한 권한을 위임하고", "통제회의 정비에 따라 관청기구를 정비 축소한다"고 하였으나 「국가총동원법 제18조의 규정에 따라 법인 등으로 하여금 행정관청의 직권을 행하는 것에 관한 법률」이 공포된 것은 1942년 2월이었고 그것을 구체화하기 위한 대강방침(大綱方針)이 각의에서 결정된 것은 같은 해 11월 17일, 실시하기 위해 「행정관청권이양령」이 공포된 것은 다음 해인 1943년 1월

21일이었다. 그러나 실시된 바로 그 때는 이미 전쟁이 패배의 길로 들어가기 시작하는 긴박한 상황에 도달하고 있어 통제회에 의한 통제방식은 폐기해야 할 처지였다.

이상에서 본 것처럼 통제회가 가진 문제들은 갈등하는 제 세력 즉 군부, 기획원관료, 재계 등이 파국적인 방식으로 상호균형을 잡고 있는 상황에서 비롯된 것이었다. 군부는 침략전쟁을 계속하기 위해 통제의 강화를 요구하였고, 이에 대해 재계는 이윤추구의 욕구를 절대로 포기하려고 하지 않았다. 동시에 일본의 전시경제는 아무리 통제가 강화되어도 시종일관 이윤의 획득 또는 보증을 기본으로 하는 경제체제였고, 사적자본의 활동원리가 관철되고 있었다는 점도 기억할 필요가 있다.

제9장 재정과 금융

제1절 전시경제통제의 단계적 강화

1. 전시경제통제의 전개와 통화·물가

1937년 중일전쟁의 발발로 경제통제는 새로운 단계에 들어섰다. 경제통제는 우선 수입통제와 금융통제로부터 시작되었다. 수출입품등임시조치법은 수출입의 제한금지와 무역과 관련된 제 상품의 제조·배급·양도·사용·소비에 대한 통제조치, 임시자금조정법은 정부에 설비자금 공급에 관한 통제조치를 강구할 권한을 부여해 준 것이었다. 그 때문에 군수소재 및 생산수단에서 높은 대외의존도를 유지하고 있던 일본의 전시경제는 여기서부터 통제를 강화할 필요가 있게 된 것이다.

이후 이 통제입법 특히 전자에 기초하여 우선 생산재에 대한 수량통제가 실시되었으나, 가격통제의 발동은 수량통제에 비해 상당히 늦었다. 물론 가격통제가 전혀 없었던 것은 아니었다. 개전 당초에는 폭리단속령이 개정되고, 또 자치적인 최고가격제가 실시된 업종도 있었다. 그리고 1938년 5월 면사판매가격단속규칙, 7월 물품판매가격단속규칙에 따라 공정가격제도가 도입되었다. 그러나 이러한 가격통제는 수출입품의 도매물가를 대상으로 수입제한에 의한 가격폭등을 억제하는

296 제2부 아시아・태평양전쟁기의 일본경제

데 머물렀다. 1939년 4월의 물가통제대강 및 그것을 구체화한 같은 해 8월의 물가통제실시요령에 의해서야 비로소 원재료・임금・운임・이윤 등 가격구성의 각 요소마다 전시하에 적정하다고 할 수 있는 원가계산을 한 다음 적정가격을 공정하는 방침이 제시되었다. 결국 이 시기의 가격통제는 선행하는 수량통제에 비해 그 중심역할이 국제수지 제약을 완화하는 데 있었다.

이러한 통제의 전개과정에서 주목해야 할 것은 1938년 4월에 국가총동원법이 공포되었으나 1939년 가을 제2차 세계대전이 발발할 때까지 1년 이상 일부 노동통제를 제외하고는 발동되지 않았다는 사실이다. 중일전쟁의 발발과 그 장기화로 비생산적 군사지출이 급증하였고 이는 생산력 확충을 위한 투자지출과 경합하게 되었다. 그런데 문제는 이 경합을 회피하기 위해 통화공급을 증가시키면 인플레이션이 나타나 가격통제가 필요하게 된다는 것이다. 앞서 말한 것처럼 총동원법에 기초한 가격통제는 1939년 10월까지 발동되지 않았고, 임금과 이윤 등 기업경영 내부의 통제와 국민생활을 규정하는 소비통제가 본격화된 것도 1939년 가을부터 1940년 사이의 시기였다. 금융통제도 1939년 12월의 회사이익배당 및 자금통제령, 1940년 10월의 은행등자금운용령까지 법령을 새로이 발동한 것은 없었다. 국가총동원법이 직접 발동되지 않은 이유는 무엇이었을까.

중일전쟁기에 광의의 정부재정지출은 1936년도의 111억 엔에서 1941년도 252억 엔으로 약 2.3배 증가하고, 그 주요원인이었던 군사비는 12억 엔에서 103억 엔으로 8.5배나 증대하여 재정지출에서의 구성비는 11%에서 41%가 되었다. 이 팽창하는 재정을 충당한 것은 국채였는데, 국채 신규발행액은 1937년도의 22억 엔에서 매년 증가하여 1941년도에는 100억 엔을 돌파하였다. 국채는 원칙적으로 일본은행인수방식이 취하여졌기 때문에 신규발행증가는 곧바로 통화공급의 증가로

연결되었다. 이 점에서 보면 군사지출과 투자지출의 경합이 직접 발생
하는 조건, 통화의 공급증가가 인플레이션을 발생시키는 조건은 충분
히 있었다고 할 수 있다. 이는 민간금융시장에서의 자금수급을 보여
주는 <표 9-1>, 민간비금융부문의 자금수급을 보여 주는 <표 9-2>에
서도 확인할 수 있다.

<표 9-1> 자금수급실적1 (백만엔, %)

연도	정부자금 살초a	일은공채대 민간매각b	b/a	일은대리점 예금증감c	일은대민간 예대증감d	대민간 자금증감 e=a+b+c +d	은행권 증감
1937	1,285	-321	(25.0)	27	66	1,058	664
1938	4,723	-3,999	(84.5)	56	-118	673	450
1939	5,334	-4,657	(87.3)	85	542	1,304	924
1940	4,651	-3,136	(67.4)	103	-313	1,304	1,098
1941	7,769	-6,514	(83.8)	185	-121	1,318	1,201
계	23,773	-18,627	(78.4)	456	56	5,657	4,337

자료 : 日本銀行, 『戰時中金融統計要覽』.
주 : 연중누계액, 단 1937년은 7월 이후. 단위미만은 사사오입. 정부자금살
포 초과액=(조세 기타수입－임시군사비 기타 지출)+예금부지출초과.

<표 9-2> 민간비금융부문의 자금수급1 (백만엔, %)

연도	재정자 금살초a	금융기관의신용확장b				c=a+b 방출액	금융기관 자금 축적고d	d/c
		대출증가	증권투자 증가	은행채	소계			
1936	1,722	817	687	-47	1,551	3,273	2,094	64.0
1937	2,127	1,823	167	394	1,596	3,723	3,062	82.2
1938	5,578	1,712	692	159	2,245	7,823	5,214	66.6
1939	6,457	3,478	2,066	-22	5,506	11,963	9,732	81.4
1940	5,719	3,882	2,647	567	5,962	11,681	11,081	94.9
1941	9,041	3,153	3,052	915	5,290	14,331	12,297	85.8
계	30,664	14,805	9,311	1,966	22,150	52,794	43,480	82.4

자료 : 日本銀行, 『滿州事變以後の財政金融史』. b의 소계는 貸出增加+證
券投資增價－銀行債.

우선 <표 9-1>부터 보면 임시군사비 등으로 인해 재정살포초과액
은 매년 증가하여 1937~1941년의 누계액은 238억 엔에 달하였다. 이
가운데 환류부분은 그 대부분이 일은에 의한 공채 시중매각(누계 186
억 엔)으로 살포초과액의 약 8할 정도였다. 대출 등에 의한 일은신용의
공급・민간의 대일은예금(=d)은 거의 일률적이었기 때문에 일은권 증
발의 주원인은 재정살포초과와 공채매각의 차액이고, 이 액은 연평균
으로 10억 엔 이상에 달했다. 또 <표 9-2>에서 보는 것처럼 1936~
1941년까지 6년간의 재정살포초과액은 300억 엔, 금융기관의 신용공여
액은 220억 엔으로 합계 520억 엔에 달했다. 이 가운데 예저금(預貯金)
에서 금융기관으로 환류되어 축적된 액수는 430억 엔으로서 방출액과
축적액의 차이는 90억 엔에 달하였다. 그 결과 <표 9-3>에서 보는 것
처럼 일은권의 발행고도 계속 증가하여 1941년 말에는 1937년의 2배
이상이 되었다.

<표 9-3> 일은권발행고, 도매물가지수 및 동경소매물가지수

연도	도매물가지수	동경소매물가지수	일은권발행고
1935	0.994	0.990	1,766
1936	1.036	1.040	1,865
1937	1.258	1.138	2,305
1938	1.327	1.303	2,754
1939	1.466	1.460	3,679
1940	1.641	1.696	4,777
1941	1.758	1.716	5,978
1942	1.912	1.766	7,148
1943	2.046	1.874	10,266
1944	2.319	4.009	17,745
1945	3.503	13.000	55,440

자료 : 『日本銀行史(資料編)』, 日本銀行統計局, 『明治以降本邦主要經
濟統計』.
주 : 물가지수는 1934~36평균=1, 일은권발행고는 백만엔.

그러나 이 시기에 물가는 상대적으로 안정적이었다. 도매물가는 1936년 말부터 1937년 초에 걸쳐 일단 크게 상승했으나, 그 후에는 중일전쟁이 발발했음에도 불구하고 거의 안정적인 추이를 보이고 있다가 1939년 9월 제2차 세계대전이 발발한 후에야 비로소 급등하였다. 소매물가는 1936년 말부터 1937년 초에 걸쳐 등귀하지 않았고 1934~1936년 수준을 기준으로 할 경우 그 상승은 도매물가보다 훨씬 낮았다. 수출입등임시조치법에 근거한 수출입품의 도매물가를 통제한 공정가격제도의 효과나 생산확대·재고형성의 효과도 무시할 수 있는 것은 결코 아니었다. 하지만 이 시기의 재정확장·금융팽창의 규모, 시장으로의 통화공급의 증대모습을 염두에 두면 전시통제로 형성된 재정금융체제의 내부에 군사지출과 투자지출의 경합을 회피하는 장치, 통화공급증가가 인플레이션으로 직결되지 않는 어떤 기제가 있었다고 생각할 수 있는데, 1939년 9월 이후가 되면 바로 이것이 제대로 작동하지 않게 된 것이다. 이제 이 문제에 대해 좀 더 상세히 고찰해 보자.

2. 임시자금조정법의 운용과 국채소화정책

1) 바바 재정에서 유키 재정으로

1936년 2·26사건 직후에 등장한 바바 에이치(馬場鍈一) 대장상은 취임 직후 곧바로 공채점감주의의 포기, 증세, 저금리정책을 중심으로 하는 재정정책으로 전환한다는 방침을 발표했다. 이후 바바 대장상은 국채의존에 의한 예산팽창의 용인, 저금리정책의 강행, '1현1행주의'의 표명이라는 획기적 정책을 추진해 갔다. 1936년 하반기에 들어서 금융은 점차 경색되고 이에 대응해 국채시가는 하락하고 국채의 시중매각은 극도로 악화되었다. 1936년 전반기에 100%를 넘었던 소화율은 1936년도의 제3사반기에는 63.5%, 제4사반기에는 38.3%로 떨어졌다.

하지만 국채의 시중소화가 한계에 달했다는 것은 바바 재정이 등장하기 전에 이미 문제가 된 것이었다. 예를 들어 대장성 내부에서는 1934년 이래 이재(理財), 주계(主計), 주세(主稅)를 중심으로 공채정책에 관한 조사·산정작업을 진행해 공채점감을 강력하게 주장했다. 예를 들어 1935년 6월 이재국은 국민저축력의 증가 및 배분, 은행예금 및 우편저금의 증가, 은행의 국채소유고의 증가의 세 가지 점에서 민간소화력을 상정한 다음, 모든 점에서 볼 때 민간소화력은 이미 한계에 도달하였다는 것, 그 때문에 세계(歲計)의 팽창을 억제하고 매년의 적자 공채발행액을 점감하여 재정이 상도로 복귀하고 있다는 것을 내외에 정확하게 알려 주는 것이 긴급한 과제라는 견해를 피력했다.

또 일본은행도 1935년 가을에 "이 소화방법(인위적으로 금리를 인하하여 국채소화를 촉진하는 방법)은 너무 이른 것이 아닌가라고 생각하고,……목전의 소화를 향상시키기 위해 일부러 금리를 인하하는 것은 어느 정도까지는 허락되지만 그 후는 소화가 멈추어 대반동을 일으킬 위험이 있다"고 국채소화의 한계를 강조하였다. 그리고 도쿄어음교환소도 1936년 1월 대장성에 보낸 문서에서 "최근의 공채소화상황이 어느 정도 부진한 모습을 보이는 것은 주로 금융기관의 부가적 투자여력의 감소와 산업방면으로부터 자금수요증가의 압박을 받고 있기" 때문이라고 하면서 구축효과(crowding-out effect)[1]의 발생을 지적하고 있다. 공채점감에 일관되게 부정적이었던 다카하시 대장상이 1936년도 예산편성에서 처음으로 점감방침으로 전환한 것은 이러한 사태가 배경에 있었기 때문이었다.

그러나 2·26사건으로 공채점감방침은 사라지게 되었다. 그 결과

---

1) 거액의 재정적자를 처리하기 위해 행하는 국채의 대량증발 등에 의해 재정당국과 민간부문 사이에 자금수요를 둘러싸고 경합이 발생해 민간자금수요의 일부가 시장에서 쫓겨나는 것.

1936년 여름부터 편성되기 시작한 1937년도 예산안은 일반회계, 특별 회계 합쳐서 10억 엔 가까운 공채를 발행하여 전년대비 7억 엔 이상이 나 증가한 30억 4,000만 엔이라는 방대한 것이 되었다. 이와 같이 어떠 한 응급조치도 하지 않은 채 대량의 국채 신규발행계획이 제기된다면 대장성과 일은, 어음교환소가 걱정한 그대로 국채소화의 악화와 물가 등귀가 동시에 나타나는 것은 당연하였다. 다만 여기서 유의해야 할 것은 이 예산편성안에는 세제개혁에 따른 중앙, 지방에서의 대폭적인 증세가 들어 있다는 점이다.

이 세제개혁안은 유산되었다고는 하지만 일단 유사시에 곧바로 비 상시재정으로 전환할 수 있는 탄력성 있는 세제를 수립한다는 것을 목 표로 하였고, 종래의 구중산층 중과세 체제를 근본적으로 개정하여 지 방재정조정교부금제도를 창설하여 소득재분배를 도모한다는 혁신적 내용을 가지고 있었다. 이 세제개혁안은 직접적으로는 과잉통화, 과잉 구매력의 흡수를 의도한 것은 아니었으나, 그 뒤 1940년의 세제개정으 로 연결되는 동시에 강제저축과 마찬가지로 국채관리정책의 일환이라 는 의미를 갖고 있었다.

뒤이어 등장한 유키 재정은 재계의 강력한 저항에 부딪쳤던 바바 세 제개혁안을 수정하여 신세는 법인자본세 이하 네 종류의 신세에 머물 게 하였으며, 또 지방세제의 개혁과 지방재정조정교부금제도의 창설을 연기했다. 나아가 물가등귀와 국채소화의 악화에 대해, 전자에 대해서 는 생산력 확충에 의한 공급증가로 물가등귀를 막고, 후자에 대해서는 자금배분규칙을 목적으로 하는 일본은행조례를 개정하여 극복하려고 했다. 제1차 고노에 내각에서의 재정경제3원칙의 단초는 여기서 형성 되었다고 할 수 있는데, 전임 대장상들의 정책들이 중일전쟁의 발발과 함께 임시자금조정법과 수출입등임시조치법의 두 통제법으로 결실을 맺게 된 것이다.

2) 임시자금조정법

1937년 9월에 성립한 임시자금조정법의 내용은 잘 알려진 것처럼 불요불급산업으로 자금이 흘러가는 것을 막고, 생산력 확충자금을 시국산업에 집중적으로 공급하는 동시에 공채소화를 촉진하는 것이었다. 그 내용은 ① 금융기관의 일정액 이상의 사업자금공급을 정부의 허가제로 한다(제2조), 다만 금융기관, 증권인수업자가 자치적 조정을 신고하여 정부가 적당하다고 인정한 경우에는 허가가 필요없다(제3조), ② 일정 규모 이상의 회사의 설립·증자·합병 또는 목적의 변경에 대해서는 정부의 허가를 필요로 한다(제4조), ③ 시국산업 쪽으로 자금을 적극적으로 공급하기 위해 자금원천으로서의 흥업채권 발행한도를 확장하는 동시에 시국산업의 증가·사채발행을 우대한다, ④ 부동구매력을 흡수하기 위해 일본권업은행에 할증금부 저축채권을 발행토록 한다는 것이었는데 이는 결국 설비투자자금의 흐름을 규제하고 동시에 과잉통화도 흡수하려고 한 것이었다.

이를 실시하기 위해 「사업자금조정표준」이 정해지고 각 산업업종은 ① 생산력 확충에서의 지위, ② 군수와의 관계, ③ 국제수지의 개선에 기여하는 정도, ④ 원재료 등의 입수상황 등의 사항을 감안하여 갑종, 을종, 병종으로 대별되었다. 이 법의 적용범위는 중일전쟁의 장기화에 따라 점차 확대해 갔다. 예를 들면 사업자금공급의 요(要)허가범위는 당초의 1건 10만 엔 이상에서 5만 엔 이상(1938년 8월), 3만 엔 이상 (1939년 4월)으로 인하되고 회사설립의 요인가범위도 당초의 50만 엔 이상에서 20만 엔 이상(1938년 8월)이 되었다. 또 흥업채권의 발행한도액은 마찬가지로 5억 엔에서 10억 엔(1939년 4월), 20억 엔(1941년 3월)으로 그리고 저축채권의 발행한도는 2억 엔에서 5억 엔(1939년 4월), 10억 엔(1941년 3월)으로 확대되었다. 더욱이 금융기관, 증권인수업자의 자치적 조정을 인정한 것과 관련하여 이러한 것들의 조직화가 진전되었다. 1937년 9월 27일 시점에서 보통은행에 대해서는 일본은행 본지점 관할구역별로 17개의 지방자금자치조정은행단, 그리고 산업조합금융금고, 신용조합연합회에 대해서는 산업조합금융통제단이 새롭게 조직되고, 농공은행, 저축은행, 신탁회사, 증권회사, 생명보험회사, 담보회사에 대해서는 각각 기존의 업체단체가 자치적 조정기관으로서 재편되었다.

　중일전쟁기 이 법의 운용실적을 보면 1937~1941년에 공급된 설비자금총액은 184억 5,400만 엔으로 그 64%가 공업부문으로 대출되었다. 공급총액 중 금융기관의 대부에 의한 것은 76억 5,100만 엔, 41.5%, 조정법 제4조의2(회사의 설립 기타에 대한 허가)에 의한 허가액은 72억 3,500만 엔, 39.2%를 차지하여 이 둘을 합치면 전체의 80% 이상에 달했다. 금융기관에 의한 대부는 연차별로는 1937년 2억 엔, 1938년 11억 엔, 1939년 16억 엔, 1940년 21억 엔, 1941년 19억 엔으로 1940년까지 급증하였으나, 이 내용을 조정표준별로 보면 71%가 갑종용, 21%가 을종용이고 병종용은 10% 미만이었다. 또 조정법 제4조, 4조의2에 근거한 허가건수·금액은 동 기간에 1만 6,828건, 약 278억 엔에 달했기 때문에 허가금액 중 약 4분의 1이 설비자금에 충당되었다.

　그 외에 자치적 자금조정기관에 의한 설비자금대부 가운데 일은과 협의한 것이 동 기간에 64억 엔에 달하였다. 애초에 자치적 조정의 방침이라 한 것은 "금융기관은 공적기관으로서 일반영리기관과는 취지를 달리하고, 정부도 항상 업무의 운영을 감독하고 있기 때문에 금융기관에서 성의를 가지고 정부에 협력하고, 정부의 방침에 따라 자치적으로 자금의 운용을 조정한다면 일일이 허가를 받을 필요는 없다"는 내용이었다. 하지만 자치적 조정이 일종의 편법이었기 때문에 자치적 자금조정의 범위를 축소해 일정금액 이상의 대부에는 일은과 협의·동의를 필요로 한다는 방침으로 수정되었다.

이상과 같이 임시자금조정법은 군수관련 이외로 설비투자자금이 공급되는 것을 엄격히 제한한다는 투자지출의 기제를 만들어 냄으로써 군사지출과 투자지출의 경합을 회피하고, 효율적 자금배분으로 생산력 확충을 달성해 인플레이션을 회피한다는 목적을 갖고 있었다.

이와 같이 통제된 설비자금의 공급을 담당한 금융기관에는 어떤 것들이 있었을까. <표 9-4>는 동법 시행부터 2년 반 사이에 금융기관별 대출실적을 보여 주고 있다. 동표에 의하면 국채신디케이트단이 압도적 비중을 차지하고 있음을 알 수 있다. 개별은행에서는 일본흥업은행이 31.3%로 높은 비율을 차지하고 있는데 흥은이 채권발행한도의 연속적인 확장과 일은, 예금부로부터의 특별융통을 뒷받침으로 군수융자를 증가시켰음을 알 수 있다. 또 보통은행에서도 신디케이트은행의 비율이 압도적이고 보통은행 대출의 90% 이상을 신디케이트은행이 차지하고 있다. 1938년 경 미쓰이, 미쓰비시, 스미토모, 야스다, 다이이치가 거의 동일한 위치에 있었다는 것은 이미 지적하였지만 이 구성은 기본적으로 유지되었다고 보아도 틀림이 없을 것이다. 신탁회사에서도 신디케이트단의 위치는 매우 높다. 이상의 세 개를 합치면 국채신디케이트단의 비율은 88.5%에 달하고 있다.

대규모의 설비자금공급은 신디케이트단구성 금융기관에 집중되어 있다는 과점적 구조를 갖고 있다. 다만 <표 9-5>에서 보는 것처럼 이 시기 전국은행대출에서 차지하는 도시은행의 비율은 5할 전후로 약간 상승하는데 머물렀고 예금비중은 반대로 하락경향을 보이고 있다. 이 것은 대규모 설비투자통제에서 탈루되는 부분이 여전히 상당량에 달했다는 것을 말하고 있다. 소규모 투자자금은 통제할 수 없고, 자치적 조정이 빠져나갈 수 있는 통로가 되어 또 운전자금은 통제가 안 된다는 의미에서 이 자금통제는 여전히 부분적 역할만을 수행했다. 대량의 신규국채를 원천으로 하는 재정지출이 이루어지고 이것이 금융시장을 상대적으로 완만하게 만들고 있었기 때문에 동법의 그물 바깥에 상당량의 자금이 온존할 수 있었다.

<표 9-4> 사업설비자금의 금융기관별 대출실적(1937년9월~40년3월) (백만엔, %)

특별은행	1,184(34.9)
일본흥업은행	1,064(31.3)
보통은행	1,685(49.6)
신디케이트은행	1,559(45.9)
신탁회사	445(13.1)
신디케이트은행	385(11.3)
보험회사	58(1.7)
기타	24(0.7)
합계	3,396(100.0)

주 : 국채신디케이트단은 특별은행이 興銀, 正金, 朝銀의 3행, 보통은행이 미쓰이, 미쓰비시, 다이이치, 제백, 야스다, 스미토모, 산와, 노무라, 아이치, 나고야의 10행, 신탁회사가 미쓰이, 미쓰비시, 야스다, 스미토모의 4사 총 17개의 은행과 회사로 구성.

<표 9-5> 5(6)대 은행의 예대비중

연도	예금	대출
1937	52.9	51.2
1938	53.5	52.3
1939	52.8	53.4
1940	52.3	56.8
1941	51.9	59.1
1942	52.4	59.5
1943	57.3	69.1
1944	56.0	75.2

자료 : 『日本銀行百年史』第4卷, p.344.

3) 국채소화촉진책의 전개

중일전쟁이 일어난 후인 1937년 9월 「지나사변에 관한 임시군사비 지변을 위해 공채발행에 관한 법률」(법률제84호)이 발포되고 군사비를

국채로 조달한다는 원칙이 정해짐으로써 국채발행은 이후 새로운 단
계에 들어섰다. 앞서 서술한 것처럼 전쟁개시 후 국채 신규발행액은
1937년도의 22억 엔에서 매년 증가하여 1941년도에는 이윽고 100억 엔
을 돌파하게 되었다. 교부공채와 정부단기증권의 발행잔고도 이 사이
에 점증하여 그 결과 정부채무잔고는 1935년 말 100억 엔에서 태평양
전쟁 발발 직전인 1941년 말에는 약 420억 엔으로 GNP와 거의 같은
수준까지 팽창했다. 이 국채는 1937년 10월의 제1회 북지사변경비지변
공채 1억 엔을 제외하면 모두 일은·예금부인수로 발행되었다. 결국
다카하시 재정하의 적자공채와 마찬가지로 거대한 일은신용이 미리
공급된 것이고, 이것은 국채시중매각으로 반드시 회수해야 했다. 앞의
임시자금조정법은 비군사부문으로의 자금유입을 억제함으로써 국채소
화자금을 창출하는 것을 중요한 목표의 하나로 삼고 있었지만, 이 시
기에는 그 외에도 직접적인 국채소화촉진정책이 몇 가지 실시되었다.

　우선 첫째, 국채담보 일은차입 순초(順鞘 : 시중은행의 할인율이 중
앙은행의 공정할인율을 상회하는 것)화이다. 1937년 7월 일은은 국채
담보할인·대부금리를 0.1% 인하하고 국채담보대출의 금리를 순초로
하였다. 이미 다카하시 재정하에서 시중금리를 저금리로 유도해 국채
보유를 촉진하고, 국채표준가격의 설정, 국채담보대출의 최저이율적용
등의 국채우대조치, 국채가격유지정책이 취하여졌으나 이 조치는 보다
직접적으로 시중금융기관의 국채보유를 촉진하는 성격을 가지고 있다.
즉, 이 조치는 금융시장이 원활하게 유지되고 있는 상황이었기 때문에
시중은행의 일은차입을 직접적으로 증가시키지는 않았다고 하지만 시
중에 국채를 매각하기보다는 국채담보로 일은차입을 하는 편이 유리
하다는 조건을 항상적인 것으로 만들어 시중금융기관의 원활한 국채
매입을 촉진했다.

　또 1938년 4분리 이하의 국채이자과세면제, 1939년 유가증권이전세

에서의 국채우대, 1940년 소득세법, 법인세법, 배당이자특별세법 상의 국채이자과세의 우대 등 세법 상의 우대조치도 잇따라 취하여졌다. 그 결과 1937년 7월 이래 1941년까지의 일은의 대금융기관 국채 순매각액은 5억 1,700만 엔, 그 가운데 은행은 86억 400만 엔으로 이것은 동 기간의 은행예금 증가액 173억의 약 50%를 차지하고 있다.

둘째, 국채의 우선적 소화를 위해 기채시장을 통제하기 시작했다. 1937년 전반에는 금융경색·선행불안에 의해 기채시장은 사실상 괴멸상태에 빠졌지만 임시자금조정법에 의해 육삼회(六三會) 자치조정증권단(산일, 소지, 일흥, 야촌, 등본 빌브로커의 5사) 결성 후 시장은 자치적 통제에 따라 재개되고 다음 해 3월의 유가증권인수업법 시행, 12월의 증권인수회사협회 설립에 의해 사채시장에 대한 통제는 강화되었다.

1939년 9월 제2차 세계대전의 발발로 인한 세계적 물가등귀로 군수기업을 중심으로 하는 기채 러쉬가 발생했다. 1940년의 흥은사채 선대, 지방은행에 대한 흥은채 할당, 예금부 신디케이트단 사채선대인수·증권회사소유 사채매입 등의 긴급조치를 거쳐 사채를 계획적으로 소화하기 위한 방책으로 삼분주의가 제기되었고, 연말에는 대장성, 기획원, 간이보험국, 일은, 흥은을 회원으로 하는 기채계획협의회가 설립되었다. 따라서 사채는 통제적 자금배분의 한 수단으로 완전히 편입되고 사채시장은 할당시장이 되었다.

셋째, 국채의 개인소화를 촉진하는 조치도 취하여졌다. 1937년 11월에는 국채를 우편국에서 매출하기 시작하고, 1938년 이래 액면 10엔의 소액국채도 판매되었다. 또 1940년 7월에는 국채의 유동화를 방지하기 위해 국채무상보관제도가 시작되었다. 이러한 여러 조치의 결과 1936년 말부터 1937년 전반에 걸쳐 악화되고 있던 국채시중소화율은 상당히 개선되고 제2차 세계대전 발발 전까지 국채는 비교적 원활하게 소화되었다.

3. 전면적 금융통제와 세제개정

중일전쟁이 장기화되고 전선이 확대되면서 신규 국채발행의 규모가 커지고 발행 속도도 빨라졌다. 생산력확충계획에 따라 군수산업의 중점화가 진행되었으나 이는 외화제약하에서의 군수자재 부족, 원활치 못한 물자수급이라는 모순을 서서히 드러내었다. 특히 예상외의 수출부진과 외화부족으로 인한 제약이 격심해지고, 군수품을 수입하기 위해서는 외화를 확보해야 한다는 절대적 요청하에서 1938년부터 시작된 물자동원계획의 편성은 외화규모의 할당을 기준으로 삼아야 했다.

1939년 7월 일미통상조약 파기 통고, 9월 제2차 세계대전의 발발로 인해 지속적인 수입을 상정하고 추진된 생산력확충계획은 결정적으로 악영향을 받게 되었으며, 국채소화가 원활히 진행된 결과 물가도 상승하기 시작했다. 이러한 상황 속에서 정부는 결국 국가총동원법을 전면적으로 발동해 1939년 10월 가격등통제령을 시행하고 모든 물가를 1939년 9월 18일 선에 고정시키는 소위 「9 · 18정지령」을 강행했다. 이 시기에 이르면 이전의 임시자금조정법과 수출입품등임시조치법을 축으로 하는 통제로는 해결될 수 없는 상황이 전개되기 시작한 것이다.

그 이후 임시자금조정법의 목적은 공채소화, 고물가 억제로 바뀌고 자금통제계획, 은행 등 자금운용령, 재정금융기본방책요강과 금융통제는 점차 확대 · 강화되어 갔다. 1939년 7월에 물자 · 무역 · 노무 · 교통 전력 · 무역과 함께 국가총동원계획의 일환으로서 가장 먼저 책정된 자금통제계획은 이제 종합적 금융통제이념의 정비와 함께 체계적으로 전개되기 시작한 것이다.

자금통제계획의 발단은 전년 4월에 각의에서 결정된 국민저축장려

방책과 생산력확충계획 안에 들어있던 산업자금계획이었지만 제2차
세계대전의 발발이라는 새로운 국면하에서 자금통제계획은 자금수급
전체를 통제한다는 위치를 부여받게 되었다. 즉, 자금통제계획에서 자
금수요는 공채소요자금, 사업소요자금, 대외투자자금의 세 종류로 대
별되었다. 자금공급 측인 민간금융기관, 관청, 개인, 외지 등에서의 자
금축적계획과 대체적으로 어울리도록 조정되었고, 공채소요자금에 대
해서는 국채소화계획이, 사업소요자금에 대해서는 그 내역을 나타내는
산업설비자금계획이 대응하고 있었다. 하지만 애초에 이 계획은 개개
금융기관의 자금운용계획과 직접적 관련을 가진 것은 아니었다. 이 양
자를 결합시키기 위해 시행된 것이 1940년 10월의 은행등자금운용령
이었다.

　1940년에 들어서면 인플레이션을 억제하는 것이 더욱 긴급한 과제
가 되었고, 금융통제는 이 과제에 정면으로 대응해야만 했다. 예를 들
어 1940년 6월 대장성에 의한 「철저한 금융통제에 관한 기초안」은 "현
재 우리나라(일본 : 필자) 경제계의 모든 모순은 물가문제로서 응집 표
현된다고 하여도 과언이 아니다.……금융면에서의 대책은 모두 구매력
억제의 방향으로 집중되지 않을 수 없다. 그리하여 구매력의 억제는
(가) 구매력창출의 억제와 (나) 부동구매력을 흡수환원하는 것과의 양
면의 의의를 가지고 있다"고 하면서 인플레이션 억제책으로서 금융통
제를 긴급하게 강화해야 한다고 강조했다.

　그리고 구매력의 창출을 억제하기 위해서는 정부예산 삭감과 금융
기관의 자금창출기능 억제라는 두 가지가 중요하지만, 전자는 정치적
으로 해결할 수 있는 문제이기 때문에 이것을 제외한 후자를 과제로
삼고 있는데, "이것은 실제문제로서는 각종 금융기관대출 억제의 문제
……현상에 있어서는 운전자금의 대출을 억제 조정하는 문제가 된다"
면서 운전자금의 대출 억제방침을 제시하였다. 또 부동구매력을 흡수,

환원하는 것에 대해서는 소비의 규제가 전면적이고 철저하게 이루어
질 때까지는 중심과제가 저축장려, 저축유도, 저축강제에 의한 저축의
흡수에 놓여 있었다. 그리고 결론적으로는 양자를 병진하는 것이 필요
하지만 우선적으로 착수해야 할 방책이 구매력 창출의 억제, 그 가운
데 금융기관의 대출을 규제하는 것이 이론적으로나 실제적으로 아마
자연의 순리일 것이기 때문에 운전자금의 대출규제를 실행하기 시작
해야 한다는 점을 제시했다.

  은행등자금운용령의 시행은 이 연장선 위에 있는 것이었다. 또 실태
면에서도 동령의 시행이 필요했다. 즉, 임시자금조정법이 설비자금을
규제대상으로 하고 있었기 때문에 1939년 이래 겉으로는 운전자금의
모습을 가지면서 실제로는 설비자금으로 사용하는 경우, 투기, 매점 등
을 목적으로 금융기관에서 차입하는 경우가 급증했다. 그 결과 1937년
6월부터 1939년 말까지의 1년 반 동안에 주요보통은행의 설비자금대
출 증가액은 6억 엔(24억 엔→30억 엔)이었던 데 비해, 운전자금대출은
40억 엔(50억 엔→90억 엔)이나 증가했다.

  은행등자금운용령은 금융기관의 자금운용계획의 통제, 금융기관의
유동자금에 대한 조정, 자금융통명령 등의 세 항목을 골자로 하고 있
다. 즉, 동령 제2조는 주요보통은행 59행에서 받은 예금·대출·소유
유가증권의 증감예상 및 실적표에 대해 그 자금운용계획을 변경할 것
을 명령하고, 또 운용방법을 지정할 수 있다는 사실을 규정하고 있다.
이 규정에 의해 앞의 자금통제계획과 금융기관의 자금운용계획은 하
나로 통합되었다.

  또 동령 제3조, 제4조는 금융기관, 증권인수업자, 증권브로커에 의한
유동자금대출의 통제를 규정하고 있다. 동령 시행 이후 1942년 4월까
지 약 1년 반의 실적을 보면 허가신청서의 제출이 5만 8천 건, 심사액
163억 엔(1941년 4월~1942년 4월)으로 그 90%가 운전자금관계였다.

차주(借主)를 사업별로 보면 광공업 37%, 상업 33%, 거래소·증권브로커·증권업자 19%, 기타 11%의 순인데, 이를 보면 군수공업에 대한 협조융자, 군수어음할인의 추진, 통제회사 등의 집하기관에 대한 상품매입자금의 융통 또는 수출체화 연기자금융통의 증가 등이 큰 영향을 주고 있음을 알 수 있다.

은행등자금운용령과 거의 동시에 회사경리통제령이 시행되었다. 이것은 전년도 4월에 시행된 회사이익배당 및 자금융통령(이익배당통제와 융자명령)과 10월에 시행된 회사직원급여임시조치령(직원급여통제)을 개폐 통합해서 제정된 것이었다. 그 때문에 이 통제령에 의해 배당·이익금처분·경비 등이 엄격하게 통제받게 되었고, 또 이는 기업자금의 사외유출을 극력 제한한 것으로, 당해 기 시중과잉자금을 억제하는데 상당히 기여했다.

하지만 그럼에도 불구하고 1940년에는 금융통제가 여전히 충분치 못하다는 비난 여론이 비등해 전면적인 금융제도개혁을 요구하는 소리가 나오게 되어 결국 금융신체제가 등장하게 된다. 이러한 움직임은 '고노에 신체제'운동의 일환이었는데 이와 관련해 육군성 군무국, 기획원, 대장성, 일은, 금융계 등은 예리하게 대립하였고 1941년 7월11일 「재정금융기본방책요강」으로서 각의에서 결정되기에 이르렀다. 그리고 이 각의 결정은 태평양전쟁 개시 후에 일은법 제정, 금융통제단체령 시행, 전시금융금고 설립이라는 형태로 실행되었다.

이상과 같은 금융통제의 전면화에 대응하는 형태로 1940년에는 철저한 세제개정이 이루어졌다. 전시재정수요의 충족과 탄력성 있는 세제의 수립을 과제로 한 '바바 세제개혁'이 좌절된 후, 중일전쟁을 전후로 임시조세증징법에 의한 세제개정, 북지사변 특별세법에 의한 증세·세제개정이라는 증세정책이 추구되었다. 그러나 제2차 대전의 발발로 생산력확충계획에 차질이 생기고 이를 해결하기 위해 통제가 전면화되면서 세원의 구조가 이윤통제, 소비통제의 전개와 함께 변화되었기 때문에 세제의 재편이 불가피하게 되었다. 이에 대한 해결책이 1940년의 세제개정이었다. 이 세제개정은 소득세에서의 고도 누진제와 세원징수의 강화, 법인세의 소득세로부터의 분리 독립, 면세점 인하와 주세물품세 증징, 생산력 확충을 위한 조세특별감면조치, 지방분여세 제도에 의한 재정의 중앙집권화 등을 실현한 획기적 내용을 가진 것이었다.

그 초점은 첫째, 바바 세제개혁안을 계승하면서도 거기서 제기한 방식 즉, 재산세와 매입세를 창설해 탄력성을 확보한다는 방식이 아니라, 소득종류에 따라 차별적인 비례세제로 과세된 분류소득세를 소득세에 도입하여 탄력성을 확보한다는 것이었다. 그리고 "오늘날과 같이 전시 재정의 강화를 도모하는 동시에 구매력의 흡수에 도움이 되기 위한 증세를 행하는 경우에는 반드시 분류소득세의 증징에 주안을 두는 것이 적당하다"는 대장성 주세국의 말에서 알 수 있는 것처럼 분류소득세가 전시재정수요를 충족시킬 뿐만 아니라 구매력을 흡수하는 기능도 할 것이 기대되었다.

둘째, 관람세, 연극흥행세, 유흥세 등의 지방세를 폐지하고 지방분여세 제도를 택했다. 결국 항구적인 지방재정조정제도를 도입하고 개별 소비세의 통제권을 중앙정부가 확보하려고 했다. 1940년 세제개정은 거시적으로 구매력을 규제한다는 과세목적과 미시적으로 자원배분에 개입하는 과세제도를 확립하고, 경제를 정치조작하는 도구로서의 역할에 적합한 조세를 중앙정부가 통제하게 된 것이다.

이리하여 전시자금동원과 인플레이션 억제를 동시에 추구한다는 전시재정・금융의 과제는 제2차 대전 발발 후의 시점에서는 금융통제의 전면화와 근본적 세제개혁이라는 형태로 일종의 정책혼합(policy mix)으로 정착했다.

제2절 전시경제통제의 이완과 계획경제

1. 전시경제통제의 이완

전시경제통제는 일미통상조약파기통고, 제2차 대전을 계기로 강화되어 1940년에는 거의 체계가 정비되고, 1941년 7월의 영미대일자산동결, 8월의 대일석유금수성명, 12월의 태평양전쟁으로의 돌입을 전환점으로 하면서 더욱 심화되었다. 개전과 동시에 대장성은 비상금융대책을 발표하고 기업허가령·물자통제령·전쟁보험임시조치법·적산관리법·중요물자관리영단법·기업정비령 등 상공성 특별실이 준비하고 있던 각종의 칙령, 법률도 차례로 공포되었다. 또 1941년 9월에 공포된 중요산업단체령에 기초하여 1943년 1월까지 철강·석탄·광산에서 금융까지 33개의 통제회가 발족했다.

그러나 이 경제통제는 태평양전쟁의 후반기가 되면 도리어 느슨해져 중일전쟁 이래 진행되어 온 통제방식은 전쟁 말기가 되면 사실상 파탄상태에 빠졌다. 5개의 중점사업으로의 집중, 그 뒤를 이어 항공기 생산 제일주의로 전환이라는 극단적인 군수생산이 추구됨에 따라 한편에서는 탁상공론에 가까운 전면적 계획경제화, 국가 자신의 직접관리가 등장하고 다른 한편으로는 사실상의 방임상태가 나타났다. 예를 들면 금융면에서는 임시자금조정법, 은행등자금운용령의 신속화, 간소화가 과제가 되고 1943년 이래 사무처리의 지방이양과 허가가 필요하지 않은 부분의 범위가 확대되었다. 또 1942년에 발족한 금융통제회의 기능이 충분치 못해 전시금융금고와 외화금고 등 국가적 기관에 의한 직접적 자금공급의 비중이 급속히 높아졌다.

재정면에서는 1941년에 임시군사비세출이 일반회계세출을 능가하고 이후 급속히 팽창한 전쟁 후반에는 일반회계의 2배내지 3배 이상에 달

했다. 1943년 말에는 임시군사비 지변을 위해 공채한도액을 명시한다
는 원칙을 폐지하였다. 또 그 내용도 군사기밀의 이름하에 점차 애매
해지고 지출방식도 매우 간단하게 되어 재정원칙은 사실상 포기되었
다.

<표 9-6>에서 보는 것처럼 재정 살포 초과액이 급증하는 가운데 공
채시중 매각률은 중일전쟁기와 거의 비슷하였으나 일은의 대민간대출
의 증가도 있어 정부부문의 대민간자금공급액은 급증하였다. 또 <표
9-7>에서 보는 것처럼 재정자금 살포초과와 금융기관의 대출증가에
의해 금융기관의 축적액과 방출액의 차액은 1942~1945년의 누계로
200억 엔에 달하였다. 그 결과 일은권의 증발액은 1942년까지의 10억
엔대에서 1943년 31억 엔, 1944년 75억 엔, 1945년 246억 엔으로 격증
하였다. 그리하여 중일전쟁기 이래 상대적으로 안정되고 있던 물가는
전쟁 말기에는 초인플레이션적 양상을 나타냈다. 이제 이 기간 중의
물가대책에 대하여 살펴보기로 하자.

<표 9-6> 자금수급실적2 (백만엔, %)

연도	정부자금 살초a	일은공채 대민간 매각b	b/a	일은대리 점예금 증가c	일은대민 간예대 증감d	대민간 자금증감 e=a+b+c +d	은행권 증감
1940	4,651	-3,136	(67.4)	103	-313	1,304	1,098
1941	7,769	-6,514	(83.8)	185	-121	1,318	1,201
1942	9,634	-9,053	(93.9)	462	1,062	2,105	1,170
1943	10,742	-9,250	(86.1)	1,234	1,342	4,069	3,117
1944	16,243	-13,743	(84.6)	1,925	4,520	8,946	7,480
1945	13,225	-14,100	(106.6)	11,134	19,539	29,799	24,544
1942~45계	49,844	-46,146	(92.6)	14,755	26,463	44,919	36,321

자료 : 日本銀行, 『戰時中金融統計要覽』.
주 : 정부자금살초액=(조세 기타 수입－전시군사비 기타 지출)+예금부지출
    초과.

<표 9-7> 민간비금융부문의 자금수급2 (백만엔, %)

연도	재정자금살초a	금융기관의신용확장b				c=a+b	금융기관자금축적고d	d/c
		대출증가	증권투자증가	은행채	소계			
1940	5,719	3,882	2,647	567	5,962	11,681	11,081	94.9
1941	9,041	3,153	3,052	915	5,290	14,331	12,297	85.8
1942	12,322	4,288	5,143	1,399	8,032	20,354	17,012	83.6
1943	14,701	9,474	5,181	1,706	12,949	27,650	22,340	80.8
1944	24,051	19,448	5,019	3,859	20,608	44,659	43,062	96.4
1945	35,312	40,231	5,607	3,557	42,282	77,594	68,415	88.2
42~45계	86,386	73,442	20,950	10,521	83,871	170,257	150,829	88.6

자료 : 日本銀行, 『滿州事変以後の財政金融史』.

1940년 6월의 물가대책심의회의 답신은 ① 일반구매력을 전면적으로 억제할 수 있는 강력한 실시방안을 정하고, ② 배급기구를 정비해 물자의 편재를 시정하고 유통을 적정하게 한다, ③ 생산의 유지증강을 도모하기 위해 자재 등 배급의 적정화, 생산능률의 증진, 경리통제의 강화, 기업정비를 하고, ④ 소비규제를 단행하고 생활필수물자의 수급대책을 수립한다, ⑤ 「일본・만주・중국」에서의 물자 및 물자의 교류를 조정하는 조치를 강구한다는 5가지 점을 제시하면서 생산・소비 양면의 통제강화로 저물가정책을 유지하는 방침을 제시하였다. 그러나 군수생산 기초자재의 공급이 제약을 받고 있었기 때문에 통제에도 불구하고 원료・자재가 등귀하고 임금이 상승했다.

이 때문에 1943년 4월의 긴급물자대책요강은 ① 계획생산을 수행해야 할 중요물자・전시생활필수물자에 대해서는 생산비의 폭등에 대처해 적정한 생산자가격을 보장한다, ② 이 생산자가격과 수요자가격의 차액은 보조금에 의해 조정한다, ③ 중요물자・전시생활필수물자 가운데 필요한 것에는 수요자가격을 인상한다, ④ 특정의 중요물자에 대하여 계획 이상으로 생산한 자에 대해서는 보장을 준다는 방침을 제시하였다. 이는 이윤동기를 도입해 생산을 증강한다는 방침으로의 전환을 의미했고 종래의 가격통제방침을 포기하였다. 중일전쟁 이래의 가격통제는 여기서 사실상 파탄을 맞이했다. 그러나 이 새로운 방침에도 불구하고 생활필수물자, 주식인 쌀과 보리와 부식품의 집하배급은 어려워지고 암시장가격이 지배하게 되었다. 또 생산재, 특히 병기와 그 원재료, 부분품에 대해 정부는 직접 암시장가격으로 지불하는 사태에 이르게 되었다. 전쟁 말기에 이르러 통제주체 그 자체가 통제를 파괴하는 상황이 벌어진 것이다.

이 시기 통제의 계획경제화를 상징한 것은 국가자금계획의 등장이었는데, 이는 1939년 이래의 자금통제계획을 발전시킨 것이었다. 즉 종래의 자금통제계획이 자금의 소위 금융시장적 축적과 그 배분을 중심으로 한, 말하자면 부분적 계획이었던데 대해 저축의 원천인 국민소득까지 소급해 전시국민경제의 실태에 기초한 국가자력(國家資力)을 개산하고 그 재정, 산업 및 국민소비의 세 가지에 대한 배분관계를 계획화한다는 점에 착안한 것이다.

국가자금계획은 자금종합계획과 자금개별계획으로 이루어지고 자금종합계획은 배분계획, 조달계획, 동원계획의 세 가지로 이루어졌다. 투자(≒동원자금)와 소비로 이루어지는 국민소득(≒국가자력)이 각각 산정된 다음, 그것을 어떻게 배분하는가(배분계획), 또 어떻게 조달하는가(조달계획), 조달원천을 어디에서 구하는가(동원계획)를 종합적으로 계획한 것이다. 결국 조잡하지만 생산국민소득·분배국민소득·저축국민소득에 대응하는 구분이 확인되고 그 모든 것을 계획화할 것이 과제로 등장했다.

이제 주요 구성부분을 이루는 공채, 국내산업자금, 대외투자(자금개별계획) 3자에 대한 계획과 실적을 보면 <표 9-8>과 같다. 수행률을 보는 한에 있어서는 당초의 계획은 초과달성되었다. 그러나 그 구성비를 보면 계획에서 58~59%를 차지한 공채자금의 실적은 46~53%로 예정을 크게 하회하였다. 반대로 계획에서 30~33%의 산업자금실적은 40~51%로 예정을 큰 폭으로 상회하였다. 계획과 실적 사이에 거액의 괴리가 생긴 것이다.

<표 9-8> 자금조달계획 및 실적(참고 「국민저축동원액」) (백만엔, %)

		1942년	1943년	1944년
계획	공채소요자금	15,292(57.8)	19,504(58.9)	25,833(59.0)
	산업소요자금	8,308(31.7)	11,019(33.2)	13,906(29.8)
	대외투자자금	1,612(6.1)	1,636(4.9)	2,152(4.9)
	계	26,212(100.0)	33,159(100.0)	43,891(100.0)
	국민저축자금	23,600(90.0)	29,490(88.9)	41,663(94.9)
실적	공채소요자금	14,145(53.3)	20,865(51.7)	29,955(46.0)
	산업소요자금	10,636(40.1)	17,491(43.4)	33,120(50.9)
	대외투자자금	1,776(6.7)	1,987(4.9)	2,124(3.3)
	계	26,557(100.0)	40,343(100.0)	65,199(100.0)
	국민저축동원	22,075(83.1)	32,713(81.1)	47,455(72.9)
수행률	공채소요자금	92.5	107.0	116.0
	산업소요자금	128.0	158.5	238.0
	대외투자자금	110.0	121.4	98.9
	계	102.2	121.8	148.6
	국민저축동원	93.5	110.9	113.9

자료 : 伊藤正直, 「財政・金融」, 大石嘉一郎編, 『日本帝國主義史3 : 第2次 大戰期』, p.135.

실제로 이 계획은 연도계획의 책정과정에서 몇 번 변경된 것이다. 예를 들면 1943년도 자금계획은 세 차례의 시안개정이 이루어졌으며 개정을 필요로 하는 주요 요인으로는 자원제약으로 인한 군수생산의 정체, 물동의 개정, 예상을 뛰어 넘는 물가등귀 등이 있었다. 더구나 이 개정은 제1차안 229억 엔, 제2차안 225억 엔, 제3차안 197억 엔으로 오로지 소비를 줄이는 형태로 이루어졌다. 개정에서 가장 신경을 쓴 부분은 국민소비자금을 1942년도에 비해 20% 절하해도 그것을 실시하기가 쉽지 않아 문자 그대로 과단성 있는 조치가 필요하다는 점이었다.

전쟁 말기가 되면 계획의 실태와의 괴리는 점차 커져갔다. 1945년도 자금계획의 책정에 있어서는 전황의 급격한 전환에 따라 물자, 노무 및 수송의 긴급사태에 대처하여 국고 및 지방재정자금의 사용계획을 재검토했다. 또 국내산업자금을 통제하는데 있어서도 새로운 방식을 고안해 설비자금 및 운전자금 등을 구별하고 개별적 자금의 조정 및 지출항목별로 하는 회사경리의 통제를 종합적으로 추진함으로써 기업의 총자금수지가 적정한 균형을 유지하도록 만들었다. 이들은 모두 결국 종래의 통제방식이 사실상 파탄되었음을 확인하는 작업이었다.

태평양전쟁 후반기는 통제가 전면적 계획경제로 바뀐 시기이지만, 동시에 이상에서 본 것처럼 사실상 통제가 파탄된 시기이기도 했다.

2. 계획경제하의 재정·금융

1) 임시군사비의 극단적 팽창과 군사공채

태평양전쟁에 돌입하면서 군사공채의 발행고는 급증했다. 1937~41년의 공채발행고가 합계 264억 엔, 연평균 53억 엔이었으나 1942~45년 8월의 그것은 796억 엔, 연평균 199억 엔에 미치고 있다. 공채발행고는 연평균으로 볼 때 일시에 4배로 팽창했다. 그러나 이러한 급격한 팽창에도 불구하고 공채만으로는 이 시기의 임시군사비를 조달할 수 없어 이미 한계를 넘어선 상태가 된 증세, 식민지·점령지의 현지통화에 의한 차입금에 의존하게 되었다. 특히 1943년 이래는 현지차입금의 비율이 높아지고, 1944년 임시군사비에서의 그 비율은 57%에 달하고 있다. 임시군사비 예산은 태평양전쟁하에서는 의회의 심의를 전혀 받지 않았다. 1941년 11월의 제77의회에서부터 1945년 1월의 제86회 사이에 동 예산안의 중의원 제출에서 참의원 가결까지 걸린 시간은 모두

2~3일에 지나지 않았다. 요구된 만큼의 군사비를 내용도 조사하지 않고 단기간의 비밀회의에서 통과시킴으로써 임시군사비 전체를 예비비화하는 사태가 진행되었다.

이 시기에는 임시군사비의 지출도 매우 간단하고 쉽게 이루어졌다. 군관계의 제 지불에 대해서는 종래부터 선불금제도가 인정되었으나, 1942년 2월의 회계법 전시특례, 4월의 회계규칙 등 전시특례의 시행에 의해 육군성 및 해군성 소관경비의 선불금, 개산불(概算拂)의 범위가 확대되었다. 나아가 1943년 10월에는 각의에서 1. 예산의 형식을 단순화할 것, 2. 예산의 편성을 신속용이하게 할 것, 3. 예산의 실행을 기동적 또 효과적으로 할 것, 4. 결산사무의 간소화를 도모할 것, 5. 회계법규를 개정할 것을 내용으로 하는 「예산의 철저한 단순화에 관한 건」이 결정되어, 일반회계의 '임시군사비화'가 진행되었다. 그리고 이에 기초한 회계법 전시특례가 개정되어 선불금제도는 육해군성 이외의 성청에까지 확대적용 되기에 이르렀다. 계획조변(計劃調弁), 조기발주, 발주품종의 단일화, 동일품종의 계속발주, 우수공장으로의 중점발주, 생산원가의 저하촉진 등이 주창되고, 모든 수단을 강구해 군수조달을 신속하고 용이하게 만들었다.

2) 일본은행개조 · 금융통제회발족 · 전시금융금고 설립

1941년 7월 고도국방국가의 완성을 목표로 책정된 「재정금융기본방책요강」은 ① 국가자금동원계획의 설정, ② 재정정책의 개혁, ③ 금융정책의 개혁, ④ 행정기구의 개혁 4항목의 정책요강을 지시하였는데 1942년에 들어서자 바로 이 ③ 금융정책의 개혁에 기초하여 일본은행개조, 금융통제회의 발족, 전시금융금고 설립이 차례로 실현되었다.

일본은행의 개조는 1942년 2월의 일본은행법의 제정으로 이루어졌다. 동 법의 특색은 ① 국가적 색채의 강화, 짙은 전시색채 그리고 이것과 표리관계를 이루는 강력한 정부권한, ② 항구적 발권제도로서의 관리통화제의 채용, ③ 일본은행의 업무범위 확대 특히 산업금융, 국제금융업무 명문화의 세 가지 점이었다. 1942년 이래 일은대출은 급증하였다. 그 배경은 종래 재정살포초과(＝적자)와 시중은행의 신용확장에 의해 증대하고 있던 예금증가가 이윽고 대출과 유가증권보유의 신장에 추월당하게 되고, 그 결과 대량의 국채를 소화하고 다른 한편으로는 군수자금수요를 충족시키기 위해서는 일은신용의 공급 이외에는 방법이 없게 된 것이다. 일은개조는 발권제약을 해소하고 산업금융 진출을 명문화함으로써 이러한 요청에 응하였다. 새로운 일은법하에서 은행권의 발행한도액은 60억 엔으로 정해지고 이후 전후의 1948년까지 이 발행한도는 고쳐지지 않았다. 그러나 물론 이것은 개정의 필요가 없을 리가 없었고, 제정 이후 거액의 발행고가 한외발행으로서 계속 방치된 것이다. 이러한 의미에서 일은 자신이 결론적으로 말한 것처럼 1942년 이래 중앙은행은 거의 없었다고 할 수 있다.

금융통제회의 설립은 일은개조와 동시에 이루어졌다. 동 회는 계보적으로는 1940년 9월 설치된 전국금융협의회를 계승한 '자율적 통제단체'로서의 성격을 띠고 있지만 그 실태에서는 전국금융협의회와 확연히 달랐다. "동 회는 본 행과 독립의 법인으로서 설립된 것이지만 그것은 전쟁완수의 목적에 즉응하는 민간의 자율적 통제력 발휘라는 원칙에서 그와 같은 외관을 편의를 위해 가진 것이고, 그 중심은 바로 본 행 자체이고 그 활동은 본 행 활동의 일환에 불과하다.……즉, 전시중 본 행은 전시금융통제를 원활하게 한다는 이유에 근거하여 「전국금융통제회」라는 외형을 갖고 전시경제 추진에 기여한 것"이라는 일은의 위치규정으로부터 볼 때도 그 차이가 분명히 드러나 있다.

통제회의 금융통제는 통제규정에 근거해 이루어졌으나, 1942년 7월에 결정된 통제규정 및 1943년 8월에 추가적으로 변경된 통제규정은 다음과 같은 것이었다. 제1호 : 업태별 통제회의 통제규정의 설정 등에 관한 건(1942년 7월), 제2호 : 자금의 흡수 및 운용의 계획에 관한 건 (1942년 7월), 제3호 : 유가증권의 응모, 인수 또는 매입 등에 관한 건 (1942년 7월), 제4호 : 자금의 융통에 관한 건(1942년 7월), 제5호 : 금리 등의 조정에 관한 건(1942년 7월), 제6호 : 저축은행업무 또는 신탁은행 업무에 관한 건(1943년 8월).

이와 같은 통제규정에 의해 "통제회는 정부의 금융에 관한 제반의 계획에 참가하는 동시에 자금의 흡수 또는 운용에 관한 지도통제에 있어 기타 금융상담사업의 충실 등을 도모함으로써 자금관계로부터 생산력 확충에 지장이 생기는 일이 없도록 했다"(통제회 발족에 즈음한 유키 일은총재의 인사말). 그 중에도 중심이 된 것은 제2호로서 업태별 통제회의 회원 등의 제 금융기관은 그 자금증식예상, 유가증권·대출·기타 계정증감예상, 각 잔고에 대해 4반기 및 연도자금계획을 작성하고 전국회가 그 지도·감독을 맡았다. 자금계획의 징수는 1942년도 제3 사반기부터 시작되었지만 4반기별로는 달성률이 평균치에도 크게 미치지 못했다. 연도달성률을 보아도 축적계획에서는 보통은행, 신탁, 조합금융 등 경영이 순조로운 기관이 많았으나 국채보유계획에서는 전체적으로 달성률이 낮고 평균치에서 크게 벗어나는 등 계획의 실효성이 부족했다. 통제회의 기능에 대해서는 이 점으로부터도 강력한 비판이 있었다.

전시금융금고의 설립도 동시에 이루어졌으나, 설립의 직접적 요인은 그 때까지 군수금융의 중핵이었던 흥은이 보인 한계를 보완하고 치열해지는 전쟁상황에 비례해서 요청되는 무제한의 자금공급과 위험부담을 떠맡았다. 설립의 목적은 전시에 생산확충 및 산업재편성 등에 필요한 자금을 다른 금융기관으로부터 공급받기 어렵게 된 것을 공급하고, 동시에 유가증권의 시가안정을 도모하는 것이었다. 전시금융금고의 융자・주가유지・투자의 원천은 출자금 3억 엔, 채권 37억 5,100만 엔, 차입금 15억 7,700만 엔으로 주력을 이루는 채권은 업태별 통제회를 통해 각 은행・회사에 할당하는 방식이 취하여졌다. 차입금은 당초는 비중이 낮았지만 전쟁 말기에는 급증하였다. 차입처는 일은, 자금통합은행, 예금부의 세 곳이었고, 패전 직후에는 이 세 곳의 차입금 합계는 86%에 달하였다.

전시금융금고의 활약은 외부세계와 연락을 단절한 채 국내의 스톡을 끌어모아 군수생산의 퇴조를 막기 위해 방만한 인플레이션 정책을 점차 실시하기 시작한 1944년도에 눈부셨는데, 이 1년간에 대출잔고는 약 3배, 유가증권 보유고는 약 2배로 증가했다. 고위험의 자금공급을 떠맡음으로써 시중은행을 보완한다는 위치설정은 전쟁의 진행과 함께 전시금융금고를 군수금융의 중심으로 끌어올렸다. 한편에서는 국가자신의 직접적 자금관리, 다른 한편에서는 사실상의 방임상태라는 전시통제 말기의 양상이 여기에서 드러나게 되었다.

3) 기업정비자금조치법과 군수회사지정금융기관제도

전황의 악화에 따라 일본정부는 1943년 6월의 각의에서 「전력증강기업정비요강」을 결정했다. 전시생산력을 결집한다는 목적으로 국가가 직접 종합적・계획적으로 기업의 재편을 강행할 수밖에 없게 된 것이다. 이 재편성=기업정비는 종래에 없던 대규모의 것이 되었고, 휴폐지된 기업설비의 매수자금, 전폐업자에 대한 공조금 교부 등 필요자금은 합계 50억 엔 정도에 달하는 것으로 예상되었다. 당시 일은권 발행고는 73억 엔이었기 때문에 이 정도의 자금을 일시에 시장에 방출한다면 인플레이션이 일어나는 것은 당연한 일이었다. 이 때문에 정부는

현금의 이동을 동반하지 않고 이를 행하는 방법을 고안한 결과 기업정
비자금조치법을 공포·시행하게 되었다.

이 법의 핵심은 기업정비에 따른 자산설비의 매입인수 기타에 의한
채권자·채무자 간의 결제소요액을 실제 자금의 수수를 행하지 않고
예탁·차입금 등의 형태로 거치하고, 또 그 결과로서 생기는 채권은
원칙적으로 기한전의 상환, 환불, 양도, 담보화 등을 허락하지 않는다
는 것이었다. 결국 진정한 목적은 기업정비에 따른 자금의 부동(浮動)
구매력화를 최대한 억제하는 것이었다. 이 특수결제의 방법으로서 특
수예금·특수금전신탁·채무자특수차입금·전시금융금고특수차입금
·정부특수차입금의 5가지 방식이 제시되었다.

이 가운데 중심은 특수예금이었지만 이것은 채무자가 지불이 필요
한 금액을 정부가 지정하는 금융기관에 채권자의 예금 명목으로 불입
하는 것이었다. 이리하여 기업정비에 따르는 현금이동은 거의 완전하
게 정부의 손에 의해 봉쇄되었다. 이 법은 그 외에도 봉쇄자금의 자금
화조치, 휴폐지 회사 등에 관한 특별조치, 기업정비에 관한 조세의 감
면조치, 기업정비에 관한 재정상의 조치 등도 규정하고 있지만, 그 최
대의 목표는 무엇보다도 특수결제방식에 의한 자금봉쇄, 부동구매력의
억제에 있었다.

그러나 정세는 그 후에 급속히 악화되고 1943년 말에는 군수생산의
중점을 항공기 제일주의로 바꾸지 않을 수 없게 되어 정부는 11월에
군수성을 설치하고 12월에는 군수회사법을 시행했다. 이리하여 1944년
1월 군수회사 150사의 제1차 지정과 동시에 「군수회사에 대한 자금융
통에 관한 요강」이 발표되고 소위 군수회사지정금융기관제도가 시작
되었다. 1941년 8월 이래 군수산업에 대한 자금공급은 군수어음인수제
도와 시국공동융자단에 의한 공동융자방법이 취하여졌다.

이 제도는 ① 군수회사와 금융기관을 원칙적으로 1사1행주의로 직

접 연결한다, ② 이 금융기관에 대해서는 대장성이 일일이 지정한다, ③ 이 융자에 대해서는 필요한 경우에는 일은의 자금원조, 전시금융금고의 채무보증을 해 준다, ④ 종래의 공동융자방식을 「군수융자협력단」에 흡수 재편한다는 등의 조치를 취함으로써 병기, 항공기, 함선 등 중요군수품 기타 군수물자의 생산, 가공 및 수리를 위한 사업을 하는 회사로서 정부가 지정하는 것(군수회사법제2조)에 융자를 집중하려고 한 것이다.

특히 「군수융자협력단」은 종래의 공동융자단이 공동이라는 형태를 가졌으나 각 행이 각자 직접융자를 한 데 대해 이것은 창구를 지정금융기관으로 단일화했다. 협력단원인 다른 금융기관의 융자는 지정금융기관으로 융자한다는 방식을 택했으며, 이를 통해 군수회사로 자금이 흘러 들어간다는 구조를 가진 점이 특징이었다. 이 제도로 전환하게 된 원인은 종래의 방식에서는 차입수속이 번잡하고 신속성이 결여되어 있다는 것, 간사은행의 책임이 명확하지 않고 융자분담금, 융자이율 등에 일정한 기준이 없다는 것 등이었다.

제1차 지정군수회사 150사에 대해서 그 지정금융기관이 명시된 것이 <표 9-9>이다.

여기서 알 수 있는 것처럼 전시금융금고, 특별은행, 5대은행이 90% 가까이 차지하고 있고, 지방은행은 협력단으로서 완전히 자금공급자의 위치에 놓여 있다. 또 군수융자잔고는 1945년 1월말 시점에서 198억 2,800만 엔(군수회사 564사 보고분)에 달하여 발족 당초의 143억 9,300만 엔에서 반 년 사이에 매월 9억 엔 베이스로 증가했다. 이 융자잔고는 전국은행 대출잔고의 약 40%를 차지하고, 이 가운데 전시금융금고, 흥은, 5대 은행은 91%에 달하였다. 또 군수협력융자는 마찬가지로 42억 740만 엔으로 1944년 7월의 6억 1,100만 엔에서 7배나 증가했다.

<표 9-9> 군수회사지정금융기관 (제1차 150사분)

은행명	담당군수 회사수	그중 을분	은행명	담당군수 회사수	그중 을분
전시금융금고	31	0	북척	2	0
흥은	63	0	요코하마흥신	3	3
권은	3	0	시즈오카	2	0
대은	2	0	북륙	1	1
조은	1	0	중국	1	1
제국	50	2	십팔	1	1
미쓰비시	25	1	팔십이	1	1
스미토모	25	2	제사	1	0
야스다	17	1	운비	1	0
삼화	14	0	우부	2	2
동해	6	0	북국	1	0
십오	5	0	북해도	1	1
노무라	3	1	장강육십구	1	1
고베	2	1	합계	265	19

자료 : 『日本銀行資料』.

그리고 이러한 대출의 급증은 <표 9-10>에서 나타나는 것처럼 일 은차입에 의존하여 수행되게 되었다. 이에 대해 일은은 1944년 3월 대 부이율조정수속 및 조정률적용표준규칙을 제정, 고율적용제도를 부활 하여 대출급증을 억제하려고 했다. 그러나 이 같은 미봉책으로는 사태 가 해결되지 않았다. 앞 절의 <표 9-5>에서 보는 것처럼 5대 은행의 대출비율은 바로 이 시기에 급상승하여 갔고 오버론, 계열융자라는 전 후 금융구조의 특징을 이루는 도시은행[2]의 자금포지션[3]의 모습은 이 시기에 등장한 것이다.

---

2) 1928년 1월에 시행된 은행법에 근거하여 설립된 보통은행. 대도시에 본점 및 주 영업기반을 가지고 전국에 지점을 둔 은행의 통칭.
3) 금융기관은 예금 등을 증가시키려고 하는 동시에 대출, 유가증권 취득 등 자 금운용을 적정하게 해 자금융통에 지장이 없도록 주의한다. 이때 예금 등의 조달자금과 대출 등의 운용자금 사이의 균형을 자금포지션이라 한다.

<표 9-10> 6대은행에 대한 일본은행 대출잔고 추이 (백만엔)

	1943/12	1944/3	1944/9	1945/2
제국은행	775	995	1,130	2,261
미쓰비시은행	200	200	590	1,500
야스다은행	170	164	388	671
삼화은행	187	185	480	870
스미토모은행	308	448	350	973
흥업은행	485	532	611	757
계	2,125	2,524	3,549	7,031
일은대출총액	3,642	3,833	5,509	11,061
6대은행비율	58.3	65.8	64.4	63.6

자료 : 『日本銀行百年史』 第4卷, p.265.

4) 식민지·점령지 경제통제의 파탄

전시 경제통제의 파탄은 식민지·점령지경제에서 가장 단적으로 드러났다. 태평양전쟁이 일어난 직후인 1941년 12월 27일, 정부는 「환율공정조치요강」을 발표했다. 여기서는 종래의 영미화 기준 환율을 폐지해 엔 표시로 하고, 이 조치에 따라 엔화를 근간으로 하는 대동아금융권을 설정한다는 방침을 제시했다. 또 권내 지역간의 결제를 특별엔[4]으로 하고 권내 각 지역과 권외와의 결제도 마찬가지로 특별엔으로 하는 방침을 결정했다. 나아가 1942년 7월에는 「대동아금융재정 및 교역기본방침」에 의해 권내 각 지역에 발권중앙은행을 창설하기로 결정하였다. 나치의 광역경제권, 마르크 통화권의 아시아판이 구상된 것이다.

그러나 이 구상은 실체를 가진 것이 아니었다. 우선 식민지에서는 태평양전쟁의 발발 이래 일본본토 금융기관은 식민지 공사채를 인수할 여유를 상실하고 조선은행·대만은행·만주중앙은행의 신용창조에

---

4) 특별엔이라는 것은 일정한 외환계획에 근거해 대동아공영권 및 독일·이탈리아에 대한 외환결제에 충당되고 따라서 이들 제지역의 통화로 전환되는 종합적인 결제통화로서의 일본엔을 말함. 자산동결 이전까지 일본의 외환관리법의 대상에서 벗어나 자유롭게 외화 및 금으로 전환된 점이 특징이다.

의존할 수밖에 없게 되었다. 그 때문에 식민지에서 통화발행이 크게 증가했고, 만주은행권은 13억 엔에서 88억 엔(1941년 말→패전시, 이하 같음), 조선은행권은 7억 엔에서 80억 엔, 대만은행권은 2.5억 엔에서 22억 엔으로 격증했다. 또 점령지에서는 전비의 지불이 급증했다. 지불은 군표, 현지통화, 남방개발금고권으로 이루어지고 군표의 패전까지의 발행액은 엔표시 34억 3,000만 엔, 외화표시 11억 500만 엔, 합계 45억 3,500만 엔이 되었다. 현지통화의 조달에 대해서는 당초는 재정수입의 국고송금, 요코하마 정금은행에 의한 금의 '이어마크'(earmark)5)・외화제공・차관 등에 의해 이루어졌으나 1943년 이래는 예합계약(預合契約)에 의한 대상금제도가 채용되었다.

남방지역에서는 1942년 3월 남방개발금고의 설립과 함께 다음 해 4월부터 남방개발금고권이 군표 대신에 지불통화가 되고 이것도 정부가 동 금고로부터 남방개발금고권을 차입하여 조달되었다. 그 결과 현지통화발행고는 식민지를 상회하여 급증하고 중국연합준비은행권은 9억 엔에서 1,326억 엔, 저비권(儲備券)은 2억 엔에서 2조 6,972억 엔, 남방개발금고권은 4억 엔에서 194억 엔이라는 천문학적인 숫자로 팽창했다. 점령지역의 인플레이션은 경이적으로 진행하여, 상해 물가는 패전시에는 1936년의 1,186배에 달했다.

이러한 전비의 지불은 임시군사비회계에서 이루어졌으나 전쟁 말기가 되면 이 임시군사비에 계상되지 않은 전비조달이 엄청나게 증가했다. 이 역할을 담당한 것이 1945년 3월에 설립된 외화금고였다. 점령지 인플레이션의 급격한 진전은 현지불 임시군사비 중의 물건비의 지불

5) 무역이나 차관 등으로 외국에서 취득한 금을 그대로 그 나라의 중앙은행에 자국 명의로 다른 것과 구분하여 보관시켜 두는 것. 이렇게 하면 금을 수송하는 수고나 비용이 절감된다. 이처럼 금을 수송하지 않고 이어마크하는 일은 제1차 세계대전 이후에 일반적으로 행하여졌다.

액을 급증시켰다. 이를 해결하기 위해서는 현지통화와 엔과의 환산율 (공정엔 환율)을 크게 떨어뜨리던가, 아니면 점령지 인플레이션을 인정 하고 임시군사비 지출을 증대시키던가의 두 가지 방법 외에는 없었다. 그러나 적성통화에 대해 현지통화의 체면을 유지하는 것이 정치적· 군사적으로 반드시 필요하였고, 그 때문에 공정 엔환율을 절하하는 것 은 불가능했다. 이 때문에 임시군사비 예산도 증액하지 않고 공정환율 도 변경하지 않는 제3의 방법으로 고안된 것이 외화금고였다.

좀 더 구체적으로 살펴보면 현지물건비 지불 가운데 극히 일부만을 임시군사비에서 지출하고 나머지 대부분은 외화금고가 조정금(調整金) 으로 지출한다. 그리고 외화금고는 이를 위한 자금을 요코하마 정금은 행·조선은행과 남방개발금고 등 현지대상기관과의 예합계정에서 차 입하고, 요코하마 정금은행·조선은행과 남방개발금고는 여기서 한 걸 음 더 나아가 중국연합준비은행, 중국저비은행과 예합계정을 설정해 현지통화를 인출한다는 방법이었다. 이 외화금고의 결산은 전후까지 연기되고 외화금고의 경리는 모두 정부에 의해 보상되었다. 결국 전비 지불은 중국연합준비은행과 중국저비은행이라는 현지은행의 부담으로 이루어져, 점령지에서 파국적인 인플레이션이 일어나는 주요 원동력이 되었다.

제10장 전쟁과 군수산업의 발달

제1절 병기공업의 전개와 담당자

1. 병기생산의 동향

군사재정이 군수산업에 준 영향은 군사비에서 차지하는 물건비의 비율 그리고 그 물건비에서 차지하는 병기의 비율에서 알 수 있다. 물건비는 육해군 임시군사비예산(1937~1945년도 합계)의 82%, 물건비 가운데서 병기의 비율은 판명되는 육군관계(1937~1943년도)에서는 48%로서 병기비가 군사예산의 거의 40%에 달하고 있다. 병기 이외의 중요한 물건비로서 군량(11%)·피복(7%)이 있고 의외로 큰 비중을 차지하고 있는 것이 영선비라 불리는 군 시설의 건축수리비인데, 현재 판명되고 있는 해군관계(1937~1945년도)에서는 물건비의 23%에 달하고 있다.

전쟁 말기 군수성 임시군사비(1943~1945년도)의 경우에는 항공기의 생산이 급증하여 병기비가 전 지출액의 93%로서 압도적인 비중을 차지하고 있다. 또 물건비 이외의 군사비는 주로 인건비와 수송비로서 후자는 민간상선의 징발 등에 대한 지불을 포함하고 있고, 역시 군수산업과 관련이 깊다. 병기의 종류는 다양하고 시기에 따라 중요도에 변화가 있었지만 주로 육군병기는 총기·화포·탄약·화약·전차·자

동차·광학병기·통신전파병기·주정(舟艇)·기재·항공무기·항공탄
약 및 항공기, 해군병기는 대포·수뢰·전기·광학·항해의 각 병기
및 함정·비행기이다.

<표 10-1> 병기생산액과 군사설비 (백만엔, %)

	1937	1938	1939	1940	1941
육군주요병기	154(20)	399(28)	485(25)	668(26)	956(18)
해군주요함정병기	345(45)	262(19)	358(19)	556(22)	1,382(26)
육해군항공기	141(18)	295(21)	458(24)	562(22)	1,060(20)
육해군시설	133(17)	450(32)	610(32)	765(30)	1,875(36)
계	773(100)	1,406(100)	1,910(100)	2,551(100)	5,274(100)
동상실질액(억엔)	221	371	456	546	1,055
대전년비증가율	86%	68%	23%	20%	93%
	1942	1943	1944	1945	
육군주요병기	1,262(16)	1,586(13)	2,108(11)	455(5)	
해군주요함정병기	2,011(25)	2,821(24)	5,475(29)	1,537(16)	
육해군항공기	1,930(24)	3,663(31)	5,039(27)	1,076(11)	
육해군시설	2,702(34)	3,773(32)	6,186(33)	6,699(69)	
계	1,906(100)	11,843(100)	18,808(100)	9,767(100)	
동상실질액(억엔)	1,455	2037	3103	986	
대전년비증가율	38%	40%	52%	-68%	

자료 : 國民經濟硏究會編, 『基本國力動態總覽』, 1954, p.15.

병기생산 및 군시설비의 동향을 <표 10-1>에서 보면 1937·1938년
과 1941년에 크게 증가하였고 중일전쟁기는 육군병기, 태평양전쟁 초
기는 해군함정병기(상선은 포함하지 않음), 중기는 비행기, 말기에는
다시 해군함정병기의 비중이 증가했다. 실질액을 비교하면(기준년=전
후의 1953년), 1944년은 1937년보다 약 14배가 증가하였고 대 전년도비
로는 1941년이 최고로 93% 증가했다. 다음으로 1937·1938년에 각각
86, 68% 증가하는 한편 1939·1940년에는 각각 23, 20% 증가로 상대적
으로 적었는데 앞서 말한 군사비의 상대적 감소와 일치하고 있음을 알

수 있다. 중일전쟁의 시작과 함께 특히 육군병기·군 시설이 급증하고 해군함정병기가 하락한 것(1938년은 명목액도 감소)은 대륙전쟁으로서의 성격을 말해 주고 있는 것이다. 그러나 대미관계가 긴박하게 된 1940년경부터는 반대로 해군함정병기가 증대하였고 육군병기가 급격히 하락하다가 태평양전쟁의 중·후기에 해당되는 1943·1944년에는 항공기가, 1944년에는 해군함정병기가 다시 증대했다. 군사행동에 불가결한 비행장·병영·요새·항만 등 시설의 건축수리비에 해당하는 군사설비는 거의 언제나 제일 많은 30%대를 계속 유지하여 건설업에 큰 영향을 주었다. 그러나 이것은 이전에는 그 역할이 간과된 경향이 있었는데 다시 군수산업 속에 포함시킬 필요가 있다.

상선을 합한 상세한 매년의 동향을 보면, 첫째로 과거에는 대함거포주의 때문에 최고의 지위에 있었던 함정이 1941년 이래 전략이 바뀜에 따라 거의 정체 상태였고, 사이판이 함락된 1944년 중반부터 다시 급증하는데, 이는 주로 상실도가 심한 상선을 방위하기 위한 해방함(海防艦)과 최후의 결전에 대비하여 항공모함이 증가했기 때문이었다. 둘째로, 해군병기는 함정 정도는 아니지만 거의 정체 상태에 있다가 1943년 봄 이래 증가했는데 이것은 항공관계병기와 전기병기 등이 증가했기 때문이었다. 셋째로, 대함거포주의에 의해 이전에는 그다지 중시되지 않았던 항공기가 1941년 가을 이래 선두가 되고 다음 해 가을부터 급증하여 전시경제의 중심이 되었다. 넷째로, 선박상실이 심해지면서 해상수송난이 발생하게 되자 최하위에서 정체적이었던 상선건조가 전시경제 최대의 문제점으로 인식되고, 1943년에 들어서는 항공기·해군병기도 같이 증가하고 있다. 다섯째로, 거의 정체적이었던 육군병기가 1945년 초의 본토결전을 앞두고 상당히 증가하고 있다. 여섯째로, 자동차는 1942년 이후 감소 추세에 있었고 이로 인해 육상수송이 어렵게 되었다.

각 종목의 생산이 최고도에 달한 것은 1944년 1월(상선)부터 1945년 2월(육군병기) 사이였고 증가세의 크기로 구분하면 큰 순서부터 항공기·해군병기, 육군병기·함정·상선, 자동차가 된다. 선두인 항공기·해군병기가 1944년 9~11월에 최고도에 도달했기 때문에, 대체로 1944년 가을이 군수산업의 절정기라 할 수 있다.

2. 생산종목의 전환과 민간기업의 대응

병기생산에서의 종목전환이 단기간에 이루어져 군수관련산업에 커다란 혼란과 타격을 주게 되고 이에 따라 기업은 그 대응책을 마련하기 위해 부심했다. 우선 중일전쟁 개시 1년 전에 육군7개년계속군비충실계획이 책정되고 대륙작전에서는 기동성이 풍부하고 대(對)토치카 근접전에 필요한 기계화 장비병기(전차·장갑차량·자동차)가 중시되었다. 전쟁 개시와 함께 민간기업에게 이들 병기의 생산을 확대할 것이 요청되었고, 군수공업동원법 시행과 공장사업장관리령에 의해 지원체제가 정비되었다.

그러나 1937~1940년에는 당장 필요한 탄환·탄약·화약류에 중점이 놓여졌고 그 때문에 화포·전차생산은 압박을 받아 결과적으로 1939년 5월 노몬한에서 대패하는 하나의 원인이 되었다. 이 사건을 계기로 전차 등의 기계화 장비병기를 긴급히 증산할 필요가 부각되었고, 다른 한편 중일전쟁이 장기화되고 지구전으로 들어갔기 때문에 군수생산방침이 종래의 임시변통적 생산에서 계획적 생산으로 전환되어 1940년 이래는 앞서 말한 7개년계획을 보완한 3개년육군정비계획이 실시되었다.

여기에 필요한 예산은 약 100억 엔으로 중국파견군에 대한 보급소모용에 40%, 계획적인 군비확충용에 60%를 할당한 것이었다. 그러나 태평양전쟁 2년째에 일어난 과달콰날전은 다시 한번 이에 전환을 요구했다. 1941·1942년은 기계화장비병기의 생산비중이 증가했으나 전환 이후는 항공·광학·전기(전파통신)관계 무기의 생산을 신속하게 확대해야만 했다.

중일전쟁이 개시되면서 병기생산이 급증함으로써 생산력확충부문·민수부문에 대한 압박, 뒤이은 살상병기에서 기동병기로의 중점이동, 나아가 이러한 지상병기에서 항공·대공병기로의 전환이 계속되었다. 이로 인해 타격을 받은 민간기업은 자위책을 강구하였다. 민간 최대의 무기제조업자였던 일본제강소는 1938년 11월에 전차공장 건설명령을 받고 세심한 준비 끝에 1942년 7월에 드디어 제1호 전차를 만들었으나, 다음 8월에 갑자기 군으로부터 항공·대공병기제조로 업무를 전환하라는 명령을 받았다. 전차공장은 화포공장으로 전환하였으나 전차공장의 공작기계는 육군항공본부로 공출하라는 명령을 받았으며 최종적으로는 미쓰비시 중공업 항공기공장으로 인도되었다.

이 회사 다음으로 화포생산에서 민간 제2위의 위치에 있었던 고베 제강소는 군사비가 상대적으로 감소한 1939·1940년에는 탄환류 수주액이 2분의 1에서 3분의 1로 감소해 경영이 어려웠다. 이러한 일도 있기 때문에 고베 제강소는 1938년에 신설요청을 받은 화포공장의 건설에서 화포설비기계는 고가이고 특수한 것이 많으며, 또 화포 이외의 제작에는 전용할 수 없는 것이 있다는 것을 고려해 정말로 필요하고 특수한 것을 전체의 5~6%로 억제했고 그 외는 자가제작한 특수공구를 활용하여 타개했다. 그 때문에 전후 미군정으로부터 병기용 전문기계를 파괴하라는 명령을 받았을 때에도 이 회사의 기계는 거의 파괴되지 않고 민수로 전환될 수 있었다. 1939년에 신설요청이 있었던 전차공장의 경우도 동일하게 대응해 전재피해도 적지 않았던 동 공장은 전후에 가장 빠르게 재개되어 동 회사가 전후 부흥하는 데 있어 기초가 되었다.

이와 같이 민간기업이 병기생산에 관여할 때 최대의 문제는 전황 변화에 따른 생산종목의 변경, 나아가서는 전쟁종결 후의 대응에 있고 특히 특수용도용으로 다른 데로 전환하기 어려운 공장설비를 전환하는 것이었다. 또 군의 예산편성이 1년 단위로 장기의 생산목표가 명시되지 않은 것도 기업에게는 문제였다.

3. 관유민영방식과 기계설비의 동원

다른 한편 정부는 전시경제동원을 위한 대응책의 하나로서 관유민영방식을 도입했다. 태평양전쟁 개시 직전에 구체화되어 개전 직후에 설립된 산업설비영단은 군수산업·생산력확충계획산업 등에서 사업자가 건설하기 어려운 시설을 대신 건설하고, 특히 당시 초미의 과제가 되어 있던 표준선박의 건조 등을 위해 만들어진 것이기 때문에 조선업을 중심으로 공장·조선소(각 16억 엔·6억 엔)가 건설되었다. 다만 이것으로는 필요한 군수산업 확대에 대응하지 못해 장래의 위험성과 채산을 어느 정도는 무시하고 융자하는 전시금융금고가 설립되기에 이르렀다(패전시의 융자잔고는 37억 엔).

동시에 거액의 자금을 필요로 하고 또 다른 곳을 전용하기가 매우 어렵기 때문에 평시의 수요감소를 우려하여 설비투자를 주저하는 병기공업회사를 위해 병기등제조사업특별조성법(이하 병기조성법)이 제정되었다. 앞서 말한 1939·1940년에 탄환류 수주액이 감소함에 따라 발생한 민간기업에 대한 타격 등이 동 법 조성의 계기가 되었다고 한다. 이것은 보조·장려금교부에 머물렀던 종래의 각종 보조법과 달리 설비의 무상대여 등 국유민영방식을 도입하여 패전 시까지 21개사(26개 공장)에 적용되었다. 앞서 말한 일본제강소의 구 전차공장의 잔존시설 전부가 병기조성법에 의해 정부에 매각된 후 이 회사에 대여되었고 오사카 육군조병창에서 공작기계가 대여되어 대 전차화포제조가 이루어지게 되고, 기타 3개의 공장에도 국유기계가 대여되었다. 병기조성법 이전에도 동 사에 대해서는 해군에 의한 기계대여의 전례가 있어 1939년의 총동원업무 사업 설비령은 동 법의 선구가 되는 것이었다고 할 수 있다.

관유민영방식은 위험을 두려워한 사적 자본에 대한 대응책인 동시에 국가가 기계설비 특히 공작기계의 부족문제를 조정하기 위한 정책이었다. 대체로 공작기계공업은 만주사변 이후 군수에 자극되어 급속히 발전하였고 중일전쟁 개시에 따른 군수급증과 공작기계제조법 시행(1938년 3월)을 계기로 기술적 그리고 기업적으로 확고한 기반을 구축했다.

그 추세는 <표 10-2>에서 보면 1938년에 생산대수가 비약적으로 증가한 것과 1대당 중량이 증대한 것을 알 수 있지만, 그 이후는 뚜렷하게 발전하지 못했다.

<표 10-2> 공작기계의 수급 (천대, 천톤,톤)

연 도	대수			총중량	1대당 중량	
	생산	수입	수출	생산	생산	수입
1937	22	6	1	33	1.5	3.0
1939	67	8	3	102	1.5	3.2
1941	46	2	2	103	2.2	2.9
1943	60	0	1	141	2.3	2.8
1944	54	0	0	129	2.4	2.4

자료 : 『昭和産業史』 第1卷, p.390.

대수는 1938·1939년을 정점으로 급격히 감소해 1943년에 약간 회복한 정도였고, 총중량의 경우 1938~1941년은 완전히 정체 상태였다.

대수는 정체적인데 총중량이 증가한 1942·1943년에 1대당 중량이 증가하였고, 이러한 측면에서의 발전은 인정된다. 공장수는 1942년의 353개에서 1944년 446개로 증가하여 생산확대에 기여하고 있지만 수요를 도저히 따라갈 수 없었다. 수입은 이와 같이 약체인 국내생산을 보완해야만 했으나 1940년 이후 격감하였다.

제2차 세계대전의 발발로 대독일 수입이 일시 완전히 두절된 무렵 공작기계구매단이 도미하여 교섭하였으나 성과는 충분치 않았다. 수입기계는 국내산에 비하여 정밀·고급이었기 때문에(1대당 중량도 국내산의 약2배) 수입의 감소로 인한 질적 타격은 결정적인 것이었다. 공작기계를 포함한 전 기계류(부품도 포함)의 수입액은 1937·1938년의 급증을 거쳐 1939년에는 절정에 달하고 1941년 이후는 감소하였다. 이것은 60~70%를 차지하였던 대미수입이 격감한 때문이었고, 대독일수입으로는 전혀 이를 보충할 수 없었다.

그 결과 병기·항공기 등 생산부문으로의 기계류의 동원이 이루어져 앞서 말한 공작기계가 일본제강소에서 미쓰비시 중공업 항공기공장으로 이전된 것은 그 예이다. 나카지마 비행기의 경우 공작기계는 기체공장에 4,700대(패전시), 발동기공장에 6,500대였지만(1944년 현재) 그 약 반은 육해군으로부터의 대여였다. 그러나 나카지마의 발동기 생산이 2.4배 증대한 데 비해 공작기계보유수는 1.6배 증가하여 공작기계가 많이 부족하였다. 일본제강소의 해군용 기총공장(1943년 설립)의 경우 기계의 대부분은 병기조성법에 의해 관유기계가 대여되었으나 그것도 부족하여 유휴공장으로부터의 매수, 간단한 단능화(單能化)에 의한 자가생산 등 모든 수단이 강구되었다. 그러나 매수·자가생산분 중 많은 것은 조악한 것이고 전후에는 사용할 수 없어 모두 고철화되었다. 1943년 6월에 대규모로 기업정비를 실시한 이유 중 하나는 항공기 등 초중점사업으로 이와 같은 기계를 동원하기 위해서였다.

4. 군·민 분업의 양상

병기생산은 군공창과 민간기업 쌍방에서 이루어져 이 둘 사이에는
분업현상이 나타났다. 해군공창은 불분명한 점이 많지만 각종 병기생
산액의 군·민 비율을 <표 10-3>에서 보면 육군병기(1937~1945년)가
군 24% 대 민 76%, 해군병기(1941~1945년)가 군 33% 대 민 67%로 모
두 민간이 많고 그 중에서도 육군병기의 민간비율이 보다 높다. 이것
은 압도적으로 민간의존인 항공기·전차·자동차가 육군병기에서 차
지하는 비율이 컸으며 반대로 함정건조에서는 해군공창이 상당한 비
중을 차지하고 있기 때문이다.

<표 10-3> 병기생산의 군·민 비율 (백만엔, %)

육군병기(1937~45)			해군병기(1941~45)		
	군공창	민간		군공창	민간
총기	386(2) [45]	472(2) [55]	함정	2,250(10) [36]	3,999(17) [64]
화포	223(1) [30]	521(3) [70]	포공병기	3,571(16) [65]	1,922(8) [35]
화약	1,003(5) [98]	20(0) [2]	수뢰병기	236(1) [30]	551(2) [70]
화포용탄환	1,713(9) [50]	1,713(9) [50]	전기병기	0(0) [0]	650(3) [100]
항공탄약	489(3) [50]	489(3) [50]	광학병기	29(0) [14]	177(1) [86]
전차	63(0) [5]	1,205(6) [95]	항해병기	11(0) [9]	107(0) [91]
자동차	0(0) [0]	1,231(6) [100]	화약폭약	1,287(6) [36]	2,289(10) [64]
주정	11(0) [2]	515(3) [98]	소계	7,384(32) [43]	9,696(42) [57]
항공병기	399(2) [80]	100(1) [20]	항공기	293(1) [5]	5,559(24) [95]
전기병기	28(0) [7]	367(2) [93]	합계	7,677(33) [33]	15,225(67) [67]
광학병기	69(0) [30]	161(1) [70]			
기재	15(0) [5]	294(2) [95]			
소계	4,400(23) [38]	7,090(37) [62]			
항공기	231(1) [3]	7,482(39) [97]			
합계	4,631(24) [24]	14,572(76) [76]			

자료 : 『昭和産業史』 第1卷, p.492, p.531, p.543, pp.552~553, p.565, p.571,
p.590, 『昭和財政史Ⅳ 臨時軍事費』, pp.240~245.

또 태평양전쟁이 시작된 이래 육해군 공창이 독점하고 있던 탄약(탄

환)·폭탄생산에 민간이 많이 참여했으나 이 분야에서는 여전히 해군공창이 우세하였다고 할 수 있다. 일본은 다른 국가들에 비해 군직영공장의 역할은 상당히 컸으나 해군병기에서도 민간은 거의 3분의 2로 압도적인 비중을 차지하고 있었으며 양적으로는 민간기업이 군수공업의 주역이었고 시간이 지날수록 그 역할은 높아갔다.

군·민분업을 보면 항공기에서는 개발·생산의 담당자는 기본적으로 민간이었고 군공창은 발주·심사와 개조명령에 중점을 두고 생산에는 약간 참여할 뿐이었으나(뒤의 <표 10-5>), 육군에 비해 해군은 개발까지 한다는 점에서 조금 차이가 보인다. 또 수리는 군, 개조는 민간에서 하였다. 함정에서는 군이 주요 함정의 개발과 1호함 건조를 담당하고, 2호함부터는 군민에게 할당되었지만 군공창에 의한 건조·수리의 경우에도 그 일부는 민간이 분담하고 민간기업의 노동자가 군공창에 동원되었다.

화약·폭약은 육군공창이 전부 생산하고 원료·중간제품만 외부의존이었던데 대해 해군은 적극적 민간이용의 방침이었다. 각종 탄약·탄환·폭탄류에서는 육군의 화포·총기용 탄약과 항공탄약의 생산확대에는 군공창뿐만 아니라 민간이 널리 동원되고 군공창이 소재에 압축가공한 반제품을 민간에 넘겨 기계가공하게 한다는 분업이 이루어졌는데 특히 정교함이 필요한 신관(信管)제조에는 정공사(精工舍) 등의 시계공장이 이용되었다. 해군의 경우도 이러한 종류의 소모병기의 급증에는 민간동원으로 대응하는 수밖에 없었다. 민간기업의 군수동원의 예로서 정공사의 경우를 보면 1937·1938년에 병기류 생산이 증가하여 시계류보다 많았고 이후 수년간 감소·정체 후 1942년에 다시 증가하여 전체의 70~90%가 되었다.

각종의 포·총류에서는 군이 기밀유지를 위해 개발을 담당하고 생산면에서는 태평양전쟁 후기에는 병기조성법으로 쉽게 민간동원을 할 수 있게 되었다. 화포에서는 일본제강소·고베 제강소 등 민간이 군을 상회하고 있지만 항공병기는 여전히 군 쪽이 많았다. 해군병기의 경우 대함거포주의에 의해 대형포부터 소형포·기총에 중점이 옮겨져 민간의 비중이 높았지만 여전히 함재포 등을 생산하는 군의 지위가 컸다. 자동차는 종래부터 민간에서 생산하였기 때문에 전차류도 대부분이 민간에서 이루어졌다. 그 외에 육해군의 전기전파병기·광학병기·주정·기재는 압도적으로 민간이 중심이었으나 주지의 사실이지만 기술적으로는 전파탐지기 등에서 미국에 크게 뒤떨어졌다. 여기에는 일본의 측거의(測距儀)가 세계적인 수준이고 해군이 광학적 측거법에 지나치게 의존하여 전기적 측거법 즉 레이더의 발달을 촉진하지 못했다는 사정도 있었다.

5. 병기가격과 대금선불제

군사재정 중 병기비의 거의 70%가 민간에게 지불된 것이기 때문에 금액적으로 병기생산이 민간기업에 준 영향은 엄청났는데 특히 그 대금의 선불(전도·전수)제는 민간에게 상당히 중요했다. 항공기의 경우 총자본에서 선불금의 비율은 약 40%로 매우 높았고 나카지마 비행기의 패전 시 선불금 잔고는 7억 엔이라는 거액에 달하였고, 운전자금면에서 차입금 다음으로 중요한 역할을 담당했다. 해군기의 지불방법은 선불이 2할, 완성 시에 4할, 인도 시에 4할이었다고 한다. 군수품의 수주가격은 원칙적으로 원가주의였고 군민 쌍방의 원가계산을 비교하여 일반적으로 낮은 쪽을 따르는 등 물가와 군비의 .억제를 위해 저가격을 설정하였다. 그 때문에 원가상승과 미가동자본의 압박을 받은 군수기업의 경영상황은 악화하였다. 이윤통제도 강화되었으나 기업측의 요청으로 8% 배당이 인정되었다(1940년 10월).

그러나 가격경쟁이 일체 없고 또 공급이 부족한 상태에서 전황의 가열화에 따른 군수생산 증강요구로 인해 저물가정책이 제대로 운용될 수 없다는 것은 당연하였다. 우선 물가대책심의회의 「저물가와 생산증강과의 조정」(1941년 8월)에 의해 그 기조가 용인되고 다음으로 긴급물가대책요강(1943년 4월)에서 생산자가격의 보증과 가격보장금제도를 실시하면서 저물가정책은 결정적으로 후퇴하였다. 더 나아가 군수성 발족 후에는 공정가격에 구애받지 않는 '조변가격(調弁價格)'이라는 법외의 매상가격이 발생하였으며 이는 결국 암시장가격의 온상이 되었다.

제2절 항공기산업의 전개

1. 항공기생산의 동향

1) 생산의 정체·축소

항공기 생산의 동향을 <표 10-4>·<표 10-5>에서 보면 1937년 이래 4기로 나뉘어진다. 1기(1937~1939년)는 기체·발동기가 모두 증가하였는데 특히 1938년에 가파르게 상승하였고, 2기(1940·1941년)는 특히 기체의 정체가 현저하였고 발동기도 1940년에는 정체하였다. 3기(1942~1944년)는 다시 급증하여 특히 기체는 3년간, 발동기는 그 후 2년간 현저히 증가하였으며 4기(1944년 제4반기~)에는 급감하였다. 1940년 이전의 수치, 특히 발동기에 대해서는 불확실한 점이 많지만, 비교적 수치가 확실한 나카지마·미쓰비시 중공업의 동향으로부터 다음과 같이 정리할 수 있다. 기업별로는 제1차 대전기 및 그 직후기에 참가한 선발 대기업(나카지마·미쓰비시·가와사키 항공기공업·아이치 항공기)이 기체·발동기에서 모두 높은 생산비율을 차지하고 있고 그 가운데서도 나카지마·미쓰비시의 비율이 압도적인데 상당 기간 동안 1, 2위를 교대로 차지하였고 2기의 생산정체가 나타난 주원인은 나카지마의 기체생산감소였다.

<표 10-4> 각사별 항공기 기체생산 (기)

연도	미쓰비시	나카지마	가와사키	다치가와	일본국제	아이치	가와니시	규슈	일립	후지	쇼와
1937	320	358	188	264	-	176	52	76	-	-	-
1938	914	973	352	307	-	218	100	253	-	-	-
1939	1,194	1,162	422	784	-	327	177	296	41	-	1
1940	1,147	1,077	278	1,096	-	322	138	321	51	-	1
1941	1,697	1,085	733	1,048	95	255	99	144	139	-	22
1942	2,574	2,788	1,034	1,224	163	377	69	241	205	23	87
1943	3,864	5,685	1,984	1,289	340	997	230	697	405	230	62
1944	3,628	7,943	3,641	2,189	1,429	1,496	1,028	1,124	833	506	286
1945	563	2,275	827	895	107	502	528	356	155	112	159
합계	15,841	23,346	9,459	9,096	2,134	4,670	2,421	3,508	1,829	871	618

자료 : 三島康雄外編, 『第2次世界大戰と三菱』, 日本經濟新聞社, 1987, p.93.

<표 10-5> 제작회사별 항공기용 발동기 생산 (대)

	1937	1938	1939	1940	1941	1942	1943	1944
미쓰비시	533	1,321	2,319	3,722	5,048	7,851	9,688	17,618
나카지마	760	1,548	2,541	2,769	3,987	4,889	9,319	13,906
가와사키	-	-	-	-	1,107	1,422	3,239	3,303
일립	-	-	-	-	1,097	2,617	3,588	3,846
아이치	-	-	-	-	-	-	-	-
이시카와지마	-	-	-	-	1	29	390	1,155
일본국제	-	-	-	-	-	-	107	443
계					11,276	16,808	26,331	40,271

자료 : 『昭和産業史』 第1卷, p.609에서 작성.

2기 즉 태평양전쟁 직전이라는 중요한 시기에 기체생산이 감소 혹은 정체되고 발동기 생산의 증가가 완만하였는데 그 원인의 하나는 설비건설개시와 완성 사이에 시간차, 둘째로 이 시기의 군용기의 기종전환, 셋째로 일반적인 생산상의 곤란을 생각할 수 있다.

우선 첫 번째 원인에 대하여 살펴보자. 군은 1938년과 1939년에 각 사에 생산확충을 명하였는데 그 설비완성이 가져온 성과는 1941년(발동기), 1942년(기체)에 나타났다. 1938·1939의 생산증가는 기본적으로 중일전쟁의 개시에 따라 건설된 설비확대에 의한 것이 아니고, 그 이전 상해사변을 계기로 시작된 설비확장에서 기인한 것이었다. 나카지마의 경우 소천 기체공장(해군기용)의 건설명령은 해군으로부터 태전 기체공장(육군기용)의 확장공사가 완료되는 1938년 9월의 시점에서 받았고, 소천 공장의 전 체제는 1941년 12월에 처음으로 정비되었다(같은 해 2월에 일부 생산개시, 전체의 완성은 1944년 3월). 그 때문에 나카지마의 해군기 기체생산은 1939~1941년, 특히 1940·1941년 두 해에 크게 감소했다. 발동기도 거의 마찬가지였고 해군은 1938년 4월에 무장야 공장(육군기용)이 완성된 시점에서 다마 공장건설을 요구하고 동 공장에서의 생산은 1941년 10월부터 가능하게 되었다.

두 번째 원인을 살펴본다. 주로 해군용 연습기를 생산하고 있던 규슈 비행기의 경우 1941·1942년에 기체생산이 급감하였는데 이는 1940·1941년에 기종을 전면적으로 전환한 결과로 추정되는데 이는 다른 회사에도 마찬가지였을 것으로 생각된다. 태평양전쟁기를 통해 단기간에 이루어진 기종전환이 생산확대에 타격을 주었다는 것은 일반적으로 인정되고 있는 사실이다.

세 번째 원인에 대해서는 약간 간접적인 설명이 된다. 판명되는 기업·기간을 종합한 생산실적의 대(對)설비능력비는 기체에서는 1941년 Ⅰ기(제1사반기, 이하 같음)~1942년 Ⅰ기에 걸쳐 급격히 상승하였으나 70% 이하에 머물렀고, 그 가운데에서 나카지마는 1941년이 42~54%, 일립 항공기도 1940년 Ⅰ·Ⅱ기, 1941년 Ⅲ기가 50~60%대로 저조하였다. 건설에 따른 시간차에 의해 실제능력이 과대평가된 결과인지도

모르지만 후술하는 알루미늄 결핍 등의 자재부족과 그 외 다른 요인도 생각할 수 있다. 생산실적의 대 생산계획비는 이 점을 더욱 확실하게 보여 주고 있다. 예를 들어 가와사키의 1940년 I ~ IV기의 동 비율은 88%, 59%, 43%, 44%로 상당히 낮다. 자료적으로 불분명한 미쓰비시의 생산실적의 대(對)수주비도 1940년이 66%(회사사자료), 혹은 1940 · 1941년이 80% 수준(전폭단보고)으로 다른 시기와 비교하면 상대적으로 낮다.

이상의 생산실적은 기체의 1기당 중량, 발동기의 1대당 마력수 · 중량 및 그러한 기종 · 종류를 제외한 단순한 기체수 · 발동기 대수만의 비교라는 점을 염두에 둘 필요가 있다. 기체의 1기당 중량(전 회사)은 1941년을 100으로 할 때 1942~1945년이 98, 94, 95, 93으로 약간 감소하고 있다. 다만 미쓰비시의 경우는 증가하고 있다.

2) 생산의 증가

3기에 생산이 급증한 원인은 첫째로 생산능력의 급격한 확대, 둘째로 이에 대응한 원연료 · 노동력 등의 확보, 셋째로 기여도는 작지만 신기업의 참가, 더 나아가 넷째로 신중한 검토가 필요하지만 노동생산성의 상승을 들 수 있다.

첫째 원인인 생산능력의 급격한 확대는 앞에서 본 것처럼 나카지마에서 신설공장이 가동되고 공장확대 및 신설 그리고 다른 산업으로부터의 전환공장을 자사흡수하거나 하청화함으로써 달성된 것이었다. 특히 1943년 이래 나카지마의 기체 · 발동기 생산능력은 다른 회사에 비해 현저히 증가했고, 그 규모도 다른 회사보다 훨씬 컸다. 미쓰비시도 발동기 생산능력을 급증시켰으나 나카지마에서 1943 · 44년에 달성한 확대에는 미치지 못하였고, 그 결과 1939년에는 미쓰비시가 나카지마

보다 30% 정도 많았던 생산능력이 1944년에는 역전되었다. 나카지마의 설비확대는 특히 중요한데 뒤에서 보겠지만 이는 생산방식과 자금조달과 관련이 있다.

둘째 원인에 대해서 보면 결과적으로 생산실적의 높은 대(對)능력비가 원연료 · 노동력 등의 확보에 성공하였다는 것을 증명하고 있다. 판명되는 기업 · 기간을 종합하면 기체는 1942년 Ⅰ기~1944년 Ⅲ기에 거의 70~80%, 발동기는 1941년 Ⅰ기~1944년 Ⅱ기에 거의 70%를 확보하고 있다. 미쓰비시는 여기에 포함되어 있지 않지만 미쓰비시의 발동기의 1939~1944년의 각 연도의 비율은 61%, 82%, 79%, 85%, 88%이고 특히 능력이 증가하는 가운데에서의 비율상승이 주목된다. 생산실적의 대 계획 · 수주비도 대 능력비 이상으로 호성적이었는데 역시 생산상의 조건으로부터 혜택을 받은 것으로 예상된다. 구체적으로는 1943년 Ⅱ기~1944년 Ⅰ기가 기체 · 발동기 모두 거의 90% 이상, 1943년 Ⅳ기에는 기체가 98%, 발동기가 109%로 매우 높다.

셋째 원인에 대하여 살펴보자. 1942년 이래 후지 비행기 · 다치센 비행기 · 도쿄 비행기 · 미쓰이 광산 · 마쓰시타 항공기공업의 5사가 기체, 일본국제항공공업 · 닛산 자동차 · 도요타 자동차의 3사가 발동기의 생산을 새롭게 시작하였다. 그러나 그 합계는 전체의 3~4%에 지나지 않는다.

넷째 원인에 대해서 보면 본래는 투하노동량을 기준으로 해야 하지만 자료의 제약 때문에 고용자수를 취하고 여기에 기체 · 발동기 생산량(기수 · 대수)을 비교한 노동생산성을 살펴본다. 기체는 1941년 1월부터 1943년 11월에 걸쳐 증가했는데 그 중에서도 나카지마가 특출나 1943년 여름에는 미쓰비시를 능가하고 1944년 말까지 높은 생산성을 유지하고 있다. 미쓰비시는 1941년 말 이래 정체적이다. 발동기는 1942년 중반부터 1943년 말까지 완만한 상승세를 지속하였으나 역시 나카지마는 미쓰비시보다 높았다. 다만 기체중량(1기당)의 감소와 증가, 기체 노동생산성의 상승·저하는 1942년 1월~1944년 11월에 걸쳐 거의 변화가 없었다. 만약 소요노동량이 기체중량에 비례한다면 노동생산성의 변화는 거의 없게 된다. 그 이후는 중량의 급격한 감소와 노동생산성의 급격한 저하가 함께 발생하여 생산정체상태가 분명하게 되었다. 기종·중량 등을 제외한 이러한 노동생산성은 기체의 생산이 1943년 12월, 발동기의 생산이 1944년 3~6월에 절정에 달할 때까지 상승하였기 때문에 1942~1944년에 생산이 증가한 것은 이 노동생산성의 상승으로 설명할 수 있는 것인지도 모른다. 노동생산성이 급격히 떨어졌는데도 생산이 증가한 것은 고용자수의 증가 및 후술하는 것처럼 노동시간의 연장에 의한 것이라 생각할 수 있다.

3) 생산의 감소

1944년 9월에 기체가 2,572기, 같은 해 6월 발동기가 5,090대에 달한 것이 최고조의 월 생산이었다. 하지만 기체나 발동기 모두 1944년 Ⅱ기와 Ⅲ기를 절정으로 하고 Ⅳ기부터 감소했다. 문제는 1기체 당 발동기수가 감소한 것인데 1941년 2.4대가 1942년 1.9대로, 1943·1944년에는 1.7대, 1945년은 1.1대가 되었다. 탑재 발동기수는 1기체 당 1대(단발)는 아니고 보충이 필요하기 때문에 대체로 1.7대 정도가 한도라고 생각된다. 1944년 연평균은 1.7대였으나 같은 해 6, 7월경부터 이를 밑도는 경우도 생기고, 1945년 1월에는 일시에 1.1대까지 떨어져 발동기 생산은 완전히 정체상태에 빠졌다. 이러한 정체는 이처럼 발동기의 총생산수뿐만 아니라 기체의 대형화·중량증대에 대응하는 고출력 발동기의 생산면에도 나타났다. 이상의 문제점은 후술하는 바와 같이 발동기 생산에서는 더욱 고도의 생산조건이 필요하고 또 희소자원을 더욱 필요로 하는 원재료가 부족했기 때문이었다.

2. 분업구조와 노동력 동원

1) 생산의 분업구조

일본의 항공기 공업은 그 군수적 성격 때문에 비교적 단기간에 자립하여 빠른 시간 내에 생산을 확대할 수 있었다. 그러나 군의 강력한 지도와 감독을 받으면서 발전한 것이었기 때문에 육군과 해군 사이의 비협력·대립관계가 민간기업 내부에 스며들었고 육해군 사이에 계열화가 이루어지게 되자 육군과 해군 상호 및 기업 내부에서의 기술교류의 길은 막혀버렸다. 고도의 종합공업인 항공기 공업의 발전은 여타의 제 공업에 의존해 그 도달수준이 규정되고, 조립기계공업이기 때문에 부품생산과 부분적 조립에 종사하는 광범위하고 거대한 하청에 의존하고 있었다. 그 때문에 한편으로 하청을 확대함으로써 빠른 속도로 생산을 증가시킬 수 있지만 하청의 약체성에 의해 규정을 받게 되는 점도 있다.

또 내부에 친기업 - 하청과는 다른 기체·발동기·프로펠러 및 구성부분(펌프류·계기류·총기·차륜 등)으로 이루어진 분업관계가 나타난다. 예를 들어 미쓰비시가 개발한 기체인 영전(零戰)의 3분의 2는 나카지마에서 생산되고, 그 탑재발동기는 전부 나카지마가 개발한 영(榮)이었던 것처럼 개발과 생산, 기체와 발동기는 반드시 같은 기업에서 이루어진 것은 아니었다. 이러한 것들은 개별적으로 육해군에 의해 장악되고, 기체 이외의 것은 관급품으로서 군에서 기체조립공장에 지급되는 관계이기 때문에 기업상호간에 매매관계는 없었다. 말하자면 모든 항공기 관련기업이 군의 분공장적 성격을 갖고 있었다. 종업원수를 보아도 기체 47%, 발동기 21%, 프로펠러 2%, 구성부분 21%의 비율이 되어(1944년 2월) 구성부분이 간과할 수 없는 중요성을 가지고 있다는 점에 유의할 필요가 있다.

다른 한편 친기업은 73%, 하청은 19%, 재하청(가내공업)은 8%였다. 기체생산기업은 발동기 부문으로 진출하기를 강력하게 원하였고, 가와니시·쇼와는 장기간에 걸쳐 준비한 다음 당국에 강력하게 희망하였으나 결국은 허가받지 못하였다. 이들 기업은 그 여력을 '구성부분' 등의 생산으로 돌려 발동기의 주력 생산자인 미쓰비시·나카지마의 보조자로 편성되고 준비된 기계도 명령을 받고 강제 양도했다.

하청의존도는 여러 추계가 있어 일률적이지 않지만 대체로 30~60%에 달하고 생산확대에 따라 하청의존도는 높았으나 생산기술적 성격으로 인해 기체 쪽이 발동기보다 높았다. 이 때문에 증산하기 위해서는 하청을 확보하고 확대하는 것이 필수적이었다. 친기업은 섬유공장 등으로 하여금 부품공장으로 전환하도록 만들거나 혹은 하청기업에 사람을 파견하여 기술지도를 하거나 해서 하청이 필요로 하는 자금·기계를 확보하기 위해 노력해야만 하였다. 기체·발동기의 쌍방을 생산한 것은 나카지마·미쓰비시·아이치·일립·일본·만주의 7사 및 육해군 공창뿐이고, 여기에 육군기와 해군기를 구분하면 미쓰비시·나카지마 만이 육해군 쌍방의 기체와 발동기를 생산하고 있는데 지나지 않았다. 이상은 모두 군용기에 대해서이고 민간기도 약간 생산하고 있었으나 무시해도 좋을 정도였다.

고도의 기술이 필요한 발동기 생산에서는 나카지마를 제외하면 중심은 미쓰비시·가와사키·일립 등 조선업을 기반으로 진출한 기업이었다. 자동차공업을 기반으로 한 닛산·도요타가 참가한 것은 패전 직전이고 생산량도 극히 적었는데 이는 자동차 공업을 대규모로 항공기공업에 동원하는데 성공한 미국과 확연히 다른 점이다. 1939년 미국항공기공업은 생산액이 자동차공업의 22분의 1이었고 125개 기업, 6만

4,000명이 종사하는 중규모기업이었다. 그러나 1만기 증산계획(1938년 12월), 대일전 개시에 따른 증산계획으로 급속히 성장하여 최절정기에 는 1939년 생산액의 70배, 210만 명의 종사자를 거느리게 되었다. 기체 는 거의 항공기기업을 확장하여 대응하였으나 발동기에서는 자동차기 업이 참가해 큰 역할을 했고 최절정기에 발동기 부문 노동자의 반은 자동차공업에 속하고 있었다. 항공기의 발동기생산에 필요한 기술은 자동차의 발동기부문보다 고도의 것이지만 양자는 비슷한 면이 있고 전환이 가능하기 때문이다. 이처럼 자동차공업에서의 산업적 · 기술적 축적이 항공기공업으로 계승된 미국과는 반대로 일본의 경우는 오히 려 전시의 항공기생산의 경험이 전후에 자동차공업으로 계승되었다고 한다. 미국에 대비되는 일본 자동차공업의 미발달 및 그 항공기공업으 로의 뒤늦은 진출 · 전환에 특히 주목할 필요가 있다.

발동기의 생산집중도는 기체보다 높았는데 그것은 발동기생산의 저 변을 확대하는 것이 어려웠기 때문이었다(앞의 <표 10-4> · <표 10-5>). 기체에는 선발 대기업 4사 및 다치가와를 더한 상위 5사의 합 계 비율이 1941년 84%에서 1944년 69%, 1945년 66%로 하락하였는데 여기서 나카지마의 상승과 미쓰비시 · 다치가와의 급격한 저하가 눈에 띈다. 발동기에서는 상위 2사(미쓰비시 · 나카지마) 및 상위 4사(미쓰비 시 · 나카지마 · 일립 · 가와사키)의 합계 비율은 약간 하락했지만 1944 년의 경우 상위 2사가 약 70%, 상위 4사가 약 90%로 여전히 높다. 발 동기 생산에서 제일 어려운 점은 이것이 정밀작업이고 숙련노동자가 더욱 많이 필요했다는 점이었는데 기체생산이 노동자의 숙련도가 낮 아도 가능한 조립작업이었던 것과는 대조적이었다.

둘째로는 기계설비면에서의 제약이 크다는 점이었는데 그렇게 정밀 함을 필요로 하지 않는 기체생산에서는 일본산 기계가 많지만 발동기 공장에서는 수입기계가 많이 이용되고 정밀작업에서는 스위스 · 독일

· 미국제 기계가 선호되었다. 앞서 말한 미국의 대일본 기계수출금지
는 특히 발동기부문에 타격을 주었다. 미국과 독일에서는 특수선반·
특수치구(特殊治具)를 사용하고 있었으나 일본에서는 범용기(汎用
機 : 만능기)를 사용하였기 때문에 작업에 고도의 숙련이 필요하였고
숙련노동자의 부족이 가져오는 타격이 컸다. 나아가 미국과 독일에서
는 노동자에 공구·치구의 사용을 전문적으로 습득시켜 그 미숙한 기
술을 부분적으로 보완하였으나 일본에서는 그와 같은 노력이 없었다.
  항공기의 생산이 급증할 수 있었던 것은 생산절정기에 거의 150~
200만에 달하는 거대한 노동력을 단기간에 동원한 것도 하나의 원인이
었다. 최절정의 생산시기의 종업원구성은 공장에 따라 각각 다르지만
평균해서 현직고용공 15~40%, 신규징용 20~30%, 학생 30~40%, 임
시근무병사 10~15%였다. 여자는 나카지마의 경우 1942년 3월의 3%에
서 3년 후의 36%까지 높아졌다. 학생·병사는 높은 숙련도가 반드시
요구되지 않는 기체공장만이 아니라 발동기 공장에도 많이 동원되었
고 이시카와지마 발동기 공장의 생산노동자 중 학생은 48%, 병사는
6%를 차지하고 있었다(1945년 3월). 신규징용공·학생·병사 등은 정
밀하고 또 복잡한 작업에는 적절하지 못했고, 숙련공의 응집과 생산규
모의 확대로 숙련공 부족은 격화되고 노동희석화하에서 1944년 가을
이래 전술한 것과 같이 노동생산성이 급격히 저하했다.
  노동시간 연장과 야간노동 실시도 이 시기에 이루어져 쇼와 비행기
의 남자노동자의 노동시간은 1939년 10월부터 약 2년간 11시간 이상,
1943년 11월~다음 해 3월간은 실로 12시간 반이라는 장시간이 되었
다. 주야 2교대제는 이시카와지마가 1943년 10월, 나카지마 태전 기체
공장은 11월, 쇼와 비행기는 1944년 3월부터 실시하였다. 전술한 노동
생산성의 상승을 과장하면 안 되는 것이 여기에는 이 같은 장시간 노
동에 의한 투하노동량 증대라는 사실이 배후에 놓여있기 때문이다.

3. 생산방법과 기술수준

1) 생산방법

미국전략폭격조사단 보고에 의하면 일본 항공기공장의 전체적 설계는 상당히 양호하고 미국의 영향도 있어 생산계획은 잘 계획되어 있었으나, 소개(疏開)에 따른 분산생산체제화로 인해 혼란스럽게 되었다고 한다. 또 미쓰비시는 기체생산설비를 대규모로 확대했음에도 불구하고 구래의 생산방식을 고집하였기 때문에 1942년이 되면 제대로 된 콘베이어 시스템을 채용한 경쟁상대 나카지마에 크게 뒤떨어지게 되었다고 지적하고 있다. 나카지마의 태전 기체공장은 주익·동체를 일체화하여 생산하는 종래 방식 대신에, 주익과 두 부분으로 나뉜 동체부분을 각각 조립한다는 혁신적인 분할구조방식을 채용하고 좁은 작업장에서의 조립을 가능하게 만들어, 타사가 15일이 걸리는 작업을 4일 반으로 줄였다. 나카지마의 무장야 발동기공장에는 작업능률 향상을 위해 독일 크루프사 에쎈(Essen) 공장을 모델로 한 공장지하도(工場地下道)가 배치되고, 미국인 공장지배인·기사를 초빙하여 강습회를 열어 크루프사의 벨트 시스템에 따라 포드 시스템의 콘베이어 시스템을 채용할 예정이었다. 그러나 후자는 육군감독관의 반대로 실현되지 못하고 대증산이 필요하게 된 1943년이 되어서야 비로소 채용되었다.

본래 나카지마의 발동기공장은 육군기·해군기의 각 공장으로 나뉘어져 있었기 때문에 양산체제가 충분히 발휘될 수 없었다. 그러나 1943년 10월에 행정사찰단이 이 공장을 방문하여 콘베이어 시스템의 채용을 권고한 결과 두 공장이 합병하여 채용이 가능하게 되었다. 다만 1년 반 후에 이루어진 공장소개·분산생산에 의해 이전의 개별생산방식으로 되돌아 갔지만. 발동기 공장에서의 콘베이어 시스템의 채용은 너무 늦어 쓸모가 없어지고, 기체공장 쪽은 끝까지 육군과 해군으로 나뉘어진 상태였고 이에 따라 설계진도 두 중심체제였기 때문에 이를 종합연구소를 설치해 타개하려고 했으나 끝까지 의견이 일치되지 못했다.

또 나카지마에서는 신공장이 완성된 1939년 경부터 종래의 임기응변식, '넝쿨식(芋蔓式)' 생산관리에서 테일러 시스템에 따른 과학적·계획적 관리가 채용되기 시작하고, 직능적 세분화에 의한 작업의 분업화·표준화, 보장금 지급으로 경쟁을 불러일으키는 반별청부방식의 도입으로 생산능률 향상이 추구되었다. 이것은 모공장 내뿐만 아니라 하청관리면에서도 이루어졌고 숙련공·다기능공의 작업을 아마추어적인 단순공 지향으로 전환하는 것을 가능하게 만들어 당시 급속하게 진행되고 있던 노동자의 질적저하를 어느 정도 막아주었다. 쇼와 비행기의 경우도 마찬가지로 미국·독일에서 행해지고 있는 공장관리제도를 참고로 하여 대량생산적인 공정분류와 표준작업방식을 정하는 등의 개혁을 1940년에 실시하기로 하였다. 그러나 당시의 어수선한 정세하에서 항공기의 긴급증산을 요망하는 해군으로부터 신방식은 미국식의 재탕이고 일본의 실정에 맞지 않는다고 비판을 받았으며 그 후 느슨한 관리방식으로 발족하여 어느 정도의 효과를 올렸다.

2) 생산기술의 수준

항공기공업의 생산기술을 보면 세계수준을 뛰어 넘는 것이 일부분 있었지만 대형발동기·프로펠러 등 더욱 축적된 기술기반을 필요로 하는 분야에서는 세계수준에 결국 도달하지 못하고 또 자립도 이루지 못했다. 특히 전시의 기술수준은 교전상대국과 비교가 되는 것인데 시간이 지날수록 상대적으로 더욱 뒤떨어졌다. 그러나 단기간 내에 기술과 생산에서 빠른 발전을 보였고 이는 전시경제에 따른 여러 가지의 왜곡을 내포하고 있었으나 전후의 자동차공업·소재부문 등에 계승되었다.

생산기술이 세계수준에 도달한 것은 우선 기체였고 다음으로는 발동기의 순이었다. 그 기술상의 완전 자립은 상해사변을 계기로 경쟁시작(試作)정책이 재개된 지 3년만인 1935년에 달성하였고, 질적으로 세계수준에 도달한 것은 1937년이었다. 여기서는 미쓰비시가 큰 역할을 했다. 그러나 기술자립화도 기체·발동기 분야에 한정된 것이었고, 더구나 기체부문에서 세계일류수준에 도달한 것은 태평양전쟁 초기의 소형기뿐이었다. 중형기는 방탄면에서 열등하였고 대형기 개발은 처음부터 포기하였다. 일본은 전쟁 말기에 미국에 비해 전투기에서는 1년, 폭격기에서는 2년 뒤떨어졌다고 평가된다. 발동기에서는 공랭식 1200마력 이하에서는 우수하였으나, 그 이상 높은 마력에서는 신뢰성이 떨어지고 실용화에 이르지 못한 것이 많았다. 수냉식은 미쓰비시가 도중에 포기하여 개발의 여유가 없는 상태에서 조금 생산하는 데 머물렀다. 프로펠러는 시종 외국제를 모방하였고 또 외국기술도 충분히 소화하지 못했으며, 계기 및 부속품 몇 개의 분야에서의 자립화는 끝까지 이루지 못하였는데 특히 뒤떨어진 것은 전파병기였다.

실험실 연구에서는 세계적 수준에 도달하였던 항공기 재료도 양질재료의 양산화에는 이르지 못하였다. 그 원인은 희귀금속 부족 그리고 생산과정에서의 불순물 혼입에 있었고 이에 더하여 후진국 특유의 정밀도에 대한 인식부족이 있었다. 철저한 기체경량화 방침에서 초초두랄루민(ESD) 압출재를 항공기 항재(桁材)에 사용하였으나 결국은 초초두랄루민을 양산화하지는 못했고 초두랄루민(SD) 생산으로 후퇴하였다. 태평양전쟁기의 해군기 상실 2,700대 가운데 전투에 의한 것은 38%, 전투 외에 자연소모가 62%였던 것처럼 불량재료로 인한 금속피로 등으로 많은 기체·발동기가 파괴되었다.

4. 설비확대와 자금조달

중일전쟁이 시작된 이후 대략 1938, 1942, 1943년의 3차에 걸쳐 생산
력확충 명령이 시달되었고 각 항공기 회사는 이에 공장의 확장·신설,
주변의 불필요한 공장의 병합, 사외공장의 이용 등으로 대응하였다. 필
요한 설비 및 운전자금은 자기 및 외부자금으로 조달되고 선불금과 관
유민영방식이 이를 보충하였다. 자금조달방식은 기업마다 달랐지만 대
기업인 나카지마와 미쓰비시는 다음과 같이 대조적이었다. 나카지마의
자본금은 1937~1938년에 걸쳐 1,200만 엔에서 5,000만 엔으로 증액·
전액 불입되었으나, 그것은 주로 불입자본금의 2배까지 가능한 사채발
행을 가능케 하기 위한 것이고 설비충당을 위한 것은 아니었다. 실제
로 증자불입금은 주식비공개주의도 있고 나카지마 일족으로는 부담하
기 어려운 흥은 등으로부터의 차입에 의한 것이고, 그 차입금과 같은
금액을 흥은에 예금해야 했다. 이후 패전 시까지 증자는 전혀 이루어
지지 않았다.

사채발행도 금융·증권계에서 나카지마를 저평가하였기 때문에 합
계 3,000만 엔에 머물러, 기대했던 1억 엔에는 전혀 미치지 못하였다.
결국 흥은으로부터의 차입금이 설비 및 운전자금 양면에서 압도적인
역할을 하고, 또 운전자금면에서는 정부로부터의 선불금이 중요했는데
이는 7억 엔(패전시 잔고)이라는 거액에 달했다. 이전에는 1923년에 시
작된 미쓰이 물산과의 독점판매계약에 따르는 전차(前借)제도(대금·
선불금의 80%까지)가 운전자금면에서 중요한 역할을 담당하였으나 직
접거래를 원하는 군의 요구에 따라 이 계약은 중지(1937년 육군, 1940
년 해군)되고, 이후 나카지마는 흥은에 더욱 의존하게 되었다. 1937년
에 시작된 흥은의 대(對)나카지마 융자는 합계 26억여 엔이라는 거액
에 달하고 동행의 대(對)기체·발동기 생산회사융자 가운데 나카지마

는 66%로 압도적인 비중을 차지하고, 더구나 거의 전액이 패전 시까지 연기되었다. 패전 시 흥은의 총 융자액의 18%, 총 명령융자액의 50%가 대(對)나카지마였다. 나카지마가 패전 시 자산액에서 일본의 전 기업 가운데 제2위였던 비밀이 여기에 있었다. 제1위는 52억 엔의 미쓰비시 중공업이었으나 36억 엔의 나카지마는 제3위의 스미토모 금속공업(29억 엔)을 크게 상회하고 있다. 나카지마처럼 자금의 거의 전부가 차입 의존이었던 것은 전시하 기업으로서는 진기한 것이었다.

한편 미쓰비시 중공업은 항공기뿐만 아니라 조선·조기(造機)와 육상병기 등도 생산하였으나 1937~1945년의 항공기부문에 대한 설비투자액은 11억여 엔으로 전부문의 거의 70% 정도를 차지하고 있고, 시간이 지나면서 이 부문의 비중을 높였다. 특히 1938년과 1941~1943년에 항공기부문에 대한 투자가 급증한 것이 주목된다. 자본금은 나카지마와는 달리 1937~1942년에 걸쳐 6,000만 엔에서 4억 8,000만 엔으로 크게 증가하고 다른 한편 1937~1945년의 총이익금 3억 7,000만 엔의 63%가 내부유보되고 그 가운데 1억 7,000만 엔이 설비확장에 쓰였다. 패전 시에 1억 엔의 흥은융자와 3억 엔의 전시금융금고융자가 있었으나 자기자금이 설비확대에서 수행한 역할은 매우 컸다. 사채발행은 1940년의 3,000만 엔뿐이다. 운전자금으로서 중요한 전불금은 1943년에는 불입자본금의 4배 이상에 달하는 15억 6,000만 엔의 잔고에 달하고 1944년에는 재정적 원조인 선불금에서 더욱 기동적인 금융적 원조인 지정금융기관제도로 바뀌어 선불은 재정방식에서 금융방식으로 바뀌었다.

미쓰비시 중공업이 지정금융기관인 미쓰비시 은행에서 차입한 금액은 12억 5,000만 엔이 되었다(패전 전의 잔고). 결국 미쓰비시는 나카지마와는 달리 자기자금 및 미쓰비시계 은행에 크게 의존하고 있었다. 또 미쓰비시 이외의 기업은 군주도가 기업내부의 경영진에까지 미쳐 태평양전쟁 직전에는 해군기의 기체제조기업에서 최고수뇌부의 거의 대부분은 해군장교였는데 미쓰비시는 예외적으로 경영지도권을 스스로 장악하고 있었다고 한다.

패전이 가까워 올 즈음 미쓰비시·가와니시의 두 회사만이 군에 의해 회사 내부의 반대를 누르고 군수공창으로 강제적으로 전환되었다. 나카지마의 경우 군수공창화가 가능했던 요인을 들자면 전 생산에서 차지하는 나카지마의 커다란 비율, 동족에 의한 폐쇄적 출자관계, 특이한 경영체질·행동 등이 있었고 그 외에 앞서 말한 흥은 일행에만 의존한 거액의 차입 등이었다. 가와니시의 경우도 자금면에서는 나카지마와 마찬가지였는데 불입자본금은 1938~1943년에 걸쳐 500만 엔에서 3,750만 엔으로 증가하였으나 역시 은행차입이 거액이고 지정금융기관인 삼화은행·흥은으로부터의 설비 및 운전자금차입금은 패전 시의 8.2억 엔에 달하였다. 흥은 융자액도 항공기기업 중에서는 나카지마 다음으로 제2위이다. 이상으로 군수공창화=민유국영방식을 가능하게 만들었던 중요한 요인 중의 하나가 자금조달형태였음을 알 수 있다.

제3절 함정·상선의 건조

1. 함정건조의 동향

해군은 군축조약[1]의 실효를 계기로 함정의 대확장정책을 내세웠다. 그런 다음 미국의 대건함계획에 대항하는 계획을 잇따라 수립하였으며, 또 정세와 전황의 전환·악화에 대응하여 함정종류를 바꾸었다. 대

---

1) 1930년에 순양함 이하 보조함정을 제한하는 것을 중심으로 해서 런던에서 열린 군축회의. 유효기한은 1936년 말이었다. 1935년 12월에 군축회의가 다시 열렸으나 일본은 1936년 1월 16일에 탈퇴했다.

화(大和)·무장(武藏)을 건조하는 데에는 거대한 자금·자재·인원과 장시간이 필요하였는데 이는 양적으로 미국에 대항할 수 없기 때문에 소수의 대함거포로 질적인 우위를 확보한다는 경제군비(經濟軍備)였다. 1941년의 제5차 보충계획은 대화형 전함의 추가건조를 포함한 더 한층의 대함거포주의에 입각한 것이었으나, 일미관계가 급속히 악화되고 항공전략을 중시하게 되면서 그 실시는 연기되었다. 이후 개전 7개월 후에 일어난 미드웨이 해전에서의 대타격을 계기로 다수의 항공모함을 주체로 하는 방침으로 전면 변경되었다. 그리고 과달카날전을 거치면서 엄청나게 선박을 상실하게 되자 선박호위 등의 역할을 담당할 해방함(海防艦)·구축함 그리고 잠수함 등을 중시하였고 전쟁이 거의 끝날 무렵에는 특공정(特功艇)과 특수병기가 다수 제작되었다.

함정의 총건조량은 <표 10-6>과 같다.

<표 10-6> 군공창·민간조선소의 함정·상선건조

연도	함정건조(천배수톤)				민간조선소(천총톤)		
	진수			준공	함정환산	상선	계
	군	민	계				
1937	33	27	60	52	120	428	548
1939	50	60	110	59	268	333	602
1941	24	96	120	191	433	241	674
1943	79	160	239	150	718	801	1,519
1944	187	275	462	403	1,237	1,730	2,967
1937~45	566	891	1,457	1,289	4,008	5,100	9,018
동상비율	39%	61%	100%		44%	56%	100%

자료 : 『昭和産業史』 第1卷, p.258, p.275, p.492에서 작성.

진수량을 보면, 1941·1942년에는 크게 감소하였으나 1943년에 1940년 수준을 약간 상회하는 정도로 회복하고, 1944년에는 전년의 약 2배로 증가하였다. 진수에서 준공까지의 기간을 거의 1년으로 생각하면 준공량의 추이와 거의 일치한다. 또 1940년의 진수량이 이상하게 많은 것은 전함 대화·무장(각 6.4만 톤) 때문이다.

미전략폭격단 보고가 강조하는 군수생산의 1940~1942년의 정체, 1943~1944년의 급증은 위에서 말한 함정의 경우에도 나타난다. 함정 1척당 톤수(배수톤)는 1940년 진수해서 1942년에 준공한 대부분의 함정이 1척당 5,000~6,000톤으로 가장 대형의 것들이었고, 그 이전에는 거의 2,000~3,000톤, 1940년 진수~1942년 준공 직후부터는 1,000톤대로 떨어져 대함거포주의의 실행과 그 폐기를 반영하고 있다.

군공창·민간조선소의 진수량에 대한 건조량 비율(1937~1945년 합계)은 39% 대 61%로 후자 쪽이 많지만, 불명확한 자료에 의하면 준공량에서는 49% 대 51%로 거의 같은데 이 점에 주의할 필요가 있다. 또 1척당 톤수에서는 군공창이 민간의 약 2배이기 때문에 상대적으로는 군은 대형, 민간은 소형으로 분담하고, 양에서는 민간이 주도하고 있지만 개발 및 중요 함정에서는 군공창이 중심이었다. 당연 민간조선소에서는 함정건조와 상선건조가 경합하기 때문에 함정의 군·민 비율은 민간조선소에서 그 생산비중의 형태에 영향을 미쳤다. 대량의 함정건조와 관련된 것은 소수의 대조선소뿐이기 때문에 특히 그러한 조선소의 존재양상이 문제가 된다. 1940~1941년에 민간조선소에서 함정비율이 급증하고 1939~1941년에 상선건조량이 감소한 것은 민간조선소에 대한 전시동원의 결과가 분명했으나 동시에 이것은 해상수송을 과소평가한 해군전략의 결과였다. 이 전략은 1942년 가을 이래 급격한 선박상실로 전환이 불가피해졌다.

2. 상선건조의 동향과 조선통제

중일전쟁의 장기화, 해운계의 불경기, 긴박해지는 유럽 정세에 따라 저렴한 중고선의 수입이 어려워지는 가운데 국내 자급으로 선박을 증가시켜야 한다는 주장이 나와 선박개선협회는 평시표준선기준을 정했다(1939년). 이것은 선질·성능을 수준 이상으로 한 것이었기 때문에 전쟁종결 후 해운계에서의 경쟁을 의식한 문자 그대로 평시용이었다. 앞서 말한 민간조선소에서의 함정 건조에 따른 압박에 더해 이 평시표준선기준의 유지 및 그것이 국가통제로서 발동되지 않았기 때문에 1940~1942년에는 상선건조량이 감소하고 정체하였다. 상선건조량은 1937~1945년의 9년간에 510만 톤(총톤)이었으나, 후반에 중점적으로 건조되어 1941년 이래 5년간에 약 70%가 건조되었다. 특히 1943·1944년은 각각 80만, 173만 톤으로 방대한 것이었다. 그러나 제1차 대전 호황기의 총건조량은 217만 톤, 최성기인 1919년이 64만 톤이었다는 것을 상기하면 그렇게 놀랄 만한 건조량은 아니었고, 미국이 태평양전쟁기에 일본의 거의 9배의 선박을 건조한 것을 상기하면 미미한 규모였다. 미국에서 상선건조의 최성기는 1943년의 1,158만 톤이고 최성기가 1944년이 아니고 그 전년도라는 것은 이미 전후 복귀를 준비하였기 때문이었다.

조선통제는 1941년 8월부터 본격적으로 착수되어 조선통제회의 설치, 조선사업관리권의 해군으로의 이관, 산업설비영단에 의한 표준선건조의 추진, 선박건조를 위한 금융적 보호책 등이 강구되어 다음 해 7월 관리권이 해군으로 전면적으로 이관됨으로써 거의 완결되었다. 흥미있는 사실은 관리권을 이관받은 해군함정본부가 당초 민간조선업의 통제에 그렇게 적극적이지 않았다는 점이다. 그 이유는 우선 함정건조에 분망하여 상선건조에 대해서는 전면적으로 관리할 겨를이 없었다는 함정제일주의, 둘째는 해상수송력의 연구에 강력한 관심을 갖지 않았다고 하는 해상호위사상의 결여였다. 해군의 이러한 사상으로 인해 미군에 의한 해상수송공격은 결정적인 의의를 갖게 되었다.

건조선박의 용도별 배의 종류에 대해서도 문제가 있다. 태평양전쟁기에 가장 절실하게 요구된 것은 남방석유를 일본본토로 환송하는 유조선이었지만 전쟁을 시작할 때 건조 중이었던 유조선은 겨우 5만 톤, 전 선박건조의 5%에 지나지 않았고 1941~1942년에 준공된 것도 각각 0.9만, 2만 톤으로 지극히 적었다.

그런데 정부의 상선건조계획은 '선표(線表)'라는 이름으로 불렸는데 이것으로 태평양전쟁기를 구분하면 1기는 개전시~1942년 4월(개1~개4선표, 실시는 1942년 12월까지), 2기가 동년 12월~1944년 4월(개5~개8선표, 실시는 1944년 9월까지), 3기가 1944년 9월~패전시(개9~개12선표 및 G형선 계획)가 된다. 1기에는 평시표준선으로 표방된, 전후 해운계의 경쟁을 견디어 내는 경제적 우수선주의가 아직 유지되었고, 2기가 되면 급격한 선박상실에 대응하여 급속건조·자재절약을 최우선으로 하는 완전한 양산주의가 되고 마지막의 3기에는 자재, 특히 철강결핍에 대응하여 양에서 질로 재역전하여 우속선(優速船) 고무장주의(高武裝主義)가 되었다.

이와 같이 단기간에 건조한다는 사고와 선종의 빠른 전환은 당연히 혼란을 야기했다. 1기에서 2기로의 전환의 원인이었던 선박상실은 미군의 과달카날섬 상륙 후인 1942년 10월부터 급증하여 10~11월의 2개월 사이에 48만 톤이라는 방대한 양에 달하였다. 그 때문에 공수(工數)의 59~86%, 강재의 20~25%를 절약하고 속력, 강도, 조선(操船)의 용이함 등을 희생하고 피해율이 크기 때문에 명수를 10년 위(位)까지 용인하여 전후경영을 고려하지 않는 순전시용의 제2차 전시표준선형이 설정되었다. 발동기의 질=속력을 희생함으로써 비로소 발동기의 양산이 가능해지고, 또 속성을 위해 선체곡선을 직선으로 바꾸면서 배의 속도가 감소했다.

이러한 저질, 저속의 제2차 전시표준선의 중심에 놓여있던 E형선을 건조하기 위해 네 개의 조선소가 설립되고 노동력이 부족한 상태였기 때문에 죄수노동력이 이용되었다. 2기에서 3기로의 전환은 제2차 전시 표준선이 저속이어서 상실량이 매우 컸고 다른 한편 공작기계와 강재 (특히 후판)가 부족하여 양산이 불가능하게 되었기 때문에 이번에는 소량의 대마력 고속상선을 건조하는 것으로 방침을 바꾸었다. 이것이 제3차 전시표준선이다. 이미 공작기계는 항공기공업에 동원되어 확보하기 어려웠고 강재부족의 문제는 궁여지책으로 선박이 여분으로 건조된 때는 특별히 철강부문에 이를 할당하고 그 결과 증산된 강재를 조선부문에 배당하고, 나아가 증산된 선박을 철강부문에서 이용한다는 궁여지책적인 철강증산책이 취해졌다. 그러나 이것은 국민경제수준의 재생산 기제를 부정하는 것으로서 물동계획이 최종적으로 파탄되었다는 것을 보여 주는 것이었다. 1944년도 Ⅱ기 이래는 이러한 자재부족 때문에 오히려 설비과잉화가 나타나고 잉여조선공장이 조직적으로 항공기 생산에 동원되었다.

제4절 기초산업(1) – 철강・경금속

1. 철강의 소비동향과 국민경제의 편성

철강은 국민경제와 군수산업의 근간을 이루고 그 생산과 분배의 동향은 산업편성의 존재양상을 근본적으로 규정하고 있었다. 철강이 15개 품목으로 이루어진 생산력확충계획 중에서 제1위에 있고, 8분과로 이루어진 물자동원계획 중에서 제1분과로 되어 있다는 사실은 이를 잘 말해 주고 있다. 당시의 물동담당자는 "당초 물동계획의 기본사상은 보통강강재에 놓여져 있었다. '철강없이 물동은 없다'는 것은 당시의 정세를 장악하고 있던 기획원의 흔들리지 않는 신념이었다"고 말하고 있다.

여기서 보통강 압연강재의 분야별 소비상황의 특징을 <표 10-7>에서 살펴본다. 첫째로, 생산동향에 규정된 총소비량이 1기(1936~1938년), 2기(1939~1941년), 3기(1942~1944년)로 시기가 흐를수록 감소하여(7%, 13%의 감소) 전시경제의 모순을 심화시키고 있다. 둘째로 대분류별로는 극단적으로 에너지, 기간산업부문이 감소하고 있는데 이는 주로 토건업의 감소에 의한 것이고, 셋째로 일관되게 증가한 것은 군과 정부의 수요였다. 넷째로 중화학공업은 약간 복잡한 움직임을 나타내지만 특히 기계는 2기에 크게 증가했다가 3기에는 큰 폭으로 감소한다는 극단적인 움직임을 보여 주고 있다.

<표 10-7> 보통강 압연강재의 분야별 소비 (단위 : 천톤)

연도	에너지·인프라부문			광업		중화학공업				군·정부수요	기타	계
	토건	철도	석유·수도·가스·전력	석탄	금속	철강	기계	조선	화학			
1936~38	1,132	256	146	151		1,136	557			817	158	4,350
1939~41	160	180	129	98	41	261	1,413	224	30	1,467	46	4,050
1942~44	9	136	40	30	37	197	216	763	11	1,692	388	3,518

자료 : 『昭和産業史』 第1卷, p140에서 작성.

조선은 앞서 말한 생산동향을 반영하여 1943·1944년에 증가하고 있다고 개괄할 수 있다. 에너지·기간부문에서는 토건업뿐만 아니라 철도도 1937년을 정점으로 감소 일변도의 경향을 보이고 있다. 또 석유·수도·가스·전력은 1941년을 정점으로 이후 감소하고 있는데 이는 전체적으로 볼 때, 국민경제의 기반을 이루는 에너지·기간산업부문에 대한 강재공급이 줄어든 결과 나타난 현상이라고 추측할 수 있

다. 마찬가지의 경향은 광업 가운데 탄광업에서 뚜렷하게 나타나고 있
다.

　이와 같은 소비감소에서 중요한 것은 1938년부터 에너지 · 기간산업
부문, 1940년부터 탄광업, 1942년부터의 기계공업이다. 철도는 1943 ·
1944년에 약간 회복하였는데 이것은 해상수송난에 따른 육지수송으로
의 전환의 결과라고 생각한다. 다른 한편 소비가 증가한 것은 군과 정
부의 수요와 1943~1944년의 조선업이었으며, 철강분배의 면에서 볼
경우 전략폭격조사단과는 달리 군수산업으로의 중점화는 국민경제의
기반을 손상하지 않으면서 전개되었다..

2. 철강의 생산 · 수급동향

　1936년 가을부터 유럽의 정국이 불안정해지고 군비확장경쟁이 격화
되자 철강수급은 급속히 악화되고 1937년부터는 철강기근현상이 나타
났다. 철강관세를 2개년 면세조치하는 등의 응급조치가 취하여졌으나
근본적으로 해결하기 위해서는 설비를 크게 늘릴 필요가 있어 정부의
생산력확충계획이 차례로 입안되었다.

　이러한 제 계획은 일본의 세력권내에서의 자급자족을 목표로 하고
있었고 그 때문에 제철사업법이 제정되고(1937년 9월), 설철제강법을
점차 줄이고 선강일관화를 촉진했다. 결과는 <표 10-8>과 같은데, 전
국적으로 1937~1940년간에 선철은 1.8배, 강괴는 1.5배, 압연강재는
1.3배로 설비능력이 확대되고, 특히 고로증설에 의한 제선능력이 가장
증대하여 선강일관화의 방향으로 나아가고 있었다. 일본제철의 경우
선철설비는 1941년에 거의 최종 규모에 도달하였으나 조강 · 강재설비
는 아직 대부분이 건설중이었고 제선능력이 선행하고 있다는 예측이
제시되었다. 생산실적의 대(對)능력비는 급속한 설비확장기에 있다는

것을 감안하여도 상당히 뒤떨어져 있고, 일철은 평균보다 양호했으나 태평양전쟁기에는 서서히 하락하고 있다.

<표 10-8> 철강의 설비능력과 생산실적비

		설비능력(천톤)			생산의대능력비(%)		
		선철	조강	강재	선철	조강	강재
전국	1937	3,295(100)	6,750(100)	7,773(100)	77	86	66
	1940	6,013(182)	10,417(154)	10,197(131)	62	67	52
일철	1937	2,340(100)	2,740(100)	2,520(100)	83	102	79
	1941	4,438(190)	3,506(126)	3,160(124)	71	88	67
	1943	4,515(193)	4,367(156)	3,815(149)	67	83	64
	1945	4,515(193)	4,205(151)	3,815(149)	19	24	18

자료 : 小島精一, 『日本鐵鋼史』 昭和第2期編, 1985, p.84, 『日本製鐵株式會社史』(『社史で見る日本經濟史』 第10卷), 1998, pp.458~459, pp.504~506, p.540.
주 : 전국은 조선·대만을 포함. 일철은 일본본토만 포함. 전국의 강재는 압연만 포함.

다음으로 철강생산과 수급 상황을 보면, <표 10-9>와 같다.

<표 10-9> 철강의 생산·수급 (천톤)

연도	생산			수이입			수이출	수요		
	선철	조강	강재	선철	조강	강재	강재	선철	조강	강재
1937	2,397	5,801	5,080	1,131	434	769	580	3,528	6,235	5,268
1939	3,309	6,696	5,438	929	214	171	765	4,238	6,910	4,844
1941	4,308	6,844	5,046	785	153	145	533	5,094	6,997	4,658
1943	4,205	7,650	5,572	321	114	25	92	4,571	7,763	5,505
1944	3,325	6,279	4,938	380	53	9	52	3,704	6,781	4,895
1946	216	557	524	-	-	-	0	216	557	524
1948	836	1,715	1,351	-	-	2	13	834	1,691	1,340

자료 : 鐵鋼統計委員會編, 『統計からみた日本鐵鋼業100年間の歩み』, 1970, pp.4~5, pp.10~13, 『昭和産業史』 第1卷, p.178.
주 : 일본본토와 사할린만 포함.

일본본토의 최성기가 선철에서는 1942년, 조강·강재에서는 1943년
이었다. 태평양전쟁 개시 후에도 여전히 1~2년은 증산이 이루어졌으
나 철광석·코크스용 점결탄의 부족으로 그 최성기는 극히 단기간에
끝났다. 각각의 최성기에 1937년 생산고에 대한 비율은 선철 1.8배, 조
강 1.3배, 강재 1.1배로서 선철생산의 성장이 뚜렷한 반면, 조강·강재,
특히 강재가 정체하고 있음을 알 수 있다.

강재생산은 일찍이 1938·39년의 540~550만 톤으로 상한에 도달하
였고 이어 1940~1942년은 감소하고 1943년에 다시 560만 톤으로 회복
했으나 1938·1939년 수준을 약간 초과한 것에 지나지 않는다. 강재
가운데 보통강강재 만을 보면 최성기는 1938년의 4,527만 톤이었고, 이
후 계속 감소했다. 1943년에 약간 회복하여 479만 톤을 기록하였다고
는 하나 최성기보다 10% 감소한 것이었다. 이 전 강재와 보통강강재의
차이는 군수에 많이 사용되는 특수강 증산의 결과이고 더구나 특수강
생산은 성질상 조강에서 강재로의 보류율(步留率 : 원료에 대한 제품
의 비율)이 나빴기 때문에 강재생산 정체의 한 요인이 되었다.

선철의 수이출은 적었고 수이입은 상당한 양에 달하였으나 수이입
처에서 커다란 변화가 나타났다. 1941년 이후 종래 가장 많았던 대(對)
미국·인도수입이 수출금지정책에 따라 격감하고 대(對)만주·조선이
중심이 되었다. 대(對)만주도 1939년 이래 급증하였으나 1942년에 최고
에 달한 이후 감소하고, 대(對)조선이 1943·44년에 약간 증가하였으나
이를 보완할 정도는 되지 못했다. 1943년 이래 이들 지역으로부터의
수입이 크게 줄어들었는데 이로 인해 일본본토의 선철수요량이 감소
하게 되고 그 다음 해에는 조강·강재생산을 감소시키는 중요한 원인
으로 작용하였다. 조강 수이입도 선철보다 규모는 작지만 거의 같은
경향을 보이고 있다. 이에 대하여 강재는 수이입보다도 수이출의 쪽이
많았는데 이는 만주·조선으로의 공급 때문이다. 일본은 식민지와의

사이에 반제품=선철수취와 제품=강재공급이라는 제국주의적 재생산 구조를 서서히 형성해 가고 있었으나 1943년 이후가 되면 선철수취와 강재공급이 동시에 감소하고 재생산관련은 해체되기 시작했다.

설철제강법은 단순평로 제작업체에 의한 조강생산이 가능한 것이기 때문에 자본축적이 빈약한 후진국이 철강생산을 늘리는 경우에 적합한 것이고, 또 유럽제국의 설철수입은 적었기 때문에 일본은 미국설철을 염가 또는 대량으로 구입할 수 있었다. 주요국 가운데 가장 설철배합률(이하 배합률)이 높은 일본은 1932년 이래 최대의 설철수입국이 되고 최대의 철강소비국인 미국에서 수출되는 설철의 반은 그 대상이 일본이었다. 설철제강법에서 탈피하려고 시도한 1937년에는 배합률은 역으로 증대하고, 1938년에는 최성기의 65%에까지 달하고 있다(제7장 <표 7-4> 참조). 이것은 철강기근 때 수입설철에 의한 평로·전로 제작업체의 설비확대가 선철생산 증가보다 선행했기 때문이다.

1939년 이래는 제선설비 확대에 따른 생산증가가 본격화되면서 배합률은 크게 떨어졌지만 여전히 1940년까지 배합량은 많다. 그런데 배합률과 설철품질의 저하는 제강소요시간의 연장과 출강률(出鋼率) 저하라는 악영향을 초래했다. 설철공급은 수입에만 한정되지 않고 1940년 이전은 수입, 1941년 이후는 국내생산이 중심이었지만 전자의 수입의존시대에는 그 7~8할대가 대(對)미국이었기 때문에 미국의 수출금지(1940년 10월)에 의한 타격은 컸고, 그 결과 1941년의 조강생산이 감소하였다. 그러나 이즈음 설비완성에 의한 선철생산이 급증했기 때문에 조강생산은 회복되고 설철의 국내생산 증가는 1941년부터의 특별회수(공장·가정의 퇴장설철), 1943년부터의 비상회수(섬유공장의 정리, 불필요 레일·자동차의 처분)에 따른 금속회수정책을 강화한 결과였으나, 과거의 대미수입량에는 미치지 못했다. 그러나 선철생산감소를 보완하는 일정한 역할을 이룩하고 조강생산의 최성기를 1943년까지 연장시키는 것을 가능하게 하였다. 그 때문에 이러한 종류의 설철로 배합률은 다시 높아졌다.

설철제강법의 축소는 선철생산의 확대를 요구하기 때문에 제선원료인 철광석 그리고 석탄 확보의 필요가 제기되었다. 철광석의 수급상황을 개괄하면 중일전쟁 전에는 중국·동남아시아의 쌍방에 의존하고 있었으나 점차 후자의 비중이 높아졌다. 전쟁발발에 따라 대중국수입이 급격히 감소함에 따라 이는 더욱 결정적인 것이 되었고 이후 중일전쟁기에는 말레이시아·필리핀을 중심으로 하는 동남아시아, 태평양전쟁기의 전·중기는 중국, 후기는 국내생산에 주로 의존했다. 제철사업법에서 장려된 일본 국내 및 조선 저품위 광석 등의 사용도 점차 증가해 갔지만 그 비중은 아직 작다. 영미 양국은 식민지인 말레이시아·필리핀으로부터 철광석 수출을 금지시켜 대일 경제봉쇄를 강화하고 대일전쟁이 시작된 후에는 동남아시아·해남도 루트에 대한 해상수송공격과 양자강의 기뢰부설로 철광석의 일본 반입을 저지하려고 했다. 일본의 대응책은 전시표준 광석선을 대량 건조하면서 해상호위를 강화하거나 현지 제철소를 건설하여 광석을 현지 소비하던가 국내광석의 개발증산에 노력하던가의 세 가지였고, 거의 이 순서대로 중점이 놓여졌다. 특히 과달카날전 이후는 북경의 석경산 제철소와 각지에서의 소형용광로 건설이 진전되었으나 육군주도의 동 계획은 문제점이 많고 비효율적이어서 그다지 성과는 없었다.

3. 특수강 생산과 희귀금속원료

특수강은 병기·함선·항공기뿐만 아니라 기계·공구·베어링·용수철 등의 생산에 반드시 필요한 자재이다. 만주사변·중일전쟁을 계기로 국내생산이 증가하였으나 기술적으로는 크게 뒤져 있었고 우량

강은 수입에 의존하고 있었다. 생산량은 1938년 이래 증대하여 1944년
에는 98만 톤으로 전 강재생산의 20%에 까지 달하였으나(앞의 <표
10-9>), 여기서는 본래의 합금강뿐만 아니라 분류변경에 의해 증가한
고탄소강(부족한 크롬강의 대용)이 다량으로 포함되어 있는 것에 주의
할 필요가 있다.

　항공기의 경우 특히 발동기·프로펠러 생산에 특수강이 필요하였기
때문에 1944년의 소비(배급)량은 전 특수강 생산의 65%를 차지했으나
이것도 소요(계획)량의 84%에 지나지 않는 것이었고 보통강강재의
103%(소비량/소요량)와 대조적이었다. 합금강의 원료회귀금속의 국내
자급은 매우 어려웠고, 규소원료는 충분하였으나 망간은 빈약, 텅스텐
은 소량 가능, 니켈·바나듐·몰리브덴·코발트는 미량이었다. 특히
니켈부족은 최대문제였다. 발동기를 생산하는 데 많이 필요하고 총신
·장갑판·어뢰발사관 등에도 사용되는 니켈은 영국·캐나다·뉴칼레
도니아, 구조강에 불가결한 몰리브덴·바나듐은 미국·페루, 고속도강
(高速度鋼)에 필요한 코발트는 캐나다·버마에서 수입했다. 수출금지
때문에 태평양전쟁 초기부터 부족했으며, 1943년 중반에는 합금강의
규격변경으로 대처했으나 함유율을 크게 줄일 수밖에 없어 최후에는
대용강(代用鋼)으로 바꾸었다. 그 결과 항공기의 발동기 생산에 악영
향을 미치게 되었고 앞서 말한 것처럼 금속피로에 의한 성능저하와 자
연소모를 일으켰다. 망간광 부족의 경우 제선과정에서 규소·유황 등
의 불순물의 함유율을 억제할 수 없어 제강에 부적합한 선철을 다량으
로 산출했다. 그러나 다른 한편 대용강 연구가 스미토모 금속공업에
의한 SK강 등의 신품종을 만들어내는 계기가 된 것도 유의할 필요가
있다.

4. 철강통제와 기업체제

철강통제는 다른 산업에 비해 일찍부터 강력하게 전개되었다. 그 특징은 첫째로, 생산통제는 압도적인 비중을 차지하고 있는 국책기업＝일철을 통해 쉽게 전개되었다. 둘째로, 생산·판매 통제는 일철을 중심으로 하는 카르텔강화를 통해 기본적으로 이루어졌다. 셋째로, 가격통제는 기초자재 때문에 저가격을 유지하였고 그 때문에 가격보상제도가 처음으로 도입되고 이것은 패전 후에도 계승되었다. 넷째로, 소비·배급통제는 중일전쟁이 시작된 직후에 시작되어 극히 강력하였으나 통제누락도 있어 그 대책이 차례로 마련되었다. 철강기업의 생산집중도(1937~1945년)를 개괄하여 보면 선철은 일철 1사만으로도 7~8할대(누계 평균 77%)이고 여기에 제2위의 일본강관을 더하면 91%로 압도적이고, 조강은 일철만으로 거의 4할대(46%), 일본강관 기타를 더한 상위 3사로 거의 60%, 상위 5사로 70%대에 이르고 있다. 강재도 이미 일철만으로 42%에 달하고 있지만, 강재의 경우 일철 이외는 1943년 이래의 단주강(鍛鑄鋼)이 불명하기 때문에 동일한 비교는 할 수 없고, 1942년까지는 일철·일본강관 기타로 이루어진 상위 3사가 거의 60% 전후, 5사가 60%대로 조강보다 약간 낮다. 이 모든 것에서 일철이 압도적인 비율을 차지하고 있었으며 제2위의 일본강관 이하와 큰 폭의 차이를 유지했다.

또 일철은 선철·조강에서는 1937년 이래 1942년 또는 1940년까지 비율이 낮아졌으나 그 이후는 다시 높아졌는데 이 상승은 상위기업 중에서 거의 일철만에 한정된 것이 특징이다. 원료·자재부족으로 조업률이 떨어지는 가운데 뛰어난 설비를 가진 일철에 중점이 놓여졌기 때문이지만 일철이 상당한 광석재고를 가지고 특수강 및 상선·함정건조에 필요한 후판·통관(筒管)의 증산을 도모하였기 때문이었다. 제3

~5위는 나카야마 제강·가와사키 중공업·스미토모 금속공업·고베제강소·대동제강·일본제강소·아마가사키 제강 등이 차지하였다.

철강가격통제는 매우 강력하였고 1939년의 물가정지령 이후 1945년까지 가격은 거의 고정되었다. 가격억제책이 진행되는 한편에서는 원료와 임금이 등귀하고 설비상각비 및 조업률이 하락해 단위원가가 상승했기 때문에 기업채산이 악화되었다. 산업별 수익률에서는 철강업 15사의 평균수익률(대불입자본)은 최고기인 1938년 상반기에 23.9%에 달하여 업종별로는 거의 최고가 되었으나, 그 후 급속히 악화되어 최저기인 1941년 하반기에는 9.8%가 되고 업종별로는 거의 최저가 되었다. 그 때문에 우선 수입원료 등에 대한 보상정책이 취하여졌으나 충분치 못한 것이었고 선철(1941년 12월부터) 더 나아가 강재·반제품(1943년 4월부터)에 대한 가격보상금, 또 각종 보조금제도가 마련되었다. 이것은 고정화된 판매가격하에서 7% 배당 가능한 적정이윤액이 확보되도록 보상된 것이다. 일철의 경우 1941년 상반기가 최저로 이익률 4.9%로 떨어졌고 선철보상금에 의해 이후 2년간은 순익률 9.3%로 고정되고 배당은 패전 시까지 7%를 유지하였다. 보상금 등의 증산대책비를 산업별로 보면(1937~1945년 합계) 석탄이 21억 엔(36%)으로 선두, 다음으로 철강의 12억 엔(21%), 이하 해운, 비철금속, 조선, 전력, 액체염료의 순이다.

5. 경금속의 생산동향

항공기의 기체·프로펠러에는 알루미늄을 주성분으로 하고 아연·마그네슘·구리·망간의 합금인 두랄루민이 많이 사용된다. 알루미늄의 생산·수급상황은 <표 10-10>과 같은데, 일본(대만·조선을 포함)에서 경영적으로 유리한 보크사이트를 원료로 하여 생산이 시작된 것

은 1937년으로 매우 늦었고, 1939년에 국책적인 일본경금속회사가 설
립되고 경금속제조법이 실시되어 국내생산이 증가해 수입과 거의 동
량이 되었으나, 이미 1940년에는 캐나다 등의 금수정책으로 수입은 거
의 두절되었다. 그 때문에 동년의 공급량은 감소해 대(對)배급계획비율
이 79%까지 떨어지고 1940년에 기체생산이 정체・감소하는 한 원인이
되었다. 이 때문에 태평양전쟁 개시 직전에는 항공기용 알루미늄공급
은 하루살이수준에 빠졌다.

<표 10-10> 알루미나・알루미늄의 생산실적・공급 (천톤)

연도	알루미나			알루미늄		
	원료별생산			공급		
	보크사이트	기타	계	생산	수입	계
1937	24	7	31	14	14	28
1939	54	11	65	30	37	66
1941	137	15	152	72	-	72
1943	305	14	318	141	3	144
1944	191	35	225	110	4	115

자료 : 正木千冬 譯, 『日本戰爭經濟の崩壊』, p.196.
주 : 대만・조선은 생산, 만주는 수입에 포함.

그 후 1941~1943년에는 생산증가와 배급중점화에 의해 항공기 생
산은 거의 소요량이 충족되었다. 생산 및 대(對)항공기배급의 최성기는
1943년이지만 1944년에는 급변하여 목제비행기 생산도 시험되는 등
부족상태는 거의 위기상황이었다. 이것은 사이판함락으로 보크사이트
입수가 불가능해지고 11월에는 저장분을 다 사용하였기 때문이었는데
그 때문에 비생산적인 중국의 반토혈석(礬土頁石)으로 대체되었으나
필리핀함락(1945년 1월)은 그것도 불가능하게 만들어 일본 국내산 명
반석으로 재전환할 수밖에 없었다.

전폭단보고는 1944년 10월 이래 항공기 생산의 급격한 감소를 가져

온 것이 알루미늄 부족 때문은 아니지만 이미 과거의 최고 생산상태를 유지시킬 수 있는 공급력은 사라졌다고 보고 있다. 전쟁 말기에 특공기 생산에 중점을 둔 것은 이 비행기에는 재생 알루미늄·목재·보통강이 대용될 수 있었기 때문이었다. 재생 알루미늄의 사용증가는 특공기에 한정된 것이 아니었고 그 품질저하는 생산능률의 저하와 기체의 금속피로, 자연소모의 격화를 초래했다. 이와 같이 알루미늄 생산은 근본적으로 남방원료 보크사이트 공급에 규정되었지만 마그네슘·구리의 경우에는 그 부족으로 인해 항공기 생산이 지장을 받은 것은 아니었다.

제5절 기초산업(2) ─ 에너지·기간산업부문

1. 석탄

1) 석탄소비의 동향

석탄소비의 동향에 대해서는 1기(1936~1938년)·2기(1939~1941년)·3기(1942~1944년)·4기(1946~1948년)로 시기구분을 하면 전 시기의 특징은 <표 10-11>에서 살펴볼 수 있다.

첫째로, 총소비량은 1기부터 2기에 걸쳐 20여% 증가, 2기부터 3기에 걸쳐 10%의 감소, 둘째로, 경공업·생활용의 비중·절대량의 급감, 셋째로, 그 대극으로서 중화학공업의 급증, 그러나 2기부터 3기에 걸쳐 비중은 상당히 증가한 반면 절대량은 약간 증가했다. 넷째로, 에너지·기간산업부문, 광업의 비중에서는 큰 변화가 없었으나 2기에는 약간 감소하고 3기는 반대로 증가하여 1기의 수준으로 되돌아갔다는 것, 또 4기=전후 직후기의 특징은 첫째로, 총소비량은 전시기의 약 2분의 1로 감소, 둘째로, 비중에서 중화학공업의 격감에 대응하여 격증한 것은

경공업·생활용이 아닌 에너지·기간산업부문이라는 것 등을 들 수
있다.

<표 10-11> 석탄의 분야별 소비 (천톤)

기간	에너지·인프라부문					광업		중화학공업		
	철도	해운	전력	가스·코크스	연탄	산지소비	광산정련	철강	금속·기계·조선	화학
1936~38	4,192	4,547	3,761	2,708	1,441	3,623	737	6,918	946	4,678
1939~41	5,250	3,486	5,435	3,903	1,884	2,998	1,176	11,556	1,891	7,279
1942~44	7,119	1,858	4,681	3,702	1,044	3,075	1,971	12,736	2,465	5,876
1946~48	6,906	1,016	2,165	1,985	409	2,715	255	2,642	701	2,788

기간	경공업·생활용				관공청	기타	계
	섬유	식료	요업	난방·주방			
1936~38	6,757	1,464	4,166	3,922	192	1,185	51,239
1939~41	6,023	1,522	4,186	3,296	591	3,104	63,579
1942~44	2,072	953	2,805	2,526	620	3,967	57,372
1946~48	1,324	674	1,498	1,294	1,436	470	28,378

자료 : 『昭和産業史』第1卷, p.28.
주 : 3개년 평균치, 화학비료는 화학에 포함. 진주군은 관공청에 포함.

각 년별·산업별로 더 상세히 보면, 전 시기의 특징으로서 첫째로,
총소비량은 1936~1940년까지 대(對)전년비에서 약 10%가 매년 증가
하였으나 1940년에는 일찍이 최고에 달하였다. 이후 1943년까지 완만
하게 감소하다가 1944년 이래 전후의 1946년까지 급속히 감소하였다.
둘째로, 경공업·생활용은 급감하였으나 그 중에서도 섬유가 크게 감
소하고 난방·주방용이 그 뒤를 이었다. 셋째로, 반대로 격증하는 중화
학공업 중에서도 철강이 눈에 띠게 증가했으며 기계·조선이 그 뒤를
이었다. 1941년 이래 석탄생산의 감소에도 불구하고 소비량이 계속 느는
것은 그 외에 광산정련, 철도, 관공청이다. 넷째로, 철강의 절정기는

1943년이고 1944년에는 대전년도 약 20%가 감소한 한편 기계·조선, 광산제련, 철도는 1944년까지 계속 증가하고 있다. 광산제련 중에서 금속광산은 1941년을 최고로 이후 급감하지만 액체연료는 1944년까지 일관되게 급증하고 석유 및 대용연료생산에 중점이 놓여져 있는 것을 알 수 있다. 다섯째로, 에너지·기간산업부문에서는 철도 이외는 1942년 이래 감소하고 해운이 1937년, 전력이 1939년으로 상당히 일찍이 최성기를 맞이하고 있다. 여섯째로, 기타 중에 육해군용은 1942년이 절정이었고 그 이후에는 감소하고 있다.

2) 석탄생산·수급의 동향

석탄생산·수급(일본본토)동향은 <표 10-12>와 같다.

<표 10-12> 석탄의 생산·수급 (천톤)

연도	생산	수이입	수이출	수요
1937	46,065	6,185	1,928	50,322
1939	52,409	7,992	1,689	58,712
1941	55,602	9,582	1,739	63,445
1943	55,539	6,219	1,100	60,658
1944	49,335	3,324	714	51,945
1946	22,523	-	758	21,765

자료 : 『石炭國家統制史』, p.913.

생산은 절정기인 1940년부터 1943년까지 상당히 높은 수준을 유지하고 있고 1944년부터 급감하는 한편, 생산의 13~17%의 규모였던 수이입은 1940년까지 생산의 성장을 상회하는 증가세를 보여 석탄부족을 크게 보전하고 있다. 그러나 1941년 이후는 생산동향과 달리 일관되게 감소하고 있으며, 특히 1943년 이후의 해상수송난에 의해 감퇴의 모습을 선명하게 보이고 있다. 수이출입의 차액은 압도적으로 입초였다. 수이입처는 1937년까지 제일 많았던 만주가 1938년 이래 크게 감소하였으나 그것은 동지역에서 공업화가 진전되는 한편 출탄이 예정대로 이루어지지 않았기 때문이었다.

수입만주탄의 중심은 철강업의 가스발생로용 탄으로서 우수하였던 무순탄이다. 대(對)만주수입의 감소를 보전하고도 남을 정도로 급증한 것은 중국과 남부 사할린인데, 철강증산의 열쇠가 되는 강점결탄은 이러한 지역에 주로 의존하였고, 중국의 개평·정경(井陘)·남사할린의 탑로(塔路)·북소택(北小澤)·안별(安別) 등의 제탄이었다. 그 외의 수이입처는 조선·프랑스령 인도지나·대만 등이었으나, 프랑스령 인도지나는 중일전쟁이 시작된 이후는 감소하고 또 대만의 비중은 작았다. 최성기(1940년)의 수이입처는 중국 38%, 남사할린 34%, 조선 15%, 만주 8%, 프랑스령 인도지나 5%, 대만 3%이다. 수이입탄은 이하에서 서술하는 것처럼 양적, 질적으로 가치가 있었고 또 사할린탄은 관심을 받지는 못했지만 상당히 중요했다.

3) 철강업과 석탄

국내탄의 60~70%는 일반연료용의 일반탄이고 코크스용 원료탄도 20% 정도였으나 그 가운데에서 제철업·수소계 화학공업에 적합한 강점결성이고, 회분이 적은 것은 북송탄(北松炭) 등 약간에 지나지 않았다. 가스발생로용 탄도 약 10%였으나 휘발분과 발열량이 높은 것은 석장탄(夕張炭) 등이었는데 이는 양적으로 충분하지 못하고 질적으로도 무순탄에 미치지 못했다. 결국 내지탄에는 제철용 강점결성의 코크스용 원료탄과 양질의 가스발생로용 탄은 거의 없었다고 할 수 있다.

전체적으로 국내출탄 및 수입이 호조였던 1940년 하반기에도 일철은 석탄부족으로 선철·조강·강재를 각각 11%, 16%, 16% 감산하고 있다. 특히 과달카날전 이후의 선박부족에 대한 대책으로 일철 윤서공장으로의 중국탄 수송을 중지하고 석장탄으로 바꾸려고 하는 후지와라 긴지로 사찰사(査察使, 1943년 7월)의 강경한 방침은 원료의 질적 저하와 생산증강을 동시에 달성하려는 무모한 것이었다. 그 때문에 이는 도리어 선철감산과 노황(爐況)의 불안정화, 나아가 조강·강재의 감산 등 심각한 영향을 가져와 해외탄이 얼마나 중요한 것인가를 재인식시켰다.

홋카이도 탄광기선(1937~1945년 전국 출탄의 9%, 이하 북탄)을 예로 들어 생산방식을 살펴보면 다음과 같다. 노동력 부족에 대응하기 위해 중일전쟁이 시작될 즈음에는 장벽식 채탄법에 의한 채탄장의 집약화, 이 방식으로 인해 중요하게 된 채탄기, 동력원으로서의 공기압축기가 보급되고 집단벨트 콘베이어에 의한 운반의 기계화도 완성하여 출탄능률(1인당 출탄률)은 전국 평균의 1.7배에 달했다. 전국출탄량은 1940년이 절정이었으나 북탄은 1944년까지 상당한 증가세를 보이고 있다. 그러나 북탄의 출탄능률은 이미 1934년을 최고로 그 이후 하락하고, 특히 1938년(1936년의 87%), 1942(70%), 1944년(56%)로 하락하여 서서히 전국 평균에 접근하였다. 그럼에도 불구하고 생산이 증가한 것은 노동력의 추가투입 때문인데, 1941년 이래의 출탄증가는 노동력의 대량동원, 취업시간의 연장, 출가노동의 독려, 능률증진운동, 여자의 입갱금지의 완화(1943년) 등에 의한 인해전술 때문이었다.

능률저하를 가져온 원인은 자재부족과 노동력의 질적 저하였다. 주요 자재인 강재·폭약·시멘트·갱목·목재·고무와 에너지원인 석탄·전력의 조달상황을 보면 강재가 특히 나빠 1941~1945년간의 사용량은 소요량의 63%, 47%, 40%, 29%, 30%로 급격히 저하하고 있다. 다음으로 고무·시멘트가 상황이 좋지 않았고 반면에 폭약·갱목은 소요량을 거의 확보했다. 또 산지소비석탄은 1938년을 정점으로 급감하

고 있지만(<표 10-11>), 전력소비량은 1944년까지 증가하고 있다. 북
탄의 경우 말기에는 지하양말의 보급도 10% 미만이 되어 짚신을 신고
작업을 했다.

또 증탄을 가능하게 한 노동력의 대량 투입은 주로 탄광노동자의 경
우 1937년에 22만 명에서 1945년 약 40만 명으로 급증하였으나, 그 최
대의 조달방법은 노동력 부족을 일거에 해결하려고 한 조선인의 강제
적 징용이었으며, 각 분야에서 일본인을 동원하는 것 외에 중국인 · 백
인포로 등도 투입되었다. 그리고 그 결과 출탄능률은 1941년에는 1937
년의 80% 정도, 1943년에는 70% 정도, 1945년에는 30%까지 하락했다.

2. 석유 · 전력 · 해운 · 철도

1) 석유 · 전력의 상황

석탄 이외의 중요한 에너지원인 석유 · 전력의 수급상황과 중요한
운수수단인 선박의 보유상황 및 철도의 수송상황의 개요는 <표
10-13>과 같다. 대외관계와 밀접한 관련이 있는 석유 · 선박은 일찍부
터 감소하기 시작하고, 거의 국내적 성격의 것으로 다루어온 전력 · 철
도는 대체적으로 일관되게 증가하고 있다. 점차 상황이 어려워진 것을
순서대로 보면 철도 · 전력 · 선박 · 석유의 순이었다.

석유제품은 (A) 국산원유로부터의 정제, (B) 수입원유에서의 정제,
(C) 수입제품의 세 가지 종류로 이루어졌지만 일미 대립이 격화되기 이
전인 1937~1939년 경에는 A가 거의 0.5~10%, B가 30~40%, C가 거
의 60%였고 90% 이상은 B · C의 수입의존이었다. 원유 및 제품수입의
80%는 미국, 10%는 네덜란드령 동인도로부터이고 국내정제능력의 증
대에 따라 제품수입에서 원유수입으로 옮겨졌다.

원유 · 제품수입이 최고조에 달한 것은 1937 · 1938년인데, 이처럼 시

기가 빨랐던 것은 석유확보의 중요성을 인식한 정부가 긴급수입·저장을 결정한 때문이고 실제로 1940년 1월에 미일통상항해조약의 실효로 대미수입이 두절되었고, 그 대책이 네덜란드령 동인도로부터의 긴급수입이었다. 그 결과 1940년의 원유수입이 증가했다. 그러나 구입기간은 6개월로 한정되어 이후의 일본·네덜란드령 동인도 교섭은 진전되지 못했고, 더구나 망명 네덜란드정부의 명령에 따라 수입원유에는 항공가솔린용은 전혀 포함되지 않았다. 또 미국은 항공기의 전투력을 가장 높이는 100옥탄가의 항공가솔린의 제조장치도 동시에 금수하였기 때문에 일본은 매우 소량을 제외하면 최고 92옥탄가의 항공 가솔린까지밖에 제조할 수 없었고 이는 항공전력에 많은 지장을 초래했다.

<표 10-13> 에너지·인프라 부문의 생산·수급

연도	석유수요 (천KL)	발전 (백만KWH)	상선보유 (천GT)	철도수송 (백만TKM)
1937	5,271(100)	30,245(100)	4,408(100)	19,587(100)
1941	2,308(44)	37,659(125)	6,094(138)	30,663(157)
1944	942(18)	36,122(119)	3,581(81)	41,826(214)
1949	2,082(39)	41,494(137)	1,684(38)	30,352(155)

자료 : 『昭和産業史』 第1卷, p.44 ;『明治以降本邦主要經濟統計』, p.115,
      p.117, p.120, pp.124~125에서 작성.

1941년부터 수입이 격감해 같은 해의 석유제품 수요량은 1937년의 44%까지 감소했다. 태평양전쟁이 시작될 때의 비축량 4,300만 배럴은 최성기(1939년)의 5,100만 배럴보다 상당히 줄어든 것이고 대부분이 전쟁준비에 이용되었다. 개전 후의 석유조달은 국내 및 종래의 세력권에서의 공급, 인조석유의 생산, 남방점령지로부터의 환송의 세 방법으로 이루어졌다. 국내산유는 이미 1938년을 최고로 하고 이후 감소하였고 대대적으로 선전한 인조석유계획도 결국 좌절되었다. 동 생산은 1937

~1940년의 합계 39만 배럴에서 1941~1945년의 518만 배럴로 증대하였다고는 하지만 계획량의 7~13%(1941~1943년)에 지나지 않았다. 동계획은 막대한 노동력과 자재를 사용한 데에 비해서는 성과는 적었고 전략적으로는 국가의 전쟁노력을 방해하는 것이었다고 전략폭격단은 평가하였다.

다른 한편 남방점령지에서의 설비복구는 예측한 것 이상으로 진척되어, 원유생산은 <표 10-14>와 같이 1942년 Ⅱ기부터 증가하고 일본으로의 환송도 1년 정도는 비교적 순조롭게 이루어졌다. 그러나 1943년 Ⅲ기 이래 생산이 증가하였음에도 불구하고 환송량은 감소하기 시작하였고 1944년 이후에는 격감했다. 그 때문에 동년의 석유제품수요량은 1937년의 18% 수준까지 떨어져(앞의 <표 10-13>) 전쟁을 계속하기가 매우 곤란하게 되었다.

<표 10-14> 남방석유의 생산과 본토환송

	원유생산	일본본토환송
1942 Ⅱ	3,364	1,398(42)
Ⅲ	6,257	2,254(36)
Ⅳ	7,418	3,972(54)
1943 Ⅰ	8,900	2,880(32)
Ⅱ	11,141	4,597(41)
Ⅲ	12,980	3,428(26)
Ⅳ	13,126	3,651(28)
1944 Ⅰ	12,397	2,824(23)
Ⅱ	9,701	1,887(19)
Ⅲ	9,547	1,105(12)
Ⅳ	10,103	1,222(12)
1945 Ⅰ	7,577	761(10)
Ⅱ	4,810	-
Ⅲ	1,736	-

자료 : 村上勝彦, 「軍需産業」, 大石嘉一郎編, 『日本帝國主義史 3』, p.194.

강력한 국가관리에 의한 통제와 설비능력의 확대를 시도한 전력업은 뒤에서 말할 철도와 마찬가지로 상대적으로 양호한 상태이고 발전전력량은 1944년까지 높은 수준을 대체로 유지하고 발전능력은 1945년, 나아가 전후까지 계속 증가했다. 전력업은 종래부터의 설비능력 및 발전량 모두 수력이 화력을 상회하고 있었으나 1939년부터 그 비중을 높였다. 또 1939년은 이상가뭄 때문에 수력발전량은 전년보다 줄어들었고 군수산업에 커다란 타격을 주었다.

2) 해상수송과 육송전환

석유환송량은 제공권 상실에 따른 유조선피해 증대의 결과 감소하였다. 선박의 보유상황은 중일전쟁 개시기부터 연평균 8~9% 증가하여 태평양전쟁 개시기에는 약 610만 총톤의 절정에 이르렀으나 1942·1943년에 전년 대비 11~12%, 1944년에 26% 감소하여 동년은 약 360만 총톤, 최고기의 약60%, 1937년의 80%에 지나지 않았다. 그 결과 태평양전쟁기의 수송량도 1943년은 전년 대비 6% 감소였지만, 1944년은 여기에 운행률 감소도 더해져 선박감소율을 훨씬 상회하는 41%나 감소했다.

수송거리를 제외하고 중량만으로 계산한 수송실적을 많은 순으로 들면 석탄 43%, 철광석 9%, 비철금속 7%, 곡류 6%, 석유·유류 5%, 소금 4%, 인광석 1%였다(1942년 1월~1945년 8월 합계). 석탄이 가장 많은 것은 대(對)대륙수송 외에 국내 연해수송이 많았기 때문이고 이것은 국내출탄이 규슈 58%, 홋카이도 27%, 혼슈 서부 8%, 동 동부 7%(1937~45년 합계)로 규슈·홋카이도에 집중되고 최대의 중화학공업지역인 게이힌·한신지대와 떨어져 있었기 때문이었다.

선박부족하에서 육상수송으로 비중을 옮기는 육송전환이 도모되고

(1942년 10월, 「전시육운비상체제제확립요강」), 석탄은 동 전환화물의 70%를 차지했다. 국내철도에서는 간몬 터널과 세이칸 연락선이 규슈 · 혼슈의 연락을 가로막는 장애물이었기 때문에 규슈와 한신 지대를 연결하는 철도도 극히 빈약했다. 그러나 미군의 전략적 실수로 철도수송은 그다지 타격을 입지 않았다.

철도화물수송량의 절정은 1943년이었으나 1944년에도 겨우 4%밖에 감소하지 않았다. 철도시설의 피해가 적었던 것은 전후 경제부흥의 중요한 근간이 되었다. 해상수송에는 군수산업관계물자 외에 식료 · 비료 관계물자도 있지만 특히 1945년이 되면 우선적으로 곡류 · 소금의 수송이 할애되고 6월의 전력회의에서는 그 절대적 우선방침이 결정되었다. 특히 국내생산이 국내수요량의 4분의 1에서 5분의 1밖에 안 되었던 소금의 경우 당시의 수송 수준으로는 가을쯤 되면 가축이 죽어나가고, 다음 해에는 인간에게도 영향을 미칠 가능성이 있기 때문이었다. 식료사정도 1943년 여름에는 이미 악화되어, 다음 해에는 심각할 정도로 암거래가 활성화되었다.

제11장 전시통제하의 면업자본

제1절 통제의 제 단계

1. 면화수입 제한과 할당생산

1937년의 면사생산은 사상 최고의 규모를 기록하였고 전체 섬유생산도 23억 파운드에 달했다(<표 11-1>). 중화학공업화에 따라 제조업에서 섬유의 비중이 감소하였다고는 하나 여전히 27%를 차지하였으며, 전 수출에서 섬유의 비중은 40%였다. 중일전쟁의 발발 이후 중화학공업용·군수용 자재의 수입이 증가하였으며, 면업으로 대표되는 섬유산업의 경우도 호황으로 인해 면화·양모 등 원료수입이 격증하였는데, 이에 따라 국제수지는 위기를 맞이하였다. 그 대책으로 섬유통제가 시작되었다. 통제는 무역면에서 시작하였으나 얼마 있지 않아 생산·유통·소비로 전면화되고, 결국 전쟁 말기에는 설비의 설철화에까지 이르게 되었는데 이러한 상황은 전후 1950년경까지 계속되었다.

면업통제는 중화학공업·군수용 자재수입을 우선하기 위한 외화절약의 관점에서 먼저 면화의 수입제한으로 시작되었다. 1937년 1월 수입환은 허가제가 되고 2월초 상공성은 수입 제1위인 면화의 수입량을 동 년도는 140만 담(1담=60kg)으로 제한한다고 발표했다.

<표 11-1> 각종 섬유의 생산동향 (백만파운드)

연도	순면사	생사	견방사	모사*	마사*	인견사	순'스 프'사	합계	'스프'
1934~36	1,418.8	96.5	15.5	134.6	65.2	218.4	11.4	1,960.4	21.4
1937	1,586.1	92.3	10.7	147.9	74.6	336.0	80.5	2,328.1	175.5
1938	1,020.7	95.1	9.8	118.5	59.0	213.9	273.6	1,790.5	376.2
1939	1,042.3	91.7	9.6	122.5	73.2	238.6	182.4	1,760.3	312.5
1940	824.8	94.3	6.3	104.7	82.6	216.6	145.6	1,474.4	285.8
1941	574.9	86.6	7.1	91.6	62.9	168.1	67.5	1,058.7	296.6
1942	261.4	59.9	-	62.8	60.5	95.4	43.2	583.1	174.5
1943	172.1	47.1	-	52.3	48.5	50.4	37.9	408.3	121.7
1944	102.8	20.4	-	20.0	43.3	22.8	32.0	241.3	83.3
1945	44.1	11.5	1.8	13.9	27.8	5.6	7.0	111.8	21.9
1946	127.9	12.5	-	28.2	13.9	9.0	10.7	202.2	20.6
1947	266.4	15.8	0.5	26.2	15.1	16.3	13.9	354.2	19.2
1948	273.4	19.1	1.3	24.3	22.4	35.6	22.8	398.8	35.3
1949	345.7	23.2	2.8	36.3	39.0	66.5	38.5	552.0	59.5
1950	517.7	23.4	2.2	71.3	49.6	103.2	86.5	853.9	148.6

자료 : 日本纖維協議會, 『日本纖維發達史』總論編, 卷末 統計表.
주 : *는 기타 섬유혼용의 것

그 결과 예상수입이 급증하여 8월까지의 수입은 1,200만 담에 달하였다. 면사생산은 25%의 조업단축에도 불구하고 매월 32만 곤 이상의 수준을 유지하였으며, 9월에는 35만 곤에 달하여 결국 이 해의 면사생산량은 사상 최고를 기록하였다(<표 11-2>). 7월부터 면화수입환의 허가는 정지되고 9월에는 다음 해 1월까지의 허가규모는 5,000만 엔(약80만 담)이라고 발표하였기 때문에 대일본방적연합회는 10월부터 조업단축률을 높였다. 같은 달 면화·양모수입은 허가제가 되고 다음 달부터는 일본본토용 모사(毛紗)에 '스프'혼용이 의무화되었다.

면화의 수입이 제한되자 면제품의 일본본토 시세가 급등하였고 그 때문에 면포수출량은 9월을 최고로 하고 그 이후 감소하기 시작했다.

<표 11-2> 면사방적업의 개황

연 도	<회사수>불입자본 백만엔		방적추수 천추	면사생산 천곤		방적직공수 명
				상반기	하반기	
1937	<74>	580.2	12,297	1,996.0	1,970.2	165,784
1938	<80>	632.5	11,502	1,293.7	1,258.1	151,067
1939	<79>	659.9	11,647	1,316.6	1,289.2	134,089
1940	<79>	682.1	11,649	1,161.3	900.7	113,821
1941	<59>	735.2	11,420	832.9	604.4	104,507
1942	<47>	750.9	13,110	653.4		-
1943	<12>	640.8	4,167	430.2		-
1944	<10>	909.1	3,593	256.9		-
1945	<10>	1,002.0	2,064	82.7	27.6	-
1946	<10>	1,070.0	2,632	36.8	282.7	37,571
1947	<13>	1,186.3	3,016	392.6	273.2	45,408
1948	<19>	2,264.0	3,457	345.8	337.6	49,696
1949	<35>	8,733.5	3,736	401.6	462.7	51,640
1950	<51>	9,891.1	4,340	557.8	736.5	61,381

주 : 半期생산(1941년은 대일본방적연합회, 『昭和十六年中の紡績業』)
자료 : 1945~1946년은 日本紡績協會, 『日本紡績業の復興』; 1950년은 『紡絲紡績事情參考書』, 各次 ; 기타는 日本紡績協會, 『日本紡績統計』.

이러한 때 상공성은 10월에 면화·면사의 최고표준가격을 설정하는 동시에 다음 해 3월 이래의 면화수입을 월 105만 담 정도로 제한하고 국내소비는 '스프'혼용강제로 억제하며 면제품수출은 적어도 현상유지를 목표로 한다는 방침을 발표하였다. 이를 계기로 면업의 생산·유통·소비는 본격적으로 통제를 받기 시작했다.

면화수입에 대해서는 1938년 1월부터 방련과 일본면화동업회에서 조직한 면화수입통제회가 수입량을 결정하고 방련은 수입량의 60%를 과거의 실적에 근거하여 각 사에 할당하였다. 방련은 1937년 12월부터 '면화느루사용'을 위해 매월의 면사생산량을 결정하고(12월은 275만 5천 곤), 과거의 실적에 근거하여 각 사에 할당하여 이미 무의미하게 된 봉함휴추(封緘休錘)[1]를 폐지하였다. 하지만 1938년 3월부터는 상공성과 면 관계단체에서 조직된 면업수급조정협의회가 매월의 생산량을 수출용·국내용으로 나누어 결정하게 되고 면사생산은 6월에는 20만 곤에 미치지 못하게 되었다. 국내용 면사는 2월부터 군수·특면용(주로 생산자재용)을 제외한 '스프' 등을 30% 이상 혼방할 것이 의무화되고 면제품수출에 대해서는 4월에 방련이 각사에 할당면화 상당량의 수출을 의무화하고 또 관계 8단체가 순면사포의 일본내 유용방지를 신청하였다. 이 사이에 면공업설비에 대해서는 1937년 9월부터 신증설자금의 조달이 사실상 불가능하게 되고 이어서 1938년 2월부터는 신증설 그 자체가 사실상 금지되었다.

면화수입을 제한하고 그 위에 각 단체의 책임으로 면화의 국내에서의 최종소비를 억제하고, 적극 수출용으로 이용하여 외화를 획득한다는 목표는 결국 달성하지 못하였다. 통제의 그물망을 벗어나 일본내지용 거래가 횡행한 결과 면포수출량은 3월부터 5월에 걸쳐 40%나 감소하였다.

2. 면업 수출입링크제

1938년 7월에는 국내 금면(禁綿), 즉 군수·특면용을 제외한 순면·'스프'혼방제품의 제조·판매금지가 단행되어 '올 스프'시대에 들어갔다. 국내용 통제가 강화된 반면 수출에 대해서는 방적과 무역상사에 대해 일종의 자유화정책인 수출입링크제가 실시되었다. 방적 각사는 정해진 군수·특면용 외에 면사를 자유롭게 생산할 수 있지만 그것은 면사 그대로 또는 자사 내지 임직업자에 의해 가공된 다음 의무적으로 엔블록 이외로 수출해야 하고, 수출조합원에게 인도할 때(2개월 이내에 수출의무, 면사는 12월에 3개월로 연장) 그 원면량에 따라 면화의

1) 방적회사의 조업단축으로 방추운전을 쉼.

수입환을 허가했다.

이에 앞서 3월부터 일본양모공업회와 일본양모수입통제협회의 협의안에 근거하여 양모제품의 링크제가 실시되었으나 여기서 링크의 주체는 수출상이고, 또 임직(賃織)도 규정되지 않은데 반해, 면업의 경우에는 방적에 대해 단체가 아니라 개인(기업)이 링크의 주체가 되었고 이에 따라 방적회사는 무거운 책임과 커다란 자유를 동시에 부여받게 되었다. 이와 같이 링크제는 방련이 강력하게 희망하는 바였고, 상공성측도 내지유용 등 빈약한 통제력을 드러내고 있던 일본 면직물공업조합연합회(면공련) 중심의 단체링크의 효과에 의심을 품고 방련의 통제력과 방적회사의 실력에 기대를 걸고 정책을 전환한 것으로 추측된다.

산지 기업(機業)은 설비에 대해 할당된 특면용 이외에는 방적의 임기로서만 생산할 수 있게 되었고, 상공성 지원하에서 방련으로의 대응력을 강화시켜온 면공련도 일시에 통제업무를 상실한 다음 임직 알선과 특면용사 배급만을 하는 기관이 되었다. 수출입링크제는 수입펄프에 의존하는 레이온 사(1938년8월)·레이온 직물·'스프'(모두 10월)에도 적용되었다. '스프'를 본격적으로 생산하기 시작한 것은 1933년이지만, 1936년의 일본·호주 통상분쟁에 따라 호주양모불매를 계기로 양모·면의 대용품으로서 주목되고 1937년 5월에는 '스프'직물의 소비세가 면제되고 9월의 설비자금규제에서도 군수가 많은 아마방직과 함께 우대조치를 인정받았다. '스프'설비는 급증하여 일찍이 1937년의 생산량은 독일 다음의 제2위에 도달하였으며, '스프'혼용강제·국내 금면에 의해 1938년의 생산은 두 배로 증가하였다(<표 11-1>). 그러나 애국섬유인 '스프'도 원료 펄프의 태반을 수입에 의존하고 있었기 때문에 링크제의 대상이 되었다.

링크제가 적용되지 않은 것은 마와 견이었다. 모든 마 공업회사는 중일전쟁이 일어난 지 얼마 뒤에 범포·화물자동차 복포(覆布)·로프

·도화선 등 군수품의 원료공급자로서 군관리공장으로 지정되어 설비의 증강을 도모하였으며, 그 원료재배도 홋카이도·조선·만주 및 점령지에서 확대하려고 한 결과, 마사(麻絲)생산은 1940년까지 증가하고 있었다(<표 11-1>). 생사는 원료가 전면적으로 국산화되어 수출이 그대로 외화벌이가 되기 때문에 정부는 고치생산과 동남양용(東南洋用) 수출에 조성금을 교부하는 등 수출확대를 추구하였으나, 수출시장에서 레이온과의 경쟁, 다른 섬유의 통제강화에 따르는 국내소비의 증가 때문에 수출량은 감소하는 추세였다. 또 수출시장에서 경합하는 중국생사에 대해서는 화중잠사주식회사(1938년 설립)를 통해 통제하려고 하였으나 그 지배력은 한정적이었다. 제2차 대전이 발발한 1939년에는 가격경기가 생겨 수출액은 5억 엔대에 달하였기 때문에 정부는 이러한 경향을 촉진하기 위해 1940년 1월부터 국내용 생사에도 배급제를 실시하여 내수를 억제하려고 했다.

면업링크제의 실시는 면무역수지의 개선이라는 점에서는 기대할 만한 정도는 아니었지만, 당장은 일정한 효과를 가져왔다. 면사생산은 1938년 7월 이후 간신히 20만 곤 수준을 회복하고 면포수출량은 8월부터 증가로 바뀌어 12월에는 연내 최고가 되고, 이 해의 면 무역수지(면잡품을 포함)는 1937년 1억 5,345만 엔의 적자에서 1억 2,919만 엔(대제3국 9,026만 엔)의 흑자로 돌아섰다.

그런데 이 제도는 당초 급매에 따른 수출단가의 하락, 회전이 빠른 생지면포생산으로의 편향이라는 폐해를 가져왔다. 이는 1938년 하반기, 1939년 상반기에 면포의 수출단가가 크게 떨어지고, 또 생지면포가 35% 이상을 차지하였기 때문이다(<표 11-3>). 또 수출업자 인수제(引受濟)로 미수출의 면포체화라는 문제를 초래했다. 일본면사포수출조합연합회(면수련)의 재고는 방적회사 재고와 함께 계속 증가하여 1939년 6월말에는 이 둘을 합쳐, 전년 수출의 4.7개월분인 8.5억 평방야드에

달했다. 그러나 9월에 제2차 대전이 발발하자 일시적이지만 수출이 호
전되어 연말에 이르러 면포수출이 늘어나, 그 결과 이 해의 면 무역수
지는 1억 5,522만 엔(대제3국 1억 2,802만 엔)으로 전년을 약간 상회하
였다. 다만 1940년에 이르러 수출이 감소하고 3월에는 면포재고가 방
적회사분을 포함, 9억 평방야드를 넘게 되어 제2차 세계대전의 전개를
유심히 살펴온 방련에게는 방치할 수 없는 상황이 나타나게 된 것이
다.

<표 11-3> 면포수출의 동향

연도	생지	표백무명	가공	합계		(대제3국)	
				백만평방야드	천엔	백만평방야드	천엔<단가>
1937상	358.1(28.4)	324.1	577.5	1,259.9(100)	269,453	1,057.9	219,940<208>
하	452.3(32.7)	324.3	607.3	1,384.0(100)	303,610	1,210.6	256,656<212>
38상	412.2(37.7)	274.2	407.0	1,093.4(100)	220,554	804.7	149,446<186>
하	416.7(38.3)	236.2	434.4	1,087.3(100)	183,685	1,072.0	175,485<164>
39상	396.3(35.5)	224.7	495.0	1,116.1(100)	182,893	1,094.6	173,063<158>
하	456.4(34.3)	291.4	581.4	1,329.3(100)	221,053	1,303.3	210,007<161>
40상	282.9(30.9)	218.9	412.7	914.6(100)	196,432	879.1	184,999<210>
하	285.8(30.4)	228.9	424.7	939.4(100)	202,705	882.8	171,260<194>
41상	253.3(30.5)	205.8	370.5	829.6(100)	201,390	773.4	176,267<228>
하	39.6(20.9)	66.9	82.8	189.1(100)	82,790	107.3	28,379<264>

자료 : 『綿絲紡績事情參考書』各次, 『大日本外國貿易月表』各号.

3. 링크제의 종언

방련은 1940년 5월부터 수출용 면사생산량을 월16만 곤(7월부터는
12.5만 곤)으로 제한하고 각사의 실적에 따라 할당하는 것으로 하였으
며, 9월 이래에는 이를 관민협의회에서 결정하는 것으로 하였다. 수출
용 면포에 대해서도 7월에 방적과 임직이 반씩 생산하기로 결정하고,
여기서 방적은 수출용에서도 조업의 자유를 상실하여 링크제는 실질

적으로 종지부를 찍게 되었다.

1940년 6월 영국의 환관리 강화로 파운드결제가 곤란하게 되자 이에 대응하여 정부는 대(對)파운드블록 수출환취급을 허가하지 않기로 방침을 결정하여 면포수출의 6~7할을 차지한 대파운드블록 수출은 이제 불가능하게 되었다. 누적된 재고(6월 1.4억 평방야드)에 대해서는 7월에 방적 각사의 공동출자(2,000만 엔)로 조직된 대일본수출면사진흥조합과 면수련이 각각 방적분과 상사분을 매입하였는데, 전자의 연말 저장고는 2.4억 평방야드를 넘어섰다.

재고의 비축이 늘어나는 가운데 1940년 하반기 이래, 특히 1941년 초 봄에 이르러 면포수요제국에서 점차 소유면포가 고갈하고, 그 시장 범위는 제한되었으나 어쨌든 반동적으로 실질수요가 나타나는 상황이 되었다. 1940년 하반기의 면포수출량은 상반기보다 3% 증가하고 결국 동년의 면 무역수지는 1억 917만 엔의 출초가 되었다. 1941년 상반기는 양은 줄었지만 단가가 상승하였기 때문에 액수는 거의 전기와 같았다(<표 11-3>).

그러나 대일자산동결로 제3국 무역은 소멸하고 1941년 하반기의 면포수출량은 상반기의 4분의 1이하로 격감하였다. 수출체화는 대일본수출면사포진흥조합과 일본면사포수출조합(1941년 3월, 면수련을 개조)에 의해 다시 1941년 여름과 1942년 봄에 매상되었으나 1942년 말 이러한 것들은 중요물자관리영단(4월 설립)에 인수되고 이에 더해 다음해 6월 동 영단과 무역통제회가 일체화되어 교역영단이 발족하여 이를 인수하였다. 교역영단의 매입면포는 1943년도 10.2억 평방야드, 1945년도까지 합계 11.0억 평방야드에 달하였으나, 이러한 것들은 공영권 내의 교역과 군수・민수에 충당되었다.

생사의 경우는 제3국 수출의 전망을 상실하자 1941년 5월 반관반민의 일본잠사통제주식회사가 설립되어, 일정한 생산계획하에서 잠사의

독점매매를 행하게 되었으나, 원료고치생산은 식량생산으로 전환됨에
따라 급감하였다.

4. 무역의 단절과 통제

대일자산동결 이래 기대할 수 있는 것은 오로지 중국점령지로부터
오는 것뿐이었다. 그러나 그 일본 측 수매는 여러 가지의 수단을 강구
하였음에도 불구하고 그 난맥상을 드러내어 1941년산의 경우 290만 담
이 되었으나, 1942년도에는 265만 담, 1943년도에는 강제력을 포함한
'행정수매'를 하였음에도 불구하고 146만 담으로 줄어들고 1944년도에
는 71만 담으로 감소하였다. 게다가 전황의 악화에 따라 대일수송이
어려워져 중국면의 수입은 급격히 감소하였다. 이에 따라 면사생산도
크게 줄어들지 않을 수 없었다(<표 11-2>).

방적업이 외화획득의 기능을 상실하자 기업통합과 공장의 군수전용,
기계의 공출이 진행되었다. 1940년 11월부터 1941년 3월에 걸쳐 조업
률이 저하된 가운데 경영합리화를 목적으로 50만 추 규모로의 통합이
이루어져, 76개사는 14블록으로 합병 내지 통합되었다. 1941년 8월에
는 각 블록 가운데 우수설비 50% 이내를 조업공장으로 하고, 30% 이
내를 휴지공장 나머지를 폐쇄공장으로 하는 방침이 결정되었다.

이즈음부터 합리화보다는 전용과 공출로 중점이 이동되었다. 1943년
1월 14일 블록대표와 상공성 사이에 1회사 100만 추로 통합하고 조업
공장을 30%로 줄이며, 폐쇄공장은 20% 증가시키는 방침이 결정되었
다. 그 결과 34개사가 전폐업에 내몰려 규모에 큰 차이가 없는 10사의
형태를 갖추게 되었다(<표 11-4>).

1941년 말 산업설비영단이 발족하자 1942년을 제1차로서 4차에 걸
쳐 방기(紡機)의 공출이 실시되었는데 그것은 전 추수의 64%에 달하는

것이었다. 매상가격은 설철의 시가에 따르고 대금은 등록국채로 교부
되었다. 또 방기의 남방이주가 계획되었으나 거의 실현되지 못하였다.

<표 11-4> 각사 면방적 방추수의 동향 (1000추, %)

1937년 6월		1943년 a)		1950년 6월	
동양	1,622.9(13.5)	동양	1,872.0(15.4)	동양	482.2(12.4)
종연	1,113.1(9.3)	오우	1,585.9(13.0)	대일본	462.5(11.9)
대일본	1,068.4(8.9)	대일본	1,414.4(11.6)	오우	429.8(11.1)
후지	673.2(5.6)	종연	1,312.0(10.8)	종연	405.1(10.4)
일청	532.6(4.4)	부도	1,165.6(9.6)	부도	343.4(8.8)
창부	527.1(4.4)	대화	1,145.2(9.4)	후지	325.3(8.4)
오우	496.0(4.1)	창부	1,001.8(8.2)	대화	307.2(7.9)
금화	494.8(4.1)	후지	996.0(8.2)	창부	303.8(7.8)
복도	371.1(3.1)	일청	892.4(7.3)	일청	288.0(7.4)
안화전	320.9(2.7)	일동	777.3(6.4)	일동	184.6(4.8)
계<72>	12,028.6(100.0)	계<10>	12,163.0(100.0)	계<35>	3,885.4(100.0)

주 : a)는 『日本紡績月報』 4号 ; 『綿絲紡績事情參考書』, 各次.
< >은 회사수. a)는 1941년의 방추수를 기초로 한 것.

1942~1944년도의 섬유산업 전체로서의 공출계획은 총 철량 69.5만
톤에 달하고 그것은 기존설비의 69%에 달하였다. 다만 군수가 많은 방
모(紡毛)는 18%에 머무르고, 또 마는 1944년에 들어서 비로소 마방(麻
紡) 1,000톤, 마직기 500톤을 공출하라는 명령이 하달되었다.

통제조직으로서는 1942년에 면'스프', 인견·견, 양모, 마의 4개 통
제회가 설치되었으나 1943년 10월 이러한 것을 하나로 한 섬유통제회
가 발족하였다. 그러나 섬유통제회가 할 수 있는 일이란 희생산업이
된 섬유산업의 기업정비를 실행하는 것뿐이었다.

물동계획에 대한 실제의 면화할당량은 1941년의 2.4억 파운드에서
1942년 1.2억, 1943년 1.2억, 1944년 0.96억 파운드로 감소하였으나 군
수의 수준은 유지되었기 때문에 그 비중은 27%에서 46%, 55%, 64%로

과반을 차지하게 되었다. 다른 섬유의 1944년에서의 비중은 모 95%, '스프' 4%, 레이온 27%, 견 69%, 견 단섬유 62%, 섬유합계에서 65%를 넘었다. 1942년에는 육군, 다음으로 해군도 관리·감독공장의 지정을 확대하여 통제회를 통하지 않고 섬유를 확보할 수 있게 되었다. 동시에 공장 자체의 무기제조공장으로의 전용이 크게 진척되었다.

결국 기업정비 전의 면방기 1,322여 만 추 가운데 공출로 64%, 해외이주용으로 9%, 전용·전적으로 2%, 전재로 5%를 상실하고, 패전 시의 조업가능설비는 269만 추로 줄어들었다.

제2절 민간수요의 통제

1. 면제품 사용제한에서 의류전표제로

국내로의 면제품 공급에 대해서는 1938년 2월 '스프'혼방이 의무화되었으나, 7월부터는 혼방을 포함하여 모든 면제품의 국내공급이 원칙적으로 금지되고 공급은 군수·특면에 한정되었다. 특면에는 생산자재용(범포·절연용포 등)과 국민생활용(노동작업복·위생용품 등)이 있었지만 모두 특정한 사람에게 특정의 목적으로 배급되고 1940년 4월 이래는 전표제가 되었다.

면사생산이 감소하는 가운데 이미 1941년에는 군수·특면용 생산할당(순면사)이 생산의 과반을 차지하였지만, 이후는 할당축소보다도 생산의 감소속도가 더 빨라 1943년이 되면 생산이 군수·특면할당도 감당할 수 없을 정도가 되었다(<표 11-5>). 군수는 매년 특면을 상회하고 있고 축소의 속도도 특면 쪽이 더 빨랐다. 더구나 1943년에는 생산자재용이 국민생활용을 상회하였다. 결국 우선순위는 명확하게 군수, 생산자재용 특면, 국민생활용 특면의 순이었다.

<표 11-5> 섬유국내공급의 추이

연도	순면사생산a)	군수·특면용순면사b)		섬유국내공급 c)	
				면제품	합계
1934~36	1,418.8			438.3 <6.4>	867.3 <12.6>
1937	1,586.1	군수	특면	620.4 <8.9>	1,109.8 <15.8>
1938	1,020.7	*52.2	*45.7	423.2 <6.0>	985.8 <14.0>
1939	1,042.3			223.4 <3.2>	752.3 <10.6>
1940	824.8	생산할당		246.7 <3.5>	784.9 <11.0>
1941	574.9	175.4	144.5	310.6 <4.3>	697.9 < 9.7>
1942	261.4	134.6	95.8	320.0 <4.4>	617.4 < 8.5>
1943	172.1	90.4	60.9	241.7 <3.3>	472.7 < 6.4>
1944	102.8	77.2	53.5	126.6 <1.7>	276.0 < 3.7>
1945	44.1	-	13.6	53.9 <0.7>	136.5 < 1.9>
1946	127.9			77.6 <1.0>	158.7 < 2.1>

주 : a)는 표-1, b)는 『日本紡績月報』, c)는 通商産業省纖維通商局, 『戰後纖
維産業の回顧』.

　　1942년 2월 종합의류전표제가 실시되어 소비규제는 섬유 전반에 미
치게 되었다. 다만 종래에는 특면에 한정되었던 면제품의 경우 제한
소전표가 필요했으나 일반인도 구입할 수 있게 된 측면도 있다. 동년
의 섬유소비는 전년보다도 축소된 가운데 혼방사·갱생사분(更生絲分)
을 포함한다고 하지만 면제품 소비는 약간이지만 증가하게 되어 동년
의 생산분을 조금 상회했다. 제3국 수출의 전망이 완전히 사라진 가운
데 재고가 방출되기 시작했다.

　　그런데 전표점수는 도시부 100점, 농촌부 80점이었으나 실제로는 전
부 자유롭게 사용된 것은 아니고, 대정익찬회·대일본부인회 등에 의
해 의류전표절약운동이 전국적으로 전개되었다. 요코하마시에서는 시
장상 수여를 조건으로 인조(隣組)단위의 전표절약경쟁을 장려하여
2,252조(세대원 14만 4,380명)가 여기에 참가했다. 1인 평균 63.8점의 인
조가 제1위였고, 참가 인조의 남은 전표평균은 25점에 달하였다고 한
다. 이와 같은 자주적 절약에 입각하여 1943년 1월 정부는 의류점수를

거의 25% 인상하여 절약을 강제적으로 제도화했다.

1943년 6월 일본정부는 전시의류생활간소화 실시요강을 결정, 소폭 직물 1반 길이의 단축, 염색의 간소화, 국민복·부인표준복의 장려 등을 결정하고, 8월에는 제품의 종류·규격을 단순화하여 그 이외의 제조를 금지했다. 또 당초는 다른 제품 점수의 4분의 1이었던 견제품의 특례를 폐지했다.

1943년 12월 도시봉급생활자 51명을 대상으로 행한 주부의 생활시간조사에 의하면 직물, 수선, 편물에 소비하는 시간이 평균 3시간을 넘고, 더구나 수선이 전체의 80%를 넘었다. 또 희망사항에 의류가 질기고 튼튼했으면 좋겠다는 의견이 많았던 것처럼 배급품의 조악한 질은 심각한 정도였다.

2. 배급의 축소

원료·자재의 결핍이 심각성을 드러내는 가운데 1944년도에 이르러 국민생활용의 생산은 노무자용·위생용 등에 한정되고 수선 등에 의해 소유 의류품을 고도로 활용하고 의생활을 철저히 간소하게 해야 한다는 방침이 나왔다. 의류전표는 30세 미만은 50점으로 반감, 더 나아가 30세 이상에 대해서는 세대가 가진 사장품(死藏品)도 상당히 있을 것으로 보고, 40점으로 축소되었다. 이와 함께 섬유통제회도 '화양(和洋) 이중생활의 일원화', '사계 의류의 이계화(二季化)', '방공복장의 상용' 등의 지도방침을 결정했다. 그러나 동년 5월 후생대신 관방 총무과장은 "속옷의 파손이 심하고 또 종래 퇴장되었던 것도 거의 소비되었으며, 광공업노무자, 농업종사자 및 기타 노무자의 구별없이 작업복이 매우 부족하다"는 보고를 하고 있다. 1942년 일본의 의류 배급계획량은 4파운드인데 대하여, 1943년에는 2파운드, 1944년에는 1파운드로 해가 갈수록 감소했다.

일본의 의류전표제는 독일(1939년 11월), 영국(1941년 9월)을 참고한 것이지만 독일에서는 1943년의 직물생산은 4년 전에 비해 17% 정도 줄어든 것에 머물렀고, 재고도 많았기 때문에 공습이 본격화되기 이전에는 직물부족이 그렇게 심각하지는 않았다고 한다. 또 영국에서는 전표제를 실시한 지 2년만에 기성복을 사는 데에 반년분 정도의 전표가 필요하였던데 비해, 일본에서는 전표의 8분의 7이 필요하였다는 약간의 차이가 있었다. 그런데 1944년이 되면 영국여성은 6.5켤레의 양말을 얻은 데 대해, 일본에서는 1켤레밖에 입수하지 못하게 되어 차이가 커졌다. 1945년도에 들어서는 생산계획이 극도로 축소되어 시민은 내구력이 약한 대용품을 사용하게 되고 면직물은 입지 못하는 상황이 되었다.

더구나 전표제 개시 당시 3억 2,000만 반(反) 이상이었던 판매업자의 재고는 6,800만 반으로 줄어들었기 때문에 이미 일반으로의 배급계획은 세우지 못하고 전년도에 사용하다가 남은 전표만을 유효한 것으로 하고 신년도의 전표교부는 중지되기에 이르렀다. 전쟁피해자, 식량증산을 담당하는 농산어촌에 간신히 특별배급을 하고 임산부 · 유아 등에 대한 특수 의류전표를 교부하는 데 머물렀다.

제3절 통제하의 자본

1. 링크제 전후의 경영성적

면방적 회사의 순익률(불입자본에 대한 연수익률)은 전전(1934~1936년) 평균 16.3%였으나 1937년에는 원면 수입규제가 초래한 매입선풍으로 인해 상하반기 모두 이를 능가했다(<표 11-6>). 링크제 이행에 따른 면제품의 생산축소와 연불수출에 의한 채산악화를 반영하여 1938년 하반기에는 전전 수준보다 떨어지고 1939년 상반기까지 계속 하락했다. 다만 실질순익지수에도 나타난 것처럼 하락의 정도는 작았는데 그것은 제한되었다고는 하지만 국내용 가격이 상당한 이익을 보증하였기 때문인 것으로 보인다.

<표 11-6> 대불입자본 순익률(대사용자본순익률)의 동향 (단위 : %)

연도		동양	종연	대일본	3대방 계	6사 계	전 사	
							<사>	순익률
1937	상	22.3(8.0)	38.5(6.1)	17.5(7.1)	25.0(6.9)	18.3(7.6)	<67>	18.4[104]
	하	23.4(8.6)	32.8(6.2)	16.4(6.4)	23.9(6.9)	16.6(7.6)	<72>	17.6[113]
1938	상	20.9(7.8)	29.7(5.6)	13.7(5.6)	20.1(7.2)	17.2(7.7)	<76>	16.3[105]
	하	20.9(7.7)	22.3(5.0)	16.8(6.6)	18.2(5.6)	15.6(6.7)	<75>	15.8[104]
1939	상	20.8(7.6)	24.3(5.4)	17.1(6.5)	20.8(6.3)	15.7(6.7)	<72>	15.7[97]
	하	20.9(7.5)	23.9(4.9)	19.5(6.9)	21.5(6.1)	16.2(6.7)	<72>	17.3[99]
1940	상	23.8(7.0)	28.2(5.5)	22.2(7.3)	24.8(6.4)	17.0(6.7)	<72>	18.6[105]
	하	26.2(6.7)	47.1(8.1)	26.8(7.9)	33.6(7.6)	19.4(6.7)	<72>	22.6[130]
1941	상	27.1(7.2)	60.3(10.2)	22.7(8.1)	35.5(8.7)	14.6(5.7)	<52>	22.6[122]
	하	26.8(6.8)	36.5(5.9)	14.0(4.9)	24.9(5.9)	16.5(6.4)	<55>	21.5[122]
1942	상	24.9(6.4)	31.8(5.0)	15.6(5.6)	23.5(5.5)	15.8(6.2)	<13>	19.0[78]
	하	22.7(5.8)	19.9(3.1)	14.1(4.9)	18.6(4.3)	14.1(5.5)	<13>	17.5[72]
1943	상	22.6(5.6)	19.9(3.0)	13.7(4.5)	18.4(4.2)	14.1(5.0)	<13>	16.7[65]
	하	22.4(5.3)	31.0(4.4)	13.3(4.3)	21.7(4.6)	17.6(5.4)	<13>	16.3[61]
1944	상	15.4(4.5)	13.3(3.8)	10.8(3.3)	13.3(3.8)	15.1(4.7)	<11>	12.4[58]
	하	14.2(4.4)	17.3(4.2)	20.6(5.7)	17.2(4.6)	14.0(4.1)	<11>	13.2[60]
1945	상	13.0(3.6)		20.4(5.3)	16.0(4.3)	20.4(6.1)	<11>	13.1[51]

자료 : 高村直助, 「民需産業」, 大石嘉一郎編, 『帝國主義史 3』, p.225에서 작성.

주 : 1) 6사는 富士, 日淸, 倉敷, 吳羽, 錦華, 福島.

주 : 2) 사용총자본은 총자산－미불입자본. 순이익금에는 납세적립금을 원칙적으로 포함하지 않는다, 프리미엄 수입 등 임시이익금을 포함하지 않음. 순이익률은 연율. [ ]은 실질순이익지수이고 순이익금은 일은 동경도매물가지수(34～36년＝100)으로 디플레이트한 것.

국내용 면사에 대해서는 1937년 10월, 1938년 1, 2월 인도의 최고표
시가격(20수 1곤 230엔)이 결정되고 이후 6월(216.5엔)까지 매월 개정되
었는데, 6월 이래는 '원료비 이외에 대해서는 1938년 이래 고정', 결국
원면시세의 변동만을 감안하여 개정하도록 했다. 그러나 당초의 표준
가격 결정 때에는 당시의 고급 수지면(手持棉)을 기본으로 한 다음, 면
사생산액 축소를 예상하고 1곤 당 이윤을 매우 높게 견적한 방적측의
주장이 받아들여진 결과, 고비용하의 중소방적이라 해도 충분히 이것
으로 채산을 맞출 수 있는 것으로 예상되었다. 동양방의 쇼지 오토기
치(庄司乙吉) 사장은 1939년 상반기 성적에 대해 수출용 제품의 시가
는 대개 채산점 이하이고 상당히 곤경에 처해 있다고 하면서도 국내용
에서는 언제나 상당한 이익을 보고 있다고 했다.

1939년 하반기부터 순익률은 전전 수준을 상회할 정도로 상승하였
고 1940년 하반기·1941년 상반기에는 20%를 넘는 수준이 되었으며,
실질 순익지수도 1940년 상반기에 전전수준을 넘어 하반기에는 최고
에 달하였다. 1939년 하반기에는 제2차 대전이 발발함에 따라 수출이
활발해졌으나 이는 일시적 것으로 끝나 연말 이래 체화가 증가하였다.
하지만 체화의 처분이 마무리된 것과 때를 맞추어 1940년 하반기·
1941년 상반기에 다시 수출 붐이 일어났다.

2. 3대방과 6사

태평양전쟁기에 10사의 상태를 중심으로 조사된 경영성적을 3대방
과 6사('스프'중심의 일동방적은 제외)와 대비하면서 살펴보자. 쌍방의
수익률(사용총자본에 대한 연순익률) 평균은 1940년 상반기까지는 3대
방이 6사를 하회하고 있다(<표 11-6>). 1930년대 중반까지의 기술혁신
기에 3대방은 오히려 뒤늦은 때가 많았다는 지적이 있는데, 이는 위의

사실을 반영하고 있다고 볼 수 있다. 노동생산성에 대해서 방적에도, 직포에도 오우·일청·금화 등은 높은 수준을 보여 주고 6사 합계는 3대방 합계를 훨씬 상회하고 있다(<표 11-7>).

<표 11-7> 각사의 노동생산성(1937년 6월)

회사명	방적				직포			
	노동시간	여공임금	노동생산성		노동시간	여공임금	노동생산성	
	시	전	돈		시	전	평방야드	
동양	17	79.0	615.3		17	79.0	17.19	
종연	17	93.0	635.4	634.0	17	93.7	13.75	15.67
대일본	17	87.1	661.2		17	86.1	16.01	
후지	17	85.4	708.9		17	86.4	17.64	
일청	17	91.0	787.3		17	90.0	19.00	
창부	17	75.0	585.8	701.7	17	74.0	14.69	18.38
오우	17	90.1	957.6		17	90.0	21.94	
금화	17	88.8	642.2		17	89.5	18.77	
복도	13 : 27	79.3	585.8		15 : 01	76.6	14.57	

자료 : 『紡績統計別表』.

후지방적 오사카 주재원의 보고는 오우 방적의 경우 "최근에 동사의 진출이 특히 눈에 띄어 산하에 전부 신공장을 갖고 있으며", 금화방적의 경우 "이미 정예화·합리화를 완료하고 특히 금조(金烏) 40호 등 양질의 제품을 가지고 시장에서 호평을 독차지하고 있다"고 기술하고 있다. 그러나 3대방은 과거의 고이윤을 기초로 자본구성에서 내부자금이 많고 불입자본이 적다는 사실에 기초하여 우위성을 유지하고 있고(<표 11-8>), 그 결과 순익률에서는 6사와의 사이에 격차가 확연하여 거의 20%를 상회하는 수준에 있었다.

다음으로 1939년 하반기 이래이지만 3대방의 6사에 대한 수익률 격차가 줄어들었고 1940년 하반기·1941년 상반기에는 능가하게 된 것이 주목된다. 그 이유로서는 다음의 몇 가지를 들 수 있다.

(1) 수출가공면포의 우위. 링크제 실시 당초에는 수출실적확보를 위해 생지면포 그대로의 급매가 눈에 띄었으나 링크면을 확보하는 것이 어려울 것으로 예상됨에 따라 그와 같은 경향은 진정되고, 1940년 상반기 이래에는 표백무명·가공면포가 거의 70%를 차지하게 되었다(<표 11-3>). 가공설비에 있어서는 3대방이 우위에 있고, 이 시기 그것이 제대로 발휘된 것으로 보인다.

(2) 재화방의 호성적. 1937년 하반기부터 1938년 하반기에 걸쳐서는 중일전쟁의 개전에 따른 설비손해의 상각을 위해 결손을 내는 회사도 있었지만, 청도공장이 완전히 부흥된 1939년 상반기부터는 좋은 성적을 냈다. 동년 하반기~1942년 상반기 각각의 대 불입자본이익률 평균은 60%를 상회하고, 특히 1940년 하반기에는 124%에 달하였다. 재화방의 중심은 3대방(계)이 차지하여 1940년 4월의 중국본토의 방추수(상사계의 상해방직을 제외) 가운데 자가추의 45%, 민족방을 접수한 군관리·위임경영공장추의 59%를 차지하였다. 그 때문에 1939년 상반기 이래 동양방 순익의 10% 이상을 자회사인 유풍방의 배당이 차지하게 되고, 대일본방에서도 재화방의 이익이 중일전쟁하의 회사 전체의 업적에 크게 기여했다는 점을 인정하고 있다.

(3) 비밀이익의 계상. 회사경리 통제령(1940년 10월)이 배당을 자기자본의 8% 이하로 제한한 데 대응하여, 비밀이익을 계상하여 적립금을 증강하는 움직임이 보였다. 종연방은 1940년 하반기, 전기보다도 700만 엔 많은 이익금을 계상하고 1,000만 엔을 적립하였다.

3. 3대방에서 10사 형태로

1941년 7월의 자산동결 이후 제3국 수출은 철저히 단절되고, 면의 경우 수지면화와 중국면에서 군수·특면용의 생산이 간신히 계속될

뿐이었다. 순익률은 1942년 상반기에 20%를 하회하였고, 1944년 상반기부터는 10%를 약간 상회하는 정도였다. 수익률에서는 1941년 하반기 이래 다시 3대방이 6사에 미치지 못했고, 거의 모두 5%대 이하의 수준으로 떨어졌다. 여기서 주목되는 것은 순익률에 있어서도 쌍방의 격차가 축소하고 있는 것이고, 특히 1944년 상반기·1945년 상반기에는 역전하고 있다. 이것은 3대방의 자본구성상의 우위가 상실되고 10사의 그것이 평준화되었다는 것을 반영하고 있다.

1940년 하반기에는 3대방의 불입자본비는 6사보다 14%나 떨어지고 있지만, 이후 1944년 상반기에 걸쳐 전자는 상승, 후자는 하락하고 그 차이는 5%로 줄어들었다(<표 11-8>).

<표 11-8> 자본구성의 추이 (%)

항목	1937년 상		1940년 하		1943년 상		1944년 상	
	3대방	6사	3대방	6사	3대방	6사	3대방	6사
불입자본	27.6	41.7	22.8	37.0	22.6	35.6	28.8	34.1
내부자본	37.1	25.6	34.0	22.0	30.2	21.4	16.6	20.1
							재평가적립금	
장기부채	13.2	12.5	23.3	10.9	24.8	8.1	3.5	6.7
유동부채	22.1	20.2	19.9	30.1	22.4	34.8	51.1	39.1
고정자산	55.0	57.9	39.5	50.9	27.8	34.0	20.5	24.8
유가증권	7.1	13.7	14.9	14.0	17.8	20.5	25.2	28.6
예금현금	9.2	6.3	10.8	6.7	9.0	11.0	7.2	9.1
기타유동자산	28.7	22.1	34.8	28.4	45.4	34.5	47.1	37.5
자산부채합계a)	100	100	100	100	100	100	100	100
	백만엔						억엔	
	656	272	952	455	1,032	704	1,847	863

자료 : 1944년에는 각사 『營業報告書』, 기타는 三菱經濟硏究所, 『本邦事業
　　　成績分析』.
주 : a)미불입자본금은 제외.

6사의 불입자본비가 떨어진 주원인은 백만 추 단위로의 기업통합방

식이었다. 즉, 백만 추를 넘는 거대기업화를 피하고 각사의 기업규모를
균형적인 것으로 만드는 데 유의한다는 방침이 취하여졌기 때문에 통
합은 하위의 6사에서 활발해지고, 또 그 때 거의 모두가 기계의 매수라
는 수단을 채택했다. 예를 들어 1944년 상반기에 6사 중에 불입자본비
가 가장 낮은 창부방(22%)은 제2차 통합에서는 동해방·덕도방·일질
화학의 15.6만 추를 매수하여 100만 추의 경영단위를 확보했다. 한편 3
대방에서 불입자본비의 증가가 가장 큰 것은 종연(1940년 상반기
19.4%→1944년 상반기 27.6%)인데, 이렇게 된 주요인은 자매회사인 광
업·중공업·화학·펄프·제지 등을 경영하고 있던 종연실업과 1944
년 2월 합병하여 종연공업이 된 점에 있었다. 결국 시국산업을 내부에
흡수함으로써 자본구성이 완전히 바뀐 것이다. 그리하여 3대방은 자본
구성상의 우위를 태평양전쟁기에 상실했다.

또 기업정비가 전후에 남긴 유산은 10사 형태 외에 면방적 각사가
섬유종합제조사화 되는 것이 촉진된 점이다. 기업정비의 결과 1942년
6월에는 각종 설비에서 면방적사의 비중은 레이온에서 45%(정비 이전
22%), '스프'에서 49%(32%), 화섬방에서 76%(55%), 견사방에서 78%, 유
모방(梳毛紡)에서 72%(26%)로 높아졌다. 타 섬유로의 면방적의 적극적
진출에는 거액의 소유자본이 산업통제의 강화와 원면부족에 의해 동
종 산업권 내에서의 투자대상을 상실하였다는 사정이 있었다.

4. 무역단절 하의 경영성적

그런데 수익률이 저하경향을 보이기 시작한다고 앞서 말하였으나
이를 다른 각도에서 보면 면사생산이 1941년부터 1944년에 걸쳐 5분의
1 이하로, 더 나아가 다음 해에는 그 반 이하로 감소하고 있다는 사실
인데(<표 11-2>), 그 하락의 비율이 그렇게 큰 것은 아니었다. 10사(및

내외면)와 그 모체의 실질순익지수도 계속 하락하고 있었음에도 불구
하고 1945년 상반기의 경우 1941년 상반기의 약 절반 정도의 수준을
유지하였다(<표 11-6>). 그 이유로서는 다음의 몇 가지를 들 수 있다.

(1) 공정가격으로의 보상제도 도입 : 국내용 면사의 공정가격은 1938
년 6월 이래 원면 대 이외에 대해서는 고정되었고 물가상승에 따라 채
산은 악화되었다고 생각된다. 대일자산동결에 의해 원면의 제3국으로
부터의 수입전망이 없어졌기 때문에 1941년 12월에 면사가격은 377.5
엔으로 공정되었다. 업계에서는 "이 개정에 의해 방적업이 받는 이익
은 여러 조건으로부터 볼 때 아마도 간신히 채산이 맞거나 혹은 경우
에 따라서는 적자인 것으로 보인다"고 평가했다.

1943년을 전기로 하여 종래의 소비면에 중점을 둔 저물가정책에서
증산을 자극하기 위한 이윤보상적 가격정책으로 전환되었다. 하지만
같은 해 7월에는 생산원가가 앙등하여 채산이 극히 나빠지고 기업정비
때에도 손해를 보고 있다고 해야 할 정세였기 때문에, 정비 후 합리적
생산조건에 근거한 적정가격으로서의 면사가격은 405엔(그 가운데 이
윤 27.15엔)으로 인상되었다. 업계에서는 기업정비에 의한 압박하에서
공비(工費)인상 기타 등에 의하면 과연 방적업 그 자체에 실질적으로
좋은 영향을 줄 수 있을까 의문이라고 평가하고 있지만, 대일본방 상
무회에서는 12월 영업성적이 일본본토를 통해 처음으로 적자를 내고
있다고 보고하고 있는데, 이는 11월까지는 흑자였다는 이야기도 된다.

잡섬유를 중심으로 섬유의 비상증산이 문제가 된 1944년에는 8월에
공정가격이 547.3엔으로 인상되고, 기준가공임 113.37엔(그 가운데 이
윤 30.66엔) 외에 보상금 130.92엔이 지급되었다(<표 11-9>). 대일본방
은 동년 11월에 이전부터 적자를 거듭하여온 공장도 단가인상의 결과
적자가 해소되었다는 보고를 받았다. 이와 같이 공장가격의 개정은 현
실의 물가상승보다 흔히 뒤늦게 이루어지기는 하였으나 개정 당초에

는 이윤을 보증하기 위한 조치가 그 나름대로 취해졌다.

<표 11-9> 면사(20번수 1곤) 공정가격에서의 가공임 (엔)

고시통첩 연월일	가공임	(기준가공임)	전전베이스 a)
1944. 8.30	244.29	(113.37)	54
1945. 12.31	699.30	(338.23)	154
1946. 5. 4	953.38	(391.90)	360
8.24	1,014	(724)	417
12.23	1,924	(1,200)	519
1947. 12.23	3,593	(796)	1,915
1948. 4.20	4,410		1,997
7.10	7,000		3,090
1950. 1. 1	9,200		5,251
2.16	8,500		5,158
11.10	11,000		6,419

자료 : 日本紡績協會, 『戰後紡績史』, p.38의 <표 11>.
주 : a)는 1934~36년의 공임 23.0엔에 일은동경도매물가지수를 곱한 것.

(2) 군수수주 : 육해군이 관리·감독공장을 지정하고 군수용 섬유제품을 직접 발주하게 된 것, 또 생산축소에 따라 군수의 비중이 높아진 것은 앞서 말하였지만, 그 때 군은 직접 자재와 노무를 제공하고 우대하였다. 더욱이 군수회사법(1943년 10월)에 의해 군수회사로 지정되면 군수품의 발주에 대해서 공정가격에 구애받지 않는 '조변가격'에 의한 매입이 가능하게 되었다.

(3) 재화방의 실질이익은 1942년 하반기 이래 축소경향을 걷고 있었으나, 그 대신 3대방에 한정된 것이지만 재조선공장이 달러박스의 역할을 하였다. 1940년 5월부터 동양방적 경성 지점원으로서 인천·경성 두 공장에서 판매를 담당하였던 류카 효지(柳下兵治)는 다음과 같이 말하고 있다.

조선은 대륙전진기지로서 중요시되고, 조선면화의 산출도 있어 공장은 거의 풀가동되고 있었다.……내지의 공장은 점차 군수공장으로 전용된데 반하여 인천경성의 두 공장은 완전가동이었기 때문에 내지의 전 공장보다 그 이익이 많아 동양방의 달러박스가 되었다.

이상의 세 요인을 반영하고 있는 것으로서 직영을 섬유부문에서만 하고 있던 동양방의 순익금을 보면(<표 11-10>), 전쟁 말기까지 계속 증가하고 있다. 이를 통해 전시통제하의 섬유기업은 축소 일로를 걸은 것이 아니었고 전시통제하에 있다고 해도 방적기업(동양방) 경우 그 경영을 자립적으로 확대하고 있었음을 알 수 있다.

(4) 시국산업으로의 진출 : 1944년 초에는 종연공업의 총자산의 70%가 중점산업에 동원되고 동양방적은 실질투자액에서 중공업 방면 2에 대해 민수산업방면 1의 비율, 대일본방적은 투하자본의 50% 정도가 중공업용이었다. 종연의 실질순익지수(1937년=100)는 1943년 하반기에는 57이었으나, 종연실업과 합병한 후인 1944년 하반기에는 98이 되었다. 비섬유로의 진출은 별도회사로의 투자라는 형태를 가지고 있던 동양방적에서는 1941년 하반기에 유가증권소유가 불입자본을 상회하고, 1945년 상반기에는 약 1.5배가 되었다. 또 1944년 상반기에는 이자배당수익이 감소하는 영업이익을 상회하고 1945년 상반기에는 2배가 되었다. 또 대일본방에도 1944년 11월에는 투자사업 각사 모두 점차 수익기에 들어서 배당 시작, 증배 등을 하려고 한다는 보고가 있었다.

<표 11-10> 동양방 본사의 재무내용 (천엔)

	1937년 하반기	1941년 하반기	1944년 하반기	1945년 상반기
자본금	72,725	80,576	185,000	185,000
자기자본A	163,411	231,089	331,049	356,135
불입자본금	72,725	80,576	161,875	185,000
적립금	69,012	117,133	123,800	124,519
이익금계정	21,674	33,380	45,374	46,616
타인자본	33,050	87,781	185,623	308,281
지불어음	10,000	29,500	149,203	169,783
기타(미결산계정등)	23,050	58,281	36,420	138,498
동계회사계정	784	0	0	0
사용총자본B	197,245	318,870	516,672	664,416
A/B	82.8%	72.5%	64.1%	53.6%
고정자본	113,048	101,814	69,527	71,275
토지·건물	45,014	43,702	34,699	33,340
기계설비	63,551	56,554	26,886	23,641
증설가출금	4,483	1,558	7,972	14,294
유동자산	83,572	212,453	407,836	556,107
유가증권등C①	20,849	84,039	238,808	276,684
예금·현금C②	38,788	48,622	59,325	155,255
기타(원재료등)	23,935	79,792	109,703	124,168
동계회사계정C③	625	4,601	39,309	37,034
투자계정(C①+C②+C③)	60,262	137,262	337,442	468,973
(C①+C②+C③)/B	30.6%	43.0%	65.3%	70.6%
총수입D	37,138	56,043	55,374	61,788
판매수익E	34,898	50,660	45,627	48,347
E/D	94.0%	90.4%	82.4%	78.2%
수입이자및배당금F	988	4,532	7,229	10,149
F/D	2.7%	8.1%	13.1%	16.4%
순익금G	8,242	10,531	15,468	15,982
투자수익률F×2/C①②③	3.3%	6.6%	4.3%	4.3%
총자본이익률G×2/B	8.4%	6.6%	6.0%	4.8%
주주배당금/총이익금	0.45	0.49	0.52	0.50
고정자산상각금/총이익금	0.37	0.27	0.14	0.14
배당률	18%	10%	12%	10%

자료 : 渡辺純子,「戰時統制下における紡績企業の經營 - 東洋紡の事例について - 」, 東京大,『經濟學論集』63卷 4号, 1998, p.68.

제12장 식민지 지배와 대동아공영권

제1절 전시개발정책의 성립과 전개

1. 1937~1939년 9월

일본이 전시경제체제에 돌입하는 시기의 경제동원정책으로서 중요한 의미를 갖고 있는 것은 생산력확충계획이고, 이 계획이 시작된 것은 이시하라가 주도한 일만재정경제연구회에 의한 일만블록 군수공업 확충계획부터였다. 1935년 가을에 발족한 동 연구회는 1936년부터 1937년에 걸쳐 작성한 일련의 계획안에서 일본과 만주에 군수공업 및 그 기초소재·에너지 산업을 대규모로 설립할 것을 제기했고, 그것이 참모본부·육군성·관동군 등의 검토를 거친 다음, 우선 「만주산업개발5개년계획(1937~41년)」으로 구체화되었다.

이 계획은 그 제1년째의 중간인 1937년에 노구교 사건이 일어나 당초 계획의 규모를 확대할 필요성이 제기되어 「수정5개년계획」으로 발전한다. 이에 대해 일본(조선·대만을 포함)에서의 생산력확충계획은 작성이 늦어졌는데 이는 담당관청인 기획원이 물동에 중점을 두고 있었기 때문이었고, 1939년 1월에 가서야 각의에서 「생산력확충계획요강(1938~1941년)」으로 결정되었다. 또 화북에 대해서는 노구교 사건 이전부터 만철과 현지 파견군 사이에서 독자적인 개발계획이 구상되고 있었지만, 일만재정경제연구회의 계획에 따르면 개발지역의 중점을 남만주에 두고 여기에 북만주, 북중국 및 조선까지 포괄한 데서 알 수 있는 것처럼, 전체적으로 보면 일만블록 주변부에 위치하고 있다. 생산력확충계획에서는 「북중국 생산력확충계획」이 매우 간략하게 참고로 부가되어 있다.

그러면 생산력확충계획의 전 체계 중 만주는 어떠한 위치를 부여받고 있는 것일까. 중일전쟁 발발 전의 시기에는 일만재정경제연구회와 참모본부, 육군성의 제 계획들을 보면, 만주에 상당히 대규모의 군수공장을 육성하는 발상이 자주 발견된다. 예를 들어 「군수품제조공업 및 5개년계획요강」(1937년 6월, 육군성)에서는 만주에서 원료재료자원개발에 연계하여 특히 비행기무기탄약, 전차 및 군용자동차 등의 현지생산을 일으켜 이것으로 점차 전시의 대량생산에 지장이 없게 하고 일만 전체 생산량의 20%에서 30% 정도를 만주에서 조달하는 구상이 나타나 있다. 만주국의 경제건설에서는 군수품 현지자급과 대일자원공급이라는 두 개의 목표가 병존하고 있다고 말해지지만, 여기서는 전자의 목표가 전면에 부각되어 있다고 볼 수 있다.

본래 「만주산업개발5개년계획요강」(1937년 1월, 관동군사령부)의 자금계획만을 보면 군수공업 자체의 비중은 그다지 높지 않았다. 광공업 부문에서는 액체연료(석탄액화 등), 철강업, 전력 등의 에너지·기초소재산업에 많은 자금이 할당되고 군수공업관계는 병기, 비행기, 자동차 등에 일정한 배분이 이루어졌지만, 계획 전체 중에서 큰 비중을 차지하고 있는 것은 아니었다. 하지만 이러한 에너지·기초소재물자의 증산은 운수부문, 군수부문 등 만주 내에서의 수요를 최우선적으로 상정한 것이고 대일공급에 중점을 둔 것은 아니었기 때문에 군수품 현지자급의 방향에서는 일관성을 가졌다고 생각된다.

그런데 노구교 사건을 거치면서 확대 수정된 만주5개년계획과 거기에 입각한 생산력확충계획에서는 만주의 위치설정이 변화했다. 수정계획의 내용을 당초계획과 비교해 보면 다음의 점에서 달랐다. 첫째로, 계획 전체의 규모가 자금면에서 약 2배로 증가하고, 더구나 증액은 광공업부문에서만 이루어져 이 부문은 3배 가까이 증가했다. 둘째로, 광공업부문 내에서는 기초소재부터 기계류까지 전반적으로 생산능력의 목표치가 높아지고 자금면에서는 액체연료, 철강, 전력 등의 증액도 컸지만 비행기, 차량 등의 증액률은 이를 상회하고 병기·기계류로의 자금배분비율은 광공업부문 내에서 9%에서 20%로 상승했다. 셋째로, 대일송환목표가 품목별로 명기되고 액체연료는 생산목표의 90%, 선철·알루미늄은 30~40%를 일본으로 보낸다는 계획이었지만 군수공업품·강재는 제외되었다. 이상에서 수정계획의 목표는 군수품자급과 자원의 대일공급 양자가 병렬상태가 되고, 흐름은 대일공급의 방향으로 변경되고 있었다.

여기서 생산력확충계획의 주요 품목이 나와 있는 <표 12-1>에서 일본·만주·화북 상호의 위치를 간단하게 확인하여 보자. 1941년의 목표를 1938년의 실적과 대비하여 보면 만주의 비율은 철광석을 제외하면 모두 증가하였다. 철광석은 화북이 등장하였기 때문이었고 전반적으로 일본의 비율이 하락했다. 각 품목에서 일본도 이 사이에 대폭적인 생산증가를 예정하고 있었기 때문에 증가율은 만주가 일본을 훨씬 상회하게 된다.

자금계획에서도 <표 12-2>에 나타난 것처럼 중점부문 가운데 철강, 석탄, 연료에서는 만주·화북의 자금규모가 일본을 능가하였다. 또 조선·대만·사할린 등의 식민지도 당연히 생산력확충계획에 편입되고 1939년도 생산계획에서 이러한 지역이 일본제국 속에서 30% 이상을 차지하는 품목은 철광석(조선 46.1%), 알루미늄(대만 24.3%, 조선 6.9%), 연(조선 42.3%), 자동차 휘발유(인조, 조선 70.4%, 사할린 9.4%),

중유(인조, 조선 31.9%, 사할린 25.5%), 무수알코올(대만 32.9%, 조선 2.2%, 남양 2.2%), 공업소금(대만 100%), 인견용 펄프(사할린 60.5%, 조선 16.7%), 제지용펄프(사할린 36.2%, 대만 4.7%, 조선 1.7%), 금(조선 54.4%, 대만 3.4%) 등 다양했다.

<표 12-1> 생산력확충계획과 실적 (천톤[알루미늄은 톤], %)

		1938년 실적	1941년 목표	1941년 실적	1943년 목표	1943년 실적
보통강 강재	일본	4,803(91.3)	7,260(86.1)	4,212(88.4)	7,400(90.2)	4,101(84.6)
	조선	88(1.7)		91(1.9)		95(2.0)
	만주	367(7.0)	1,038(12.3)	459(9.6)	730(8.9)	576(11.9)
	화북	-(-)	130(1.5)	4(0.1)	70(0.9)	78(1.6)
선철	일본	2,618(69.4)	6,362(62.0)	4210(70.6)	7,180(72.2)	3,946(62.7)
	조선	293(7.8)		278(4.7)		514(8.2)
	만주	855(22.6)	3,325(32.4)	1417(23.8)	2,160(21.7)	1,728(27.5)
	화북	9(0.2)	571(5.6)	61(1.0)	600(6.0)	102(1.6)
철광석	일본	787(15.4)	5,700(30.7)	1334(12.3)	5,100(25.6)	2,708(17.7)
	조선	928(18.2)		1693(15.6)		2,364(15.5)
	만주	3,192(62.6)	11,200(60.3)	4236(39.0)	7,300(36.7)	5,397(35.3)
	화북	193(3.8)	1,689(9.1)	3598(33.1)	7,500(37.7)	4,805(31.5)
석탄	일본	48,684(71.5)	78,182(59.1)	55,602(50.1)	87,000(52.1)	55,538(50.3)
	조선	3,419(5.0)		6,803(6.1)		6,589(6.0)
	만주	15,988(23.5)	31,910(24.1)	24,147(21.7)	45,000(26.9)	25,320(22.9)
	화북	-(-)	22,300(16.8)	24,522(22.1)	35,000(21.0)	22,922(20.8)
알루미 늄	일본	17,513(77.1)	126,400(89.4)	56,080(70.3)	285,000(89.1)	114,057(76.2)
	대만	4,605(20.3)		12,547(15.7)		14,498(9.7)
	조선	-		3,120(3.9)		12,529(8.4)
	만주	600(2.6)	15,000(10.6)	8,039(10.1)	35,000(10.9)	8,557(5.7)

자료 : 小林英夫, 『「大東亞共榮圈」の形成と崩壞』, 御茶の水書房, 1975, p. 116, pp.344~345, p.386, pp.511~513.

그런데 중일전쟁의 확대와 함께 일본에서는 물동이 책정·실시되고 전시경제통제가 강화되기에 이르렀다. 이것은 직접 식민지·엔블록지역에 파급되고 만주에도 물동계획이 작성되었다. 일본의 물동계획에서

는 공급력의 일부로서 엔블록(만주·중국본토)으로부터의 수입이 편입
되고, 또 배당의 일부로서 엔블록의 틀이 설정되었다. 본격적인 물동계
획이라고 일컬어지는 1939년도 물동계획의 연도계획에서 엔블록비율
이 비교적 높은 품목을 든다면 공급면에서는 보통선철(11.3%), 철광석
(19.1%), 방적용 면화(12.3%), 양모(11.3%), 인견용 펄프(11.7%), 공업소
금(38.4%), 순 벤졸(26.2%) 등 몇 개의 품목에 이르지만 배당면에서는
보통강강재(12.5%) 정도에 지나지 않았다.

<표 12-2> 생산력확충계획의 자금계획 (백만엔, %)

	일본	만주	화북	합계
철강	1,348(41.9)	1,612(50.1)	258(8.0)	3,217
석탄	454(41.7)	374(34.3)	260(23.9)	1,088
경금속	293(71.2)	118(28.8)	-	411
비철금속	152(72.3)	58(27.7)	-	211
석유·연료	826(44.0)	1,051(56.0)	-	1,878
소다·소금	113(69.1)	17(10.3)	34(20.6)	164
유안	259(100)	-	-	259
펄프	224(56.1)	176(43.9)	-	400
금	221(47.8)	241(52.2)	-	462
공작기계	142(90.4)	15(9.6)	-	157
철도차량	122(81.4)	28(18.6)	-	150
선박조선	1,348(100)	-	-	1,348
자동차	136(55.9)	107(44.1)	-	243
전력	2,017(75.4)	501(18.7)	158(5.9)	2,676
비행기	-	500	-	500
병기	-	100	-	100
석면	-	2	-	2
축산가공	-	8	-	8
삼림벌채	-	83	-	83
교통통신	-	647	-	647
농업이민	-	429	-	429
총계	7,656(53.0)	6,056(42.0)	710(4.9)	14,433

자료 : 中村隆英·原朗 編, 『現代史資料 43 國家總動員 1』, みすず書房,
　　　1970, pp.211~212.

다른 한편 만주의 물동계획에서는 공급의 많은 부문을 일본에 의존하는 품목으로서 보통강강재, 특수강강재, 비철금속(연, 아연 등), 생고무, 기계류, 일본에 많은 것을 배당하는 품목으로서 보통선철, 석탄, 농산물 등이 설정되었다. 그러나 일본의 물동계획은 외화부족으로 인한 수입력의 한계와 군수우선 때문에 민수뿐만 아니라 생산력확충계획, 더 나아가 엔블록개발계획을 압박하게 된다. 1939년도 물동에 있어서도 1939년도 3월의 시점에서 생산력확충계획 소요물자의 46%, 엔블록용 물자의 53%가 삭감되었다.

2. 1939년 10월~1941년

1939년 9월 제2차 대전이 발발함으로써 제일 먼저 대(對)유럽무역이 축소되어 일본의 전시경제에 타격을 주었고, 동시에 이를 계기로 남방으로의 진출 충동이 고조되었다. 또 이 해에는 서일본·조선의 가뭄, 대만·화북의 수해, 그에 따른 전력부족 등의 장해가 겹쳐 물동계획을 수행하기가 매우 어려웠다. 1940년부터 1941년에 걸쳐 외화부족이 점차 심해지는 가운데 일본은 엔블록의 대일본공급증가와 배당삭감을 요청하게 되어 부담이 가중되었다.

1940년도 물동에서는 엔블록으로부터의 수입액을 전년도의 계획액 3.4억 엔(실적은 36% 감소)에서 4.8억 엔으로 인상하는 한편, 배당은 2.4억 엔, 전년도의 82%로 압축한다는 방침이 제시되었다. 더 나아가 대영미 경제단교를 상정하고 1940년 8월에 책정된 「응급물동계획시안」에서는 엔블록으로부터의 수입물자에 대해서는 특히 수집과 하역을 확실하게 하고 그 증가에 노력해야 한다고 말하는 한편, 자재의 공급은 절대 필요하다고 인정되는 특수사정에 한정해야 한다는 점을 분명히 했다. 예를 들어 철광석 수입은 1940년도 물동을 기준으로 2년 후에 2배 이상을 기대하면서 보통강강재는 13%까지 삭감한다는 방식이었다. 1940년 10월의 「일본·만주·중국 경제건설요강」은 일본을 공업센터, 만주·중국본토를 원료자원·식료공급지로 하는 역할분담을 다시 한 번 확인했다. 그리고 대미개전을 앞 둔 1941년도 물동에서는 책정작업 그 자체가 이전보다도 어려웠지만 엔블록용 배당은 점차 엄격하게 축소되었다. 기획원은 엔블록에 대해서는 치안유지에 필요한 물자, 엔계 통화가치 유지상 필요한 물자를 공급할 필요를 인식하고 그 나름대로의 배당을 하였으나 이는 이전에 비하면 뚜렷한 한계를 지닌 것이었다. <표 12-3>에서 보는 보통강강재와 철광석의 대조적인 움직임이 이 사이에 사정을 단적으로 말해 주고 있다.

<표 12-3> 물자동원계획에서 만주·중국본토의 위치

	연도	만주·중국관내로부터의 공급(천톤)	총공급력에서 차지하는 비율(%)	만주·중국관내로 배당 (천톤)	배당총량에서 차지하는 비율(%)
보통강강재	1939	-	-	781	12.5
	1940	78	1.4	560	10.2
	1941	73	1.5	292	6.1
	1942	75	1.5	209	4.1
	1943	78	1.8	114	2.3
	1944	64	1.4	48	1.1
보통선철	1939	600	11.3	86	1.6
	1940	460	9.4	99	2.0
	1941	163	3.0	48	0.9
	1942	538	9.5	30	0.5
	1943	789	15.6	22	0.4
	1944	1,047	17.8	21	0.3
철광석	1939	1,500	19.1	-	-
	1940	2,033	24.9	-	-
	1941	3,925	37.6	-	-

자료 : 『商工政策史』 第11卷, 1964, pp.209~210, pp.366~367, pp.496~497.

물동계획의 이러한 전개는 생산력확충계획의 축소와 중점주의화, 엔블록 개발정책의 전환을 촉구하고, 또 일본·만주·중국블록의 한계는 블록의 대남방확장책을 낳게 된다. 만주에서는 1940년에 이르러 산업개발5개년계획이 근본적으로 전환하게 되었다. 만주개발계획이 처음부터 안고 있던 군수품현지자급과 대일자원공급이라는 두 개의 목표 가운데 전자는 실적이 부진하고 각 부문 간의 불균형도 분명하게 나타나기 시작하였으나, 1939년도까지는 종합적 개발이라는 기본적 사고는 유지되었다. 그러나 제2차 대전 발발을 획기로 일본으로부터 자재배당이 삭감되고 독일로부터 기계설비의 수입이 어려워졌으며, 이에 더해 자금·노동력의 부족 등이 겹쳐 1940년 5월에는 철저한 중점주의로 전환한다고 선언하기에 이르렀다. 이것은 철·석탄·전력·비철금속을 중점부문으로 하고 기존 설비에 의한 생산확충으로 대일공급을 담당하게 하는 것이기 때문에 대일자원공급이라는 목표로 일원화되었다는 것을 의미하였다.

이에 대해 중국본토에서는 전쟁으로 점령지가 계속 확대되고 있어 사정이 조금 달랐다. 여기서는 만주처럼 종합적 계획이 아니라 자원관계의 부문별 개발계획이 선행하였고, 그것도 공업화계획이 없었고 오로지 대일공급 일변도였다. 1940년 7월이 되어 「북중국산업개발5개년계획(1941~45년)」이 작성되고 수송·전력·식량확보 등에 종합적 안배를 하게 되었지만 지하자원(석탄)과 농산물(식량·면화)에 중점을 두고 대일공급을 최우선시하는 점에서는 전환이라고 할 수는 없었으며 만주의 '철저한 중점주의'에 부합되는 것이었다.

유럽에서 독일군이 승승장구하고 이에 발맞추어 남방진출의 분위기가 고조되자 기획원은 「남방시책요강(안)」(1940년 7월)을 작성하고 남방을 일본의 세력권에 포섭하는 방침을 체계적으로 제시하였다. 즉, "영미의존의 종래의 우리 경제체제를 지양하고 부족자원의 보급권을 동남아시아 및 남방 제 지역에 확립할 것"을 대강(大綱)으로 하고 대동아협동의 생활권을 건설하기 위해 「일본·만주·중국」 생산력확충계획에 대응하는 남방개발계획을 수립하고 자원, 무역, 교통, 이민·식민 등 전반에 걸치는 종합적 계획을 수립하는 한편, 두 계획을 일체화시켜 제국을 중심으로 하는 동아국방경제를 확립한다고 제창하였다.

그러나 종합적 개발계획은 이름뿐이고 실태는 자원확보책에 지나지 않았다. 이미 1939년 10월에 기획원은 「제국필요자원의 해외 특히 남방 제 지역에서의 확보방책」을 책정하였고 여기서는 수입에서 남방의 존도 70% 이상의 품목으로서 주석, 생고무, 보크사이트, 옥수수, 마닐라삼, 크롬광, 남양목재, 무연탄 등, 10% 이상의 품목으로서 철광, 망간광, 텅스텐광, 닉켈광, 구리광, 연광, 아연광, 석유류 등이 열거되었다. 그 가운데에서도 석유자원에 대한 욕구가 강력하여 대미개전 직전의 액체연료수급전망에서는 개전 후 3년간 취득예상총량 875만 킬로리터 가운데 남방에서 77.7%를 획득할 계획이었다.

전체적으로 만주→중국본토→남방으로 지배대상지역이 확장됨에 따라 개발계획의 종합성은 상실되고 자원의 대일공급계획으로 일면화되어 가는 경향이 나타났다. 여기서 대동아공영권에서의 계층서열을 확인할 수 있다.

그러면 대미개전 직전 즉, 생산력확충계획의 목표연도인 1941년에 실적은 어느 정도였던 것일까. <표 12-1>에 의해 주요 품목의 1941년도 목표치와 실적을 비교해 보면 화북의 철광석과 석탄을 예외로 하면 크게 목표를 하회하고 있다. 그 이유는 이미 말한 것처럼 물동계획이 군수를 우선시하여 생산력확충계획으로의 자재배당을 삭감한 데 있고, 그 외에 통제경제의 미비, 과대한 목표설정 등도 들 수 있다. 다만 경시해서는 안 될 것은 1938년 실적을 기준으로 보면 1941년 실적은 상당히 증가했다는 점이고, 미국의 설철금수에 의해 일본의 보통강강재생산이 떨어진 것을 제외하면 생산력확충계획의 성과를 과소평가할 수는 없다.

더욱이 일본과 만주·화북의 신장률을 비교하면 이 기간 중에 만주·화북의 생산증가율이 일본의 그것을 상회하고 전체에서 차지하는 비중을 높인 것이 주목된다. 이 사실은 개발계획이 대일자원공급으로 일면화된 결과이고 그 점에서는 일정한 성과를 거두고 있는 것을 의미한다. 당초 만주에 중점이 두었고 수정계획에서도 자금배분비율이 증가하고 있던 병기·기계류에 대해서는 1941년 실적의 상세한 내용을 알 수 없지만 대체로 매우 낮은 실적이었을 것으로 추정된다.

3. 1942~1945년

태평양전쟁을 시작하면서 일본의 전시경제는 대미무역이 최종적으로 단절되고 남방점령지를 획득하는 것 외에는 다른 방법이 없게 되었으며, 이에 따라 식민지·점령지가 더욱 중요하게 되었다. 기획원의 남방개발안에 의하면 개전 3년 후인 1944년도에는 물동물자 공급력에서 남방의 비율이 크게 높아질 것으로 기대하였고 남방의존도가 70%를 상회하는 품목으로는 원유, 생고무, 보크사이트, 주석, 닉켈광, 마닐라삼 등이 있고, 20%를 상회하는 품목으로는 망간광, 크롬광, 동광, 철광석, 면화 등이 열거되었다. 그러나 미국을 필두로 한 제3국에서의 수입을 식민지·점령지 등 대동아공영권으로 대체할 수 있는 것은 아니었고 처음부터 전략물자의 부족은 예상된 것이었다.

1942년부터 생산력확충계획, 만주산업개발5개년계획은 각각 제2차계획으로 이행하였으나 그 성격은 제1차 계획과 크게 다른 것이었다. 본래 전쟁상태를 전제로 하지 않았던 군수공업확충계획이 중일전쟁의 장기화 속에서 생산력확충계획으로서 구체화된 것 자체가 모순이었고,

그 때문에 실적은 목표를 전혀 따라가지 못했다. 그렇다고는 하지만 어찌되었든 생산능력의 확충이라는 기본적 사고방식은 유지되어 갔다. 그러나 1941년 7월 이래 생산확충계획으로 이름을 바꾸면서 기존 설비를 갖고 생산을 확충한다는 방향으로 확실하게 전환했다.

제2차계획(1942~1946년)의 목표치는 <표 12-1>에 나와 있는 그대로이고 알루미늄을 제외하면 제1차 계획의 목표치를 약간 손질한데 지나지 않는다. 제2차 계획에 대해서는 선박건조가 중점과제가 된 점을 지적해야 하지만 <표 12-1>에서 주목해야 할 것은 일본과 만주·중국본토의 구성비의 변화이다. 1941년 목표치에 비해 1946년 목표치에서 만주·중국본토의 구성비가 높아진 것은 철광석과 석탄, 내려간 것은 보통강강재와 선철이었는데 정책적 위치설정을 통해 엔블록지역을 점차 자원공급지로 전문화한다는 방향을 감지할 수 있다.

만주의 제2차 산업개발5개년계획(1942~1946년)에 대해서는 이미 말한 것처럼 1940년 5월에 제1차 계획의 성격이 바뀌었고 그 연장선 위에서 목표치가 설정되었다. 소요자금총액은 86억 엔, 이것을 광공업 55%, 개척 15%, 철도 21%, 교통통신 8% 등에 배분하고 부문별 계획 외에 자금·노동력·기술자·민생관계의 수급계획을 더한, 겉으로 보기에 종합적 계획이었다. 그러나 외견상 어쨌든 실질적으로는 종합적 개발계획으로서의 의의는 거의 상실하고 있었다. 오직 전황의 추이에 따라 일본의 요청에 응해 적시에 계획을 변경하면서 구체적인 생산확충을 실시하는 것 외에는 방법이 없었다.

이제 태평양전쟁기의 생산실적을 지역별로 보면 어떠한 특징이 나타나는가를 살펴보기로 한다. 중요물자의 생산은 대개 1943년을 최고로 하고 있기 때문에 이 해의 지역별 구성을 1941년과 대비하여 보면 (<표 12-1>), 일본의 경우 구성비가 높아진 것은 철광석과 알루미늄, 하락한 것은 보통강강재와 선철이었던 것을 알 수 있다. 이것은 일본

의 보통강강재, 선철생산량의 감소에 기인한 것이고, 결과적으로 생산
증가를 계속한 만주 등의 지위가 높아지게 되었다. 제2차생산력확충계
획의 목표에서는 엔블록지역은 보통강강재, 선철의 구성비가 떨어지고
철광석, 석탄의 구성비가 높아졌기 때문에 실적은 그 반대가 될 것이
었다.

　하지만 이것은 물론 엔블록지역의 대일종속적 성격이 변화했다는
것을 의미하지 않는다. 오히려 생산량에 대한 대일공급량의 비율은 전
반적으로 높아졌다고 할 수 있다. <표 12-3>에서 알 수 있는 것처럼
물동계획에서 엔블록용 보통강강재의 배당비율은 점차 떨어지고, 다른
한편 보통선철의 일본으로의 공급비율은 크게 상승하고 있다. 만주의
선철생산에서 차지하는 대일 공급비율 실적은 1938년 29.0%, 1940년
37.1%, 1942년 54.0%, 1944년 50.6%의 추이를 보여 주고 있다. 화북에
서는 결국은 실패로 끝나고 말았지만 소형용광로에 의한 선철생산이
실시되었다. 이것은 원료 그대로 일본에 공급하는 것은 수송상 비효율
적이어서 반제품으로 현지가공한 다음 공급한다는 방침으로 전환하려
고 한 것이 아닌가 생각된다.

　물동계획에서 식민지·점령지의 위치변화에 대해서는 좀 더 언급할
필요가 있다. 주지하듯이 태평양전쟁기의 물동계획은 해상수송력에 의
해 근본적으로 제약되어 있고, 전황이 불리해짐에 따라 해상수송력은
저하되었다. 이에 따라 개전 시에 과도하게 기대되었던 남방점령지의
의의가 약화되고, 조선·만주·중국본토의 지위가 강화되는 결과를 초
래했다. 1943년 1월 단계에서 기획원총재는 물동계획이 부진하게 된
주요 원인이 남방의 철광석, 원유 등의 수송곤란이라는 것을 의회에서
지적했지만 1942년도의 남방물자의 환송량(원유 제외)은 개전전 예상
의 60%에 머물렀다. 1942년 12월부터 해상수송물자를 대륙철도로 옮
기기 시작했다.

　1943년에 들어 남방수송루트의 혼란이 격화되자 일본・만주・중국 자급권을 기반으로 하는 갖가지 방책이 잇따라 제시되었다. 예를 들어 만주에서는 철강응급증산대책요강, 알루미늄 긴급증산대책요강 등이 책정되고, 일본・만주・중국블록 내의 생산력확충계획과 물동계획을 연계시키기 위해 더욱 노력했다. 1943년 11월에 군수성이 설립되었고 1944년에는 이 성의 총동원국이 만주국정부, 대동아성, 조선총독부 등과 조정하여 「주요물자 일본・만주・중국 교류계획」을 정리했다.

　이 시점에서의 주요물자는 석탄, 철광석, 여기에 식량을 더한 것으로 한정되고 이것들은 대략 다음과 같은 방법으로 블록 내에서 이동되었다. 석탄의 연간 총수이출량은 1,642만 톤으로 하고 화북이 59%를 일본(21%), 만주(19%), 화중(12%) 등에 공급하고, 사할린이 전체의 15%를 일본(12%) 등으로, 만주가 14%를 조선(10%) 등에 제공한다는 것이었다. 배분비율은 일본 43%, 조선 23%, 만주 20% 등으로 되었다. 철광석은 연간 905만 톤으로 하고 화중・화남이 그 49%를 일본(40%) 등으로, 조선이 27%를 일본(19%) 등으로, 화북이 24%를 만주(10%) 등으로 공급하는 것으로 하고, 배분비율은 일본 60%, 만주 13% 등으로 정하였다. 식량의 경우는 쌀・보리・잡곡류의 이동이 조금 복잡한 양상을 띠고 있지만 대략 조선・대만이 쌀을 일본으로, 만주가 콩 기타를 일본・조선・화북이라는 흐름이었다.

　그러나 1944년 후반부터 1945년간에는 엔블록 내의 해상수송이 일본해루트보다 못한 상태가 되고 최종적으로는 군수품보다 쌀과 소금의 수송을 우선시할 수밖에 없는 상황에 이르렀다. 수송력의 붕괴와 함께 각지에서 전반적으로 생산의 하락이 나타났다는 것은 말할 것도 없다.

제2절 대(對)식민지·점령지투자

1. 만주

전시기 일본의 최대 투자 대상지는 만주였다. 일본으로부터의 투자 총액(유량기준)은 1932~1936년 합계로 11.6억 엔(연평균 2.3억 엔)이었지만 1937~1941년 합계는 47.0억 엔(연평균 9.4억 엔)으로 4배 이상에 달했다. 이것은 이 시기에 만주산업개발5개년계획이 실시되고 그 소요자금총액 60억 엔의 60%가 일본에서 들어왔기 때문이었다. 일본 측에서는 공사채인수 신디케이트가 결성되어 원활한 자본공급을 가능하게 했다.

하지만 일본 내에서 전시경제체제가 심화되면서 생산력확충자금, 공채소화자금과의 경합이 치열해지고 이에 따라 투자자금은 현지에서 조달하는 방식으로 방향이 바뀌게 되었다. 1940년 11월 채택된 「일본·만주·중국경제건설요강」이 그 획기였다. 1939년부터 시작된 「자금통제계획」에서 대외투자자금의 비중은 1940년 이래 크게 감소했다. 태평양전쟁기의 대만주투자는 1942~1944년 합계로 32.1억 엔(연평균 10.7억 엔)으로 이전 시기와 같은 수준이지만 공사채형식의 일본으로부터의 자금조달은 급감하고 현지조달로의 전환이 이루어졌다.

이러한 전시기 대만주투자 구조를 자금조달면에 유의하면서 투자계통별로 검토하여 보자. 전시기 만주에서의 산업개발을 담당한 것은 업종별로 인정된 특수회사·준특수회사였기 때문에 이러한 것을 총괄한 종합적 투자회사로서의 만업(滿州重工業開發)의 역할이 우선 주목된다. 그런데 일본의 대만주투자를 중계하는 기관으로서 만업은 실제로는 그렇게 중요한 위치를 차지하지는 않았다. 최대의 투자루트로서의 역할을 계속한 만철이 있기 때문이었다.

1932~1936년 일본으로부터의 투자의 계통별 구성을 보면 만철루트 60.9%, 만주국정부루트 15.6%, 기타(특수회사, 민간자본)루트는 23.5%로서 만철이 압도적인 점유율을 차지하고 있다. 1937~1941년에는 만철 31.1%, 만업 12.5%, 만주국정부 16.0%, 기타 40.4%가 되고 만철의 지위가 상대적으로 하락하였음에도 불구하고 여전히 만업을 크게 상회하였다. 기타가 늘어난 것은 주로 만주척식공사, 만주전업(滿州電業), 만주흥업은행, 쇼와 제강소 등의 특수회사가 사채를 발행했기 때문이었다. 민간자본(특히 재벌자본)에 의한 직접사업투자도 이 사이에 증가하였다고 해도 대만주투자 전체에서 보면 아직도 보완적 지위에 머물렀다.

<표 12-4> 만업의 자금조달과 사업투자 (단위 : 백만엔, %)

		1938.12	1942.12	1945.5
자금조달	주식불입	397 (78.9)	450 (26.9)	506 (11.1)
	사채	- (-)	400 (23.9)	2,615 (57.5)
	차입금	117 (23.4)	757 (45.3)	1,132 (24.9)
	재일주식처분	-12 (-2.3)	66 (3.9)	295 (6.5)
	합계	503 (100.0)	1,673 (100.0)	4,548 (100.0)
사업투자	만주관계주식	247 (43.0)	1,027 (59.3)	2,033 (48.7)
	동 대부금	3 (0.5)	471 (27.3)	2,141 (51.3)
	투자총액	575 (100.0)	1,729 (100.0)	4,175 (100.0)
	만주·산업별	247 (100.0)	1,505 (100.0)	2,568 (100.0)
	철강	108 (43.7)	385 (25.6)	843 (32.8)
	석탄	63 (25.6)	519 (34.5)	837 (32.6)
	동변도	7 (2.8)	149 (9.9)	47 (1.8)
	광산	30 (12.2)	151 (10.0)	191 (7.4)
	경금속	30 (12.2)	113 (7.5)	235 (9.1)
	비행기	5 (2.0)	99 (6.6)	194 (7.5)
	자동차	4 (1.4)	44 (3.0)	118 (4.6)
	기계 등	- (-)	45 (3.0)	102 (4.0)

자료 : 原朗, 「「滿州」における經濟統制政策の展開」, 安藤良雄編, 『日本經濟政策史(下)』, 東京大學出版會, 1976, <표 10-15,18,19>에서 작성.

그 후 1942~1944년에는 만철 34.2%, 만업 6.7%, 만주국정부 4.0%, 기타 55.1%가 되고 만업의 지위는 더욱 하락하였다. 그러나 만업의 중요성을 경시해서는 안 된다. <표 12-4>에 의하면 1941년 말의 투자잔고는 약 17억 엔에 달하고 일본으로부터의 공급은 5.9억 엔에 불과하였기 때문에 나머지는 만주현지조달이었다고 생각된다. 당초에 계획되었던 외자도입이 실패로 끝나고 재일관계회사의 지주처분도 기대했던 것만큼 이루어지지 않았기 때문에 현지조달에 대한 의존이 높아지지 않을 수 없었다. 사채 내지 차입금 가운데 일본으로부터는 4억 엔 정도이고 나머지는 만주흥업은행 등으로부터 조달되었다. 태평양전쟁기에 만업의 투자액은 점차 증가하고 1945년의 투자잔고는 40억 엔을 돌파하였지만, 1942~1944년 일본으로부터의 공급은 2.2억 엔에 지나지 않아 만주흥업은행으로의 의존이 더욱 심화되었다.

이에 대해 만철의 경우 일본의 자본시장과 깊은 관계를 갖고 있었기 때문에 현지조달은 적었다. 1937년부터 1941년에 걸쳐 투자잔고의 증가는 일본으로부터의 공급액(14.9억 엔)과 거의 일치한다. <표 12-5>에 의하면 그것은 주로 사채발행에 의한 것이었다. 태평양전쟁기에 들어서 일본으로부터의 조달에는 한계가 생겼다고 하여도 1942년부터 1944년까지 이미 11.0억 엔의 순유입이 있었고 소요투자총액의 절반이상을 채우고 있었다.

이와 같이 만업과 만철의 자금조달유형은 대조적이었고 <표 12-6>으로부터도 그 점이 확인된다. <표 12-6>에서 만철계・만업계 이외의 특수・준특수회사의 투자액이 거액에 달하고 그 자금조달유형은 만업에 가깝다는 것을 알 수가 있다. 여기서 자본투하부문을 보면 만업은 강철, 석탄을 중심으로 광공업방면에 손을 뻗치고 있고(<표 12-4>), 만철은 사내・사외 모두 철도부문에 집중하는 경향을 보이고 있다(<표 12-5>).

<표 12-5> 만철의 자금조달과 사업투자 (백만엔, %)

		1938.3	1942.3	1945.8
자금조달	주식불입	676 (39.3)	956 (32.1)	1,650 (33.5)
	사채	798 (46.3)	1,675 (56.3)	2,844 (57.8)
	제적립금	248 (14.4)	346 (11.6)	430 (8.7)
	합계	1,722 (100.0)	2,977 (100.0)	4,924 (100.0)
사업투자	사내사업	853 (46.5)	1,102 (36.5)	1,779 (35.9)
	철도	323 (17.6)	585 (19.4)	1,024 (20.7)
	항만	100 (6.0)	132 (4.4)	152 (3.1)
	광공업	156 (8.5)	313 (10.4)	544 (11.0)
	기타	264 (14.4)	72 (2.4)	59 (1.2)
	대외투자	981 (53.5)	1,915 (63.5)	3,175 (64.1)
	유가증권	152 (8.3)	294 (9.7)	505 (10.2)
	대금	625 (34.1)	1,343 (44.5)	2,543 (51.3)
	기타	203 (11.1)	278 (9.2)	126 (2.5)
	합계	1,833 (100.0)	3,017 (100.0)	4,954 (100.0)

자료 : 滿鐵會編, 『南滿州鐵道株式會社第四次十年史』, 龍溪書舍, 1986, pp.563〜565.

<표 12-6> 대만주투자의 계통별・자금원천별구성

	회사수	일본자금	만주자금	총액
만철계	55	4,900 [70.4]	2,056 [29.6]	6,956
	(0.8)	(43.5)	(16.0)	(28.8)
만업계	40	1,453 [26.0]	4,146 [74.0]	5,599
	(0.6)	(12.9)	(32.2)	(23.2)
특수・준특수회사	40	2,218 [37.8]	3,645 [62.2]	5,896
	(0.6)	(19.7)	(28.3)	(24.3)
기타	6,743	2,705 [47.2]	3,025 [52.8]	5,730
	(98.0)	(24.0)	(23.5)	(23.7)
합계	6,878	11,276 [46.7]	12,872 [53.3]	24,148
	(100.0)	(100.0)	(100.0)	(100.0)

자료 : 原朗, 「「滿州」における經濟統制政策の展開」, 安藤良雄編, 앞의 책, <표 10-21>에서 작성.

요약하면 한편에서는 만철이 일본에서 자금을 조달하여 철도부문에 투자하고 다른 한편으로는 특수・준특수회사가 만업경유로 만주흥업은행에 의존하여 현지자금을 조달하여 산업개발부문 전반에 투자한다는 두 계통의 역할 분담이 전시기 만주투자의 특징을 이루고 있다.

2. 중국본토

중일전쟁에 돌입하기 직전인 1936년 말 대중국본토투자는 직접투자 (민간차관포함) 11.1억 엔, 정부차관 8.9억 엔, 합계 약 20억 엔으로 추계된다. 직접투자의 주력부문은 재화방을 중심으로 하는 광공업이고 정부차관은 이전의 것이 계속 동결된 상태에 있었다. 직접투자는 2년 후인 1938년 말에는 18.4억 엔으로 급증하였지만 그것은 점령지 경제 지배와 관련되는 종합적 개발투자회사(북지나개발, 중지나진흥)가 1938년 11월에 설립되었기 때문이다.

1938년 이래의 대중국본토투자를 유량기준으로 보면 1938~1941년 의 4년간 14.4억 엔(연평균 3.6억 엔), 1942~1944년도의 3년간에 30.1억 엔(연평균 10.0억 엔)으로 현저히 증가했다. 인플레이션을 감안해도 전 시기의 팽창경향을 부정할 수 없다. 그리고 1938~1945년도의 총액 46.8억 엔과 화북·내몽고 71%, 화중·화남 29%라는 구성이 된다. 국 책기관으로서의 종합적 투자회사, 그 가운데서도 북지나개발[1]은 매우 중요하였다. 이 2대 투자회사를 중심으로 대중국본토투자의 구성을 보 기로 하자.

---

1) 중일전쟁기 화북을 경제적으로 지배하는데 있어 중추적 역할을 담당한 국책 회사. 1938년 4월 30일 공포된 북지나개발주식회사법에 의해 설립되고 자본 금은 3.5억 엔, 정부와 민간이 절반씩 출자. 민간에서는 미쓰비시·미쓰이· 스미토모 등 재벌의 출자비율이 높았다. 본사는 동경, 지사는 북경에 두었다. 교통·운수·항만·발송전·광산·제염 등의 주요사업에 투융자하고 그 경 영을 종합조정하는 것이 업무였다.

<표 12-7> 북지나개발의 자금조달과 투융자

		1939.12	1942.3	1945.3
자금조달	주식불입	136(55.3)	218(23.4)	312(1.7)
	사채	110(44.7)	679(72.8)	2,130(11.5)
	차입금	-(-)	24(2.6)	2,872(15.5)
	당좌대월	-(-)	11(1.2)	13,189(71.3)
	합계	246(100.0)	933(100.0)	18,502(100.0)
투융자	형태별	227(100.0)	921(100.0)	16,035(100.0)
	출자	105(46.2)	301(32.7)	908(5.7)
	융자	122(53.8)	596(64.7)	2,817(17.6)
	대금	-(-)	24(2.6)	12,310(76.8)
	산업별	227(100.0)	897(100.0)	3,762(100.0)
	운수통신	170(75.1)	678(75.6)	1,819(48.8)
	전력	16(7.2)	44(4.9)	318(8.5)
	탄광	6(2.6)	87(9.7)	670(18.0)
	광업	7(3.3)	26(2.9)	482(12.9)
	기타	27(11.9)	63(7.0)	437(11.7)

자료 : 柴田善雅, 「軍事占領下中國への日本の資本輸出」, 國家資本輸出硏
　　究會編, 『日本の資本輸出』, 多賀出版, 1986, pp.162~164, 閉鎖機關
　　整理委員會編, 『閉鎖機關とその特殊淸算』, 1954, pp.322~327.
주 : 자금조달과투융자의 형태별 구성은 주요항목만 다룸. 투융자의산업별
　　구성은 회사별 출자·융자액을 부문별로 집계.

두 회사의 자금조달과 투융자의 개요는 <표 12-7>, <표 12-8>에
나타나 있다. 자금조달면에서는 처음에는 주식불입이 기본이었지만 이
윽고 사채의존으로 전환되고 전쟁 말기에는 차입금으로 바뀌었다는
것을 알 수 있다. 주식의 구성은 일본정부의 현물(접수자산)출자를 기
초로 하고 여기에 민간자본의 현금출자가 가세하여 정부의 현금출자
는 상대적으로 적었다. 패전시의 출자형태를 산출하면 북지나개발(불
입총액 3.1억 엔)은 정부현물출자 73.4%, 정부현금출자 8.1%, 민간현금
출자 14.1%, 중지나진흥(1.1억 엔)은 정부현물출자 79.0%, 정부현금출
자 9.9%, 민간현금출자 11.0%라는 구성으로 모두 정부현물이 70% 이
상을 차지하고 있다. 민간물자는 다수에게 분산되고 그 상위에는 재벌

자본이 모두 모여 있는데 북지나개발의 제2위주주인 만철의 출자비율이 2.3%, 제3위의 미쓰이 본사가 1.5%, 중지나진흥의 제2위 미쓰이 물산이 1.3%, 제3위 미쓰비시 본사가 0.8%인 것처럼 모두 낮은 수준이었다.

<표 12-8> 중지나진흥의 자금조달과 투융자 (백만엔, %)

		1939.12	1942.3	1945.3
자금조달	주식불입	37(83.9)	45(27.2)	111(2.0)
	사채	-(-)	100(60.3)	353(6.2)
	차입금	7(16.1)	21(12.5)	5,180(91.8)
	합계	44(100.0)	166(100.0)	5,644(100.0)
투융자	형태별	43(100.0)	171(100.0)	4,972(100.0)
	출자	34(79.7)	62(36.2)	144(2.9)
	융자	9(20.3)	109(63.8)	4,828(97.1)
	산업별	34(100.0)	62(100.0)	4,972(100.0)
	운수통신	19(56.2)	37(60.1)	2,493(50.1)
	전력	4(11.1)	6(9.6)	493(9.9)
	광업	4(13.1)	9(14.0)	1,249(25.1)
	기타	7(19.6)	10(16.3)	737(14.8)

자료 : 柴田善雅, 위의 논문, pp.166~167, 閉鎖機關整理委員會編, 『閉鎖機關とその特殊淸算』, 1954, pp.314~316.

일본으로부터의 주요 투자루트는 두 회사의 사채인수였고 북지나개발은 전체로 22.3억 엔의 사채를 발행하여 그 89.7%를 일본 국내에서 소화했고, 중지나진흥은 3.9억 엔을 발행하여 그 가운데 95.4%를 일본 국내에서 소화했다. 그 때문에 홍은을 간사로 하는 신디케이트은행단이 조직되었지만 예금부 등의 정부자금에 의한 인수가 전체의 3분의 1을 초과하고 있었다. 또 그 사이에 일본의 전체 사채발행 속에서 두 회사의 사채가 약 16%를 차지하고 있는 것도 주목된다. 만주와 비교하여 보면 점령지로서의 불안정성 때문에 투자자금의 현지조달기구가 미비하였기 때문에 태평양전쟁기에도 일본에 계속 의존하게 되었다고 말할 수 있다. 그러나 전쟁 말기에는 그것도 한계에 달하여 마침내 차입금 다음으로는 당좌대월에 대한 의존이 깊어졌다. 그 조달처는 흥은, 더 나아가서는 조선은행, 요코하마 정금은행의 현지지점이었고 단기성의 현지자금으로 고비를 넘겨가는 상황이 되었다. 일본으로부터의 공급액과 <표 12-7>・<표 12-8>의 1945년의 자금조달액 사이의 차이는 이렇게 하여 생긴 것이고, 이는 전쟁 말기에 인플레이션이 격심하였음을 말해 주고 있다.

다음으로 투융자활동에 대해서는 형태별로는 출자에서 융자로의 이동이 확인된다. 이것은 자금조달의 형태변화에 거의 대응하는 것으로 보인다. 산업부문별로는 동시에 운수통신이 최대이고 여기에 전력을 더한 하부구조사업부문에 대한 투융자가 90%를 차지하게 되고 공업부문은 극히 적었다. 만주와는 달리 공업화보다도 자원의 개발과 반출에 중점을 둔 정책의 반영이라고 생각된다. 태평양전쟁기에 들어서면 북지나제철, 화북질소비료, 화북경금속 등 생산확충계획의 일익을 담당해야 할 공업부문의 자회사가 신설되었지만 뚜렷한 실적을 올리지는 못했다.

전시기 중국본토투자의 특징을 만주와 비교하면서 요약하면 첫째로, 종합적 투자회사가 중요한 역할을 담당한 것은 공통적이고 만주에 준하는 체계적 개발의 의도가 있었다는 것을 알 수 있다. 둘째로, 자금조달면에서는 일본에 대한 의존도가 높고 점령지라는 지배의 형태에 규정되어 현지조달기구는 정비되지 않았다. 셋째로, 투자부문에서는 자원개발・반출에 편중하고 공업화에 대한 지향은 미약했다.

3. 남방

태평양전쟁전의 대(對)남방투자는 극히 소규모였고 일본의 대외투자에서 차지하는 비율 또는 남방의 외국투자 전체에서의 지위도 모두 낮았다. 1930년대 말을 대상으로 한 투자를 살펴 보면 총액은 4.4억 엔이고 네덜란드령 동인도, 말레이시아의 고무, 필리핀의 마닐라삼, 말레이시아의 철광 등을 중심으로 하고 업종별로는 농림수산업 54%, 광업 20%, 상공업 기타 26%, 지역별로는 네덜란드령 동인도 39%, 말레이반도 33%, 필리핀 18%라는 구성을 가지고 있다. 군사적 · 정치적 계기에 의존하여 확대하여 온 일본의 대외투자의 특질을 고려하여 보면 서구 식민지하의 남방으로의 투자는 소규모였다는 것은 당연하였다. 다만 1930년대 후반 남방자원확보를 목표로 한 광업투자가 급증하고 있다는 사실이 확인된다.

태평양전쟁의 시작과 함께 대남방투자는 폭발적으로 증가하였다. 남방 제 지역은 육군군정지구(필리핀, 말레이시아, 수마트라, 자바, 버마 등), 해군군정지구(셀레베스, 보르네오, 뉴기니아 등), 여기에 현지정권이 존속한 태국, 프랑스령 인도로 삼분되었지만 일본군의 직접점령지에는 접수 내지 신규개발의 광산, 공장, 농운, 교역 등의 제 사업의 경우, 만주와 중국본토에서 행한 종합적 투자회사를 통한 개발방식이 아닌, 군이 개별적으로 지정한 민간기업에 맡기는 형식이 채택되었다.

그 이유의 하나는 시기적으로 태평양전쟁기에 들어섰고 종래 방식의 결함이 드러나면서 각지에서 모두 국가자본이 전면에서 후방으로 후퇴하고 민간자본이 전면에 등장하는 추세에 있었다는 점을 들 수 있다. 다만 여기에다 남방이 광범위하고 다양한 지역의 집합이고 종합적 개발로 향하고 있다는 지리적 특수성, 다시 말하면 개별적 수탈의 대상이었지만 종합적 개발의 대상은 아니라는 위치를 부여받았다는 차이점도 고려해야 할 것이다.

이렇게 육해군지구를 통하여 지정을 받은 담당기업가는 1943년 7월까지 합계 727건에 달하고 재벌자본에서 중소자본까지 그 범위는 광범

위하였다고 볼 수 있다. 그 가운데에는 전전부터 진출한 기업도 포함
된다. 업종을 보면 석유를 특별한 것으로 취급하면서 광물자원개발에
중점을 두고 농·임·수산업의 경우에는 새로운 일본인 기업가의 진
출을 억제하였다. 어디까지나 남방은 그 자체 종합적 개발의 대상은
아니었고 대동아공영권 가운데 최하위의 위치에 있었다.

<표 12-9> 대남방투자의 지역별·업종별 구성(1944년) (백만엔, %)

	교역	공업	광업	농축산	임업	수산	운수	선박	항만창고	기타	합계
필리핀	68.3	181.0	205.1	17.1	36.5	20.0	-	26.5	-	-	554.7(15.5)
말레이시아	38.5	444.4	351.5	62.5	3.8	6.7	40.2	86.9	22.8	0.0	1,057.3(29.5)
북보르네오	4.2	16.8	6.5	12.0	7.0	7.2	-	8.2	-	-	61.8(1.7)
네덜란드령 동인도	125.1	340.2	198.9	146.4	49.1	37.8	113.8	81.7	67.0	3.9	1,163.8(32.5)
버마	52.0	120.0	16.3	-	85.6	20.3	-	9.3	-	-	303.5(8.5)
태국	152.9	7.7	1.8	-	-	0.9	3.4	4.2	3.9	8.4	183.3(5.1)
프랑스령 인도지나	89.8	16.8	5.8	28.1	31.1	1.4	8.1	15.8	1.1	4.8	202.8(5.7)
기타	-	2.2	7.1	4.9	10.8	6.5	7.0	1.1	13.2	-	52.7(1.5)
합계	530.6 (14.8)	1,129.2 (31.5)	793.0 (22.2)	271.1 (7.6)	223.8 (6.3)	101.0 (2.8)	233.7 (6.5)	233.7 (6.5)	108.0 (3.0)	17.1 (0.5)	3,579.9(100) (100)

자료 : 大藏省管理局編, 『日本人の海外活動に關する歷史的調査』, 通卷第
　　30冊, pp.233~234.
주 : 지역의 기타는 뉴기니아, 괌 등. 업종의 기타는 금융보험업 등.

그런데 무역면에서 서구를 대신할 수 없는 일본의 취약성, 더구나
군사적 열세에서 기인하는 해상수송력의 저하 때문에 이러한 극단적
인 자기중심적 남방경영은 얼마 있지 않아 난관에 직면하여 어느 정도
의 수정이 불가피하게 되었다. 그것이 1943년 5월 결정된 「남방갑지역
경제대책요강」이었고 중요자원의 대일공급과 함께 군의 현지자활, 현
지경제의 인플레이션 억제, 최저수준 확보를 위한 경공업육성을 목표
로 하였다. 그러나 그것은 남방이 대동아공영권에서 반쯤은 이탈할 수

밖에 없다는 것을 의미하였다.

이와 같은 정책전환을 포함하면서 대남방투자는 계속 증가하여 1944년 시점에서는 <표 12-9>와 같은 구성을 보이고 있다. 업종별로 보면 자원관계(광업, 농림수산업)와 함께 공업이 비교적 높은 비율을 차지하고 있고, 그 내용은 조선, 기계, 고무, 시멘트, 식품, 섬유 등 다양하였다.

이러한 투자활동에서 지금조달의 일면은 <표 12-10>에서 알 수 있다. 종합적 투자회사도 없고 현지자금조달기구도 없기 때문에 남방개발금고 차입금에 크게 의존하고 있었다. 남방개발금고는 남방점령지에

<표 12-10> 대남방투자의 자금조달 (백만엔, %)

	자금조달내역				남방개발금고 융자		투자자재원료내역		
	자기자금	남방개발금고 차입금	기타차입금	합계	복구개발대출	총액	내지	외지	합계
필리핀	94.3	346.3	113.7	554.7	630.3	1099.5	108.3	221.1	329.4(59.4)
말레이시아	249.8	582.3	225.2	1,057.3	696.5	787.1	139.0	470.0	609.0(57.6)
북보르네오	25.7	2.6	33.6	61.8	33.2	33.2	22.9	11.5	34.4(55.6)
네덜란드령동인도	329.8	415.7	418.7	1,163.8	399.5	587.9	310.5	364.1	674.5(55.6)
버마	47.0	147.5	108.9	303.5	283.9	533.2	27.3	192.0	219.4(72.3)
태국	64.2	3.0	116.0	183.3	-	-	22.3	19.7	42.0(22.6)
프랑스령인도지나	73.9	13.2	115.6	202.8	-	-	19.1	8.0	27.1(23.4)
기타	8.4	13.9	30.4	52.7	133.7	161.1	26.0	5.6	31.6(60.0)
합계	893.1 (24.9)	1,524.7 (42.6)	1,162.1 (32.5)	3,579.9 (100.0)	2,177.2 (68.0)	3,202.1 (100.0)	674.5 (34.3)	1,292.0 (65.7)	1,697.4(55.0) (100.0)

자료 : 大藏省管理局編, 『日本人の海外活動に關する歷史的調査』通卷第30
册, p237, p.239, p.241.
주 : 자금조달내역과 투자자재 원료내역은 1944년 상반기말, 남방개발금고
융자는 1945년 5월말 현재.
남방개발금고융자에서 네덜란드령 동인도는 수마트라와 자바, 기타는
해군지구.
투자자재 원료내역의 합계난의 괄호는 투자총액에서 차지하는 비율.

서의 장기자금공급을 목적으로 1942년 3월에 설립된 전액 정부출자의 특수금융기관이지만 1943년 4월부터 시작된 발권업무로 군사비 공급 기관화되고 격렬한 악성인플레이션을 가져온 원흉이었다. 이 점에 대해서는 자료상 불명한 부분이 많기 때문에 융자업무에 대해서는 소극적인 평가가 내려져 있지만 대남방투자에서 상당한 역할을 하였다고 생각된다.

덧붙여서 이 표에서 남방개발금고 융자액은 그 1년 정도 후 패전이 임박한 시기의 수치이고 동 금고의 융자총액은 215억 엔에 달하고 있다. 그 가운데 183억 엔은 일본본토 본금고분(태반이 군관계대상금)이고 나머지 32억 엔이 남방현지분이지만 그 가운데 68%가 복구개발대출에 충당되어 군관계대상금 5%, 외국정부 관계대출 9%, 대 은행대출 18%을 크게 상회하였다.

이상에서 본 것처럼 대(對)남방투자는 종합적 개발계획, 종합적 투자회사가 없다는 점, 자금조달을 군사비공급기관인 남방개발금고에 의존하지 않을 수 없었다는 점, 투자부문은 자원관련을 주안으로 하였음에도 불구하고 뒤에는 공업육성을 위한 투자가 불가피하게 되었다는 점을 특징으로 했다. 이를 만주, 나아가 중국본토와 비교해 볼 때, 남방은 대동아공영권 내에서 가장 주변부에 위치하고 있음을 알 수 있다.

4. 조선

조선은 농업식민지였고 이에 따라 투자루트는 총독부·특수금융기관(조선은행·조선식산은행·동양척식)·민간자본의 세 계통으로 구성되었다. 전시경제기에 들어서도 종합적 투자회사는 설립되지 않은 채 기존의 틀을 유지하면서 투자내용을 변화시켜 갔다. 만주·중국본토처럼 종합투자기관을 신설하지 않은 이유는 점령지와 같은 접수사업이 존재하지 않았다는 것, 일본의 한 지방으로 편입되어 독자의 경제개발계획을 갖지 않았다는 점 등 전체적으로 대동아공영권의 중심에 위치하고 있기 때문이라고 생각된다.

<표 12-11>에서 전시기 대조선투자의 특징을 살펴볼 수가 있다. 첫째로 투자총액은 1932~1937년 평균 1.6억 엔에서 1938~1941년의 2.6억 엔, 1942~1944년 15.3억 엔으로 급증하였다. 둘째로 시기에 따라 투자루트의 중심이 크게 변동하였다. 특히 중일전쟁기부터 태평양전쟁기에 걸쳐 특수금융기관의 역할이 급격히 하락하고 민간자본의 역할이 비약적으로 상승했다는 점을 들 수 있다.

<표 12-11> 대조선투자의 구성 (백만엔, %)

	1932~37	1938~41	1942~44
국고자금	181.7 (19.2)	526.3 (49.9)	1,121.6 (24.4)
특수금융기관	233.7 (24.7)	320.5 (30.4)	143.1 (3.1)
차입금	84.9	-60.6	-10.4
식산증권	97.1	221.3	38.8
동척	35.0	143.2	86.2
금련	16.6	16.6	28.6
민간자본	530.9 (56.1)	208.6 (19.8)	3,336.3 (72.5)
본점회사출자	147.7	101.7	1,204.0
본점회사투자	87.7	44.6	664.6
차입금	274.2	57.4	1,233.5
일반회사채	21.3	4.9	234.1
합계	946.3 (100.0)	1,055.4 (100.0)	4,601.0 (100.0)

주 : 國庫資金은 國債發行收入만 가리킴.
　　민간자본의 支店會社投資, 차입금은 특수금융기관을 제외한 집계.

각 루트의 내용을 개관해 보자. 우선 국고자금은 총독부 공채발행이었고, 그 중 많은 것은 종래와 마찬가지로 철도투자로 돌려졌다. 1944년 말의 공채발행총액 30.0억 엔 가운데 철도건설・개량비는 21.8억 엔으로 73% 정도의 비율을 차지했다. 더구나 전시기에는 신설건설보다도 기설선의 개량투자에 중점이 놓여졌지만, 이것은 일본과 만주·중국본토를 연결하는 육상수송력 증강을 의도하였던 것이었기 때문에 해상수송력의 감퇴에 따라 조선의 역할이 높아져 가고 있는 것을 말하고 있다.

특수금융기관루트는 ① 조선은행·조선식산은행의 차입금, ② 조선식산은행의 채권발행, ③ 동양척식의 대부, 주권·채권인수, ④ 금융조합연합회의 채권발행으로 구분된다. 중일전쟁기에는 ②·③이 커다란 의미를 갖고 있었으나 태평양전쟁기에 들어서면 전체적으로 그 의의는 급격히 하락하였다. 그러나 이것은 전시기 조선경제에서 특수금융기관의 지위가 하락했다는 것을 의미하지는 않고 조선현지자금의 동원이 진전된 결과 일본으로부터의 유입액이 감소하였다는 것을 말하고 있다. 이러한 자금조달면에서의 변동을 포함하면서 특수금융기관의 투융자액은 일관해서 계속 증가하고 그 중점은 농업관계에서 생산력 확충계획 관련 광공업부문으로 이동하였다.

식산은행대출금의 분야별구성을 보면 1938년에는 농림수산업 31%, 광공업 22%였지만 1939년에는 역전하여 1942년에는 23% 대 36%로 그 차이가 벌어졌다. 또 1942년 시점에서 산하기업 24개사를 포함하는 식산은행 콘체른을 형성하고 있지만 그 가운데 7개사가 중화학공업부문, 6개사가 광업부문이었다. 동척도 또 광업·전력 등으로의 융자를 늘리고 14개사 정도를 계열하에 포섭하였으며 그 가운데 5개사, 전력이 5개사에 이르고 있다. 상업금융을 주체로 한 조선은행도 1930년대 말에는 공업대출이 상업대출을 상회하였다.

민간자본루트에서는 태평양전쟁기에 들어 본점회사출자와 차입금이 크게 늘어나 조선의 전시공업화를 직접 뒷받침한 것을 알 수 있다. 다만 여기서도 특수금융기관의 경우와 마찬가지로 자금의 현지조달이 진전되었다는 점에 유의할 필요가 있고, <표 12-12>에서 보는 것처럼

1943년도의 산업자금(설비확장을 동반하는 사업자금) 조달의 경우 총 액 15.7억 엔 가운데 49%가 조선 내에서 조달되었다. 그리고 이 산업 자금의 70%가 전력·철강·경금속 등 생산력확충계획에 사용되었다.

<표 12-12> 조선의 산업자금조달(1943년도) (백만엔)

	생산력확충산업		군수산업		비계획산업		합계	
	조선외	조선내	조선외	조선내	조선외	조선내	조선외	조선내
내부자금	34.2	135.9	7.0	0.4	-	89.4	41.3	225.6
주금불입	198.5	90.7	-	-	51.4	58.1	250.0	148.7
사채	60.0	10.0	-	-	-	-	60.0	10.0
금융기관차입	322.7	166.3	25.0	-	18.6	167.0	366.3	333.3
기타차입	75.8	10.3	-	0.5	12.2	32.9	88.0	43.7
합계	691.3	413.1	32.0	0.9	82.2	347.4	805.6	761.4

자료 : 大藏省管理局編, 앞의 책, 通卷 第8卷, p.55.

이러한 투자활동의 결과 조선의 산업구조는 공업, 그것도 중화학공 업주축으로 바뀌고 회사자본금구성면에서도 공업과 전력업이 큰 비중 을 차지하게 되었다(<표 12-13>). 그리고 투자주체의 자본계통에 대해 서는 1941년 현재 산업설비자본의 투하비율추계에 의하면 일질계 26.6%(조선수력전기, 조선질소 등), 일산계 8.9%(일본광업 등), 미쓰비 시·미쓰이·스미토모계 8.9%(미쓰비시 광업, 동양경금속, 스미토모 광업 등)로 재벌계가 상위를 차지하고 동척계 8.1%(강계수력전기, 조선 무연탄 등), 식은계 7.5%(일본고주파중공업 등) 등의 국가자본계가 그 뒤를 이었다.

이와 같이 전시기의 대조선투자는 투자루트를 보면 종합적 투자회 사에 의하지 않고 기존의 틀을 유지하였으며 게다가 민간자본의 비중 이 크다는 것, 자본조달에서는 현지자금으로의 의존도가 높다는 것, 투 자부문에는 단순한 자원개발보다도 중화학공업에 중심이 놓여져 있다 는 것 등을 특징으로 한다. 모든 점에서 일본과의 근접성, 강한 결합성을 지적할 수 있다.

<표 12-13> 조선내 회사의 산업부문별구성 (백만엔,%)

	1937		1941		1944	
	사수	불입자본금	사수	불입자본금	사수	불입자본금
농림수산업	338	93.4(10.9)	409	113.3(6.2)	484	147.0(4.9)
광업	126	107.9(12.6)	212	312.2(17.2)	284	435.5(14.4)
공업	1,212	185.7(21.7)	1,725	486.8(26.8)	2,326	873.7(28.8)
전기·가스업	21	133.6(15.6)	22	374..7(20.6)	18	868.1(28.7)
운수·창고업	517	71.2(8.3)	502	165.5(9.1)	416	244.8(8.1)
은행·금융업	208	96.2(11.3)	196	127.3(7.0)	200	147.5(4.9)
상업기타	2,895	166.0(19.5)	3,196	235.5(13.0)	3,352	313.4(10.3)
합계	5,317	854.0(100.0)	6,262	1,815.2(100.0)	7,080	3,030.0(100.0)

자료 : 朝鮮銀行, 『朝鮮經濟年報』 1948年版, pp.III-186~189.

요약하면 일본을 중심으로 한 대동아공영권에서 조선은 가장 중심에 가까운 위치에 있었고, 중심부에서 주변부로 향하는 조선-만주-중국본토-남방이라는 서열이 성립했다.

제3절 대동아공영권의 무역동향

1. 개발과 수탈의 지역편성

전시기의 일본무역은 태평양전쟁기를 전후로 두 개의 시기로 구분된다. <표 12-14>에서 어느 정도 알 수 있는 것처럼 중일전쟁기는 구미 등 제3국으로부터의 수입에 의존하면서 엔블록지역으로의 수이출이 증가하는 양상을 보이고 있었다. 군수품·중공업품 수입은 구미에 크게 의존하는 한편, 자본수출과 연계해 현지의 물가등귀를 초래하여 엔블록으로 물자가 흐르는 회로가 형성되었기 때문이다.

<표 12-14> 일본의 대'공영권'무역의 지역별구성 (백만엔, %)

		무역총액	대만	조선	만주=관동주	중국본토	남방	합계
수이출	1937	4,189	6.6	17.6	14.6	4.3	10.4	53.5
	1938	3,939	8.3	23.4	21.6	7.9	5.6	66.8
	1939	5,163	6.9	23.8	25.0	8.8	4.7	69.2
	1940	5,378	7.4	24.6	22.1	12.7	5.7	72.5
	1941	4,349	8.0	31.1	23.7	14.5	7.2	84.5
	1942	3,479	9.4	39.1	28.5	15.0	6.6	98.6
	1943	3,038	9.6	36.9	26.2	16.5	9.6	98.8
	1944	2,189	5.5	35.1	28.9	22.3	7.3	99.1
수이입	1937	4,766	8.6	12.0	6.2	3.0	7.6	37.4
	1938	3,794	11.1	18.7	10.5	4.3	6.6	51.2
	1939	4,164	12.2	17.7	11.2	5.2	6.5	52.8
	1940	4,609	9.5	15.6	9.0	7.4	10.2	51.7
	1941	4,027	9.0	19.0	10.5	10.8	11.5	60.8
	1942	2,894	13.8	25.7	18.9	23.4	14.4	96.2
	1943	2,930	10.0	24.4	13.7	31.4	15.0	94.5
	1944	3,127	6.9	30.8	14.6	40.0	6.4	98.7

자료 : 『昭和國勢總覽(上)』, 東洋經濟新報社, 1980, pp.638～639, pp.642～643. 臺灣의 1943, 1944년은 『日本人の海外活動に關する歷史的調査』, 通卷 第14冊, p.8, p.15.

이 결과 외화결제를 필요로 하는 제3국 무역은 수입초과, 외화를 얻지 못하는 대(對)엔 무역은 수출초과가 되어 두 방면에서의 외화부족이 심각한 상태에 이르게 되었다. 일본, 엔블록에서는 외화문제로 인해 경제통제를 강화하는 것이 필요하게 되었고 이는 동시에 물동계획, 생산력확충계획을 제약하는 요인으로 등장하게 되었다.

태평양전쟁기에 들어서자 제3국 무역은 단절되고 무역의 대상지역은 대동아공영권으로 한정되었다. 이로써 외화문제는 소멸하고 이제는 수송력이 전시경제의 운행을 결정하게 되었다. 일본의 대외무역은 대상지역이 소멸하고 수송의 어려움이 갈수록 가중됨에 따라 1940년을 정점으로 급속히 축소하고 이윽고 붕괴하기 시작했다.

　이러한 국면전개 속에서 공영권 각 지역의 비중은 다음과 같이 변화해 갔다. 수이출면을 보면 중일전쟁기에는 조선, 만주의 비중이 크고 그 뒤를 이어 중국본토가 성장하고 있었다. 태평양전쟁기에는 전반적으로 규모가 축소해 가는 가운데 조선의 구성비가 한층 높아지고 만주, 중국본토가 그 뒤를 이었다. 수이입면에서는 중일전쟁기는 각지에 분산하는 경향이 있었지만 태평양전쟁기에는 조선, 나아가 중국본토의 상대적 지위가 높아졌다. 각 시기의 수이출입 전체를 보면 조선의 중요성을 확인할 수 있다.
　다음으로 지역별 무역수지를 <표 12-15>에서 보면, 몇 가지 점을 지적할 수 있다.

<표 12-15> 일본의 대'공영권'무역의 지역별수지 (백만엔)

연도	대만	조선	만주=관동주	중국본토	남방	합계
1937	-132	163	318	36	74	459
1938	-92	211	453	148	-33	687
1939	-152	493	824	240	-26	1,379
1940	-39	605	769	342	-161	1,516
1941	-14	584	607	196	-291	1,082
1942	-74	619	444	-154	-185	650
1943	-1	406	397	-419	-147	236
1944	-94	-195	177	-762	-41	-915

자료 : <표 12-14>의 자료에서 작성.

　첫째로, 일본의 수출초과 기조지역으로서는 조선, 만주를 들 수 있다. 이러한 지역은 군수편중이라고는 하나 자본수출로 인해 개발, 공업화가 일정하게 진전되어 시장적 의의가 증가하였다고 생각할 수 있다. 둘째로, 수입초과지역으로서는 대만, 남방을 들 수가 있다. 대만은 농업식민지로 역사적으로 일본에 식량을 공급하고 있었고 여기서 특히 주목되는 것은 남방의 자원공급지로서의 등장이다. 일본은 남방무역으로 단절된 구미무역을 대체할 수는 없었으며 공업품은 공급하지 않고 다만 자원을 수탈만 할 뿐이어서 물자부족, 악성인플레이션을 초래했다. 이 점에 남방이 대동아공영권의 주변부에 위치하는 '자원권'으로서 지역서열 최하위에 위치하고 있다는 것이 단적으로 드러나 있다. 셋째로, 중국본토는 중일전쟁기에는 수출초과지역이었지만 태평양전쟁기에는 입초지역으로 전환되었다. 이것은 중국본토가 만주에 준하는 개발・시장지역에서 남방과 비슷한 수탈지역으로 그 위치가 변화했다는 것을 시사하고 있다.

이상은 매우 대략적으로 본 것이고 무역품목에 대한 검토가 필요하다. 여기서 <표 12-16>, <표 12-17>로부터 주요 품목의 위치를 보자.

<표 12-16> 일본의 '공영권'지역으로의 주요수이출품 (천엔,%)

	1939년	1943년
대 만	기 계 류 39,971 (11.2) 비 료 37264 (10.4) 직 물 류 34745 (9.7)	기 계 류 29452 (8.7) 비 료 24689 (7.3) 철 류 18510 (5.5)
조 선	직 물 류 186236 (15.1) 기 계 류 158514 (12.9) 목 재 39184 (3.2)	방 직 품 211111 (18.6) 기 계 류 208727 (18.4) 화 학 품 119975 (10.6)
만주=관동주	기 계 류 275319 (21.3) 직 물 류 182921 (14.2) 금속제품 103416 (8.0)	기 계 류 161747 (20.3) 직 물 류 148872 (18.7) 의 류 65415 (8.2)
중국본토	기 계 류 71737 (15.8) 종 이 류 35460 (7.8) 직 물 류 28514 (6.3)	기 계 류 127751 (25.5) 종 이 류 72061 (14.3) 직 물 류 32951 (6.6)
네덜란드령 동인도	직 물 류 65307 (47.4) 사 류 22439 (16.3) 의 류 11618 (8.4)	직 물 류 19128 (34.5) 기 계 류 12078 (21.8) 약 품 류 6453 (11.6)

자료 : 大藏省, 『日本外國貿易年表』. 단지 대만의 1939년은 대만총독부 『臺灣貿易年表』, 1943년은 『日本人の海外活動に關する歷史的調査』 通卷 第14冊, pp.11~13(대만 수이입의 품목별구성). 조선의 1939년은 『日本

人の海外活動に關する歷史的調査』 通卷第7冊, pp.113～115. 1943년은
堀和生, 「植民地戰爭經濟の特質 - 1937～45年の朝鮮 - 」, 下谷政弘·長
島修編, 『戰時日本經濟の硏究』, 晃洋書房, 1992, p.260.

<표 12-17> 일본의 '공영권'지역으로부터의 주요수이입품 (천엔, %)

	1939년			1943년		
대 만	사 탕	230,466	(45.2)	사 탕	139,472	(34.8)
	쌀	127,299	(25.0)	쌀	67,182	(16.8)
	광·금속	37,780	(7.4)	광	17,621	(4.4)
조선	쌀	298,731	(40.5)	광·금속	292,090	(40.4)
	광·금속	90,488	(12.3)	곡 류	92,797	(12.8)
	비 료	53,228	(7.2)	수 산 물	85,017	(11.8)
만주=관동주	대 두	98,298	(21.0)	광·금속	113,766	(28.4)
	콩 깻 묵	95,019	(20.3)	대 두	62,002	(15.5)
	광·금속	58,827	(12.6)	비금속류	46,421	(11.6)
중국본토	석 탄	48,553	(22.5)	조 면	265,443	(28.8)
	조 면	46,802	(21.7)	석 탄	145,430	(15.8)
	광·금속	17,876	(8.3)	광·금속	114,193	(12.4)
네덜란드령 동인도	유 지 류	29,822	(41.6)	유 지 류	47,515	(47.6)
	고무·약재	20,503	(28.6)	고무약재	30,758	(30.8)
	광·금속	8,048	(11.2)	광·금속	15,806	(15.9)

자료 : 大藏省, 『日本外國貿易年表』. 단지 대만의 1939년은 대만총독부,
『臺灣貿易年表』. 1943년은 『日本人の海外活動に關する歷史的調査』
通卷 第14冊, pp.9～11(대만 수이입의 품목별구성). 조선의 1939년은
『日本人の海外活動に關する歷史的調査』 通卷 第7冊, pp.110～113.
1943년은 「植民地戰爭經濟の特質 - 1937～45年の朝鮮 - 」, p.261.

또 남방은 무역규모가 최대의 네덜란드령 동인도로 대표되고 있다.
수이출품의 구성은 기계류·직물류를 중심으로 하는 점에서는 어느
지역이나 거의 공통이다. 다만 일본에서 보는 경우 개발과 관계있는
기계류의 공급은 조선·만주가 중심이었고 생산력확충=공업화정책과
의 연계를 알 수 있다. 다른 한편 수이입품의 중심은 지역특성에 따라
자원(원료·식량)이었고 조선, 만주도 '자원권'적 측면을 갖추고 있다
는 사실을 확인할 수 있다.

　대동아공영권의 무역구조는 일본을 중심으로 각지를 방사선으로 연결하는 것이었기 때문에 역내상호교역은 그다지 많지 않았다.

　일본이 인플레이션의 파급을 두려워하여 정책적인 분단을 시도한 것도 영향을 미치고 있다. 그렇다고 해도 조선－만주간, 만주－화북간 등에는 역사적으로 교역관계가 형성되어 있었고, 만주에서 조선으로의 잡곡공급, 화북으로부터 만주로의 석탄·철광석공급 등은 각지의 전시경제의 운영상 필수불가결한 것이었다.

2. 자원공급의 영향

　우선 철광석에 대해서는 <표 12-18>에서 보면, 1941년을 정점으로 수이입이 감소하였다는 사실, 그 이유가 낙후된 말레이시아 및 중국본토 때문인 것으로 생각된다. 이에 대해 조선은 양적으로는 많지는 않지만 비교적 안정적인 공급지였다. 말레이시아, 중국본토의 감소는 수송의 곤란 때문이었고, 이미 본 것처럼 중국본토에는 소형 용광로에 의한 현지가공을 계획하고 있었다.

<표 12-18> 철광석의 대일공급량 (천톤, %)

연도	조선	만주	중국본토	네덜란드령동인도	수이입계 (a)	일본본토 생산	합계(b)	a/b
1937	302	2	596	1,633	3,313	602	3,915	84.6
1938	367	3	147	1,600	3,212	771	3,983	80.6
1939	401	12	686	1.937	4,949	836	5,785	85.5
1940	439	47	1,175	2,041	5,129	1,042	6,172	83.1
1941	766	52	2,626	1,193	5,677	1,268	6,944	81.8
1942	605	86	3,540	77	4,363	1,961	6,324	69.0
1943	235	3	218	2	464	2,630	3,094	15.0
1944	610	0	1,042	-	2,155	3,509	5,624	37.6
1945	124	3	63	-	202	1,121	1,323	15.3

　자료 :『昭和産業史』第3卷, 東洋經濟新報社, 1950, p.264.

선철에 대하여는 중일전쟁기에 큰 비율을 차지하였던 미국, 인도가
태평양전쟁기에는 모습을 감춘 반면 만주, 조선의 공급력이 증가했기
때문에 수이입량은 급감하지 않고 점감경향을 보였다(<표 12-19>).

<표 12-19> 선철의 대일공급량 (천톤, %)

연도	조선	만주	중국본토	인도	미국	수이입계(a)	일본본토생산	합계(b)	a/b
1937	135	213	5	284	410	1,130	2,308	3,438	32.9
1938	215	210	2	327	311	1,072	2,563	3,635	29.5
1939	221	352	-	299	32	928	3,179	4,107	22.6
1940	164	431	-	257	-	855	3,512	4,367	19.6
1941	138	553	2	77	6	784	4,173	4,957	15.8
1942	133	715	30	-	-	878	4,256	5,135	17.1
1943	269	265	50	-	-	584	4,032	4,616	12.7
1944	245	325	51	-	-	622	3,157	3,779	16.5
1945	32	52	48	-	-	133	977	1,110	12.0

자료 : 『昭和産業史』 第3卷, p.266.

앞의 <표 12-3>에서 본 것처럼 물동계획에서 만주의 역할은 매년
증가하였다. 이처럼 반제품이 조선, 만주에서 1944년까지 일정수준 공
급되었다는 점에서도 이러한 지역 공영권내에서 높은 서열을 차지하
고 있었다는 것을 말하고 있다.

석탄의 대일공급은 1940~41년을 정점으로 감소를 보이고 있다(<표
12-20>). 다만 최대공급지인 중국본토는 1942년에 최고조에 달하여 약
간의 차이가 있다. 화북의 강점결탄은 제철원료로서 중요하기 때문에
생산을 늘리기 위해 노력하였으나, 우선 장거리수송이 곤란하여 산지
저탄량이 증가하고 그 다음으로는 생산량 자체가 감소했다. 화북의 경
우 공급감소의 원인으로는 자재·노동력부족 등의 일반적 사정에 더
하여 치안의 악화가 중시되어야 한다.

<표 12-20> 석탄의 대일공급량 (천톤, %)

연도	조선	대만	사할린	만주	중국본토	프랑스령인도지나	수이입계(a)	일본본토생산	합계(b)	a/b
1937	590	288	1,048	1,926	1,440	785	6,185	45,258	51,443	12.0
1938	855	398	1,793	1,412	1,706	665	6,829	48,684	55,513	12.3
1939	1,009	214	2,421	818	2,942	554	7,992	52,409	60,401	13.2
1940	1,441	255	3,124	809	3,787	473	9,896	57,309	67,205	14.7
1941	1,078	39	3,311	686	4,119	352	9,582	55,602	65,184	14.7
1942	911	174	2,198	642	4,539	274	8,737	54,179	62,916	13.9
1943	496	5	1,650	602	3,389	75	6,219	55,539	61,758	10.1
1944	248	-	808	589	1,606	-	3,324	49,335	52,659	6.3
1945	43	-	-	75	179	-	312	22,335	22,647	1.4

자료 : 『昭和産業史』 第3卷, p.250, p.252.

　다음으로 석유인데, 군수부문이 불명하기 때문에 그것을 제외하고 <표 12-21>을 작성했다. 이 표를 보면 중일전쟁기에는 미국에 대한 의존도가 매우 높고, 그것을 네덜란드령 동인도가 보완하고 있는 것을 분명히 알 수 있다. 태평양전쟁기에 미국으로부터의 공급이 두절되어 네덜란드령 동인도가 독점적으로 공급하게 되었지만 미국부분을 보충하는 데는 미치지 못하고 공급량은 감소하지 않을 수밖에 없었다. 다만 군수용의 남방석유환송 실적의 수치를 보면 1942년 148.9만 킬로리터, 1943년 264.6만 킬로리터, 1944년 106.0만 킬로리터로 <표 12-21>을 훨씬 상회하는 공급량이 확보되었다. 여기서 남방「자원권」의 핵심적 역할을 찾아볼 수가 있지만 결국 이것도 해상수송력저하가 미치는 영향에서 벗어날 수가 없었다.

<표 12-21> 석유의 대일공급량 (천킬로리터, %)

연도	미국	네덜란드령 동인도	수이입계 (a)	일본본토 생산	합계(b)	a/b
1937	3,796	964	4,819	393	5,212	92.5
1938	3,155	717	3,919	392	4,311	90.9
1939	2,685	672	3,426	371	3,797	90.2
1940	2,910	1,159	4,357	335	4,692	92.9
1941	879	528	1,407	317	1,724	81.6
1942	-	618	618	269	887	69.7
1943	-	1,110	1,110	286	1,396	79.5
1944	-	209	209	262	471	44.4
1945	67	-	67	187	254	26.4

자료 : 日銀調査局, 『昭和五年以絳に於ける我國主要産業の趨勢』 1947(『日本金融史資料』昭和編, 第27卷, pp.501〜502)에서 작성.

끝으로 식량문제의 중요성을 생각하여 쌀의 공급량을 보기로 하자. <표 12-22>에 의하면 쌀의 수이입량은 1942년을 절정으로 이후 급감하고 있다. 공급지는 1939년까지는 조선, 대만에 한정되었지만 조선의 1939년의 흉작을 벌충하기 위해 1940년부터 프랑스령 인도지나, 태국,

<표 12-22> 쌀의 대일공급량 (천석,%)

연도	조선	대만	프랑스령인도지나	태국	버마	수이입계(a)	일본본토생산	합계(b)	a/b
1937	6,736	4,856	11	208	-	11,815	67,340	79,155	14.9
1938	10,149	4,971	0	-	-	15,271	66,320	81,591	18.7
1939	5,690	3,962	0	-	-	9,949	65,869	75,818	13.1
1940	395	2,784	2,929	1,893	2,802	11,505	68,964	80,469	14.3
1941	3,306	1,970	3,751	2,903	2,916	14,802	60,874	75,756	19.6
1942	5,235	1,702	5,559	3,387	268	16,151	55,088	71,239	22.7
1943	-	1,638	3,719	1,177	120	6,654	66,776	73,430	9.1
1944	3,500	1,300	-	-	-	5,295	62,887	68,182	7.8
1945	1,412	151	-	-	-	1,573	58,559	60,132	2.6

자료 :『昭和産業史』第3卷, p.684, p.694.

버마쌀이 대량 수입되었기 때문에 1942년까지 공급은 계속 증가하고
있었다. 이후 남방으로부터의 수입이 어려워지자 최후의 의지처로 조
선이 부각되었다.

　여기서 문제가 된 것은 조선농촌으로부터의 강제공출이었는데 대일
공급량을 반드시 확보해야만 했던 총독부 당국은 심지어 죽창을 들고
가택수색을 하고, 농가는 농가대로 갖은 방법을 동원하여 쌀을 감추는
기이한 광경이 벌어져 민심은 매우 흉흉하였다. 쌀의 공출은 조선의
공업화에 따라 도시노동자용 공급이 늘어났던 것도 하나의 원인이었
지만 조선의 1인당 쌀 소비량은 감소할 수밖에 없었다. 이리하여 식량
공출은 노동력의 공출과 함께 전시하 조선통치에서 최대의 걸림돌이
되었고 인심의 흐름은 염전 · 반전에서 패전으로 나아가게 되었다. 이
것이 대동아공영권의 계층서열상 상위에 놓여 있던 식민지 조선의 현
실이었다.

참고문헌

서장

고바야시 히데오 외/김응렬·서용석 외 옮김,『일본주식회사 - 관료지배구조의 기원과 형성』, 일신사, 1998.

고야시 노부유키/이승연 옮김,『동아·대동아·동아시아』, 역사비평사, 2005.

나카노 도시오/서민교·정애영 옮김,『오쓰카 히사오와 마루야마 마사오』, 삼인, 2005.

나카무라 마사노리/유재연·이종욱 옮김,『일본전후사 : 1945-2005』, 논형, 2006.

방기중·전상숙,「일본 파시즘인식의 혼돈과 재인식의 방향 - 최근 일본학계의 동향을 중심으로 -」, 방기중 편,『식민지파시즘의 유산과 극복의 과제』(연세국학총서 45), 혜안, 2006.

볼프강 쉬이더/최호근역,「20세기의 전시체제 - 독일, 이탈리아, 일본의 비교」,『사총』, 2002.

스즈키 마사유시/류교열 옮김,『근대일본의 천황제』, 이산, 1998.

정창석,「일본 근대성 인식의 한 양상-'근대의 초극'을 중심으로」,『일본역사연구』 vol.8, 1998.

허우성,『근대일본의 두 얼굴 : 니시다철학』, 문학과지성사, 2000.

히로마쓰 와타루/김항 옮김,『근대초극론』, 민음사, 2003.

安藤良雄,『太平洋戰爭の經濟史的研究』, 東京大學出版會, 1987.

井上晴丸·宇佐美誠次郞,『危機における日本資本主義の構造』, 岩波書店, 1951.

大內 力,『國家獨占資本主義·破綻の構造』, 御茶の水書房, 1983.

岡崎哲二·奧野正寬 編,『現代日本經濟システムの源流』, 日本經濟新聞社,

444

1993.

倉澤愛子 外編,『岩波講座 アジア・太平洋戦争 1：なぜ,いまアジア・太平洋戦争か』,岩波書店, 2005.

中村隆英,「『準戰時』から『戰時』經濟體制への移行」,近代日本研究會編,『年報・近代日本研究9：戰時經濟』,山川出版社, 1987.

野口悠紀雄,『1940年體制』,東洋經濟新報社, 1995(성재상역,『여전히 전시체제하에 있는 일본의 경제구조』, 비봉출판사, 1996).

森武麿,「戰時日本の社會と經濟-總力戰論をめぐって-」,『一橋論叢』 131-6, 2004.

原 朗 編,『日本の戰時經濟；計劃と市場』,東京大學出版會, 1995.

山田盛太郎,『日本資本主義分析』,岩波書店, 1934.

山之內靖 外,『總力戰と現代化』,柏書房, 1995.

Cohen, J.B., *Japan's Economy in War and Reconstruction*, University of Minnesota Press, 1949.

Young, L., *Japan's Total Empire*, University of California Press, 1998.

제1부

제1장

고바야시 히데오/임성모 옮김,『만철』, 산처럼, 2004.

김영숙,「만주사변후 동아시아 국제관계와 일소불가침조약 체결문제」,『일본역사연구』 vol.26, 2007.

리유핑,「은과 아시아 국제경제질서, 1933-1935：중국중심의 관찰」, 나카무라사토루・박섭 엮고 지음,『근대 동아시아 경제의 역사적 구조』, 일조각, 2007.

邵雲瑞・李文榮/박강 옮김,『일제의 대륙침략사』, 고려원, 1992.

유신순/신승하 외역,『만주사변기의 중일외교사』, 고려원, 1994.

임채성,「만철의 화북분리공작과 화북진출：철도운영을 중심으로」,『경제사학』, 2006

淺井良夫,「從屬帝國主義から自立帝國主義へ：外資導入を中心とした日本の對外經濟關係, 1895-1931」,『歷史學硏究』 vol.511, 1982.

伊香俊哉,『戰爭の日本史 22：滿州事變から日中全面戰爭へ』, 吉川弘文館, 2007.

石井寬治,「國際關係」, 大石嘉一郎 編, 『日本帝國主義史2：世界大恐慌期』,
　　　東京大學出版會, 1987.
臼井勝美, 『滿州事變』, 東京：中央公論社, 1974.
江口圭一, 『日本帝國主義史論』, 靑木書店, 1975.
大內 力, 『日本の歷史 24：ファシズムへの道』, 中央公論社, 1967.
小山弘健・淺田光輝, 『日本帝國主義史(1・2)』, 靑木書店, 1958.
小野一一郎・吉信肅 編, 『兩大戰間期のアジアと日本』, 大月書店, 1979.
木畑洋一,「危機と戰爭の20年」, 『岩波講座 世界歷史24』, 岩波書店, 1998.
副島昭一,「中國の不平等條約撤廢と『滿州事變』」, 古屋哲夫 編, 『日中戰爭
　　　史硏究』, 東京：吉川弘文館, 1984.
山崎隆三 編, 『兩大戰間期の日本資本主義(上・下)』, 大月書店, 1978.
野澤豊 編, 『中國の幣制改革と國際關係』, 東京大學出版會, 1981.

　　　제2장
미와 료이치/권혁기 옮김, 『일본경제사』, 보고사, 2004.
차명수, 「1927년 쇼와금융공황의 원인」, 『경제사학』 vol.30, 2001.
테사 모리스 스즈키/박우희 옮김, 『일본의 경제사상』, 솔, 2001.
伊藤正直, 『日本の對外金融と金融政策：1914-1936』, 名古屋大學出版會,
　　　1989.
岩田規久男, 『昭和恐慌の硏究』, 東洋經濟新報社, 2004.
中村隆英, 『昭和恐慌と經濟政策』, 講談社, 1994.
高橋龜吉, 『大正昭和財界變動史(中)』, 東洋經濟新報社, 1968.
長幸男, 『昭和恐慌』, 岩波書店, 1973.
三和良一, 『戰間期日本の經濟政策史的硏究』, 東京大學出版會, 2003.
山本義彦, 『戰間期日本資本主義と經濟政策：金解禁問題をめぐる國家と經
　　　濟』, 栢書房, 1989.
山本義彦, 『近代日本資本主義史硏究』, ミネルヴァ書房, 2002.
Drummond. M., *The Gold Standard and the International Monetary System 1900-1939*,
　　　Macmillan, 1987.
Metzler, M., *Lever of Empire：The International Gold Standard and the Crisis of Liberalism
　　　in Prewar Japan*, University of California Press, 2006.

　　　제3장

정진성, 「昭和恐慌期の石炭獨占組織の動搖 - 中小炭鑛業者による撫順炭輸入沮止運動とその歸結」, 『年報 近代日本研究13 : 經濟政策と産業』, 山川出版社, 1991.

정진성, 「重要産業統制法下における石炭獨占組織の市場統制政策」, 『社會經濟史學』 59-4, 1993.

岡崎哲二, 『日本の工業化と鐵鋼産業-經濟發展の比較制度分析』, 東京大學出版會, 1993.

木村隆俊, 『日本獨占資本主義成立史』, 靑木書店, 1978.

長島修, 『戰前日本鐵鋼業の構造分析』, ミネルヴァ書房, 1987.

奈倉文二, 『日本鐵鋼業史の研究』, 近藤出版社, 1984.

通商産業省 編, 『商工政策史 第17卷 : 鐵鋼業』, 1970.

東洋經濟新聞社編, 『昭和産業史』 第1卷, 1950.

橋本壽朗, 『大恐慌期の日本資本主義』, 東京大學出版會, 1984.

橋本壽朗·武田晴人 編, 『兩大戰間期日本のカルテル』, 御茶の水書房, 1985.

제4장

김지환, 「일인회상과 재화방」, 『일본역사연구』 vol.7, 1998.

김지환, 「만주사변기 중국의 일화배척운동과 재화일본인방직공업」, 『평화연구』, 2005.

小野征一郎, 「製絲獨占資本の成立過程」, 安藤良雄編, 『兩大戰間の日本資本主義』, 東京大學出版會, 1979.

籠谷直人, 「大日本紡績聯合會」, 橋本壽朗·武田晴人 編, 『兩大戰間期日本のカルテル』, 御茶の水書房, 1985.

高村直助, 『日本紡績業史序說(上·下)』, 塙書房, 1971.

高村直助, 「資本蓄積(2) : 輕工業」, 大石嘉一郎 編, 『日本帝國主義史 2 : 世界大恐慌期』, 東京大學出版會, 1987.

武田晴人 編, 『日本産業發展のダイナミズム』, 東京大學出版會, 1995.

東洋經濟新聞社編, 『昭和産業史』 第2卷, 1950.

西川博史, 『日本帝國主義と綿業』, ミネルヴァ書房, 1987.

林 健久 外, 『講座 帝國主義の研究 6 : 日本資本主義』, 靑木書店, 1973.

藤井光男, 『戰間期日本纖維産業海外進出史の研究 : 日本製絲業資本と中國·朝鮮』, ミネルヴァ書房, 1987.

山崎廣明, 「日本綿業構造論序說」, 『經營志林』 5-3, 1968.

제5장

미야모토 마타오 외/정진성 옮김, 『일본경영사』, 한울아카데미, 2001.

정진성, 「재벌가족과 전문경영자 - 전전의 일본 재벌을 중심으로」, 『한일경상
　　　　논집』 vol.12, 1996.

春日豊, 「三井財閥」, 麻島昭一 編, 『財閥金融構造の比較研究』, 御茶の水書
　　　　房, 1987.

四宮俊之 編, 『近代日本製紙業の競爭と協調』, 日本經濟評論社, 1997.

柴垣和夫, 『三井·三菱の百年』, 中央公論社, 1968

武田晴人, 『財閥の時代』, 新曜社, 1995.

東京大學社會科學硏究所 編, 『ファシズム期の國家と社會1：昭和恐慌』, 東
　　　　京大學出版會, 1978.

旗手勳, 『日本の財閥と三菱』, 樂游書房, 1978.

法政大學産業情報センタ-·橋本壽朗·武田晴人 編, 『日本經濟の發展と企
　　　　業集團』, 東京大學出版會, 1992.

三菱經濟硏究所 編, 『日本の産業と貿易の發展』, 三菱經濟硏究所, 1935.

宮島英昭, 「昭和恐慌期のカルテルと政府 - 重要産業統制法の運用を中心に
　　　　して」, 原朗 編, 『近代日本の經濟と政治』, 山川出版社, 1986.

제6장

박강, 「관동주에서의 일본아편정책-아편특혜제도를 중심으로-」, 『일본역사연
　　　　구』 vol.11, 2000.

오두환, 「만주에서의 조선은행의 역할」, 『경제사학』, 1998.

임성모, 「만주사변 70주년 기념학술대회발표논문, ‘국방국가’의 실험 : 만주국
　　　　과 일본파시즘」, 『중국사연구』, 2001.

淺田喬二·小林英夫 編, 『日本帝國主義の滿州支配』, 時潮社, 1986.

江口圭一, 『日本帝國主義史研究』, 靑木書店, 1998.

河合和男, 「朝鮮工業と日本資本」 姜在彦編, 『朝鮮における日窒コンツェル
　　　　ン』, 不二出版, 1985.

小林英夫, 「滿州金融構造の再編成過程」, 滿州史研究會編, 『日本帝國主義下
　　　　の滿州』, 御茶の水書房, 1972.

國家資本輸出研究會 編, 『日本の資本輸出』, 多賀出版, 1986.

志村嘉一, 『日本資本市場分析』, 東京大學出版會, 1969.

原 朗, 「“滿州”における經濟統制政策の展開」, 安藤良雄編, 『日本經濟政策史

448

(下)』, 東京大學出版會, 1976.

樋口弘, 『日本の對支投資研究』, 生活社, 1939.

柳澤 遊, 『日本人の植民地體驗: 大連日本人商工業者の歷史』, 靑木書店, 1999.

제2부

제7장

박강, 「중일전쟁 이전 중국의 마약확산과 일본정부의 태도」, 『중국사연구』, 2004.

박진우, 『일본근현대사』, 좋은날, 1999.

이형철, 『일본군부의 정치지배』, 법문사, 1991.

에드워드 베르/유경찬 옮김, 『히로히토』, 을유문화사, 1989.

한상일, 『일본의 국가주의』, 까치, 1988.

W.G. 비즐리/장인성 옮김, 『일본근현대사(개정3판)』, 을유문화사, 2004.

井上光貞 外 編, 『日本歷史大系17: 革新と戰爭の時代』, 山川出版社, 1997.

臼井勝美, 『新版 日中戰爭』, 中央公論社, 2000.

臼井勝美/송한용 역, 『중일외교사연구: 중일전쟁시기』, 선인, 2004.

大石嘉一郎 編, 『日本帝國主義史3: 第2次大戰期』, 東京大學出版會, 1994.

岡義武, 『近衛文麿』, 岩波書店, 1972.

加藤陽子, 『摸索する一九三〇年代: 日米開戰と陸軍中堅層』, 山川出版社, 1993.

藤原 彰・松本貞雄, 「太平洋戰爭論」, 木坂順一郎 編, 『體系日本現代史 3』, 日本評論社, 1979.

古屋哲夫, 『日中戰爭』, 岩波書店, 1985.

三輪公忠, 『松岡洋右』, 中央公論社, 1971.

吉田 裕・森 茂樹, 『戰爭の日本史 23: アジア・太平洋戰爭』, 吉川弘文館, 2007.

Beasley, W.G., *Japanese Imperialism: 1894-1945*, Oxford University Press, 1987.

제8장

赤木須留喜, 『近衛新體制と大政翼贊會』, 岩波書店, 1984.

柴垣和夫, 「「經濟新體制」と統制會 - その理念と現實 -」, 東京大學社會科學

研究所編, 『ファシズム期の國家と社會 2：戰時日本經濟』, 東京大學出版會, 1979.

中村隆英・原朗, 「經濟新體制」, 日本政治學會編, 『「近衛新體制」の研究』, 岩波書店, 1973.

原朗・武田晴人 編, 『日本經濟史4：戰時・戰後期』, 東京大學出版會, 2007.

松浦正孝, 『日中戰爭期における經濟と政治：近衛文麿と池田成彬』, 東京大學出版會, 1995.

松浦正孝, 『財界の政治經濟史：井上準之助・鄕誠之助・池田成彬の時代』, 東京大學出版會, 2002.

宮島英昭, 「戰時經濟統制の展開と産業組織の變容(二) - 國民經濟の組織化と資本の組織化 - 」, 『社會科學研究』 40-2, 1988.

宮島英昭, 「戰時經濟下の自由主義經濟論と統制經濟論 - 財界と經濟官僚」, 坂野潤治 外編, 『シリ-ス 日本近現代史3：現代社會への轉形』, 岩波書店, 1993.

由井常彦・大東英祐, 『大企業時代の到來』, 岩波書店, 1995.

제9장

明石照男・鈴木憲久, 『日本金融史 第3卷(昭和編)』, 東洋經濟新報社, 1958.

伊藤 修, 「戰時金融再編成」(上)・(下), 『金融經濟』 203, 204号, 1983, 1984.

伊藤 修, 『日本型金融の歷史的構造』, 東京大學出版會, 1995.

石井寬治 編, 『日本銀行金融政策史』, 東京大學出版會, 2001.

伊牟田敏充 編著, 『戰時體制下の金融構造』, 日本評論社, 1991.

柴田善雅, 「戰時會社經理統制體制の展開」, 『社會經濟史學』 58-3, 1992.

柴田善雅, 『戰時日本の特別會計』, 日本經濟評論社, 2002.

島崎久彌, 『円の侵略史-円爲替本位制度の形成過程』, 日本經濟評論社, 1989.

寺西重郎, 『日本の經濟發展と金融』, 岩波書店, 1982.

寺西重郎, 『工業化と金融システム』, 東洋經濟新報社, 1991.

神野直彦, 「'日本型'稅・財政システム」, 岡崎哲二・奧野正寬 編, 『現代日本經濟システムの源流』, 日本經濟新聞社, 1993.

日本銀行, 「滿州事變以後の財政金融史」, 『日本金融史資料 昭和編』 第27卷, 1970.

日本銀行, 「外資金庫」, 『日本金融史資料 昭和編』 第30卷, 1971.

日本銀行, 「特別円制度の現狀と將來」, 『日本金融史資料 昭和編』 第30卷,

450

1971.

林健久, 「ファシズム財政の原型 – 馬場鍈一藏相論 – 」, 東京大學社會科學研究所編, 『ファシズム期の國家と社會 2：戰時日本經濟』, 東京大學出版會, 1979.

吉野俊彦, 『日本銀行制度改革史』, 東京大出版會, 1962.

Okazaki Tetsuji, "Wartime Financial Reforms and the Transformation of the Japanese Financial System", E.Pauer ed., *Japan's War Economy*, Routledge, 1999.

제10장

アメリカ合衆國戰略爆撃調査團(正木千冬譯), 『日本戰爭經濟の崩壞』, 日本評論社, 1950.

雷新軍, 『日本の經濟發展における政府の役割』, 專修大學出版部, 2003.

木村隆俊, 『日本戰時國家獨占資本主義』, 御茶の水書房, 1983.

澤井 實, 「戰時統制經濟の展開と日本工作機械工業」, 『社會科學研究』 36-1, 1984.

下谷政弘・長島 修 編著, 『戰時日本經濟の研究』, 晃洋書房, 1992.

東洋經濟新聞社 編, 『昭和産業史』 第1卷, 1950.

長島 修, 『日本戰時鐵鋼統制成立史』, 法律出版社, 1986.

長島 修, 『日本戰時企業論序説』, 日本經濟評論社, 2000.

長島 修, 「戰時下の特殊鋼企業の展開：大同製鋼を中心に」, 下谷政弘 編, 『戰時經濟と日本企業』, 昭和堂, 1990.

畠山秀樹, 「戰時體制下における石炭産業：三井鑛山を中心に」, 下谷政弘 編, 『戰時經濟と日本企業』, 昭和堂, 1990.

林克也, 『日本軍事技術史』, 靑木書店, 1957.

山崎志郎, 「太平洋戰爭後半期における動員體制の再編 – 航空機増産體制をめぐって」, 『商學論集』 59-4, 1991.

吉田秀明, 「通信機器企業の無線兵器部門進出：日本電氣を中心に」, 下谷政弘 編, 『戰時經濟と日本企業』, 昭和堂, 1990.

吉田秀明, 「戰時期の電機市場と企業成長」, 下谷政弘・長島 修 編著, 『戰時日本經濟の研究』, 晃洋書房, 1992.

제11장

鄭安基, 「戰時期 鐘紡グル-プと鐘淵實業の設立」, 京都大學, 『經濟論叢』 151-1・2, 1997. ·

高村直助, 『日本紡績業史序說(下)』, 塙書房, 1971.

高村直助, 「綿業輸出入リンク制下における紡績業と産地機業」, 近代日本研究會, 『年報・近代日本研究 9:戰時經濟』, 山川出版社, 1987.

高村直助, 『近代日本綿業と中國』, 東京大學出版會, 1982(김지환역, 『일본기업의 중국진출』, 신서원, 2005).

坂本悠一, 「戰時體制下の紡績資本:東洋紡績の多角化とグル-プ展開」, 下谷政弘 編, 『戰時經濟と日本企業』, 昭和堂, 1990.

坂本雅子, 『財閥と帝國主義』, ミネルヴァ書房, 2003.

通商産業省編, 『商工政策史 第16卷, 纖維工業(下)』, 1972.

原朗・山崎志郎 編著, 『戰時日本の經濟再編成』, 日本經濟評論社, 2006.

山崎廣明, 『日本化纖産業發達史論』, 東京大學出版會, 1975.

渡辺純子, 「戰時經濟統制下における紡績企業の經營 - 東洋紡の事例について」, 東京大, 『經濟學論集』 63-4, 1998.

제12장

김경일, 「전시기 일본의 대동아공영권 구상과 체제」, 『일본역사연구』 vol.10, 1999.

金洛年, 「植民地期における朝鮮・日本間の資本流出入」, 『土地制度史學』 135号, 1992.

김봉식, 「태평양전쟁기 상회의 연구」, 『일본역사연구』 vol.7, 1998.

구라하시 마사나오/박강 옮김, 『아편제국 일본』, 지식산업사, 1999.

이헌창, 『한국경제통사(제3판)』, 법문사, 2006.

임성모, 「대동아공영권 구상에서의 '지역'과 '세계'」, 『세계정치』 26집 2호, 2005.

大場四千南, 『戰時期日本資本主義の戰略と組織』, 北樹出版, 2003.

倉澤愛子 外編, 『岩波講座 アジア・太平洋戰爭 7:支配と暴力』, 岩波書店, 2006.

後藤 靖・佐佐木隆爾・藤井松一, 『日本資本主義發達史』, 有斐閣, 1979.

小林英夫, 『大東亞共榮圈の形成と崩壞』, 御茶の水書房, 1975.

小林英夫, 『日本軍政下のアジア』, 岩波書店, 1993.

田中申一, 『日本戰爭經濟秘史』, コンピュ-タ・エ-ジ社, 1975.

朝鮮銀行史研究會 編,『朝鮮銀行史』, 東洋經濟新報社, 1987.
遠山茂樹・藤原彰・今井淸一/박영주 옮김,『일본현대사』, 한울, 1988.
中村隆英,『戰時日本の華北經濟支配』, 山川出版社, 1983.
原 朗,「"大東亞共榮圈"の經濟的實態」,『土地制度史學』71号, 1976.
疋田康行 編著,『「南方經濟圈」: 戰時日本の東南アジア經濟支配』, 多賀出
　　　　　版, 1995.
守屋典郎,『新版 日本資本主義發達史』, 靑木書店, 1969.
山本有造,『日本植民地經濟史研究』, 名古屋大學出版會, 1992.

찾아보기

근대 한국학 총서를 내면서

  새 천년이 시작된 지도 벌써 몇 해가 지났다. 식민지와 분단국가로
지낸 20세기 한국 역사의 와중에서 근대 민족국가 수립과 민족문화 정
립에 애써 온 우리 한국학계는 세계사 속의 근대 한국을 학술적으로
미처 정립하지 못한 채, 세계화와 지방화라는 또 다른 과제를 안게 되
었다. 국가보다 개인, 지방, 동아시아가 새로운 한국학의 주요 연구내
상이 된 작금의 현실에서 우리가 겪어온 근대성을 다시 한 번 정리하
고 21세기에 맞는 새로운 모습으로 탈바꿈시키는 것은 어느 과제보다
앞서 우리 학계가 정리해야 할 숙제이다. 20세기 초 전근대 한국학을
재구성하지 못한 채 맞은 지난 세기 조선학·한국학이 겪은 어려움을
상기해 보면, 새로운 세기를 맞아 한국 역사의 근대성을 정리하는 일
의 시급성은 아무리 강조해도 지나치지 않다.

  우리 '근대한국학연구소'는 오랜 전통이 있는 연세대학교 조선학·
한국학 연구 전통을 원주에서 창조적으로 계승하고자 하는 목표에서
설립되었다. 1928년 위당·동암·용재가 조선 유학과 마르크스주의,
그리고 서학이라는 상이한 학문적 기반에도 불구하고 조선학·한국학
정립을 목표로 힘을 합친 전통은 매우 중요한 경험이었다. 이에 외솔
과 한결이 힘을 더함으로써 그 내포가 풍부해졌음은 두말할 나위가 없
다. 연세대학교 원주캠퍼스에서 20년의 역사를 지닌 '매지학술연구소'

를 모체로 삼아, 여러 학자들이 힘을 합쳐 근대한국학연구소를 탄생시킨 것은 이러한 선배학자들의 노력을 교훈으로 삼은 것이다.

이에 우리 연구소는 한국의 근대성을 밝히는 것을 주 과제로 삼고자 한다. 문학 부문에서는 개항을 전후로 한 근대 계몽기 문학의 특성을 밝히는 데 주력할 것이다. 역사부분에서는 새로운 사회경제사를 재확립하고 지역학 활성화를 위한 원주학 연구에 경진할 것이다. 철학 부문에서는 근대 학문의 체계화를 이끌고 사회과학 분야에서는 학제간 연구를 활성화시키며 근대성 연구에 역량을 축적해 온 국내외 학자들과 학술교류를 추진할 것이다. 이러한 연구들은 일방성보다는 상호 이해와 소통을 중시하는 통합적인 결과물의 산출로 이어질 것이다.

근대한국학총서는 이런 연구 결과물을 집약적으로 정리하기 위해 마련하였다. 여러 한국학 연구 분야 가운데 우리 연구소가 맡아야 할 특성화된 분야의 기초 자료를 수집·출판하고 연구 성과를 기획·발간할 수 있다면, 우리 시대 연구자들뿐만 아니라 학문 후속세대들에게도 편리함과 유용함을 줄 수 있을 것이다. 새롭게 시작한 근대 한국학 총서가 맡은 바 역할을 충분히 할 수 있도록 주변의 관심과 협조를 기대하는 바이다.

연세대학교 원주캠퍼스 근대한국학연구소